Histoire du XXe siècle

1945 - 1973, le monde entre guerre et paix

Tome 2

Histoire du XXe siècle

1945 - 1973, le monde entre guerre et paix

Tome 2

Sous la direction de
Serge Berstein et **Pierre Milza**

Serge Berstein, Gisèle Berstein, Yves Gauthier, Jean Guiffan, Olivier Milza, Pierre Milza

initial

Sommaire

© HATIER, Paris, Août 1996. – ISBN : 2-218-**71565**-1

Reconstruction ou construction d'un nouveau monde

(1945-1953)

1re partie

CHAPITRE 1

La reconstruction économique et financière

En 1945, le système économique et financier mondial apparaît profondément désorganisé. Cependant, aux évidentes ruptures provoquées par la guerre se mêlent des éléments de continuité, tant en ce qui concerne ses différents acteurs publics et privés, États et entreprises, que leur hiérarchie et la nature des relations qu'ils entretiennent entre eux. Sous l'influence dominante des États-Unis, et aussi en grande partie sous l'égide de l'ONU, un nouvel ordre mondial s'édifie sur la base d'un libéralisme rénové qui imprègne la discipline monétaire comme les règles du commerce international. En parallèle, de puissantes entreprises capitalistes partagent désormais avec les syndicats et les pouvoirs publics la fonction d'animation de l'activité économique. Cette réorganisation permet un rétablissement relativement rapide de la production et des échanges. Mais dans un monde politiquement divisé et économiquement hétérogène, la reconstruction libérale ne parvient pas à briser toutes les barrières qui cloisonnent durablement l'économie mondiale.

Continuités et ruptures de l'après-guerre

L'économie et les finances mondiales apparaissent complètement désorganisées puisque la plupart des pôles naguère actifs sont sinistrés et que les relations se trouvent profondément perturbées, ne serait-ce que par la destruction des principales marines marchandes pendant la guerre.

• L'écart entre les pays industriels et les pays neufs

La prédominance des pays industrialisés se maintient. Chez les grands belligérants européens, si les destructions de toutes sortes ont incontestablement entraîné une paralysie provisoire de l'activité économique, elles n'ont pas, dans la plupart des cas, profondément entamé les forces productives. Les commandes d'une guerre au caractère industriel très affirmé ont même réveillé des secteurs en crise depuis 1929 comme le textile, la métallurgie ou la chimie ; une étape décisive a d'autre part été (douloureusement) franchie dans la connaissance et l'utilisation de l'énergie atomique. Globalement, le potentiel industriel de 1945 excède celui de 1939 en dépit des bombardements massifs et de la pauvreté des populations. L'avance acquise par les pays développés depuis la première révolution industrielle reste entière et, si la reconstruction s'impose bien comme un impératif urgent, elle ne part pas de rien : 1945 n'est pas une « année zéro ».

En contrepartie, les pays moins développés n'ont que partiellement comblé leur retard. Certes, en éliminant pratiquement la concurrence des pays industrialisés et en multipliant les besoins de produits divers, la guerre a procuré aux économies neuves des opportunités de croissance. Au demeurant, la part des pays non industrialisés dans les exportations mondiales atteint 35 % en 1948 contre 28 % en 1937. Les principaux bénéficiaires (dominions britanniques, Mexique, Brésil, Argentine) ont pu ainsi accumuler des devises fortes et accentuer un processus d'industrialisation déjà amorcé dans les années 30. Cependant, la situation de la plupart des régions sous-développées du monde reste très précaire. Même l'Amérique latine relativement évoluée conserve une structure économique caractérisée par la prépondérance des activités agricoles et une situation financière dominée par l'omniprésence du capital nord-américain et la toute-puissance du dollar. Quant aux continents asiatique et africain qui ont joué dans le conflit mondial un important rôle stratégique, leurs économies sont restées soumises aux intérêts des grands belligérants européens et japonais. Le puissant mouvement de décolonisation qui s'amorce au lendemain de la guerre, plus précocement en Asie et au Moyen-Orient qu'en Afrique, contribue davantage à miner un peu plus la puissance déclinante des métropoles européennes qu'à résoudre dans l'immédiat les problèmes que pose le sous-développement.

• Le reclassement des pôles dominants

Les données géopolitiques de la guerre ont joué au détriment des vieilles économies européennes et au profit des États-Unis dont la prospérité éclate en 1945. Dans une Europe déchirée, vainqueurs et vaincus confondus doivent tout à la fois relever leurs ruines matérielles, retrouver l'équilibre de leurs finances extérieures, rétablir la solidité de leurs monnaies rongées par l'inflation, recréer un consensus social compromis par les «règlements de comptes» qui ont suivi la Libération. Détruite et ruinée au point de se retrouver sans moyens de paiement internationaux (le *dollar-gap*), l'Europe en est réduite, pour démarrer sa reconstruction, à solliciter une aide extérieure qui ne peut guère venir que des États-Unis. Il n'est pas surprenant dans ces conditions que le vieux continent subisse un recul considérable de son influence internationale. L'Europe occidentale cesse d'être le pôle organisateur du commerce mondial dont elle fournit cependant encore 37% des exportations en 1948 (mais 46% en 1937). La grande devise européenne qu'est la livre sterling a perdu tout crédit face au dollar comme le démontre l'échec de la tentative de retour à la convertibilité externe de juillet-août 1947. Bien que les placements en livres sterling restent très importants dans le monde, cette expérience malheureuse a démontré que leurs détenteurs sont prêts à les échanger contre des dollars à la première occasion. Dès lors, condamnée à une convertibilité durable, la devise britannique n'est plus en mesure de jouer un rôle actif dans les transactions internationales au dehors de la zone sterling.

L'irréversible poussée du mouvement de décolonisation achève, par ailleurs, d'affaiblir durablement le rayonnement mondial de l'Europe.

La concurrence japonaise, exacerbée par les difficultés de l'entre-deux-guerres au point de susciter l'inquiétude et la défiance des milieux d'affaires occidentaux, se trouve après 1945 éliminée pour aussi longtemps que le souhaiteront les vainqueurs nord-américains qui occupent l'archipel nippon (« proconsulat» du général MacArthur). Le Japon voit en effet son industrie anéantie au lendemain de sa défaite, par la volonté même des États-Unis qui exercent une véritable tutelle sur l'archipel; les grands *zaïbatsu* qui avaient fait la puissance nippone sont dissous, et la production industrielle (surtout l'acier) est soumise à un contingentement sévère.

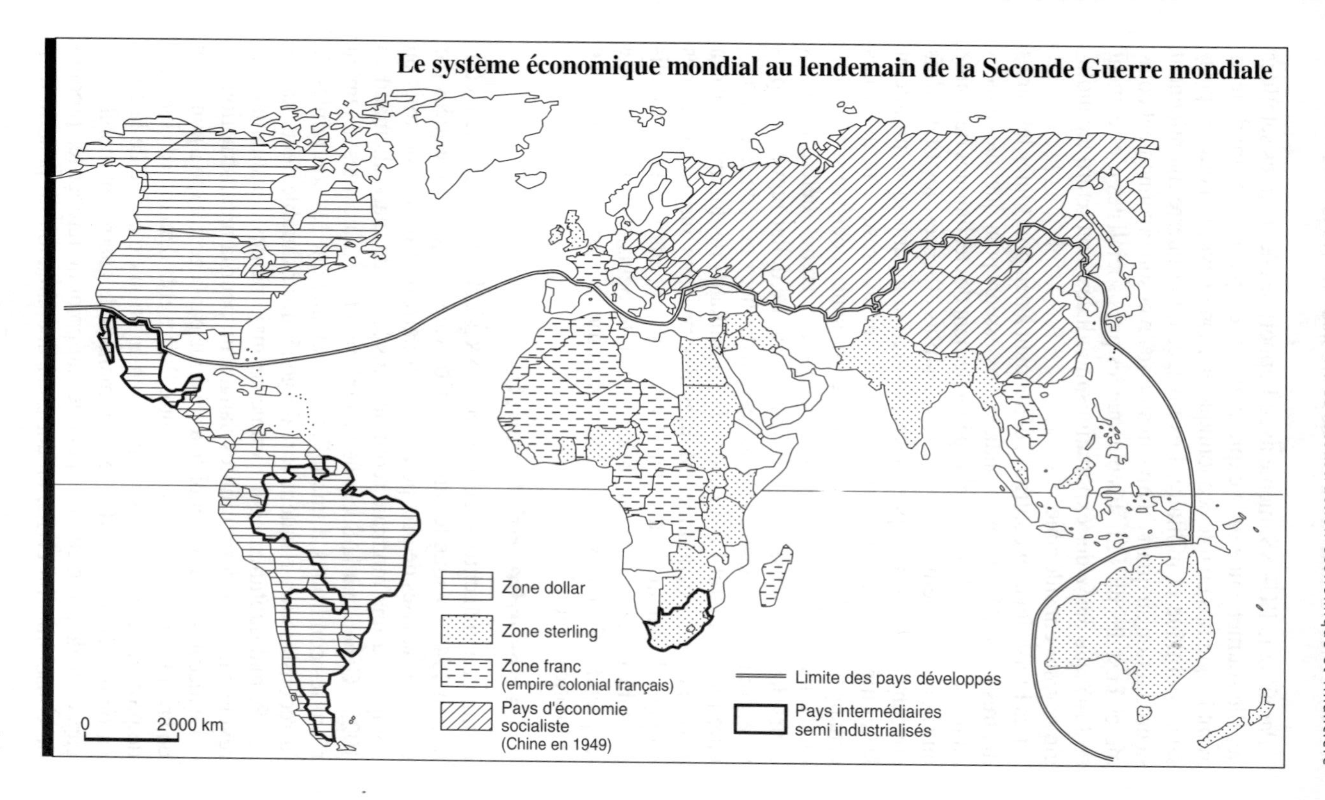
Le système économique mondial au lendemain de la Seconde Guerre mondiale
Zone dollar
Zone sterling
Zone franc
(empire colonial français)
Pays d'économie
socialiste
(Chine en 1949)
Limite des pays développés
Pays intermédiaires
semi industrialisés
0
2000 km

Par ailleurs l'URSS, même avec l'apport des économies satellites qu'elle soumet à une rude exploitation, n'est pas en mesure de tenir avant longtemps un rôle économique en rapport avec sa nouvelle puissance politique et militaire. Les ravages de la guerre maintiennent sa production au quart du niveau américain et son rayonnement commercial est des plus limités puisque les pays socialistes n'effectuent en 1948 que 3,6 % des exportations mondiales; son retard technologique reste considérable.

Les États-Unis, au contraire, détiennent à peu près toutes les cartes maîtresses de l'économie mondiale. Possesseurs pour quelques années du monopole nucléaire et plus généralement des techniques de pointe ainsi que des méthodes de gestion les plus efficaces, les États-Unis concentrent aussi une puissance productive gigantesque qui atteint la moitié de la capacité mondiale. Assurant presque le quart des échanges mondiaux, ils exercent une influence décisive sur le commerce international dont ils contrôlent les marchés, déterminent les cours directeurs, assurent le financement. Le dollar règne sans partage, doublement gagé par la possession des deux tiers du stock monétaire mondial (soit l'équivalent de 20 milliards de dollars) et par la puissance de l'économie. Maîtres des produits industriels et des moyens de paiement, les États-Unis disposent aussi de la survie alimentaire d'une grande partie de l'humanité. Seuls, ils sont en mesure de prendre l'initiative de la réorganisation du système économique et financier mondial.

• Le désordre inflationniste

L'inflation, mal chronique du second XXe siècle, n'est pas une inconnue en 1945 puisque les années 1920 avaient déjà été marquées par de fortes hausses de prix pouvant aller parfois jusqu'à la destruction complète d'une monnaie (comme dans le cas du mark allemand en 1923). Cependant la Seconde Guerre mondiale a incontestablement réuni les conditions d'une inflation soutenue que les contraintes de la reconstruction risquent fort de généraliser durablement. La vie chère, mal quotidien pour l'immense majorité des consommateurs, révèle aussi des déséquilibres dangereux pour la reconstruction.

Le mécanisme inflationniste a été armé par la guerre qui a pour effet de créer un grave déséquilibre entre l'offre et la demande de biens, et de provoquer parallèlement une augmentation excessive de la circulation monétaire. En effet, les commandes de guerre ont mobilisé les capacités de production disponibles au point de raréfier les produits de consommation civils, créant ainsi une situation de pénurie dans laquelle la demande exerce une pression favorable à l'augmentation des prix. Comme par ailleurs l'État accepte, pour financer les dépenses du conflit, un déficit budgétaire partiellement comblé par de la création monétaire sans contrepartie économique (c'est le recours à la «planche à billets»), les moyens de paiement excèdent vite la masse nécessaire à l'écoulement de la production, ce qui libère les potentialités inflationnistes contenues dans le déséquilibre entre l'offre et la demande. Simultanément, l'accroissement des importations que requiert l'effort de guerre engendre, en l'absence d'exportations équivalentes, des déficits extérieurs qui conduisent à l'endettement et à la dépréciation de la monnaie, qui n'est qu'une façon différente d'exprimer l'inflation.

Après 1945, les hausses de salaires, socialement justifiées, octroyées à la Libération, les charges de reconstruction financées par le budget, le recours aux produits étrangers pour pallier les pénuries les plus criantes contribuent à entretenir les mécanismes inflationnistes au point que les prix continuent d'augmenter de 20 à 50 % par an selon les produits et les pays. En 1950-1951 la guerre de Corée relance encore une inflation mondiale qui commençait à s'apaiser.

La poussée inflationniste nuit à l'effort de reconstruction. Certes la hausse généralisée des prix et des salaires masque artificiellement les inégalités sociales; elle permet surtout de financer la reconstruction par l'emprunt dans la mesure où les remboursements de la dette se trouvent allégés par la dépréciation monétaire, contrepartie de l'inflation. Cependant, elle décourage l'investissement productif au profit de la spéculation sur des valeurs refuges économiquement stériles (or, bijoux, tableaux) ou sur des produits qui permettent des gains substantiels et rapides sur le «marché noir». D'autre part, les écarts d'inflation entre les pays, qui s'étalent de 1 à 20 ou même 30, interdisent le rétablissement durable des circuits commerciaux et financiers internationaux et justifient le maintien de l'inconvertibilité des monnaies entre elles. Il n'est pas jusqu'à la paix sociale, si nécessaire à l'effort de reconstruction, qui ne soit menacée lorsque les salariés découvrent que la hausse des prix annule rapidement les augmentations salariales. Du producteur au consommateur, chacun anticipe sur l'inflation qu'il escompte, contribuant ainsi à activer durablement le phénomène. La reconstruction impliquait donc une réduction préalable de l'inflation. Les moyens d'action ne manquaient pas, du prélèvement fiscal exceptionnel au nom de la solidarité nationale à la compression pure et simple de la masse monétaire opérée à la faveur d'un échange des billets en circulation. Il fallait encore pouvoir faire accepter ces mesures draconiennes par des sociétés qui sortaient de la guerre traumatisées et se montraient très inégalement disposées à supporter de nouvelles restrictions.

Un nouvel ordre économique mondial

• Un capitalisme libéral rénové

Pour sortir du chaos des lendemains immédiats de la guerre, il fallait mettre sur pied de nouvelles institutions capables de rétablir un ordre international stable et durable. Cette reconstruction juridique fut rondement menée sous la pression des États-Unis et de leurs alliés occidentaux, l'URSS ne pouvant de toute évidence accepter que du bout des lèvres une construction conforme aux canons du libéralisme.

Dès 1941, dans la charte de l'Atlantique, les Alliés avaient tenu à réaffirmer contre le nazisme les grands principes de liberté en matière de navigation, de transactions internationales et d'accès aux sources de matières premières. Ils souscrivaient ainsi, au moins formellement, aux thèses libérales particulièrement répandues aux États-Unis selon lesquelles le dirigisme protectionniste des années 30 avait engendré les tensions qui conduisirent inéluctablement à la guerre. En 1945, ces principes libéraux bénéficient de l'influence dominante des États-Unis et coïncident en même temps avec les intérêts bien compris de l'économie américaine. En effet, l'énorme production nationale réclame de vastes marchés extérieurs aussi ouverts que possible pour s'écouler sans heurts, le risque d'un goulot d'étranglement étant toujours redouté depuis les crises de 1921 et de 1929. D'autre part, très conscients de leur position créancière à l'égard du reste du monde, les banquiers américains comme le Trésor fédéral souhaitent logiquement être remboursés dans des monnaies qui auront conservé l'essentiel de leur valeur. C'est pourquoi le nouveau système économique international, élaboré au lendemain de la guerre porte nettement la marque du parrainage de Washington.

• Le système monétaire international de Bretton Woods

Le SMI défini à Bretton Woods en juillet 1944 à partir d'un plan présenté par le représentant américain White se révèle conforme aux principes posés ci-dessus. Reprenant la pratique du *Gold Exchange Standard*, il préconise le retour dans les meilleurs délais à la libre convertibilité de toutes les monnaies entre elles et avec le dollar, devise clé du nouveau système que les responsables américains s'engagent à convertir en or sur la base de 35 dollars l'once. La libre convertibilité conditionne effectivement la reprise du commerce international, tandis que la référence à l'or privilégie la seule monnaie gagée par la possession de réserves importantes de métal précieux. L'accord de Bretton Woods instaure parallèlement un régime de parités fixes entre les monnaies du système, avec tolérance d'une marge de fluctuation réduite à plus ou moins 1 % de la parité déclarée, discipline qui constitue une garantie contre les fluctuations excessives, génératrices de risques de change insupportables.

Un Fonds monétaire international (FMI) est créé pour gérer le nouveau système et veiller au respect des règles établies à Bretton Woods. Chaque pays membre y verse un quota (un quart en or et trois quarts en monnaie nationale) proportionnel à son importance économique et en contrepartie duquel il pourra obtenir ensuite une aide en devises pour équilibrer sa balance des paiements. L'importance des quotas versés détermine l'influence de chacun des membres dans les votes du FMI, ce qui avantage donc les plus puissants d'entre eux. Le Fonds peut autoriser les dévaluations dont le taux excède 10 % ; il décide les augmentations de quotas ; il aide les pays en difficulté sous condition d'un rétablissement rapide de leurs équilibres fondamentaux par une saine gestion.

Tel quel, le nouveau système monétaire apparaît harmonieux dans la mesure où il distribue équitablement les obligations entre les membres ; il est pourtant asymétrique car toutes ne sont pas aussi faciles à remplir. Pour les responsables américains, il s'agit essentiellement de préserver la parité-or du dollar, donc de maintenir une relation raisonnable entre les réserves de Fort Knox et la masse des billets verts en circulation, tâche qui ne paraît pas très compliquée, au moins au début de la période. Pour les gestionnaires des devises périphériques qui ne peuvent accéder à l'or que par l'intermédiaire du dollar, les choses paraissent moins simples. Ils doivent en effet restaurer les conditions économiques d'un retour à la convertibilité externe de leur monnaie, objectif qui ne pourra être atteint qu'au terme d'une dizaine d'années d'efforts ; ils devront ensuite assurer une défense permanente de leur parité déclarée, le plus souvent au prix d'une sévère austérité financière.

• Le GATT

Le *General Agreement on Tariffs and Trade* (GATT) constitue le second pilier de la libéralisation des relations économiques. Limité à un simple accord signé à Genève en 1947 par la vigilance du Congrès américain hostile à toute organisation par trop contraignante, il préconise le désarmement douanier dans le respect de la réciprocité des avantages consentis, selon le principe déjà ancien de la clause de la nation la plus favorisée. Les pratiques commerciales déloyales telles que le *dumping* sont condamnées mais souvent difficiles à démasquer; d'ailleurs le GATT tolère de nombreuses dérogations et clauses de sauvegarde pour tenir compte des situations économiques particulières qui justifient fréquemment des mesures de protection. Il s'agit donc avant tout d'un cadre de négociation fondé sur un code de bonne conduite, suffisamment souple pour susciter dès sa création l'adhésion de 23 pays assurant ensemble 80% du commerce mondial.

• Le patronage de l'ONU et ses limites

Dès sa création, en juin 1945, l'Organisation des Nations unies coiffe de son autorité juridique le nouvel édifice de l'ordre économique et financier international. De façon exemplaire, l'Administration des Nations unies pour le secours et la reconstruction (organisme dont les initiales anglaises sont UNRRA), a consacré à sa mission plus de 1 milliards de dollars et fourni aux populations sinistrées plus de 20 millions de tonnes de produits de première nécessité (nourriture, vêtements, médicaments...), les seuls États-Unis prenant à leur charge les deux tiers du coût de cette aide d'urgence.

Très majoritairement acquis au libéralisme, ses fondateurs ont aussi une conception large et approfondie des relations internationales. Ils considèrent qu'à l'égal des actions de nature politique la coopération économique entre les États constitue non seulement un facteur de développement mais aussi une garantie du maintien de la paix qui est leur objectif essentiel. C'est pourquoi l'ONU comporte un Conseil économique et social (ECOSOC) qui, en liaison avec plusieurs organismes spécialisés, a pour mission de promouvoir le développement économique et social. Le Fonds monétaire international compte au nombre des institutions rattachées à l'ONU ainsi que la Banque internationale pour la reconstruction et le développement (BIRD) particulièrement vouée au financement des grands programmes d'investissement qu'implique la reconstruction. Progressivement d'autres organismes interviennent dans des domaines divers, comme la FAO, Organisation pour l'alimentation et l'agriculture, ou encore l'OIT, Organisation internationale de travail compétente pour les questions sociales. Enfin, par sa nature même, l'ONU se présente comme un forum à vocation universelle où les problèmes économiques ne manqueront pas d'être largement débattus.

• Vers un capitalisme ordonné

Les nécessités de la reconstruction dans un contexte de guerre froide prolongent l'exigence d'organisation rationnelle de l'économie que le conflit mondial avait déjà imposée au nom de l'efficacité militaire. Les dirigeants politiques issus de la Résistance se veulent porteurs d'une volonté de rénovation d'un capitalisme profondément ébranlé par la grande dépression des années 30. Souvent influencés par les théories socialistes, ils ne sont pas hostiles à une certaine dose d'interventionnisme qui leur semble une garantie de bon fonctionnement des mécanismes économiques en même temps que d'équité sociale. L'idée s'impose que le libéralisme doit désormais être ordonné, encadré par les lois de l'État et soumis à l'arbitrage des pouvoirs publics. Si la propriété privée des moyens de production et le rôle prépondérant de l'initiative individuelle ne sont pas fondamentalement remis en question, trois caractères apparus au cours du siècle s'affirment néanmoins de plus en plus nettement et confirment la mutation du capitalisme : le triomphe de la grande entreprise, le rôle accru de l'État, l'intervention croissante des syndicats dans la vie économique et sociale.

Les grandes entreprises au statut de société anonyme naguère tenues en suspicion par les syndicats ouvriers comme par les petits patrons et par l'État ont démontré leur efficacité pendant la guerre. Elles semblent les plus aptes à mobiliser leur puissance au service de la reconstruction afin de vaincre rapidement la pénurie. Certes, le rôle des petites et moyennes entreprises demeure partout considérable, mais il n'est pas douteux que la structure des grandes économies évolue irréversiblement vers un état d'oligopoles caractérisé par le fait que quelques unités peu nombreuses se partagent le contrôle de l'industrie, de la finance et du commerce, parfois même de l'agriculture.

La grande entreprise prend alors des traits distinctifs acquis au cours d'un long processus de concentration technique et financière. Elle se distingue par la masse de ses capitaux, par l'importance de son chiffre d'affaires, par l'ampleur des effectifs qu'elle emploie. Elle s'affirme comme un centre de pouvoir qui influence de manière décisive l'investissement, la production, la vie sociale, les échanges, et parfois aussi la décision politique par les pressions qu'elle est en mesure d'exercer sur les parlements ou les gouvernements (le rôle des *lobbies* aux États-Unis). Les grandes entreprises ne limitent d'ailleurs pas leur action à leur pays d'origine; elles élaborent déjà des stratégies qui dépassent largement les frontières de l'État et en font des acteurs à part entière des relations économiques internationales. Le mouvement d'internationalisation de leurs activités qui s'était fortement ralenti depuis 1930 manifeste une reprise vigoureuse par la création de filiales à l'étranger dès la période de reconstruction. Le règne des sociétés multinationales s'annonce dès l'aube des années 50.

L'intervention de l'État dans la vie économique et sociale, tout à fait contraire à l'esprit même du libéralisme pur, est elle aussi mieux acceptée par l'opinion depuis la crise de 1929 et la guerre. Pourquoi en effet les pouvoirs publics, qui ont engagé la lutte contre le chômage dans les années 30 puis orchestré la mobilisation de l'économie pendant 5 ans, ne seraient-ils pas en mesure d'élaborer et de conduire des stratégies de reconstruction alors même que les progrès de la science économique, accomplis notamment depuis Keynes, les rendent capables d'actions plus cohérentes et efficaces ? C'est d'abord en utilisant systématiquement les moyens classiques du contrôle de la monnaie et du budget que les gouvernements entendent maîtriser la conjoncture économique. L'acceptation délibérée du déficit budgétaire devient ainsi une méthode couramment utilisée pour relancer une activité économique défaillante *(deficit spending),* tandis que la manipulation de la masse monétaire dans le sens de l'expansion ou de la contraction permet, selon les cas, de stimuler ou de refroidir la conjoncture. C'est par un dosage subtil de ces actions opposées que les pouvoirs publics s'efforcent dès 1946 de financer la reconstruction tout en jugulant les tensions inflationnistes.

Parallèlement, les États étendent considérablement le champ de leur puissance en matière économique. Tous, même les plus fidèles au libéralisme comme les États-Unis ou l'Allemagne occidentale, prélèvent (essentiellement par l'impôt) entre le quart et le tiers du produit national, énorme trésor mis au service des politiques économiques et sociales. L'État intervient plus directement encore grâce à la multiplication des entreprises à capitaux publics dont le degré d'autonomie est néanmoins très variable selon les cas. Dès la fin de la guerre, une vague de nationalisations particulièrement puissante en France et en Grande-Bretagne a placé sous tutelle publique tout ou partie de l'énergie, des banques et assurances, des moyens de transport. La sidérurgie britannique, la firme automobile Renault et certaines entreprises françaises d'armement ont également été nationalisées. Ici, l'État fait plus qu'encadrer l'activité économique puisqu'il en modifie les structures, se substituant à une initiative privée jugée défaillante. La France est d'ailleurs le premier pays libéral à aller jusqu'à l'adoption, à partir de 1947, d'un système de planification souple destiné à programmer à moyen terme la reconstruction et la modernisation de l'économie (plan Monnet). Le Royaume-Uni s'est montré en revanche plus précoce dans la définition d'une politique d'aménagement du territoire soucieuse de corriger les déséquilibres régionaux. Enfin, l'État élargit grandement son action dans le domaine social en réglementant la couverture de risques divers (maternité, maladie, accidents du travail, vieillesse, chômage) dans le cadre de systèmes de sécurité sociale et d'allocations familiales très audacieux au Royaume-Uni *(Welfare State)* et en France, beaucoup plus limités et prudents en Allemagne occidentale, qui a pourtant adopté un système original d'«économie sociale de marché», et surtout aux États-Unis malgré le *Fair Deal* annoncé par le Président Truman.

Le renforcement du rôle compensateur des syndicats se confirme au lendemain de la guerre. Depuis les années 30, dans le souci d'obtenir un large et durable consensus social dans la lutte contre la crise puis contre le fascisme, la législation a partout reconnu aux syndicats une fonction de contrepoids à l'influence des grandes entreprises et un rôle privilégié dans la défense des intérêts des travailleurs. Les grandes centrales syndicales (AFL-CIO aux États-Unis, TUC en Grande-Bretagne, DGB en Allemagne, CGL en Italie, CGT réunifiée en France jusqu'en 1947) se réorganisent en 1945. Toutes connaissent un gonflement de leurs effectifs grâce à l'adhésion de nouveaux membres motivés par les expériences de rénovation des relations sociales conçues dans les mouvements de résistance. Il s'agit de construire des sociétés plus justes, soucieuses de préserver l'égalité des chances de tous les individus, de mettre fin aux «féodalités» anciennes mais surtout de protéger les plus faibles et les plus démunis. Le rôle des syndicats dépasse donc la simple défense d'avantages immédiats concernant les rémunérations ou la durée du travail. Les représentants syndicaux, prêts à accepter l'effort qu'implique la reconstruction, entendent négocier avec le patronat et sous l'arbitrage des pouvoirs publics l'ensemble des relations sociales dans l'entreprise. En France, les résultats acquis sont consignés dans des conventions collectives, véritables chartes sociales pour les différents secteurs d'activité. En Allemagne, les syndicats participent activement à l'élaboration des projets de cogestion qui, à partir de 1951-1952, aménagent la participation des travailleurs à la gestion des entreprises. Les difficultés inhérentes à la reconstruction, attisées par les effets de la guerre froide, ne permettront pourtant pas l'établissement d'une paix sociale durable. Dès 1947 de puissants mouvements revendicatifs agitent particulièrement la France sans toutefois remettre en cause les acquis syndicaux.

Une reconstruction rapide mais imparfaite

• Le relèvement de la production

Favorisée par la rénovation des systèmes de production, soutenue par l'effort d'une main-d'œuvre diminuée par la guerre mais largement mobilisée au service d'une demande gigantesque, stimulée de façon décisive en Europe par l'aide américaine, la reconstruction s'est achevée plus rapidement que ne le laissait prévoir la situation désastreuse de 1945. Elle a cependant exigé des délais différents selon les domaines d'activité et les pays considérés. Dans le camp des vainqueurs, les États-Unis ont réussi la reconversion de leur économie avec un simple fléchissement de la croissance entre 1946 et 1949, sans comparaison avec la crise brutale qui avait suivi la Grande Guerre en 1921. En URSS, le IVe plan quinquennal de 1946 à 1950, dont la réalisation a été facilitée par les lourds prélèvements imposés aux vaincus, a permis de reconstituer l'équipement du pays dès 1948 mais il faut attendre 1952 pour retrouver un niveau de consommation tolérable bien que modeste. En Europe occidentale, dans le cadre des organisations mises sur pied pour gérer le plan Marshall (Organisation européenne de coopération économique ou OECE dès 1948, complétée en 1950 par l'Union européenne des paiements – UEP), la reconstruction des Alliés a été plus rapide que celle de l'Allemagne qui connaît cependant un redressement spectaculaire et durable à partir de 1948-1950. La guerre froide a en effet incité les anciens vainqueurs à rétablir une économie allemande solide pour endiguer en Europe la nouvelle menace du communisme. Le même phénomène joue en faveur du Japon lors de la guerre de Corée à partir de 1950.

• La mise en œuvre du SMI

Au Royaume-Uni, où une politique fiscale courageuse durant la guerre avait limité la hausse des prix, une gestion vigilante assortie pourtant d'une dévaluation de la livre en 1949 ont réussi à stabiliser la monnaie. Des politiques rigoureuses conduites avec fermeté se sont révélées efficaces en Belgique, en Italie, en Allemagne occidentale où la réforme du mark de juin 1948 suivie d'une dévaluation l'année suivante, dotait l'économie d'une monnaie à la fois solide et compétitive vis-à-vis de l'extérieur. En France, l'échec de la déflation monétaire préconisée par Pierre Mendès France au lendemain de la

Libération devait conduire à des solutions plus modérées faisant une large place à l'emprunt, mais moins efficaces quant à la consolidation du franc plusieurs fois dévalué entre 1945 et 1949. Le réalignement monétaire de septembre 1949 qui se traduit, à la suite de la livre sterling, par la dévaluation d'une vingtaine de grandes monnaies, met en fait un terme aux grands désordres inflationnistes hérités de la guerre et pose les bases d'une stabilité monétaire qui ne sera que momentanément perturbée par la guerre de Corée : dès 1953-1954, la liberté des changes est rétablie en RFA et au Royaume-Uni, mais il faudra néanmoins attendre 1957 pour que la convertibilité des monnaies prévue à Bretton Woods soit enfin rétablie.

• Le rétablissement des échanges commerciaux

La reprise du commerce international est évidemment favorisée par la remise en ordre des monnaies comme par les aménagements douaniers progressivement obtenus sous les auspices du GATT et de l'OECE (en 1957, 90 % des contingentements auront ainsi été abolis en Europe). Dès 1951, les échanges mondiaux ont non seulement dépassé leur niveau de 1938 mais aussi celui de 1929 qui avait été la meilleure année de l'entre-deux-guerres. La balance des paiements de l'Europe occidentale, dont le déficit pesait depuis la guerre sur la reprise des échanges commerciaux, redevient légèrement excédentaire en 1952. Le vieux continent retrouve un rôle moteur dans les relations économiques et financières internationales.

Si tous les problèmes ne sont pas résolus en 1953 lorsque s'apaise le conflit coréen, la reconstruction peut néanmoins être considérée comme terminée.

• Un système mondial toujours hétérogène

Cette œuvre ambitieuse de reconstruction était trop visiblement influencée par les conceptions et les intérêts anglo-saxons, et partant, mal adaptée à un monde politiquement divisé et économiquement hétérogène, pour faire l'unanimité ; elle se condamnait ainsi à voir son projet global contesté ou même totalement rejeté. À partir de 1947, la guerre froide radicalise l'opposition entre les systèmes économiques inspirés par le capitalisme libéral et ceux qui appliquent le socialisme dirigiste sur le modèle de l'URSS, et souvent sous sa contrainte. D'emblée, l'URSS a refusé de participer au nouveau système monétaire international et d'adhérer au GATT. Malgré ses immenses besoins de reconstruction, elle décline toutes les offres d'aide américaine, parce qu'elles s'accompagnent d'exigences libérales sous un contrôle de Washington que Staline ne peut accepter. Ainsi, à l'été 1947, il refuse le plan Marshall et impose la même réponse négative à la Tchécoslovaquie et à la Pologne. Dès lors, capitalisme libéral et socialisme autoritaire mènent séparément leur effort de reconstruction; or, avec la victoire des maoïstes en Chine en octobre 1949, c'est presque le tiers de l'humanité qui se trouve engagé dans l'expérience du socialisme autoritaire.

En Europe occidentale, les réticences des dirigeants politiques et des opinions publiques à l'égard de la prépondérance des États-Unis ont pu être assez facilement surmontées par une adhésion commune aux valeurs de la démocratie libérale, et aussi par la nécessité d'opposer un front uni face au bloc soviétique ressenti comme constamment menaçant. Toutes les préventions anti-américaines ne sont pas levées pour autant; partis communistes et formations nationalistes ne cessent de dénoncer l'emprise de Washington sur les économies nationales. Même les dirigeants libéraux estiment que la situation précaire des économies européennes ne leur permet pas d'affronter les dures lois du marché qui sont au cœur du système libéral. Ils prônent en conséquence le maintien de protections douanières sans lesquelles la concurrence des produits américains risquerait vite d'être dévastatrice. Parallèlement, les déséquilibres financiers du moment poussent le Royaume-Uni et la France à défendre jalousement les relations privilégiées qu'ils ont organisées pendant la guerre à l'intérieur de la «zone sterling» et de la «zone franc».

La fragmentation du continent européen illustre en outre assez clairement le morcellement durable du système économique de l'après-guerre. Rompues au cœur de l'Europe par la dislocation de l'Allemagne, les relations commerciales et financières intra-européennes sont de surcroît écartelées par le jeu des forces centrifuges qu'alimente l'antagonisme entre l'est et l'ouest du continent.

Si le rapprochement des États européens s'impose comme une nécessité dès la reconstruction, le choix entre la solution atlantiste et la voie proprement européenne divise les gouvernements : la construction européenne en sera retardée.

Enfin, les pays sous-développés, dont beaucoup emploient leurs forces à lutter pour obtenir leur indépendance politique, sont encore bien moins préparés à entrer dans un système économique libéral, dans la mesure où ils ne disposent guère d'atouts à faire valoir dans la concurrence internationale.

La profondeur de ces oppositions politiques et de ces contrastes économiques repousse à un horizon lointain la réalisation du projet formé par le Président Roosevelt de réorganiser l'économie et les finances à l'échelle de la planète. La reconstruction a néanmoins rétabli plus vite que prévu les circuits économiques et financiers du monde libéral, le préparant pour une exceptionnelle période de croissance, longue d'un quart de siècle.

CHAPITRE 2

Le « leadership » américain

Les États-Unis sortent de la guerre en position de force : leur économie s'en est trouvée stimulée, le dollar fait la loi, la survie économique de nombreux États est dépendante de l'aide américaine. Contrairement à l'après-Première Guerre mondiale, les années après 1945 sont celles d'une prospérité incomparable. Première puissance économique mondiale, les États-Unis dominent la production dans tous les domaines. Toutefois, l'industrie et le tertiaire enregistrent un dynamisme qui fait défaut à l'agriculture, laquelle connaît rapidement un réel malaise. Sur le plan international, la rupture avec l'Union soviétique, en 1947, fait des Américains les chefs de file du « monde libre ». La politique d'endiguement du communisme est mise en œuvre par la formation de pactes militaires qui engagent les États-Unis à protéger leurs alliés. L'hostilité au communisme a pour conséquence la mise en cause par l'opinion et le Congrès de la politique sociale progressiste du Président Truman. Très vite, celui-ci est menacé d'être débordé par la « chasse aux sorcières » que représente le maccarthysme, et dont son successeur Eisenhower viendra difficilement à bout.

Les États-Unis en 1945

Alors que le *New Deal* avait simplement permis le redémarrage d'une économie en crise depuis 1929, la guerre a réussi à rétablir la prospérité économique. En effet, les États-Unis sortent non seulement victorieux de la Deuxième Guerre mondiale, mais aussi plus riches et plus puissants qu'avant. Déjà première puissance économique du monde depuis la fin du XIXe siècle, ils accèdent au rang de première puissance politique grâce au rôle qu'ils ont joué dans le conflit, durant lequel ils ont été l'arsenal des démocraties.

• Les véritables vainqueurs de la guerre

Compte tenu de la population totale du pays et de l'importance des effectifs engagés, les pertes en hommes sont limitées : 300000 morts, soit 1/80e des pertes de l'URSS. La population civile a été épargnée par les bombardements aériens; les États-Unis n'ont pas connu de destructions sur leur sol national comme l'Europe. Au contraire, ils ont doublé leur potentiel de production et pris une avance technique importante. On peut citer l'exemple des constructions navales : en 1938, les chantiers américains construisaient un tonnage équivalant au sixième de la flotte marchande britannique, alors la première du monde; dans les années 1943-1944, le tonnage équivaut à une fois et demi le tonnage de la Grande-Bretagne. À la fin de la guerre, la flotte marchande atteint presque les deux tiers de la flotte mondiale.

Les États-Unis sont le seul État à sortir de la guerre plus riche qu'en y entrant. Le revenu national a plus que doublé. Le budget est équilibré. La puissance financière est considérable, les États-Unis possédant les deux tiers des réserves d'or du monde. Le dollar est la seule monnaie des pays belligérants à conserver en 1945 la même valeur qu'avant la guerre; la livre sterling ne peut plus rivaliser avec lui comme monnaie internationale. La balance commerciale américaine est largement excédentaire, les exportations atteignent au moins deux fois leur volume d'avant la guerre, et les frets, en raison de l'importance nouvelle de la flotte aérienne et navale, apportent un complément appréciable de revenus. Les capitaux investis à l'étranger procurent aux États-Unis des dividendes qui rendent leur balance des comptes largement excédentaire. Cette puissance économique confère au dollar un rôle politique tel qu'on a pu parler d'« impérialisme du dollar ».

L'aide économique américaine est indispensable à l'Europe et aux jeunes nations. Elle permet à l'Europe de relever ses ruines et de reconstruire son économie. Par ailleurs, les jeunes nations, principalement celles du continent américain, doivent, pour survivre, vendre leurs matières premières aux États-Unis et leur acheter les produits manufacturés qu'elles ne fabriquent pas elles-mêmes et que l'Europe n'est plus en mesure de leur fournir. Ainsi, en 1947, en Argentine, 45 % des importations viennent des États-Unis contre 17 % en 1938. Ce sont surtout des capitaux américains qui permettent aux pays neufs de construire de nouvelles usines. La moitié des placements américains à l'étranger en 1950 sont ainsi investis au Canada. Au Venezuela les trois quarts de la production de pétrole sont aux mains de sociétés américaines ainsi que les voies ferrées et les services publics. Cette dépendance du continent américain sur le plan économique entraîne

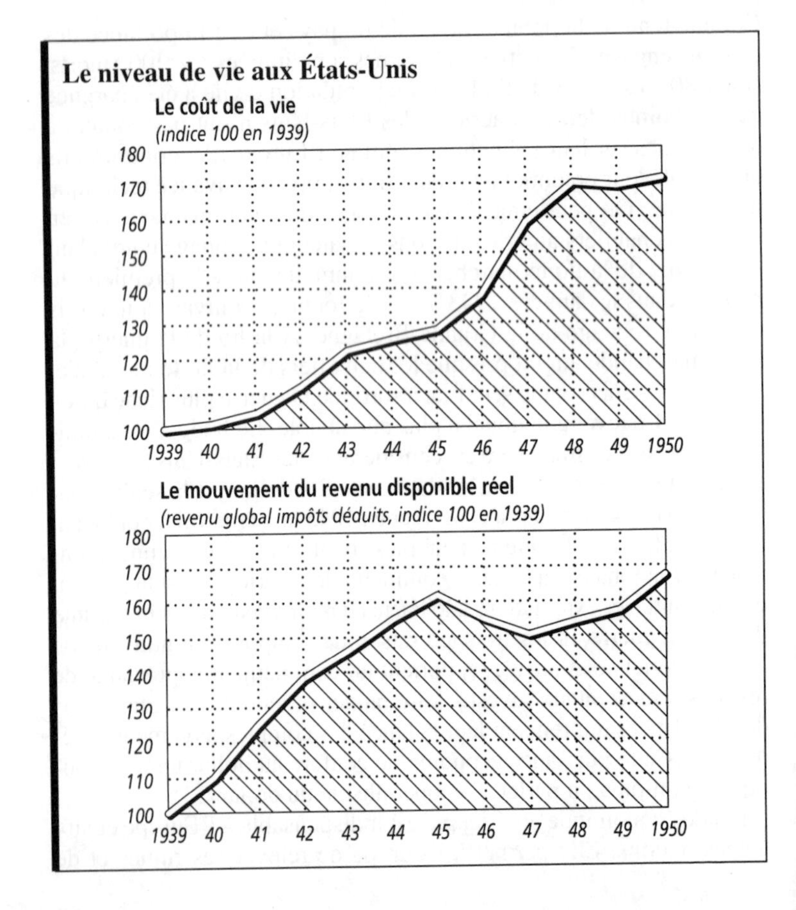

les ambassadeurs des États-Unis à intervenir dans les affaires des pays, protégeant les gouvernements sympathisants et s'efforçant de renverser ceux qui se montrent hostiles.

Cette hégémonie économique et financière débouche d'autre part sur des accords militaires. C'est ainsi qu'en 1945, les États-Unis se font donner la mission de coordonner les défenses des pays latino-américains.

• Les problèmes de l'immédiat après-guerre

La reconversion de l'économie de guerre en économie de paix suscite l'inquiétude des experts américains. Ils redoutent que la suppression des commandes de l'État n'entraîne une sous-production et un sous-emploi, au moment où des millions d'hommes démobilisés vont retourner au travail. L'administration prend alors des mesures destinées à réduire l'importance d'une crise qui semble inévitable. Avant même la fin du conflit, elle rend la liberté aux entreprises réquisitionnées pour les fabrications de guerre. C'est au Président Truman, qui succède à Roosevelt, mort le 12 avril 1945, qu'il incombe d'assumer les délicats problèmes de la reconversion. Pris entre le désir de la majorité des Américains de revenir aux mécanismes libéraux et les craintes des syndicalistes, membres de la clientèle électorale du parti démocrate, de voir baisser les salaires si les réglementations du temps de guerre sont abolies, il doit procéder de manière empirique. Pour satisfaire les premiers, il rend la liberté au commerce extérieur; pour protéger les seconds, il décide de maintenir un contrôle des prix sur les produits de première nécessité. Mais le Congrès ayant fait opposition à cette dernière mesure, il s'ensuit une flambée des prix.

Alors qu'on attendait une récession, c'est au contraire l'inflation qui se produit. Trois causes principales expliquent l'absence de récession :
– la forte demande du peuple américain qui, pendant la guerre, a été contraint d'épargner et qui est avide de pouvoir enfin acheter;
– les besoins de l'Europe en produits alimentaires et biens d'équipement;
– enfin le programme de grands travaux prévu par le Président Truman pour garantir le travail de 60 millions d'Américains par la construction de routes, de logements, d'aménagements hydrauliques sur le Missouri, le Colorado, la Columbia, le raccordement des Grands Lacs à la navigation maritime...

Grâce à la conjonction de tous ces éléments, la prospérité n'est pas compromise et la production ne subit qu'un ralentissement limité et bref. De sorte que c'est moins l'excédent de la production que l'on attendait que son insuffisance qui est à redouter. La pénurie relative des biens de consommation face à cette forte demande relance l'inflation qui se révèle ainsi comme la menace la plus dangereuse pour l'économie américaine. En supprimant les avantages des augmentations de salaires accordées, elle provoque le mécontentement du monde ouvrier et suscite de grandes grèves en 1946 (plus de 100 millions de journées de grève).

Par ailleurs, la prospérité de l'après-guerre n'est pas aussi marquée dans tous les territoires de l'Union. L'enrichissement n'a pas profité également à toutes les régions. Il est très remarquable en Californie, qui gagne près de 2 millions d'habitants (boom lié à la guerre du Pacifique), mais beaucoup moins net dans le Middle West qui se dépeuple. De même toutes les classes sociales n'ont pas bénéficié de la prospérité : il existe des millions de défavorisés, Noirs, Indiens, immigrants. Le problème noir qui était jusqu'alors un problème du Sud essaime dans le Nord et l'Ouest avec l'afflux de main-d'œuvre de couleur dans ces régions (5 millions de Noirs vivent hors du Sud en 1950). Enfin, le statut des femmes dans la société pose un problème important : durant la guerre, elles ont occupé les postes demeurés vacants et elles n'acceptent pas volontiers le retour au foyer que le conformisme de l'opinion entend leur imposer.

La suprématie économique

• Au premier rang mondial

De 1945 à 1952, les États-Unis ne connaissent sur le plan économique aucune crise majeure, tout au plus une légère récession en 1948-1950, marquée par un certain chômage, surtout dû à l'exode rural. Mais très vite le programme de réarmement lié à la guerre de Corée relance l'économie. Toutefois les États-Unis continuent à subir les effets de la poussée inflationniste de l'après-guerre : entre fin 1945 et 1948, les prix augmentent de 40% et le dollar perd 25% de son pouvoir d'achat. L'économie tournant à plein régime dès 1945, il ne faut pas s'étonner que le taux de croissance économique soit pratiquement nul durant cette période. Mais les États-Unis restent, de très loin, la première puissance économique du monde en ce qui concerne leur PNB.

Dans tous les domaines (agriculture, industrie, commerce), les États-Unis détiennent le premier rang mondial. Pour les produits fondamentaux, ils ont une avance considérable. Par exemple, leur production de charbon représente la moitié de la production mondiale, celle de pétrole les deux tiers. Ils sont équipés pour produire 95 millions de tonnes d'acier, alors que l'URSS, placée au second rang mondial, en fournit à peine une vingtaine de millions. Pour certains secteurs (aluminium, caoutchouc synthétique, navires, automobiles, avions), ils produisent à eux seuls plus que le reste du monde. L'industrie américaine s'impose par des prix de revient abaissés, grâce en particulier à une productivité du travail quatre fois supérieure à celle de l'Europe et qui s'accroît encore avec les progrès technologiques. Aussi sert-elle de modèle au monde, ce qui lui vaut un placement assuré de brevets et de capitaux, principalement en Europe. Le signe le plus remarquable de l'écrasante puissance des États-Unis est leur flotte marchande qui représente les deux tiers de la flotte mondiale (60 % des navires pétroliers du monde sont américains). Enfin, les États-Unis possèdent la seule flotte au monde d'avions transocéaniques. Cependant cette prospérité ne concerne pas indifféremment tous les secteurs de l'économie américaine.

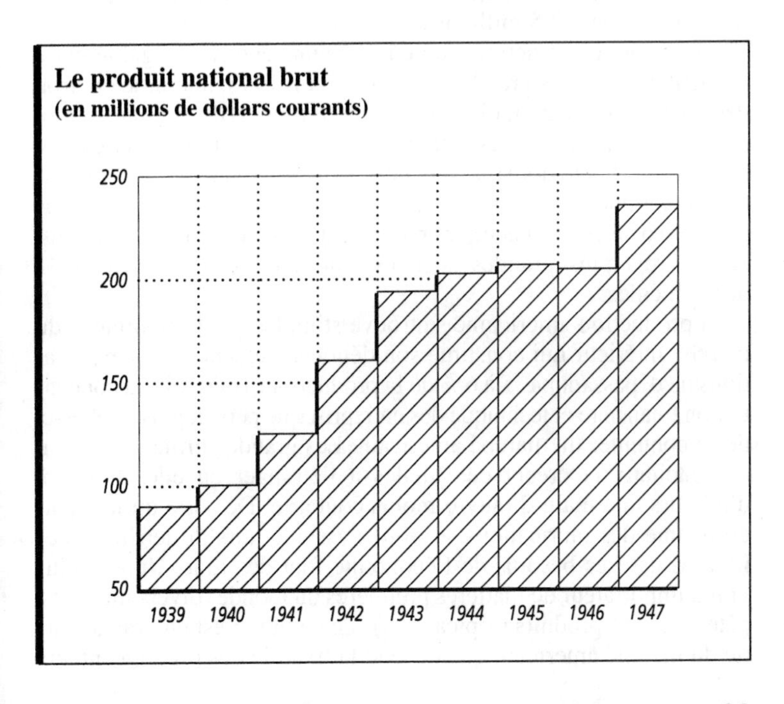

• Les secteurs en expansion

La suprématie économique américaine repose sur l'industrie qui participe pour 42 % à la formation du produit intérieur brut vers 1950 (date à laquelle elle atteint son apogée) et sur le secteur tertiaire qui avec 54 % du PIB à la même date se place en tête des activités américaines. Ces deux secteurs occupent respectivement 35 % et 51 % de la population active.

Les États-Unis entrent vers 1950 dans une ère de production de masse des biens de consommation. Le symbole en est l'automobile, devenue indispensable à la vie du citoyen des États-Unis, et qui se révèle vitale pour l'économie américaine par les activités dérivées qu'elle suscite : raffinage du pétrole, infrastructure routière et autoroutière, réseaux de vente, activités de sous-traitance... C'est aussi l'âge de la diffusion de nombreux produits chimiques nouveaux, du nylon (né en 1939) aux plastiques, fibres synthétiques, détergents, insecticides... L'électroménager est en plein essor (machines à laver, congélateurs, tondeuses à gazon). L'industrie électronique connaît un démarrage foudroyant avec les transistors et la télévision (le nombre de postes de télévision en service passe de 6000 en 1946 à 1 million en 1948 et à 7,5 millions en 1950).

Au niveau des structures, on constate une énorme inégalité entre les petites et les très grandes entreprises. En 1948, la moitié environ des sociétés possède moins de 1 % de la totalité du capital investi, alors qu'à elles seules, les 600 plus grosses entreprises en détiennent la moitié. Dans le domaine de la capacité de production, la concentration est encore plus nette : en 1947, par exemple, les trois plus grandes sociétés aéronautiques produisent 72 % des moteurs d'avions, et les trois plus grandes sociétés automobiles fournissent 78 % des véhicules.

La production américaine se trouve stimulée par l'importance du marché intérieur qui constitue son débouché essentiel, les exportations ne dépassant pas 5 à 6 % de la production. Toutefois, la concentration financière et technique des entreprises ne permet plus à celles-ci de se contenter du marché américain. Les grandes firmes exportent des capitaux et créent des filiales à l'étranger où elles trouvent d'ailleurs une main-d'œuvre moins coûteuse. De sorte qu'une part croissante des fabrications se trouve assurée hors du territoire des États-Unis. Les besoins de l'économie font des États-Unis le plus grand importateur de matières premières du monde (divers minerais, pâte à papier, produits tropicaux...) ; de ce fait, c'est en grande partie du marché américain que dépend la fixation des prix. Quant aux exportations américaines, on constate un déclin des produits alimentaires au profit des articles manufacturés, surtout de ceux qui exigent une technique très développée, pour lesquels les États-Unis jouissent d'un quasi-monopole.

• Les difficultés de l'agriculture

La prospérité du temps de guerre a amélioré la situation du *farmer* américain. Les dettes hypothécaires ont été partiellement remboursées. Certains fermiers sont devenus propriétaires. Moins individualistes qu'auparavant, ils se groupent plus volontiers dans des coopératives et prennent la mentalité de chefs d'entreprises capitalistes. En dehors des produits tropicaux, l'agriculture américaine répond entièrement aux besoins alimentaires des États-Unis. Sa productivité est la plus brillante du monde grâce à l'emploi des machines, des engrais…

Mais après la courte illusion de l'immédiat après-guerre, les problèmes structurels de l'agriculture américaine réapparaissent dès 1946. La hausse régulière des machines, des équipements, des salaires, des impôts, met en difficulté les entreprises les moins compétitives. La baisse de la population rurale constatée depuis la Première Guerre mondiale s'intensifie. En 1950, le secteur agricole ne représente plus que 15 % de la population active. Encore faut-il noter que les grandes fermes ne sont qu'en nombre restreint. Toutefois, elles concentrent plus de 60 % des terres et produisent beaucoup plus que toutes les autres réunies. En moyenne, le revenu par ferme reste inférieur au revenu moyen des familles américaines. En 1947 il se situe à 67 % en 1950 à 65 % du revenu moyen et, en 1955, il atteint son niveau le plus bas (48 % du revenu moyen).

Les progrès de la mécanisation s'étendent à tous les domaines, mais ces machines nouvelles, très chères, ont contribué à éliminer les petites fermes qui ne pouvaient les rentabiliser ; elles ont conduit également les autres exploitations à se spécialiser, ce qui a encore accru la productivité agricole et provoqué la constitution de surplus. Le problème du revenu des agriculteurs et celui des excédents constituent les deux soucis majeurs du gouvernement en matière agricole. Deux lois de 1948 et 1949 prévoient une aide fédérale pour soutenir les cours des principaux produits ; mais cette politique qui n'est pas assortie d'une limitation des quantités encourage les *farmers* à produire encore davantage et ne permet pas de maintenir le revenu agricole. De plus,l'État doit liquider à perte à l'étranger les stocks difficiles à résorber.

Le chef de file du «monde libre»

• Les relations avec l'URSS

Si les États-Unis et l'URSS, grands vainqueurs de la guerre, ont des systèmes politiques et économiques incompatibles, pour les Américains cette situation ne semble pas nécessairement devoir conduire à l'affrontement, alors que, pour Staline, il apparaît d'emblée comme inévitable. La réduction des forces militaires américaines qui passent en 1945-1946 de 11 millions à 1,5 million d'hommes permet de prendre la mesure de l'optimisme américain.

Progressivement cependant, les États-Unis prennent conscience des réalités. Le fonctionnement de l'ONU est bloqué par les nombreux vetos de l'URSS, tel celui qui empêche l'intervention de l'organisation internationale en Grèce en 1946 où une guerre civile opposait le gouvernement aux communistes. En Europe orientale, le parti communiste s'assure le contrôle politique des États par divers moyens de pression ; en Europe occidentale, la propagande communiste se développe, favorisée par les difficultés économiques et financières qui raniment les luttes sociales et ébranlent les gouvernements démocratiques auxquels les communistes imputent les responsabilités de la situation. Dès avril 1945, l'ambassadeur Averell Harriman dénonce la tactique communiste :

«Le parti communiste et ses associés se servent partout des difficultés économiques éprouvées par les pays placés sous notre responsabilité pour faire de la réclame aux conceptions et à la politique des soviets.»

Il préconise comme remède une aide économique des États-Unis à l'Europe occidentale.

De fait, depuis la guerre, les Américains ne cessent d'apporter aux États éprouvés par le conflit une aide humanitaire afin de permettre aussi leur redressement économique, indispensable à l'économie américaine elle-même qui doit exporter pour assurer le plein emploi et éviter la crise. Les motifs économiques l'emportent donc encore à ce moment sur les préoccupations politiques. On le voit bien lorsque les Américains accueillent froidement les propos tenus par Winston Churchill à l'Université de Fulton en 1946 dans lesquels il dénonce le «rideau de fer» qui s'est abattu «de Stettin à Trieste», isolant l'Europe orientale.

Mais ce n'est qu'en 1947 que l'idée d'une coupure du monde en deux blocs s'impose définitivement. Au départ, le Président Truman hésite entre les thèses de son secrétaire au Commerce, Henry Wallace, partisan d'une entente avec l'URSS et celles du secrétaire d'État Byrnes qui prêche la vigilance à l'égard des Soviétiques. Avec la tension croissante, Byrnes exige l'éviction de Wallace en septembre 1946. L'impasse allemande, où l'unité apparaît impossible en raison de l'adoption de structures différentes imposées par chacune des deux grandes idéologies (à l'Est, réforme agraire, nationalisation progressive des industries, mainmise des communistes sur la vie politique ; à l'Ouest, réforme agraire superficielle, maintien du libéralisme, multipartisme), révèle l'impossibilité de l'entente entre les deux systèmes. Contre le communisme, les États-Unis n'ont d'autre choix que de prendre la tête des pays de démocratie libérale qu'ils baptisent « le monde libre » et, à l'égard de ce dernier, ce sont désormais les préoccupations politiques qui priment sur les motifs économiques.

• Aide économique et *containment*

C'est en premier lieu la désastreuse situation économique de l'Europe qui place les Américains devant leurs responsabilités. Économiquement, les pays européens sont au bord de la faillite et le déficit de leur balance commerciale est tel qu'ils doivent envisager, faute de dollars, de suspendre certains achats aux États-Unis. Une des conséquences de ces difficultés est la décision de la Grande-Bretagne de renoncer à apporter une aide aux gouvernements grec et turc en lutte contre les guérillas communistes. Dans ces conditions, le Président Truman prend l'initiative en mars 1947 de demander au Congrès une aide de 400 millions de dollars, afin de prendre la relève des Britanniques et de bloquer ainsi l'expansion du communisme en Europe. C'est ce discours au Congrès, auquel on donne le nom de doctrine Truman, qui définit la nouvelle politique des États-Unis vis-à-vis du « monde libre », l'endiguement *(containment)* de la vague communiste, c'est-à-dire une politique de fermeté, préconisée par le chargé d'affaires à Moscou, George Kennan.

Dans cette optique, le discours du secrétaire d'État Marshall à Harvard le 5 juin 1947 prélude à la mise en place d'un plan d'aide à l'Europe, mis en œuvre par Kennan. Le plan Marshall, dont bénéficie également l'Allemagne, éclaire la stratégie américaine du *containment* : il s'agit de combattre le communisme par l'arme économique et non par la violence et de répondre à l'intimidation par la fermeté. C'est la fermeté qui prévaut en effet lors du blocus de Berlin-Ouest par les Soviétiques, instauré en 1948, et auquel les Américains répondent par un « pont aérien » qui, durant près d'un an, permet de ravitailler la capitale allemande et contraint les Soviétiques à lever le blocus.

La crainte d'une agression soviétique, identique au «coup de Prague» de février 1948, pousse par ailleurs les Européens à réclamer l'aide militaire des États-Unis. C'est en réponse à cette demande qu'est signé, en avril 1949, le pacte Atlantique, première alliance militaire signée par les États-Unis avec des pays étrangers hors du continent américain, en temps de paix. Il marque la fin de l'isolationnisme traditionnel : en cas d'attaque contre un des membres de l'Alliance, les États-Unis interviendraient à ses côtés. Le pacte prévoit trois formes d'aides différentes :
– les États-Unis aident les nations amies à augmenter leur propre production militaire;
– ils leur transfèrent certains éléments essentiels d'équipement militaire;
– ils leur envoient des experts.

L'explosion de la première bombe atomique soviétique en 1949 pousse le Président Truman à réarmer : le budget militaire ne cesse dès lors d'augmenter. La guerre de Corée en 1950 provoque l'intervention directe des États-Unis sous le drapeau de l'ONU, aux côtés de la Corée du Sud attaquée par les communistes de Corée du Nord et qui conservera son indépendance. Cette nouvelle agression communiste précipite la formation, à la demande des Européens, d'une armée atlantique intégrée qui a pour commandant suprême le général américain Eisenhower.

Sous la présidence d'Eisenhower (1952-1960), le secrétaire d'État Foster Dulles, mort en 1959, prône non seulement l'endiguement, mais le refoulement *(roll-back)*. En fait, l'explosion d'une bombe thermonucléaire soviétique et la victoire du communisme en Chine l'obligent à modérer ses intentions : il n'y a aucune intervention américaine lors des soulèvements de Berlin-Est en 1953, de Pologne et de Hongrie en 1956.

Tout au plus la politique d'endiguement est-elle complétée. Le traité de paix signé avec le Japon en 1951 et l'aide économique qui lui est apportée en font la clé de voûte de la résistance au communisme en Asie. Sur le modèle de l'OTAN (Organisation du traité de l'Atlantique Nord qui met en œuvre le pacte Atlantique), est constituée en 1954 l'Organisation du traité de l'Asie du Sud-Est (OTASE). En 1955, les États-Unis encouragent la Grande-Bretagne à constituer dans le même esprit le pacte de Bagdad pour les États du Proche-Orient. Enfin, en 1957, le Congrès autorise le Président Eisenhower à offrir une assistance militaire à toute nation aux prises avec une agression communiste et qui en ferait la demande.

À l'heure du libéralisme et de l'anticommunisme

• La présidence de Harry Truman (1945-1952)

Au Président démocrate Truman, attaché aux traditions du *New Deal*, s'opposent une partie de l'opinion publique et la majorité du Congrès décidées à restreindre le rôle de l'Exécutif dans la vie économique et sociale. Quand Harry Truman devient Président des États-Unis à la mort de Franklin Roosevelt en avril 1945, il ressent, comme il l'a affirmé dans ses *Mémoires,* une impression d'écrasement. Né dans une famille de fermiers du Missouri qui n'a pu lui payer des études supérieures, il participe à la Première Guerre mondiale en France. Sa carrière politique commence ensuite. Membre du parti démocrate, il gravit progressivement les échelons et devient sénateur en 1934. Élu vice-Président sur le «ticket» de Roosevelt, il accède à la présidence sans avoir vraiment été préparé à cette fonction. Mais il semble que les difficultés de la tâche vont stimuler le trente-troisième Président des États-Unis. Alors que sa modestie passait pour de la médiocrité lorsqu'il était vice-Président, il montre une fois installé à la magistrature suprême beaucoup de détermination.

Sa tâche fondamentale en politique intérieure va consister à aborder le problème de la reconversion économique et, en disciple de Roosevelt, il entend le faire dans l'esprit interventionniste du *New Deal*. Son premier message au Congrès (6 septembre 1945) développe un programme en vingt-et-un points où il propose, outre la garantie du plein-emploi, un long catalogue de mesures sociales à l'égard des catégories défavorisées, et spécialement des ouvriers. C'est une position courageuse à l'heure où les républicains souhaitent un retour complet et rapide au libéralisme économique, désir partagé par l'aile conservatrice du parti démocrate qui entend faire échec à tout ce qui rappelle le *New Deal*.

Très vite, la bataille s'engage entre le Président et le Congrès à propos de l'inflation et du contrôle des prix. En novembre 1946, Truman doit céder et rendre la liberté aux salaires et aux prix, d'autant qu'il semble désavoué par la population qui vient d'envoyer à la Chambre et au Sénat, à l'occasion des élections de la mi-course (entre deux élections présidentielles), une majorité de républicains. Aussi le nouveau Congrès est-il encore plus hostile aux mesures progressistes proposées par Truman : construction de logements, subventions à l'enseignement, assurances sociales, droits des Noirs... Il rejette toutes les mesures proposées par l'administration. De la même manière, il passe outre aux vetos du Président qui tente de s'opposer à un allégement des impôts, le jugeant générateur d'inflation, comme à la loi Taft-Hartley (juin 1947) qui limite sévèrement la liberté d'action des syndicats (préavis de 60 jours en cas de grève, obligation pour les syndicats de payer des indemnités aux employeurs en cas de non-respect de ce préavis...). Les années 1946-1947 sont donc très difficiles pour le Président Truman : il ne peut faire adopter sa politique sociale et il utilise des dizaines de fois son veto sans succès. L'affaiblissement de son autorité rend très improbable son maintien à la présidence, à l'issue des élections prévues pour novembre 1948.

Cependant, alors que des journaux annoncent déjà imprudemment l'élection de son rival républicain Dewey, Truman l'emporte contre toute attente. Le courage avec lequel il a mené sa campagne, l'appui des syndicats et des Noirs, le respect que lui a valu auprès des Américains son travail acharné, enfin les qualités dont il a fait preuve à la Maison Blanche, sens de la foule et du concret, réelle modération, sens de l'État, lui ont permis de déjouer les pronostics défavorables. Dès lors, conforté par la confiance populaire, Truman, «Président élu et non plus Président de hasard» comme en 1945, présente de nouveau son programme. Dans son message au Congrès (janvier 1949), il expose une plate-forme progressiste qu'il baptise *Fair Deal* et qui doit poursuivre l'œuvre de réformes sociales entreprises par le *New Deal*. Aussitôt, la coalition des républicains et des démocrates conservateurs du Sud se reconstitue contre lui, et peu de projets seront finalement adoptés : hausse du salaire horaire minimum de 40 à 75 cents, relèvement des prix agricoles, sécurité sociale accordée à dix millions de nouveaux bénéficiaires, construction de logements...

Mais le Congrès n'accepte ni l'abrogation de la loi Taft-Hartley, ni les droits civiques des Noirs, ni le projet de législation pour la santé publique. Il refuse la création d'hôpitaux, l'assurance maladie obligatoire, les médecins ayant accusé le Président de vouloir introduire une «médecine socialiste». Truman doit donc agir par décrets pour abolir la ségrégation dans l'administration fédérale et dans l'armée. Mais, dès l'été 1950, les problèmes sociaux passent à l'arrière-plan. Le Président se heurte désormais aux retombées politiques de la nouvelle «frayeur rouge» qui occupe maintenant le devant de la scène américaine.

• La poussée anticommuniste et le maccarthysme

Le Président Truman a pris l'initiative de la lutte contre l'expansion du communisme. À l'extérieur, il adopte, on l'a vu, la politique du *containment.* À l'intérieur, il ordonne en 1947 une enquête sur la loyauté des fonctionnaires dont le résultat provoque 2000 démissions et 200 révocations. En dépit de ces initiatives, Truman va cependant rapidement se trouver placé en position d'accusé par les ultras de l'anticommunisme en raison du caractère social de sa politique (toute politique sociale étant désormais suspecte de conduire au socialisme) et de la modération qu'il tente de conserver face à la véritable folie anticommuniste qui emporte les États-Unis avec le maccarthysme.

Joseph MacCarthy, sénateur du Wisconsin, entreprend en février 1950 une campagne destinée à dénoncer une soi-disant «conspiration» communiste au sein du département d'État. Sa campagne réussit au-delà de ses espérances, et une véritable psychose de peur et de suspicion se développe aux États-Unis. Grisé par son succès – il est devenu un véritable héros national –, MacCarthy se met à traquer tous ses adversaires, qualifiés par lui de «rouges». La «chasse aux sorcières» commence alors aux États-Unis. Elle est le fait de groupes très différents : immigrants récents souvent ouvriers et catholiques, fermiers du Middle West, membres des classes moyennes, magnats du pétrole... L'ennemi commun de ces groupes hétérogènes, ce sont les libéraux, accusés en raison de leur politique de «faiblesse» de préparer le triomphe du communisme. C'est dans ce climat que s'ouvre le procès des époux Rosenberg, accusés d'espionnage au profit de l'URSS. Malgré leurs protestations d'innocence et en dépit d'une campagne mondiale en leur faveur, ils sont condamnés à la chaise électrique et exécutés en 1953. L'Amérique est alors entrée dans une ère d'inquisition. Tous les employés fédéraux sont soumis à un contrôle de loyauté. La «chasse aux sorcières» s'étend partout, des laboratoires aux studios de Hollywood. Charles Chaplin, lui-même inquiété, a préféré s'exiler et s'installer en Suisse. Il réalise alors un film contre le maccarthysme, *Un Roi à New York.* L'opinion américaine est si favorable à MacCarthy qu'il se permet d'insulter le secrétaire d'État, le secrétaire à la Défense, et bientôt le Président Truman lui-même.

En effet, face aux lois votées par le Congrès qui traduisent la peur ressentie par les Américains devant l'extension du communisme dans le monde et la crainte des complots intérieurs et des trahisons, le Président s'efforce de garder son sang-froid et de refréner les excès.

S'il accepte la punition des traîtres et la lutte contre les espions, il tente de s'opposer aux mesures qui ternissent l'image de l'Amérique, terre de liberté. C'est ainsi qu'en 1950, lorsque le Congrès vote la loi MacCarran selon laquelle tous les communistes devront se faire enregistrer au ministère de la Justice et ne pourront plus postuler à un emploi public, Truman oppose son veto en déclarant que *« dans un pays libre, on punit les gens pour leurs crimes, mais jamais pour leurs opinions »*. Le veto du Président est cependant écarté à une très forte majorité. Le même scénario se reproduit en 1952 à propos de la loi MacCarran-Walker qui interdit l'entrée sur le territoire américain de toute personne susceptible d'avoir adhéré au communisme ou même d'être sympathisante. Dans ces tentatives pour apaiser un mouvement qu'il a lui-même lancé, le Président apparaît ainsi paradoxalement comme le complice de ceux qu'il a contribué à faire condamner. Mais surtout, ce qui va déchaîner contre Truman la colère de MacCarthy et de ses partisans, c'est la décision de la Maison Blanche de destituer de son commandement le général MacArthur, commandant en chef en Corée, qui désobéit aux ordres reçus en s'engageant trop loin dans la lutte anticommuniste et en envisageant d'étendre la guerre au territoire chinois. Ces violentes attaques du sénateur du Wisconsin contre l'administration démocrate accusée de corruption et de trahison ébranlent la position du parti démocrate et contribuent à sa défaite aux élections présidentielles de 1952 et à la victoire du candidat des républicains, le général Eisenhower.

Avec l'élection d'Eisenhower, surnommé « Ike », et le retour des républicains au pouvoir en 1953, la surexcitation de la population va progressivement se calmer. Le nouveau Président jouit d'une grande popularité justifiée par sa carrière militaire lors de la Seconde Guerre mondiale. Texan, né en 1890 dans une famille modeste, il est entré à West Point, l'école militaire américaine, en 1911. Après avoir occupé divers postes d'état-major, il est nommé par Roosevelt en 1942 à la tête du théâtre d'opérations européen. C'est lui qui prépare et exécute les plans de débarquement de novembre 1942 en Afrique du Nord et ceux de l'opération Overlord de juin 1944 sur les côtes normandes. Il dirige ensuite l'assaut contre l'Allemagne et reçoit sa capitulation en mai 1945. En 1950, il est nommé par Truman commandant en chef des forces de l'OTAN. Outre ce glorieux passé, ce républicain rassure par son programme qu'il définit comme un « conservatisme dynamique ». Peu autoritaire et moins soucieux de défendre les prérogatives présidentielles que son prédécesseur, il se considère comme un arbitre entre les différentes tendances et adopte la politique de la « voie moyenne». Ainsi, après la mort de Staline en 1953, il décide de tenter une normalisation des rapports avec l'Union soviétique tout en restant vigilant à son égard; par exemple, après le succès spatial de celle-ci qui met en orbite un satellite en 1957, il obtient du Congrès des crédits pour l'instruction publique et la recherche, afin que la science américaine ne soit pas dépassée par celle de l'URSS. Et surtout, il va mettre fin aux excès du maccarthysme. Aveuglé par sa puissance, MacCarthy commet en effet l'erreur de s'attaquer à l'armée. Le Président encourage alors le Pentagone, puis le Sénat à réagir contre cet accusateur téméraire. Sommé de s'expliquer sur les pressions qu'il aurait exercées pour faire réserver un traitement privilégié à l'un de ses protégés, MacCarthy est discrédité devant l'opinion publique. Blâmé par le Sénat, il sombre dans l'alcoolisme, et meurt deux ans plus tard, en 1957, déjà oublié.

CHAPITRE 3

La reconstruction de l'Europe occidentale

Dévastée par la guerre, l'Europe occidentale ne parvient pas à relancer son économie, faute de moyens de paiement, et la situation sociale est dramatique dans plusieurs pays. Les troubles sociaux et la poussée électorale des communistes inquiètent les dirigeants américains, ceux-ci proposent alors une importante aide financière à l'Europe : le plan Marshall. Une vie politique normale réapparaît plus ou moins rapidement dans les pays d'Europe occidentale. Au Royaume-Uni, le gouvernement travailliste met en place les bases d'un « État-providence », tandis que la jeune République italienne renoue avec la démocratie. Divisée en quatre zones d'occupation, l'Allemagne ne renaît que lentement à la vie politique et, conséquence de la guerre froide, donne naissance, en 1949, à deux États distincts. Acceptant l'aide du plan Marshall, puis le soutien militaire américain dans le cadre de l'alliance Atlantique, l'Europe occidentale apparaît, à la fin des années 40, très dépendante des États-Unis. Des projets d'union européenne renaissent et sont concrétisés par la création du Conseil de l'Europe, en 1949, et celle de la Communauté européenne du charbon et de l'acier, en 1951.

La reconstruction économique

• Une situation difficile en 1945

Moins dévastée que l'Europe orientale, l'Europe occidentale a cependant payé un lourd tribut à la Seconde Guerre mondiale. Les importantes destructions matérielles imposent un effort considérable de reconstruction. Ce sont surtout les villes et les axes de communication qui ont été la proie des bombardements ; les usines, en revanche, ont été moins touchées. Ainsi le potentiel industriel de l'Allemagne n'a-t-il diminué que de 30 % alors que les villes ne sont le plus souvent qu'un champ de ruines, que la quasi-totalité des ponts sur le Rhin, la Weser, le Main et le Danube sont détruits, ainsi que la moitié du parc ferroviaire. En Grande-Bretagne, le niveau de production industrielle en 1945 est même plus élevé qu'en 1939, mais près du quart des immeubles sont détruits ; des villes comme Coventry et plusieurs quartiers de Londres doivent être entièrement reconstruits…

L'activité économique déjà bouleversée par la guerre reste désorganisée au lendemain du conflit. Se posent en effet des problèmes de production, d'acheminement des marchandises et de main-d'œuvre (pertes démographiques, transferts de population, libération ou utilisation de prisonniers de guerre). Sauf en Grande-Bretagne, la production agricole est inférieure à celle de 1938 en raison de la diminution des surfaces et des rendements, ainsi que de la chute parfois considérable du cheptel. Le lent redémarrage des industries de base (charbonnages, sidérurgie) gêne la production de biens d'équipements. La pénurie alimentaire et le manque de produits de consommation entraînent le maintien d'un sévère rationnement et favorisent une forte poussée inflationniste. Aussi l'Europe occidentale doit-elle importer massivement, ce qui détériore sa balance commerciale, aggravant le déficit en or et en devises qui atteint 8 milliards de dollars en 1947.

Seuls, les États-Unis sont alors en mesure de fournir à l'Europe non seulement les denrées alimentaires et les produits industriels dont elle a besoin, mais aussi l'aide financière indispensable pour pouvoir payer ces achats. Le manque de moyens de paiement de l'Europe (le *dollar-gap*) empêche finalement la remise en route du circuit normal des échanges internationaux, entraînant une gêne pour les exportations américaines et, à terme, une menace de récession économique. Mais d'autres raisons vont également pousser les États-Unis à aider financièrement l'Europe occidentale dans les années d'après-guerre.

• Misère et troubles sociaux

Les difficultés économiques sont de plus en plus mal supportées par les populations européennes pour qui le retour à la paix devait signifier la fin des privations et des sacrifices. Dans les pays les plus touchés, troc et marché noir continuent de plus belle alors que sévissent la sous-alimentation, la criminalité, la prostitution et la délinquance juvénile. En Allemagne, l'inflation est telle que la véritable monnaie d'échange est la cigarette américaine. En Italie, on compte 2 millions de chômeurs complets (et autant de chômeurs partiels) dans un état de dénuement décrit de façon saisissante dans les premiers chefs-d'œuvre du cinéma néo-réaliste (*Sciuscia,* 1946; *Le Voleur de bicyclette,* 1948)... L'hiver 1946-1947, particulièrement rigoureux, accentue la pénurie en charbon et en produits alimentaires. Grèves et manifestations se succèdent en France et en Italie alors que la crise de l'énergie met au chômage technique 800000 travailleurs anglais en février 1947.

L'aggravation de la situation économique et la montée de l'agitation sociale début 1947 inquiètent les États-Unis déjà alarmés par les succès électoraux de la gauche dans la plupart des pays européens au lendemain de la guerre : écrasant succès travailliste en Grande-Bretagne où, fait exceptionnel, deux communistes ont été élus aux Communes; score important des partis communiste et socialiste en France et en Italie (26 % au PCF et 20 % au PCI; 24 % à la SFIO et 21 % au PSI)... Les réformes de structure en Grande-Bretagne et en France, la participation de ministres communistes au gouvernement en France, en Italie et en Belgique ne sont guère vues d'un bon œil par les champions de la libre entreprise. La pression de l'URSS sur les pays d'Europe orientale et l'activité des maquis communistes en Grèce font craindre aux États-Unis des bouleversements politiques graves à l'Ouest, ce qui va les conduire à intervenir.

• Les États-Unis au secours de l'Europe

L'aide américaine à l'Europe n'a en fait jamais cessé depuis le vote de la loi «prêt-bail» en mars 1941. Elle s'est aussi effectuée depuis 1943 par l'intermédiaire d'une institution groupant 44 pays, l'UNRRA *(United Nations Relief and Rehabilitation Administration).* Cette organisation presque entièrement à la charge des États-Unis a distribué gratuitement des vivres aux populations européennes les plus démunies jusqu'en 1947. D'autre part, divers pays d'Europe occidentale ont continué à bénéficier de crédits américains après la fin du prêt-bail en août 1945 : le Royaume-Uni (3,75 milliards de dollars jusque fin 1947), la France (2 milliards), l'Italie (1,75 milliard)… en tout, plus de 12 milliards. Ces crédits remboursables étaient généralement accompagnés de contreparties imposées par le prêteur. Ainsi, le Royaume-Uni dut renoncer progressivement au système de préférence impériale et rétablir la convertibilité de la livre (accord négocié par Keynes en décembre 1945), et les accords Blum-Byrnes en mai 1946 obligeaient la France à importer et projeter de nombreux films américains dans un but autant politique que commercial (véhiculer l'idéologie et le mode de vie d'outre-Atlantique à une population pouvant être tentée par le socialisme).

Vis-à-vis de l'Allemagne, les États-Unis organisèrent dès 1945 pour des raisons humanitaires et politiques (crainte de l'extension du communisme) un système de fournitures gratuites de matières premières et de denrées alimentaires. Le coût élevé de cette aide (468 millions de dollars en 1946) conduisit les Américains, suivis par les Britanniques, à souhaiter le redémarrage de l'économie de l'Allemagne alors que les accords de Potsdam prévoyaient la « décartellisation » de son industrie et le démantèlement de ses usines au titre de réparations. La fusion économique des zones d'occupation américaine et anglaise (« bizone ») le 1er janvier 1947 ainsi qu'une aide financière accrue concrétisent cette nouvelle attitude.

Avec le vote par le Congrès de crédits destinés à la Grèce et à la Turquie en proie à la subversion communiste, les raisons politiques de l'aide américaine à l'Europe passent au premier plan :

« Les semences des régimes totalitaires sont nourries par la misère et le dénuement. Elles croissent et se multiplient dans le sol aride de la pauvreté et du désordre. Elles atteignent leur développement maximal lorsque l'espoir d'un peuple en une vie meilleure est mort. Cet espoir, il faut que nous le maintenions en vie » (Truman, 12 mars 1947.)

C'est dans ce contexte de guerre froide, peu après le départ des ministres communistes des gouvernements français et italien (mai 1947), qu'est lancée la « proposition Marshall ».

• Le plan Marshall (1947)

Chef de l'état-major américain de 1939 à 1945, puis ambassadeur en Chine, le général George Marshall vient de succéder à Byrnes comme secrétaire d'État. Le 5 juin 1947, il prononce à l'Université de Harvard un discours par lequel il propose une aide supplémentaire à l'Europe pour lui éviter « de graves troubles économiques, sociaux et politiques », à condition que les Européens répartissent cette aide eux-mêmes.

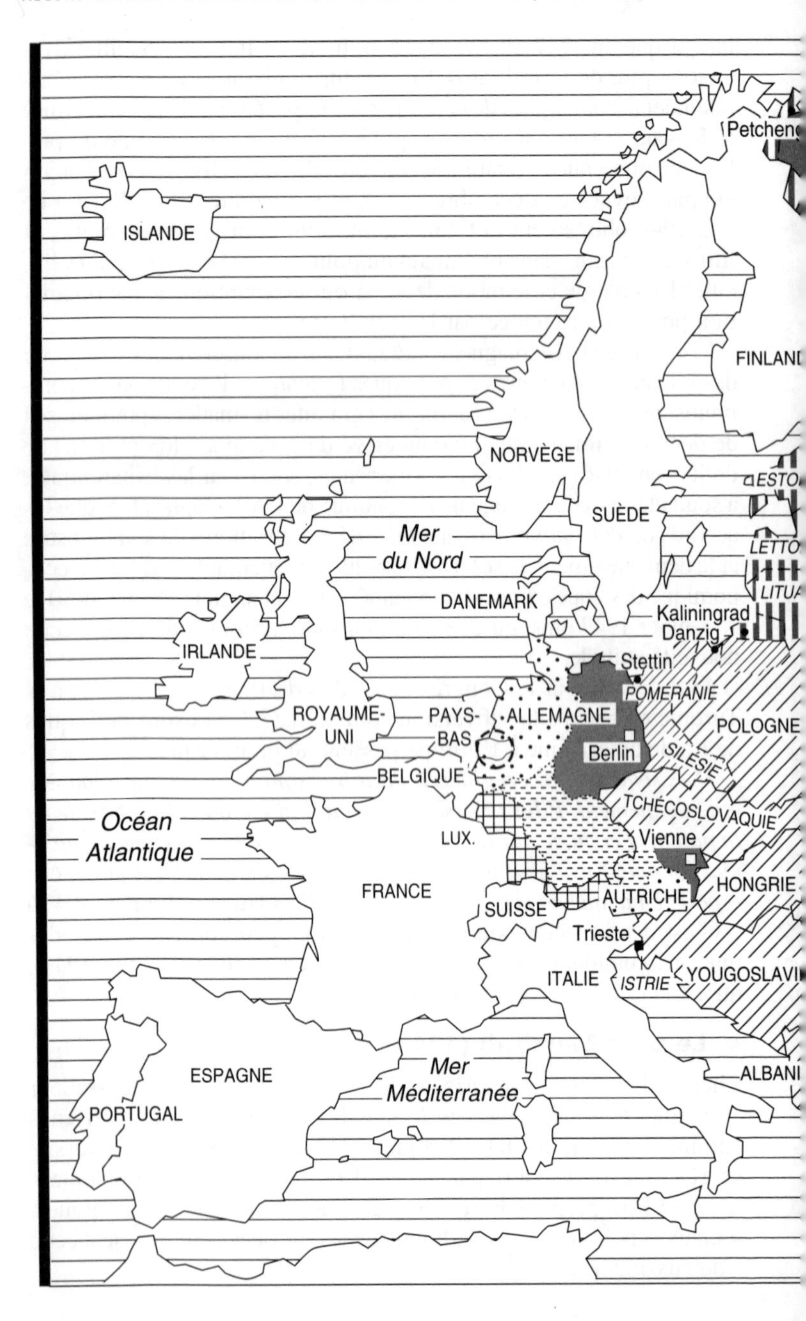
ISLANDE
Petcheng
FINLAND
NORVÈGE
SUÈDE
ESTO
LETTO
LITUA
Mer
du Nord
DANEMARK
Kaliningrad
Danzig
IRLANDE
Stettin
POMERANIE
ROYAUME-
UNI
PAYS-
BAS
ALLEMAGNE
POLOGNE
Berlin
SILÉSIE
BELGIQUE
TCHÉCOSLOVAQUIE
Océan
Atlantique
LUX.
Vienne
FRANCE
HONGRIE
AUTRICHE
SUISSE
Trieste
ITALIE
ISTRIE
YOUGOSLAVI
ALBANI
ESPAGNE
Mer
Méditerranée
PORTUGAL

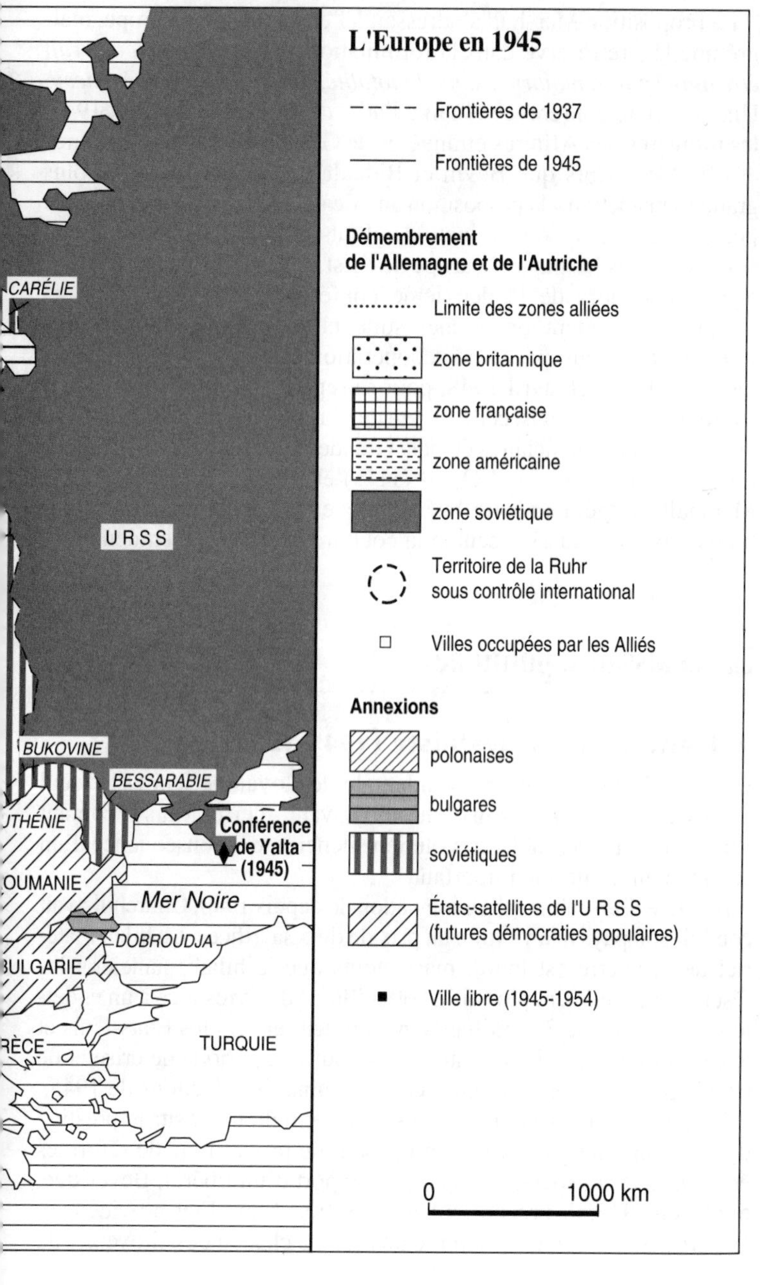
L'Europe en 1945
Frontières de 1937
Frontières de 1945
Démembrement de l'Allemagne et de l'Autriche
Limite des zones alliées
zone britannique
zone française
zone américaine
zone soviétique
Territoire de la Ruhr sous contrôle international
Villes occupées par les Alliés
Annexions
polonaises
bulgares
soviétiques
États-satellites de l'U R S S (futures démocraties populaires)
Ville libre (1945-1954)
0
1000 km
CARÉLIE
URSS
BUKOVINE
BESSARABIE
Conférence de Yalta (1945)
Mer Noire
DOBROUDJA
TURQUIE

La proposition Marshall s'adressait à l'ensemble de l'Europe, malgré une légère réserve dans la formulation *« Le programme devrait être agréé par la majorité, sinon la totalité, des nations européennes »*. Une première conférence réunit à Paris, du 27 juin au 2 juillet 1947, les ministres des Affaires étrangères de Grande-Bretagne, de France et d'URSS. Alors que Bevin et Bidault accueillent « avec la plus grande satisfaction » la proposition américaine, Molotov estime qu'elle porte atteinte à la souveraineté des États et la repousse, entraînant dans son refus les pays d'Europe de l'Est. Mais seize pays d'Europe occidentale, lors de la deuxième conférence de Paris du 12 au 15 juillet, décident de donner suite et se regroupent dans une « Organisation européenne de coopération économique », officiellement fondée le 16 avril 1948, pour se répartir l'aide Marshall. Étalée sur plus de trois ans, celle-ci sera de plus de 10 milliards de dollars, les principaux bénéficiaires étant la Grande-Bretagne (26 %), la France (20 %), l'Allemagne de l'Ouest (11 %) et l'Italie (10 %). Si le plan Marshall a largement contribué au relèvement économique de nombreux pays, il a aussi accentué la coupure de l'Europe en deux.

La renaissance politique

• L'Angleterre travailliste (1945-1951)

Des grands pays d'Europe occidentale, le Royaume-Uni est le seul à conserver en 1945 ses institutions d'avant-guerre. Mais il connaît néanmoins une véritable « révolution silencieuse », conséquence d'un changement politique important.

À la tête d'un cabinet d'Union nationale depuis 1940, Churchill avait conduit son pays à la victoire au prix de durs sacrifices. Le bilan matériel de la guerre est lourd, mais moins que le bilan financier : les réserves ne s'élèvent plus qu'à 500 millions de livres face à un endettement de plus de 3,5 milliards, notamment envers les États-Unis et le Commonwealth. La crainte d'un retour à la période de crise et de chômage de l'entre-deux-guerres va dominer les élections de 1945.

Face aux conservateurs qui misent essentiellement sur le prestige de Churchill, les travaillistes proposent un programme de réformes économiques et sociales inspiré du rapport d'un libéral, Beveridge, publié en 1942. Ils préconisent la réalisation d'un « État-providence » *(Welfare State)* devant assurer le bien-être à chacun des citoyens « du berceau à la tombe». Le vote massif non seulement des ouvriers mais aussi des classes moyennes en faveur de ce programme explique l'écrasante victoire du *Labour party* dont le leader, Attlee, devient Premier ministre. Les travaillistes, qui ont pour la première fois la majorité à la chambre des Communes (393 sièges sur 540), vont en cinq ans de «révolution silencieuse» modifier profondément les structures économiques et sociales du pays.

Dans le domaine économique, ils procèdent à toutes les nationalisations inscrites à leur programme : la Banque d'Angleterre et les charbonnages (1946), les transports et les télécommunications (1946-47), le gaz et l'électricité (1947-48), la sidérurgie (1949). L'État contrôle désormais un grand nombre de secteurs clés de l'économie et devient le plus gros employeur du royaume.

Dans le domaine social, de grandes réformes sont mises en place de 1946 à 1948 : une Assurance nationale couvrant les risques de maladie, d'accidents, de chômage..., un Service national de santé assurant la gratuité complète des soins médicaux, un programme de construction de logements et d'aménagement du territoire, une politique de démocratisation scolaire et de nivellement des fortunes (taxation des gros revenus) ...

Mais le coût de ces nouvelles charges sociales aggrave les difficultés financières du pays. Une sévère politique d'austérité à partir de 1947 ne peut empêcher une forte dévaluation de la livre en 1949. Attlee doit faire face non seulement aux attaques des conservateurs mais aussi aux critiques de l'aile gauche travailliste menée par Bevan qui lui reproche son modérantisme dans le domaine social et sa trop grande dépendance à l'égard des États-Unis. Les travaillistes remportent cependant les élections de 1950, mais leur faible majorité en sièges annonce déjà le prochain retour des conservateurs au pouvoir.

Touché par le mouvement de décolonisation (indépendance de l'Inde en 1947), affaibli financièrement, le Royaume-Uni n'a plus les moyens de jouer un rôle de premier plan sur la scène internationale. Son prestige reste cependant très grand dans de nombreux domaines comme en littérature avec AJ. Cronin, Graham Greene et George Orwell (dont le premier roman, 1984, publié peu avant sa mort en 1950, décrit un terrifiant monde totalitaire). Et le cinéma britannique connaît au lendemain de la guerre une grande audience avec David Lean (*Brève rencontre,* 1945), Laurence Olivier (*Hamlet,* 1948), Carol Reed (*Le Troisième Homme,* 1949) et les films humoristiques comme *Noblesse oblige* (de Robert Hamer, 1949), *Passeport pour Pimlico* (de Henry Cornelius, 1949) ...

• Les débuts de la République italienne (1945-1953)

Après le renversement de Mussolini le 25 juillet 1943 et l'annonce de l'armistice par le roi le 8 septembre, l'Italie, envahie par les Allemands au Nord et par les Anglo-Américains au Sud, s'était coupée en deux. Dernier bastion du fascisme, une « République sociale italienne » était fondée au nord par Mussolini sous la protection des Allemands. Harcelée par les groupes de partisans, la « République de Salò » s'effondra en avril-mai 1945 après la mort de Mussolini et la capitulation des troupes allemandes. Au Sud, le gouvernement Badoglio nommé par le roi en juillet 1943 dut faire place en juin 1944 à un Comité de coalition nationale, regroupant toutes les composantes de la résistance antifasciste, des communistes aux démocrates-chrétiens.

En 1945, l'Italie sort du conflit économiquement ruinée et politiquement divisée. Certaines régions du Nord sont au bord de la révolution sociale alors que des velléités de sécession se manifestent en Sicile, en Sardaigne, en Vénétie Julienne et dans le Val d'Aoste. La monarchie est remise en question et le 2 juin 1946, 54 % des Italiens se prononcent par référendum en faveur de la République : le soutien de l'Église, le vote des femmes et des régions méridionales n'ont pu sauver une monarchie trop longtemps compromise avec le fascisme. L'Assemblée constituante élue le même jour, confirme l'audience des trois grands partis de la coalition antifasciste : 35 % des voix à la Démocratie chrétienne, 20 % au PSI et 19 % au PCI.

Alcide de Gasperi, fondateur du parti démocrate-chrétien, forme un gouvernement de coalition avec des ministres socialistes et communistes. Une nouvelle Constitution établit un régime parlementaire classique avec un Président du Conseil responsable devant les Chambres. La signature du traité de paix avec les Alliés, le 10 février 1947 à Paris, impose à l'Italie des clauses territoriales (perte des colonies), financières et militaires assez lourdes, mais ces deux dernières vont être rapidement assouplies ou abrogées en raison de la guerre froide. En mai 1947, communistes et socialistes sont rejetés dans l'opposition. De Gasperi, fort du succès de la Démocratie chrétienne aux élections de 1948 (48,5 % des voix), peut désormais aligner son pays vers l'Atlantisme (acceptation de l'aide financière américaine) et la construction européenne, deux choix qui vont faciliter le relèvement économique du pays dans les années 1950.

La résistance au fascisme et la misère de l'Italie d'après-guerre ont souvent servi de toile de fond à une remarquable production littéraire et cinématographique, avec les romans de Malaparte (*Kaputt,* 1945, *La Peau,* 1949), de Carlo Levi (*Le Christ s'est arrêté à Éboli,* 1945), et les films de l'école néo-réaliste italienne : *Rome, ville ouverte* (1945) et Païsa (1946) de Rossellini ; *Sciuscia* (1946) et *Le Voleur de bicyclette* (1948) de Vittorio de Sica ; *La terre tremble* (1948) de Visconti ; *Riz amer* (1948) et *Pâques sanglantes* (1949) de Giuseppe de Santis…

• La naissance de la République fédérale allemande (1945-1949)

Après la capitulation sans conditions du IIIe Reich le 8 mai 1945, l'Allemagne disparaît en tant qu'État : les Alliés prennent en main la souveraineté du pays et constituent quatre zones d'occupation. En outre l'ancienne Prusse orientale et les territoires à l'est de la ligne Oder-Neisse sont annexés par l'URSS et la Pologne, ce qui provoque l'exode de plusieurs millions de réfugiés. Le statut d'occupation est confirmé à la conférence de Potsdam qui définit un certain nombre de principes politiques et économiques à appliquer dans les zones contrôlées par les Alliés : démilitarisation, « dénazification », « décartellisation », limitation de la production industrielle, versement à titre de réparations d'usines et de matériel… Le pays est dans un état de misère et de démoralisation totale : c'est l'« Allemagne année zéro » (titre d'un film de Rossellini en 1947).

Mais, rapidement, le fonctionnement du régime quadripartite (un Conseil de contrôle réunissant les commandants en chef des zones d'occupation) se trouve paralysé par les divergences entre les Alliés. Les Anglo-Américains, qui souhaitent le redressement économique de l'Allemagne et sa renaissance politique dans un cadre fédéral, fusionnent leurs zones le 1er janvier 1947. La France, plus réticente, ne s'y résout que le 3 juin 1948 (Accords de Londres) devant la pression soviétique en Europe centrale et orientale. Quelques semaines plus tard, une importante réforme monétaire dans les zones occidentales (création du Deutschemark), suivie du blocus de Berlin-Ouest par les Soviétiques du 23 juin 1948 au 12 mai 1949, accélère la coupure de l'Allemagne en deux.

Des élections locales ayant été organisées dans les zones occidentales à partir de 1946, la vie politique y renaît peu à peu. Elle se traduit par une tendance à la bipolarisation autour du parti chrétien-démocrate (CDU) fondé par le maire de Cologne Konrad Adenauer, et du vieux parti social-démocrate (SPD) alors que, dans la zone soviétique, celui-ci a fusionné avec le parti communiste. En septembre

1948, les délégués des dix *Länder* de l'Ouest se réunissent à Bonn en un Conseil parlementaire constituant. Affirmant agir aussi *« pour ceux des Allemands privés de la possibilité d'y coopérer »*, ils votent le 8 mai 1949 la loi fondamentale de la République fédérale allemande, conçue comme un règlement provisoire en attendant la réunification du pays puisque : *« le peuple allemand tout entier demeure invité à achever, en disposant librement de lui-même, l'unité et la liberté de l'Allemagne »*.

La loi fondamentale de mai 1949 institue un État fédéral réunissant dix *Länder* ayant chacun son assemblée, son gouvernement et une large autonomie dans certains domaines (justice, enseignement...). Le pouvoir législatif est détenu par deux assemblées, le Bundesrat (composé des délégués des gouvernements des *Länder*), et surtout le Bundestag, élu pour quatre ans au suffrage universel selon un système complexe qui combine scrutin uninominal majoritaire et scrutin proportionnel. Le chancelier, chef du pouvoir exécutif, est élu par le Bundestag qui ne peut le renverser qu'après avoir au préalable désigné son successeur à la majorité absolue (vote de défiance constructif). Élu en août 1949, le premier Bundestag porte à la Chancellerie Konrad Adenauer. L'Allemagne de l'Ouest est née. La création dans la zone soviétique d'une « République démocratique allemande » en octobre 1949 ne fait que consacrer une scission déjà inscrite dans les faits.

Les débuts de la construction européenne (1948-1953)

• Une « Europe américaine » ?

Fondée en avril 1948 à l'initiative des États-Unis pour la répartition de l'aide Marshall, l'Organisation européenne de coopération économique (OECE) ne chercha pas à former une quelconque intégration entre ses pays membres. Mais elle facilita grandement leurs échanges commerciaux en réduisant progressivement les contingentements qui limitaient quantitativement les importations de chaque pays. De même, elle fut à l'origine de l'Union européenne des paiements, créée en 1950, organisme qui par un système de compensation multilatérale permit de financer les échanges entre ses pays membres malgré leur insuffisance en devises et la non-convertibilité

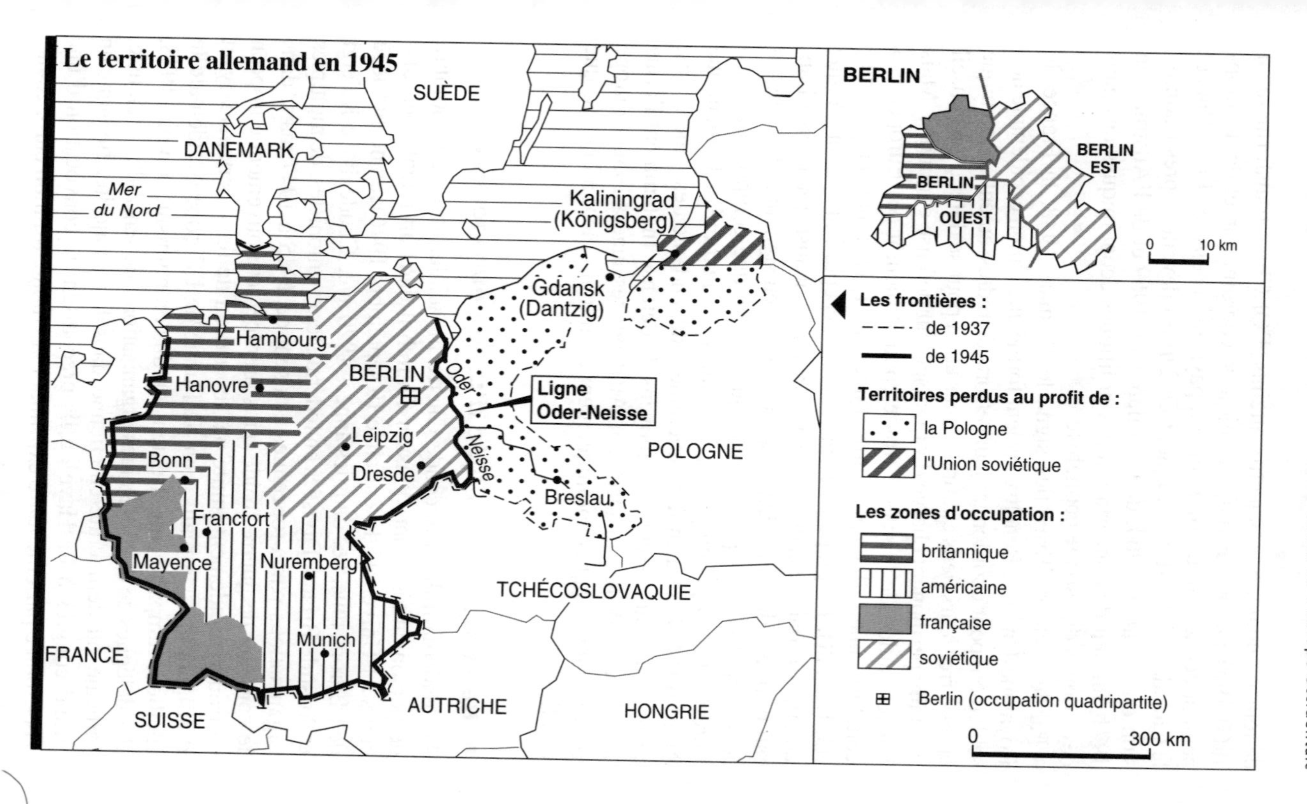
Le territoire allemand en 1945
SUÈDE
DANEMARK
Mer du Nord
Kaliningrad (Königsberg)
Gdansk (Dantzig)
Hambourg
BERLIN
Hanovre
Oder
Ligne Oder-Neisse
Leipzig
Neisse
POLOGNE
Bonn
Dresde
Breslau
Francfort
Mayence
Nuremberg
TCHÉCOSLOVAQUIE
Munich
FRANCE
AUTRICHE
HONGRIE
SUISSE
BERLIN
BERLIN EST
BERLIN OUEST
0 10 km
Les frontières :
de 1937
de 1945
Territoires perdus au profit de :
la Pologne
l'Union soviétique
Les zones d'occupation :
britannique
américaine
française
soviétique
Berlin (occupation quadripartite)
0 300 km

de leur monnaie. Ses objectifs atteints, l'OECE se transformera en 1960-1961 en OCDE (Organisation de coordination et de développement économique) joignant aux pays européens les États-Unis et le Canada. D'abord Atlantique, l'OCDE est devenue après l'admission du Japon en 1964, de la Finlande en 1969 et de l'Australie en 1971, un lieu de concertation des politiques économiques des pays développés du monde capitaliste.

Par le pacte de Bruxelles signé le 17 mars 1948, la France, le Royaume-Uni et le Benelux avaient formé une Union occidentale non seulement pour coordonner leurs efforts de redressement économique et resserrer leurs liens culturels, mais aussi pour se doter d'un conseil militaire permanent chargé d'organiser leur défense commune. Mais l'accentuation de la guerre froide conduit bientôt ces Européens à conclure une alliance «entre l'ancien et le nouveau monde» (G. Bidault). La plupart des pays ayant accepté l'aide économique américaine dans le cadre du plan Marshall vont aussi rechercher l'appui militaire des États-Unis (et du Canada) en signant à Washington le 4 avril 1949 le «pacte Atlantique». Bien que composée majoritairement de pays européens, l'Organisation du traité de l'Atlantique Nord (OTAN) sera en fait entièrement dépendante des Américains, principaux fournisseurs des moyens de défense (notamment l'arme atomique) et de leur financement. Au début des années 1950, l'Europe occidentale restait économiquement et militairement à la remorque des États-Unis.

• Renaissance de l'idée d'union européenne

Au lendemain de la Seconde Guerre mondiale, un certain nombre de personnalités (dont Winston Churchill dans un retentissant discours à l'Université de Zurich le 19 septembre 1946) relancent l'idée de l'Europe unie, née dans les années 1920 avec Coudenhove-Kalergi et Aristide Briand. Divisées en fédéralistes et unionistes, de multiples organisations paneuropéennes éclosent de 1945 à 1947 mais, dans le contexte de guerre froide qui s'amorce, le mouvement européen se trouve rapidement limité par le «rideau de fer», certains voyant d'ailleurs dans la réalisation de l'unité de l'Europe occidentale le meilleur rempart contre l'extension du communisme. En mai 1948, des délégués de ces différentes organisations, de sensibilité socialiste, radicale ou démocrate-chrétienne dans leur majorité, tiennent un grand congrès à La Haye où ils préconisent la convocation d'une Assemblée parlementaire exprimant la volonté d'union européenne.

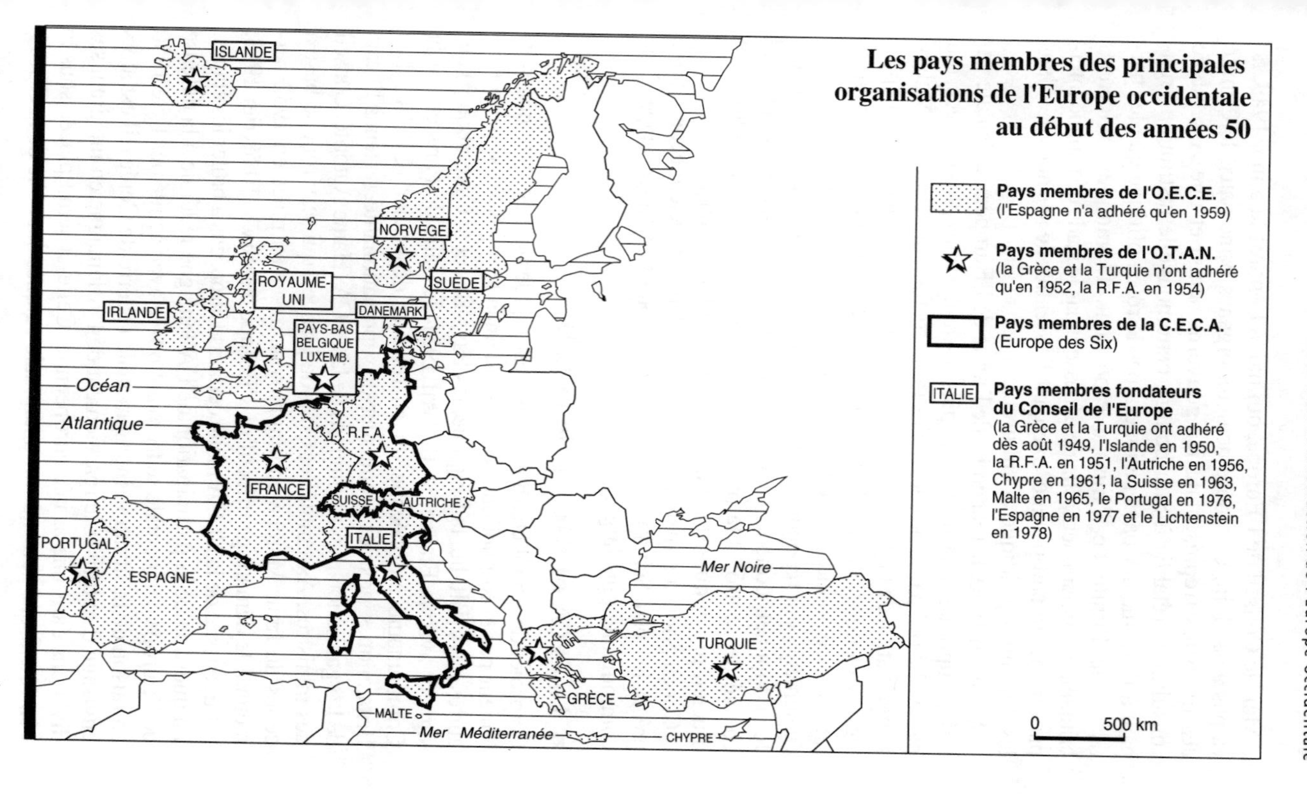
Les pays membres des principales organisations de l'Europe occidentale au début des années 50
Pays membres de l'O.E.C.E.
(l'Espagne n'a adhéré qu'en 1959)
Pays membres de l'O.T.A.N.
(la Grèce et la Turquie n'ont adhéré qu'en 1952, la R.F.A. en 1954)
Pays membres de la C.E.C.A.
(Europe des Six)
ITALIE
Pays membres fondateurs du Conseil de l'Europe
(la Grèce et la Turquie ont adhéré dès août 1949, l'Islande en 1950, la R.F.A. en 1951, l'Autriche en 1956, Chypre en 1961, la Suisse en 1963, Malte en 1965, le Portugal en 1976, l'Espagne en 1977 et le Lichtenstein en 1978)
0
500 km
ISLANDE
NORVÈGE
SUÈDE
ROYAUME-UNI
IRLANDE
DANEMARK
PAYS-BAS
BELGIQUE
LUXEMB.
Océan
Atlantique
R.F.A.
FRANCE
SUISSE
AUTRICHE
ITALIE
PORTUGAL
ESPAGNE
Mer Noire
TURQUIE
GRÈCE
MALTE
Mer Méditerranée
CHYPRE

Mais le Conseil de l'Europe, qui naît à Londres le 5 mai 1949, ne va pas aussi loin. Composé de deux organes principaux, le Comité des ministres (représentant les gouvernements) et une Assemblée consultative (établie à Strasbourg), cette nouvelle institution groupant à l'origine dix pays ne jouera pas le rôle politique que les partisans de l'unité de l'Europe espéraient. Devant les réticences britanniques notamment, elle ne dépassera pas le stade de tribune interparlementaire européenne, exerçant l'essentiel de ses activités dans les domaines juridique et culturel.

Aussi, en 1950, la recherche de l'unité de l'Europe occidentale va-t-elle emprunter une autre voie, plus restreinte mais plus efficace, qui passe d'abord par le problème des rapports franco-allemands. Malgré l'aggravation de la guerre froide faisant craindre avant tout une expansion soviétique, de nombreux Français restaient inquiets devant la renaissance politique et économique d'une nouvelle Allemagne. C'est également pour répondre à cette réticence qu'un Européen convaincu, Jean Monnet, conçoit l'idée de créer un organisme supranational chargé de contrôler la production franco-allemande de charbon et d'acier, projet qui est soumis au gouvernement français.

Conçu prioritairement pour deux pays dans un secteur économique précis, le «plan Schuman» n'en sera pas moins la première étape d'une communauté plus large.

• La CECA et l'échec de la CED

Ce projet de «pool charbon-acier» est rapidement accepté non seulement par la République fédérale allemande, mais aussi par quatre autres pays (l'Italie, la Belgique, les Pays-Bas et le Luxembourg) qui signent avec la France, le 18 avril 1951, le traité de Paris créant la Communauté européenne du charbon et de l'acier (CECA). Les Britanniques, hostiles à toute idée de supranationalité, restent à l'écart de l'organisation. Les institutions de la CECA (Haute Autorité, Conseil des ministres, Assemblée et Cour de justice), qui serviront de base à celles du futur Marché commun, sont mises en place en 1952 permettant le démarrage effectif de l'Europe des Six le 10 février 1953.

La réussite de la CECA incite certains Européens à brûler les étapes. La question de la participation de l'Allemagne fédérale à la défense de l'Europe occidentale se trouvant posée avec acuité dès l'été 1950 en raison de la situation internationale (guerre de Corée), il est alors envisagé d'autoriser le réarmement de l'Allemagne en intégrant ses divisions dans une armée européenne. Celle-ci serait placée sous le contrôle d'une autorité supranationale calquée sur celle de la CECA.

Signée le 27 mai 1952 par les gouvernements des six pays de la CECA, la Communauté européenne de défense (CED) ne sera pas ratifiée par le Parlement français (après plus de deux ans de tergiversations) et restera donc lettre morte. L'article 38 de ses statuts envisageait même la création d'une « structure fédérale ou confédérale » pour les six pays. Une commission élabora en mars 1953 un projet de Communauté politique européenne que l'échec de la CED rendit caduc. Après un brillant départ, l'idée européenne semblait dans une impasse.

CHAPITRE 4

La France de 1945 à 1952

En 1945, la France est dirigée par un gouvernement provisoire présidé par le général de Gaulle. Les consultations électorales de 1945 prévoient la naissance d'une IVe République et donnent la majorité à trois partis : le parti communiste, le parti socialiste et le MRP. Bientôt, le conflit entre les partis et le général de Gaulle conduit à la démission de ce dernier et à la constitution du tripartisme qui gouverne la France entre janvier 1946 et mai 1947, puis éclate avec les débuts de la guerre froide. Les institutions de la IVe prépondérance à l'Assemblée nationale et instituent un régime dans lequel le poids des partis politiques est déterminant. La double menace que fait peser sur le régime le parti communiste et le RPF du général de Gaulle incite les autres partis à constituer une « Troisième Force », qui gouverne la France entre 1947 et 1952, au milieu de contradictions qui vont provoquer sa dislocation. La reconstruction économique de la France, sortie exsangue de la guerre, est mise en œuvre grâce à l'intervention de l'État, qui pratique nationalisations et planification, grâce à l'aide financière américaine et à une politique sociale généreuse.

La reconstruction politique (1945-1947)

• Les élections de 1945

En 1942, le général de Gaulle avait promis de «rendre la parole au peuple». Toutefois, le GPRF (Gouvernement provisoire de la République française) va attendre pour organiser une consultation nationale le retour d'Allemagne des prisonniers et déportés. Elle a lieu le 21 octobre 1945, les femmes votant pour la première fois, et son objet est double. En premier lieu, les Français doivent répondre à un référendum à deux questions. La première les interroge sur leur volonté de voir rédiger une nouvelle Constitution qui remplacerait celle de la IIIe République, jugée responsable de la faiblesse du régime en 1940. Le général de Gaulle et tous les partis politiques (sauf les radicaux et les modérés) préconisent une réponse positive à cette question, et 96% des électeurs approuvent de fait la fin de la IIIe République. La seconde question porte sur la limitation des pouvoirs de l'Assemblée que les Français élisent le même jour, son rôle se bornant à rédiger (en sept mois au plus) la nouvelle Constitution. Souhaité par le général de Gaulle et la plupart des partis (sauf les radicaux et les communistes), le «oui» à cette seconde question est approuvé par 66% des votants. La nouvelle Assemblée, élue le 21 octobre, sera donc constituante et aura des pouvoirs et une durée limités.

Les élections du 21 octobre 1945

	Part des suffrages exprimés	Nombre de sièges
Parti communiste	26,2%	160
Socialistes SFIO	23,4%	142
Radicaux et «Résistants»	10,5%	59
MRP	23,9%	152
Modérés	15,6%	61
Divers	0,1%	9

Les élections de 1945 bouleversent l'équilibre des forces politiques en France. Les partis dominants de la IIIe République, radicaux et modérés, sont écrasés (il est vrai que le mode de scrutin proportionnel et par liste ne favorise pas les notables), alors que trois grands partis de masse, nés de la Résistance ou renouvelés par elle, le parti communiste, le parti socialiste et le Mouvement républicain populaire (MRP), rassemblant des résistants chrétiens, se partagent les trois quarts des voix et des sièges. Signe de ce bouleversement de l'échiquier politique : les deux partis qui se réclament du marxisme, parti communiste et parti socialiste, disposent de la majorité absolue à l'Assemblée.

• Le conflit entre de Gaulle et les partis

Entre les deux partis de gauche et le général de Gaulle naît rapidement un profond conflit. Si l'Assemblée constituante élit à l'unanimité le général de Gaulle Président du Gouvernement provisoire, les escarmouches se multiplient entre le chef du gouvernement d'une part, les communistes et les socialistes de l'autre, qui supportent mal son autorité : conflit avec le parti communiste qui exige un des trois ministères clés (Affaires étrangères, Défense nationale, Intérieur) que le général refuse de lui donner, difficultés avec le parti socialiste qui s'oppose au Président sur de multiples sujets et affirme la prépondérance des vues de l'Assemblée constituante. Ces conflits révèlent des conceptions antagonistes du fonctionnement des pouvoirs publics qui se cristallisent dans les travaux de la commission de la Constitution de l'Assemblée constituante. Le général de Gaulle souhaite un exécutif fort; les deux partis majoritaires entendent au contraire donner le pouvoir à une Assemblée unique. Se rendant compte qu'il ne peut infléchir leur détermination, le général de Gaulle s'efforce alors de créer un choc dans l'opinion. Le 20 janvier 1946, il donne sa démission, convaincu que le MRP le suivra aussitôt dans sa retraite et que, sous la pression de l'opinion publique, il sera aussitôt rappelé. Or, il n'en est rien.

• Le tripartisme et la naissance de la IVᵉ République (1945-1946)

En démissionnant, le général de Gaulle ne laisse subsister d'autre force légitime en France que celle des trois grands partis politiques vainqueurs des élections de 1945. Le parti communiste propose alors au parti socialiste la constitution d'un gouvernement de gauche, à l'image de la majorité de l'Assemblée constituante. Redoutant un tête-à-tête avec les communistes qui pourrait conduire leur parti à servir d'otage dans un processus de constitution de démocratie populaire analogue à celui qui se déroule en Europe de l'Est, les socialistes réclament au contraire un gouvernement à trois avec le MRP. Après avoir hésité entre une attitude d'opposition qui ferait apparaître le MRP comme « le parti de la fidélité » au général de Gaulle et la crainte que ce retrait ne laisse le champ libre au parti communiste, les dirigeants de ce parti décident finalement de participer au gouvernement. La succession du général de Gaulle est donc assurée par les trois grands partis politiques qui constituent le «tripartisme». Celui-ci est fondé sur une «charte», signée le 23 janvier 1946, par laquelle les trois partis promettent de ne pas s'attaquer (on a dit qu'il s'agissait d'un pacte de non-agression) et de défendre ensemble devant le pays les mesures décidées ensemble au gouvernement. Le socialiste Félix Gouin, Président de l'Assemblée constituante, devient Président du Conseil et répartit les ministères entre les trois grands partis politiques. En fait, la charte du tripartisme n'est qu'un leurre et les trois grands partis politiques se méfient les uns des autres. Rien n'éclaire mieux leur antagonisme que les débats sur la Constitution dont la rédaction est la principale charge de la Constituante. Communistes et socialistes veulent une Assemblée unique et toute-puissante. Le MRP qui craint qu'elle ne soit l'instrument d'une dictature communiste souhaite qu'il existe des contrepoids à son pouvoir, une seconde assemblée et un Président de la République disposant de certaines prérogatives. Mais communistes et socialistes qui sont majoritaires imposent leur loi à un MRP qui, bien que siégeant à leurs côtés au gouvernement, fait figure vis-à-vis d'eux de parti d'opposition. En mai 1946, la Constituante soumet à l'approbation des citoyens un projet constitutionnel conforme aux vues de la majorité socialo-communiste, le MRP préconisant un vote négatif. Or, à la surprise générale, celui-ci l'emporte (53 % de non), et la Constitution est rejetée.

Il faut, dès lors, élire une seconde Assemblée constituante qui rédigera un projet susceptible de recueillir l'assentiment des Français. Les élections qui ont lieu le 2 juin 1946, toujours au scrutin de liste proportionnel départemental, maintiennent la prépondérance du tripartisme, mais le rééquilibrent au profit du MRP.

Les élections du 2 juin 1946

	Part des suffrages exprimés	Nombre de sièges
Parti communiste	25,9 %	153
Parti socialiste SFIO	21,1 %	129
RGR (radicaux + UDSR)	11,6 %	53
MRP	28,2 %	169
Modérés	12,8 %	67
Divers	0,1 %	15

Celui-ci devient, avec 28,2 % des voix, le premier parti de France, alors que les communistes et socialistes reculent, perdant la majorité à l'Assemblée constituante. Le MRP Georges Bidault est élu Président du Gouvernement provisoire et la nouvelle assemblée infléchit alors le projet constitutionnel dans le sens des idées défendues par le parti du chef du gouvernement, le MRP passant avec les partis de gauche un compromis qui préserve la prépondérance de l'Assemblée nationale élue au suffrage universel dans les institutions. C'est cette disposition qui explique la condamnation par le général de Gaulle de la nouvelle Constitution (discours d'Épinal du 22 septembre 1946). Mais, cette fois, rompant avec le général de Gaulle, le MRP appelle à voter oui, comme les socialistes et les communistes, et le référendum constitutionnel d'octobre 1946 donne une majorité positive de 53 % de votants. Mais il y a eu près de 30 % d'abstentions et le général de Gaulle fait remarquer que, dans ces conditions, seule une minorité des électeurs a accepté la Constitution : *« Un tiers des Français s'y étaient résignés, un tiers l'avaient repoussée, un tiers l'avaient ignorée »*, déclare-t-il alors, instruisant aussitôt un procès en illégitimité des nouvelles institutions. Quoi qu'il en soit, l'étroitesse de la majorité ne permet pas à la IVe République ainsi créée de se prévaloir d'un large appui populaire.

Cependant, les nouvelles institutions créées par le tripartisme se mettent en place à partir de novembre 1946, clôturant ainsi le règne du provisoire, inauguré avec la Libération. Le 10 novembre 1946 ont lieu les élections à l'Assemblée nationale, prévue par la Constitution. Elles confirment la prééminence des trois grands partis, mais avec une menace pour le tripartisme : l'audience du parti socialiste se restreint nettement, alors que les radicaux et les modérés, sans gagner de voix, remontent en sièges, fournissant ainsi un éventuel appoint à deux des grands partis s'ils souhaitent se débarrasser du troisième.

Les élections du 10 novembre 1946

	Part des suffrages exprimés	Nombre de sièges
Parti communiste	28,2 %	183
Parti socialiste SFIO	17,8 %	105
RGR (radicaux + UDSR)	11,1 %	70
MRP	25,9 %	167
Union gaulliste	3 %	22
Modérés	12,9 %	71

En décembre est élu le conseil de la République, la seconde assemblée. Le 16 janvier 1947, l'Assemblée nationale et le conseil de la République portent à la présidence de la République le socialiste Vincent Auriol. Fin janvier ce dernier nomme Président du Conseil un autre socialiste, Paul Ramadier, qui forme un gouvernement comprenant des représentants des trois grands partis, mais aussi, fait caractéristique résultant des élections, des modérés, des radicaux et des membres d'une nouvelle formation alliée aux radicaux depuis le printemps 1946 au sein du RGR (Rassemblement des gauches républicaines), l'UDSR (Union démocratique et socialiste de la Résistance). Mais, au moment où les institutions qu'il a créées se mettent en place, le tripartisme va éclater.

• La fin du tripartisme (1947)

Entre janvier 1946 et mai 1947, on voit naître sur tous les grands problèmes de l'heure une opposition grandissante entre le parti communiste et les autres partis de la majorité.

Sur le plan économique et social, les trois grands partis se sont montrés favorables à des nationalisations et à la mise en place de la planification. Mais la lutte contre l'inflation va introduire des germes de discorde entre eux. À partir de 1946, la hausse des prix devient préoccupante. Pour tenter de juguler l'inflation, le gouvernement s'efforce de limiter les hausses de salaires, avec l'appui du parti communiste et de la CGT. Mais cette politique provoque le mécontentement ouvrier et de nombreuses grèves spontanées qui débordent les syndicats. Redoutant de se trouver coupés des masses ouvrières en freinant leurs revendications, parti communiste et CGT décident de changer d'attitude au printemps 1947 et d'appuyer les exigences salariales. Cette nouvelle politique va trouver un point d'application à la régie Renault où, après avoir tenté d'arrêter une grève spontanée déclenchée fin avril, la CGT décide, début mai, de l'encadrer. Les députés communistes interpellent alors le gouvernement Ramadier sur sa politique salariale à la régie Renault.

Dans le domaine colonial, alors que les communistes avaient très largement approuvé la politique de reprise en main des colonies après la Libération, le conflit naît fin 1946. Les communistes s'élèvent contre les opérations militaires entreprises par les Français au Vietnam à l'encontre du leader communiste Hô Chi Minh qui, à la tête des nationalistes du Vietminh, revendique l'indépendance de son pays. Les députés communistes rejettent les crédits demandés par le gouvernement en matière militaire, et les ministres communistes s'abstiennent dans ce vote, provoquant une vive tension au sein du gouvernement. Une nouvelle entorse à la solidarité gouvernementale est faite lorsque les communistes protestent contre la brutale répression de l'insurrection de Madagascar en 1947.

Mais ce sont les problèmes de politique étrangère qui vont provoquer la mort du tripartisme. Dans ce domaine encore, le parti communiste a soutenu la politique des gouvernements provisoires dont le maître mot était le démembrement, ou, tout au moins, l'affaiblissement de l'Allemagne. Jusqu'au printemps 1947, la France a eu le sentiment que l'URSS était beaucoup plus favorable à ses vues que les Anglo-Saxons, davantage portés à ménager l'Allemagne. C'est pourquoi la politique d'appui sur l'URSS pour faire pression sur les Anglais et les Américains dans la question allemande a été une constante pour les gouvernements provisoires. Avec les débuts de la guerre froide au printemps 1947, cette politique devient intenable. À la conférence de Moscou d'avril 1947, Staline préconise, à la grande déception des Français, une réunification de l'Allemagne (dont il pense qu'elle rejoindrait le camp de l'Est). Mais surtout, la déclaration Truman ouvre officiellement le conflit entre l'Est et l'Ouest qui n'avait jusqu'alors été que larvé. La France doit choisir son camp et il est évident que ce ne peut être que celui des démocraties occidentales, rangées derrière les États-Unis, pour faire barrage à l'expansion du communisme. Mais un tel choix est-il compatible avec le maintien au gouvernement de ministres communistes qui ne dissimulent pas qu'ils trouvent à Moscou leur modèle ? Paul Ramadier et son ministre des Affaires étrangères Georges Bidault tentent cependant d'éviter une rupture. Une initiative des communistes va la rendre inévitable. Le 4 mai 1947, les ministres communistes votent avec les députés de leur parti contre le gouvernement auquel ils appartiennent dans un scrutin de confiance demandé par Ramadier sur sa politique salariale aux usines Renault. Cette rupture ouverte de la solidarité gouvernementale conduit le 5 mai Paul Ramadier à les exclure du gouvernement.

Même si les communistes et une partie des socialistes ne considèrent cet épisode que comme un incident sans lendemain et estiment que le parti communiste ne tardera guère à faire son entrée dans un nouveau gouvernement, l'aggravation de la guerre froide va rendre irréversible la décision du 5 mai 1947. Le parti communiste se trouve rejeté dans un ghetto politique dont il ne sortira plus sous la IVe République. Avec l'exclusion des communistes du gouvernement, le tripartisme a vécu. Du même coup, les institutions, taillées à sa mesure, se trouvent déséquilibrées dans leur fonctionnement.

Les institutions et leur pratique sous la IVe République

• La prépondérance de l'Assemblée nationale

Les institutions du nouveau régime reflètent d'abord la volonté de rejeter le régime du pouvoir personnel de Vichy en élaborant une démocratie où le dernier mot appartient au suffrage universel. D'autre part, elles traduisent le choix des partis de gauche, élément clé des deux Constituantes, en donnant l'essentiel du pouvoir à l'Assemblée nationale, formée de députés élus pour cinq ans à la représentation proportionnelle sur des listes établies par département. Dépositaire privilégiée de la souveraineté nationale, l'Assemblée est préservée de tout empiétement de l'exécutif sur ses prérogatives et de toute limitation de ses pouvoirs :

– elle est seule compétente pour établir la durée de ses sessions, alors que sous la IIIe République le Président du Conseil pouvait en décréter la clôture au bout de cinq mois ;

– elle est seule maîtresse de son ordre du jour et de son règlement, ce qui lui laisse le soin de décider de la procédure parlementaire et donnera un rôle capital aux commissions qui prendront l'habitude de remanier les projets gouvernementaux ;

– elle vote seule les lois et ne peut déléguer ce droit (ce qui interdit en principe la procédure des décrets lois) ;

– enfin et surtout, elle investit et renverse les gouvernements.

Toutefois, cette prépondérance est atténuée par les deux contrepoids que le MRP a fait introduire dans la Constitution :

– Le conseil de la République, la seconde assemblée, est loin d'avoir les pouvoirs de l'ancien Sénat de la IIIe République. Désigné selon une procédure complexe et indirecte (modifiée en 1948 au profit d'un collège électoral de conseillers généraux et de représentants des conseils municipaux), il ne peut donner que des avis à l'Assemblée nationale qui n'est pas tenue de les suivre. Toutefois, si ces avis sont donnés à la majorité absolue, l'Assemblée nationale ne peut décider en sens contraire qu'en votant, elle aussi, à la majorité absolue. En dehors de cas de figure et du rôle qu'il joue dans l'élection du chef de l'État, le conseil de la République est dépourvu de pouvoir et, en pratique, on peut considérer que le régime est monocaméral.

– Le Président de la République, élu pour sept ans par un Congrès formé des deux Assemblées, n'a que des pouvoirs limités. Mais il dispose de deux atouts que saura faire jouer Vincent Auriol : la durée, qui lui donne une large indépendance vis-à-vis de l'Assemblée et lui permet d'incarner une certaine continuité face à des gouvernements changeants ; la désignation du Président du Conseil qui lui laisse une importante marge de manœuvre dans un système politique multipartisan où n'existe pas d'incontestable leader de la majorité.

La prépondérance de l'Assemblée est soulignée en particulier par le rôle qu'elle joue au niveau du pouvoir exécutif. La Constitution accorde la direction de celui-ci à un Président du Conseil, nommé par le Président de la République. Mais ce Président ne peut former un gouvernement que s'il est investi par la majorité de l'Assemblée nationale. Aussi, avant de le désigner, le chef de l'État consulte-t-il les dirigeants des principaux groupes parlementaires afin de choisir l'homme politique qui a le plus de chances d'agréer aux députés. Durant son existence, le gouvernement ainsi formé est soumis au contrôle étroit de l'Assemblée nationale par la discussion de ses projets en commission ou en séance, les votes, les interpellations, la discussion des déclarations de politique générale et la très importante pratique de l'amendement des projets de loi en commission. Enfin, c'est l'Assemblée nationale qui renverse les gouvernements, soit en prenant l'initiative d'une motion de censure (la procédure ne sera jamais appliquée), soit en refusant à la majorité absolue de voter la question de confiance posée par le gouvernement. Ainsi, totalement soumis à l'Assemblée, le gouvernement est pratiquement sans action sur elle. La Constitution a certes prévu une possibilité de dissolution, mais en la soumettant à des conditions si draconiennes qu'elle semble hautement improbable :

– aucune dissolution n'est possible dans les 18 premiers mois de la législature ;

– pour qu'elle puisse être prononcée, il faut que se soient produites deux crises ministérielles en 18 mois, et dans les conditions constitutionnelles, c'est-à-dire le renversement des gouvernements par la majorité absolue des députés (alors que la plupart des gouvernements démissionnent sans que ces conditions soient réunies) ;

– le gouvernement doit être constitué depuis au moins quinze jours et une fois la dissolution prononcée, le Président de l'Assemblée nationale devient chef du gouvernement et les partis non représentés au ministère y entrent jusqu'aux élections (dispositions qui seront supprimées en 1954).

Cette mainmise du législatif sur l'exécutif fait de la IVe République un régime où n'existe pas une véritable séparation des pouvoirs. On parle à son propos d'un « régime d'assemblée ». Mais à cette définition juridique, on peut préférer une autre approche : la IVe République est surtout et avant tout un régime des partis, et c'est ce qui lui donne ses traits les plus caractéristiques.

• Le régime des partis

Avant même que la Constitution soit rédigée, les conditions de la succession du général de Gaulle, en janvier 1946, font du régime la propriété des partis politiques. On a vu que ce sont les chefs des trois grands partis, héritiers collectifs du général de Gaulle, qui mettent en place le tripartisme. Ce sont eux qui désignent le Président du Conseil Félix Gouin, investi ensuite par l'Assemblée constituante, eux encore qui négocient la répartition entre leurs formations des portefeuilles ministériels, eux enfin qui, chacun pour ce qui les concerne, en désignent les titulaires au sein de leur parti. La nécessité des coalitions parlementaires durant toute l'histoire de la IVe République ne fera que renforcer leur rôle et, derrière les présidents du Conseil successifs ou le chef de l'État, les véritables maîtres du régime sont les leaders des grands partis, Maurice Thorez, secrétaire général du parti communiste (pour la période 1945-1947), Guy Mollet, inamovible secrétaire général de la SFIO depuis 1946, les présidents successifs du MRP, et plus tard les personnalités dominantes des partis moins disciplinés, modérés (Roger Duchet, secrétaire général du Centre national des indépendants à partir de 1949) ou l'influent docteur Queuille chez les radicaux.

Cette prépondérance des partis politiques à travers le régime d'assemblée va conduire, en dépit des précautions prises, la IVe République à revenir rapidement aux pratiques de la IIIe République. Les Constituants de 1946 ont en effet voulu éviter que le régime d'assemblée n'entraîne l'instabilité ministérielle qui avait conduit à l'impuissance la IIIe République finissante. C'est ainsi que la Constitution prévoit que le Président du Conseil doit être investi sur son programme, avant la constitution du ministère, pour éviter le jeu des ambitions et des manœuvres ; or, Paul Ramadier, premier Président du Conseil de la IVe République, après avoir été personnellement investi, demandera à l'Assemblée d'approuver dans un second vote la constitution de son gouvernement. Cette pratique de la « double investiture », qui donne aux chefs de partis un droit de contrôle sur la formation du gouvernement, se perpétuera jusqu'à la réforme de 1954 qui prévoit l'investiture du Président du Conseil après la formation du gouvernement, ce qui laisse place aux intrigues partisanes. De même, la Constitution dispose qu'un gouvernement ne peut être renversé que si la majorité absolue des députés vote contre lui, les abstentions étant considérées comme des votes en faveur du gouvernement. En dépit de cette disposition, la plupart des gouvernements se retireront avant tout vote de l'Assemblée, lorsqu'il leur apparaît qu'ils ont perdu le soutien de certains partis de la majorité ou bien lorsque la majorité des votants refuse de les soutenir (ils considèrent, alors, contrairement au texte constitutionnel, les abstentions comme des votes négatifs).

Mais la principale cause d'instabilité ministérielle due à ce régime des partis est un phénomène conjoncturel, la rupture du tripartisme. Les institutions ont été taillées à la mesure des trois grands partis du tripartisme, trois partis disciplinés, organisés, votant en bloc à l'Assemblée nationale et disposant d'une très large majorité dans le pays et à l'Assemblée. Cette situation garantit la stabilité des institutions. Mais le rejet des communistes dans l'opposition met hors du jeu politique un parti qui représente un quart de l'électorat et plus du quart de l'effectif des députés. Si on ajoute à ce fait majeur l'effritement de l'audience du parti socialiste, on constate que radicaux et modérés deviennent indispensables à la constitution de majorités. Or ce sont des partis sans discipline, formés de clans qui n'hésitent pas à renverser un gouvernement pour satisfaire des ambitions ou régler des rivalités. Le poids croissant de ces deux groupes va conduire à partir de la fin 1947 au retour à l'instabilité ministérielle, plaie de la IVe République comme de la IIIe. Cette situation est d'autant plus grave que, dès l'automne 1947, la IVe République naissante subit un double assaut qui rend sa survie précaire.

La paralysie des institutions (1947-1952)

• Un régime menacé

La première menace vient du parti communiste français. On a vu que celui-ci n'a pas considéré son éviction du gouvernement comme revêtant un caractère définitif. Durant le printemps et l'été 1947, il persiste à donner de lui l'image d'un parti de gouvernement, responsable, avant tout soucieux du relèvement du pays, allant jusqu'à considérer d'un œil favorable la mise en place du plan Marshall, susceptible de favoriser ce relèvement. Les choses changent à l'automne 1947. Après la conférence de Pologne du Kominform au cours de laquelle les communistes français ont été accusés de « crétinisme parlementaire » et après qu'en leur nom Jacques Duclos a fait son autocritique, l'attitude du PCF change du tout au tout. Il se considère désormais comme mobilisé pour empêcher le « camp impérialiste » d'attaquer l'URSS. Dans le cadre de cette nouvelle tactique, il organise des grèves et des manifestations d'une extrême violence avec l'aide de la CGT, faisant dériver les revendications sociales qui sont à l'origine du mécontentement vers une vive critique de l'action gouvernementale et de l'alliance avec les États-Unis. Les grèves s'accompagnent de bagarres nombreuses et violentes avec le service d'ordre, les adversaires politiques, les non-grévistes ; des sabotages sont constatés (hauts fourneaux éteints, mines noyées, voies ferrées endommagées...). En 1947-1948, l'agitation communiste fait régner en France une véritable atmosphère de guerre civile ; il semble que le parti communiste se prépare à un coup de force contre le régime, impression que le « coup de Prague » de février 1948 avive encore. N'hésitant pas à dramatiser la situation, le ministre de l'Intérieur, le socialiste Jules Moch, obtient du gouvernement le rappel d'une classe sous les drapeaux et le vote de diverses lois visant à renforcer les mesures contre les sabotages et punissant les atteintes à la liberté du travail. Pour empêcher le vote de ces lois, les députés communistes pratiquent l'obstruction à la tribune du Parlement durant cinq jours et cinq nuits, jusqu'à ce qu'Herriot, Président de l'Assemblée nationale, fasse voter l'expulsion du député communiste Raoul Calas pour appel à l'insoumission de l'armée, ce qui entraîne le départ, aux accents de *La Marseillaise*, de l'ensemble des députés communistes. En fait, il apparaît aujourd'hui qu'il n'existait pas en 1947-1948 de projet insurrectionnel du parti communiste, mais seulement une volonté très nette d'affaiblir le camp occidental (pour la part qui lui en revenait) afin de dissuader celui-ci d'attaquer l'URSS en lui faisant craindre le risque d'une guerre civile.

Mais les conséquences de cette tactique communiste sont considérables:
– Elles conduisent à la scission du mouvement syndical. Les syndicalistes non communistes, désormais minoritaires, refusant de jouer plus longtemps le jeu du parti communiste, quittent la CGT derrière le vieux leader de celle-ci, Léon Jouhaux, pour fonder la CGT Force ouvrière.
– Le parti communiste est rejeté dans un ghetto politique dont il ne sortira plus sous la IVe République. Pour une grande partie de l'opi-

nion, il est désormais le «parti de l'étranger», exclu du jeu politique français.

– Enfin, la situation née de l'attitude du PCF rend radicalement impossible le fonctionnement d'institutions fondées sur le tripartisme, d'autant que les communistes drainent en permanence un quart de l'électorat sous la IVe République.

La seconde menace vient de l'organisation, autour du général de Gaulle, d'un puissant mouvement politique, le Rassemblement du peuple français (RPF). Dès juin 1946, après le rejet du premier projet constitutionnel, le général de Gaulle a fait connaître dans son discours de Bayeux ses vues constitutionnelles : un régime de séparation des pouvoirs dont la clé de voûte serait un Président de la République, véritable chef de l'exécutif et désigné par les notables, l'Assemblée étant confinée dans son rôle législatif et budgétaire. Le second projet constitutionnel étant fort éloigné de ses vues, le général de Gaulle l'a condamné sans ambages à Épinal en septembre 1946. Désormais, il n'a que sarcasmes pour le régime de la IVe République qu'il appelle avec mépris le «système» et dont il déplore la faiblesse. Il milite pour une révision de la Constitution dans le sens des idées professées à Bayeux et c'est dans ce but qu'en avril 1947, il annonce la formation d'un mouvement, le Rassemblement du peuple français, qui, à ses yeux, n'est pas un parti politique (les partis divisent) mais une large union dans laquelle il invite des Français de toute appartenance politique à y entrer. Les débuts de la guerre froide, en créant en France une situation dramatique, vont encore renforcer son argumentation : face à l'action des communistes (les «séparatistes» dans le vocabulaire du général de Gaulle) comment un régime aussi débile que la IVe République pourrait-il défendre le pays et les libertés ?

Or, le succès du RPF est foudroyant. En 1947-1948 il revendique plus d'un million d'adhérents (ce chiffre n'a sans doute pas en réalité dépassé 400000, mais il demeure considérable compte tenu du faible nombre d'adhérents des partis politiques français). Et surtout, il remporte un véritable triomphe aux élections municipales de 1947, les listes de coalition patronnées par le RPF ayant rassemblé environ 40 % des suffrages dans les communes de plus de 9000 habitants (dont 28 % environ pour le RPF seul). Considérant que ce résultat montre à l'évidence la cassure entre l'Assemblée nationale et l'opinion, le général de Gaulle l'invite à se dissoudre après avoir voté une nouvelle loi électorale. La seule réplique des partis de la IVe République sera l'accusation de «boulangisme», lancée contre le général de Gaulle. Celui-ci, ayant exclu d'emblée le recours au coup de force, n'a en fait aucun moyen de contraindre les députés à prononcer la dissolution de l'Assemblée. Il se contente donc d'interdire à ses fidèles toute participation au «système», les invitant à attendre les futures élections (elles sont prévues pour 1951) pour prendre le pouvoir en obtenant la majorité des suffrages.

• Les contradictions de la Troisième Force

La double menace des communistes et des gaullistes fragilise d'autant plus le régime qu'il s'agit de deux forces appuyées sur un large appui populaire. L'étude des chiffres électoraux montre d'ailleurs qu'à elles deux, elles constituent, par l'addition de leurs suffrages, une majorité négative hostile au régime tel qu'il existe, mais en désaccord total sur toute solution positive. De ce fait, les partis qui acceptent le système parlementaire de la IVe République sont désormais minoritaires en voix, et ils peuvent craindre qu'une épreuve électorale, en révélant clairement leur précaire situation, ne rende la République ingouvernable et sa chute inéluctable. Pour éviter cette issue fatale, les partis qui soutiennent la IVe République (socialistes, MRP, radicaux et, progressivement, bien qu'ils soient tenus en suspicion par les autres forces, les modérés qu'on appelle bientôt «Indépendants») sont contraints de s'unir. C'est à cette coalition obligatoire des partis qui soutiennent le régime qu'on donne, à partir de l'automne 1947, le nom de «Troisième Force» (entre gaullistes et communistes). Mais ces formations «condamnées à vivre ensemble» (l'expression est du docteur Queuille) sont en désaccord sur de nombreux points. Par exemple, les catholiques du MRP et les socialistes ont des positions antithétiques sur le problème des subventions à l'école libre, et durant la première législature (1946-1951), on évite de soulever le problème pour éviter l'éclatement de la Troisième Force. Mais il n'est pas possible d'éviter de poser les questions budgétaires. Or, à cet égard le désaccord est complet entre les socialistes et les autres formations, surtout les modérés et les radicaux. Les premiers sont partisans de l'intervention de l'État dans l'économie et les questions sociales, du dirigisme, de l'augmentation des dépenses sociales, entraînant un accroissement des dépenses budgétaires et une nécessaire augmentation concomitante des charges fiscales. Les seconds sont des libéraux, défenseurs de la libre entreprise et de la non-intervention de l'État dans les rapports sociaux et les questions économiques, hostiles à l'accroissement des dépenses budgétaires et désireux de limiter au maximum les charges fiscales. C'est cette opposition fondamentale sur des questions essentielles de gestion quotidienne, impossibles à éluder, qui explique la chute de presque tous les gouvernements de 1947 à 1952, le choix d'une des politiques en présence entraînant le retrait de l'élément de la majorité qui y est opposé. La Troisième Force porte ainsi en elle le germe d'une instabilité ministérielle qui est plus fonction de la conjoncture entraînée par la rupture du tripartisme que des institutions elles-mêmes.

Compte tenu de la contradiction fondamentale qui pèse ainsi sur la Troisième Force, la seule manière d'empêcher la chute d'un gouvernement est d'éviter de prendre des décisions tranchées sur les points essentiels. Cette tactique baptisée « immobilisme » sera pratiquée avec une extraordinaire virtuosité par le docteur Queuille, homme politique radical, vieux routier de la IIIe République, et qui sera trois fois Président du Conseil durant la première législature. Sa tactique consiste à ajourner les problèmes, à reculer les échéances électorales (c'est ainsi qu'il retarde de plusieurs mois les élections cantonales pour éviter un nouveau triomphe électoral du RPF), à attendre que les difficultés se résolvent d'elles-mêmes en les laissant pourrir. Politique extrêmement impopulaire dans l'opinion publique, suscitant l'ironie des observateurs politiques, mais qui, dans le contexte dramatique des débuts du régime, permet à celui-ci de durer et de franchir la passe difficile dans laquelle il menaçait de sombrer.

• L'accord sur la politique étrangère

Au demeurant, si la Troisième Force ne peut gouverner le pays que dans l'immobilisme ou l'instabilité, elle s'accorde sur une politique étrangère et coloniale qui, à l'époque de la guerre froide, apparaît comme fondamentale.

Les circonstances mêmes de sa formation – la guerre froide – expliquent que les partis de la Troisième Force soient en tout premier lieu d'accord sur les grands choix de politique étrangère. Le danger principal venant en Europe de l'expansionnisme soviétique, c'est contre lui qu'il s'agit de protéger la France par un système d'alliances efficaces. La première pierre en est posée dès mars 1947 par le traité de Dunkerque entre la France et la Grande-Bretagne, négocié par Léon Blum et le secrétaire au *Foreign Office* Ernest Bevin, par lequel les deux États se promettent une assistance mutuelle en cas d'agression. Un an plus tard, en mars 1948, le traité est étendu au Benelux, par un nouveau document signé à Bruxelles. Mais le blocus de Berlin qui commence en juin a pour effet de concrétiser la guerre froide en Europe et de pousser les Européens à tenter d'obtenir la protection des États-Unis : les ministres successifs des Affaires étrangères français, Georges

Bidault et Robert Schuman, s'efforcent d'arracher aux Américains la promesse d'un engagement militaire en cas d'attaque soviétique contre l'Europe occidentale. C'est cette politique qui aboutit à la signature le 4 avril 1949 du pacte Atlantique, traité d'alliance défensive entre dix pays européens (dont la France), les États-Unis et le Canada.

Ce nouveau contexte international va pousser la France à renoncer à la politique de rigueur envers l'Allemagne qui avait été jusqu'alors le maître mot de sa diplomatie. Dans le cadre de la guerre froide, les États-Unis exigent en effet que les Européens contribuent à leur propre défense et que tout le potentiel industriel et militaire disponible, y compris celui de l'Allemagne, soit utilisé. La France doit d'abord accepter en 1947 que sa zone d'occupation, jointe aux zones anglaise et américaine, constitue la «trizone», embryon d'un futur État d'Allemagne occidentale. Lorsque les Américains exigent la reconstitution de l'industrie lourde allemande, les Français trouvent un palliatif à la menace que constitue à leurs yeux la résurrection de la puissance des «marchands de canons» : le plan Schuman de 1950 propose la constitution d'une Communauté européenne du charbon et de l'acier (CECA) qui placerait la sidérurgie et les mines des pays adhérents, dont l'Allemagne fédérale, sous l'autorité d'une commission supranationale. La politique européenne apparaît ainsi dans un premier temps comme un moyen d'échapper au risque d'un retour d'agressivité allemande en noyant dans une organisation échappant au contrôle des États les moyens du réarmement allemand. C'est enfin la même logique qui conduit quelques mois plus tard le Président du Conseil René Pleven à proposer une Communauté européenne de défense (CED) lorsque les Américains insistent cette fois pour la renaissance d'une armée allemande. On voit ainsi s'ébaucher dans le contexte de la guerre froide une organisation réunissant autour de l'allié américain les six pays adhérents à la CECA, France, Allemagne fédérale, Italie, Benelux, la «petite Europe» dont le Royaume-Uni ne fait pas partie.

Enfin, l'anticommunisme qui domine la politique de la Troisième Force se manifeste par une politique coloniale de rigueur, les mouvements nationalistes dans les colonies françaises étant assimilés à des assauts du communisme international contre l'Occident. Cette politique prend des formes différentes dans deux domaines géographiques où sa portée sera diverse :

– en Afrique du Nord prévaut une fermeté qui ne tire guère à conséquence sur le moment, mais dont les répercussions se feront lourdement sentir par la suite. Au Maroc, le général Juin, nommé résident général, reçoit pour mission d'obtenir que le sultan Mohammed V désavoue le parti nationaliste de l'Istiqlâl. En Tunisie, où le résident général Périllier et le ministre des Affaires étrangères Robert Schuman tentent vers 1950 une politique d'ouverture favorisée par la souplesse du leader nationaliste Bourguiba, les pressions des colons français contraignent le gouvernement à faire machine arrière ; l'évolution est consacrée par le remplacement du résident Périllier par de Hautecloque qui fait aussitôt arrêter les membres du gouvernement tunisien. Enfin, en Algérie, l'adoption en 1947 d'un statut prévoyant l'élection d'une Assemblée algérienne dotée de pouvoirs financiers et désignée par deux collèges (Européens et musulmans) va déboucher sur une impasse. Le gouverneur général Naegelen nommé en janvier 1948 va organiser le trucage par l'administration des élections d'avril à l'Assemblée algérienne, de telle sorte que le second collège comprend une écrasante majorité de candidats de l'administration et que les partis nationalistes ne recueillent qu'un nombre dérisoire de sièges. Au Maghreb, les ponts sont coupés entre la France et les nationalistes ;

– parallèlement, et de façon plus grave dans l'immédiat, la France s'enfonce dans la guerre d'Indochine. Elle combat avec détermination le communiste Hô Chi Minh, qui conduit la lutte du Vietminh, et se cherche un « interlocuteur valable » avec qui négocier. Elle pense le trouver en la personne de l'ex-empereur d'Annam, Bao-Dai, avec qui elle négocie, entre 1947 et 1949, une série d'accords qui aboutissent à l'indépendance du Vietnam sous son autorité. C'est donc pour le compte de Bao-Dai et au nom de la défense de l'Occident contre le communisme que la France combat désormais en Indochine. Or, à partir de 1949-1950, cette lutte devient de plus en plus difficile. La création en 1949 de la République populaire de Chine permet à Hô Chi Minh de recevoir, de manière de plus en plus efficace, l'aide de son puissant voisin, et de passer ainsi de l'action de guérilla à la guerre ouverte. Le premier témoignage en est en 1950 le désastre de Cao Bang, première défaite importante de la France au Vietnam. Des voix commencent à s'élever en France, outre celle du parti communiste, pour critiquer un conflit sans issue qui ruine les finances publiques, en particulier celle de Pierre Mendès France. Mais le gouvernement accentue l'effort de guerre, nomme le général de Lattre de Tassigny haut-commissaire en Indochine, et celui-ci obtient en 1951 que les Américains acceptent de supporter une partie des dépenses de ce conflit mené au nom de l'Occident.

• La dislocation de la Troisième Force

Même si elle correspondait à la situation de la France à l'époque de la guerre froide, laquelle maintenait une précaire cohésion au sein de la majorité, la Troisième Force ne pouvait constituer une solution politique satisfaisante en raison des divergences qui opposent ses membres sur la gestion quotidienne du pays. Toutefois, les résultats des élections de 1946 contraignent les associés à se supporter pour éviter une crise de régime. Il est clair cependant que les uns et les autres ne dissimulent guère leur espoir de se libérer d'une alliance devenue pesante à tous, après les élections de 1951 qui doivent renouveler l'Assemblée nationale. Mais encore faut-il que ces élections permettent aux forces politiques qui approuvent le régime de recueillir une majorité. Et cette issue est rien moins qu'assurée, compte tenu de l'audience des communistes et du RPF. Aussi, dès 1950, la grande préoccupation des gouvernants est de trouver une loi électorale qui permette d'éviter au régime une épreuve fatale tout en assurant à l'Assemblée une majorité stable. C'est le rôle qui est assigné à la loi des apparentements votée en mai 1951. Le scrutin demeure proportionnel, mais plusieurs listes peuvent, avant les élections, se déclarer apparentées. En ce cas, on additionne leurs suffrages et si ceux-ci dépassent la majorité absolue, les listes apparentées se partagent la totalité des sièges, au prorata de leur audience. Des apparentements, on attend un double résultat. En premier lieu, l'élimination des communistes avec qui aucun autre parti ne s'apparentera. En second lieu, la parlementarisation du RPF dont on espère que, par crainte d'être laminé, il acceptera de s'apparenter lors des élections, puis, au lendemain de celles-ci, d'entrer dans le régime. De ce point de vue, les élections de 1951 sont une déception pour les promoteurs des apparentements. D'une part, le général de Gaulle interdit les apparentements au RPF et, pour l'essentiel, il sera obéi. D'autre part, les anciens membres de la Troisième Force ne réussissent qu'exceptionnellement à constituer un seul bloc de listes apparentées ; généralement, ils en forment au moins deux orientés respectivement autour des socialistes et des modérés. Si bien que l'effet attendu du système des apparentements est moindre qu'on ne l'espérait : il aboutit à minorer le nombre des élus communistes et RPF sans éliminer les uns, domestiquer les autres, ni dégager cette spectaculaire majorité nouvelle espérée.

Les élections de 1951

	Part des suffrages exprimés	Nombre de sièges
Parti communiste	26,9 %	101
Socialistes SFIO	14,6 %	106
RGR	10 %	99
MRP	12,6 %	88
RPF	21,6 %	117
Modérés	14,1 %	99
Divers	1 %	17

En fait, les six grandes formations politiques rassemblant chacune une centaine de députés (on a parlé à ce propos de « chambre hexagonale »), il n'y existe pas d'autre majorité que celle résultant d'une reconstitution de la Troisième Force puisqu'en dépit de fortes tentations de certains députés, les gaullistes demeurent fermes dans leur attitude d'abstention. Deux gouvernements seront ainsi constitués au lendemain des élections sur une majorité de ce type : celui de René Pleven en août 1951, celui d'Edgar Faure en janvier 1952. Mais, en s'efforçant de rendre impossible le fonctionnement du régime pour provoquer l'appel au général de Gaulle, le RPF va en fait lui offrir les armes de sa survie.

Décidé à faire éclater les incohérences de la Troisième Force, le RPF va s'efforcer d'enfoncer un coin dans la majorité en se servant de la question de l'école libre. Le RPF fait en effet voter des lois accordant des subventions à toutes les familles ayant un enfant dans l'enseignement primaire qui s'appliquent indifféremment aux enfants de l'enseignement libre et de l'enseignement public (lois Marie-Barangé). À cette occasion se constitue une nouvelle majorité de centre-droit comprenant le RPF, le MRP, les indépendants, quelques radicaux et l'UDSR, cependant que les socialistes et les radicaux « laïques » se trouvent rejetés dans l'opposition. L'officialisation de cette majorité virtuelle qui semble plus cohérente que la majorité de Troisième Force apparaît désormais comme le but à atteindre pour le Président Vincent Auriol afin d'échapper à l'instabilité et à l'immobilisme. Pour y parvenir, il propose à l'investiture de l'Assemblée nationale après la chute du gouvernement Edgar Faure en février 1952 le modéré Antoine Pinay. C'est le premier homme de droite à devenir chef du gouvernement depuis 1945. Ancien membre du Conseil national de Vichy, relevé de son inéligibilité pour gages donnés à la Résistance, bien qu'il ait voté les pleins pouvoirs à Pétain en 1940, petit patron, hostile à la pression fiscale, il a de quoi séduire la droite de l'Assemblée.

Le 6 mars 1952, à la surprise générale, il est investi par les voix des indépendants, des MRP, des radicaux et de 27 députés du RPF suivant Frédéric-Dupont et qui, passant outre aux recommandations du général de Gaulle, soutiennent un homme dont le profil comble leurs vœux. Cette défection, préludant à un éclatement progressif du RPF, rend les élus de celui-ci disponibles pour la constitution de cette nouvelle majorité de centre-droit qui se profile depuis 1951, rejetant les socialistes dans l'opposition. Avec l'investiture d'Antoine Pinay, c'en est fait de la Troisième Force. Le balancier politique est revenu à droite au moment même où l'achèvement de la reconstruction va faire entrer la France dans l'ère de la croissance économique.

La reconstruction économique

• La situation économique en 1945

Le prix de la guerre et de l'occupation est très lourd pour le pays. La guerre a fait 600000 morts. Mais en ajoutant à ce chiffre les 530000 décès supplémentaires dus aux mauvaises conditions d'hygiène et d'alimentation et le déficit des naissances estimé à un million, le total des pertes démographiques de la France avoisine les deux millions d'individus. Les pertes matérielles ne sont pas moins importantes : des dizaines de milliers d'exploitations agricoles, d'usines, d'immeubles ont été détruits et le réseau des transports a été gravement endommagé. L'infrastructure économique a été écrasée par les bombardements : gares détruites, ponts, quais portuaires, voies ferrées, canaux sont pour la plupart inutilisables. La France a perdu le quart de ses locomotives, les deux tiers de ses wagons de marchandises, les deux tiers de ses cargos, les trois quarts de ses pétroliers, 85 % du matériel fluvial, 40 % des véhicules automobiles. Enfin, les pertes financières sont considérables : frais d'occupation, réquisitions et dommages divers, clearing non compensé s'élèvent à plus de 1100 milliards versés aux Allemands, à quoi s'ajoutent 460 milliards de déficit budgétaire, soit au total plus de 1500 milliards de francs de dépenses non couvertes par les recettes et qui se trouvent à l'origine d'une gigantesque inflation.

Or, la remise en route de la production se heurte à des goulots d'étranglement qui paraissent incontournables. La France manque d'énergie (et particulièrement de charbon) et de matières premières, en dépit d'un effort gigantesque et d'un sensible accroissement des rendements. L'importation de ces produits indispensables se heurte au fait que tous les ports importants ont été détruits et sont inutilisables (à la seule exception de Cherbourg hâtivement remis en état). De surcroît, la flotte française ne représente plus que le tiers de celle de 1938. Enfin, en dépit de la réquisition des avoirs français à l'étranger et de la cession d'une partie du stock d'or de la Banque de France, le pays ne dispose guère des devises nécessaires aux achats indispensables qu'il doit faire à l'extérieur. Il est clair que sans l'aide internationale, la France ne peut espérer se relever.

À l'intérieur, sévissent inflation et marché noir. L'inflation de l'après-guerre est le résultat du déséquilibre entre une production insuffisante qui engendre la pénurie et un pouvoir d'achat disponible relativement important qui s'explique par l'épargne du temps de guerre et les fortes hausses de salaires qui ont suivi la Libération. Ce pouvoir d'achat inemployé se reporte sur le « marché noir » qui contribue à maintenir des prix élevés pour les produits de consommation courante, nourrissant ainsi de nouvelles demandes de hausses de salaires. Pour briser cette « spirale inflationniste » née de la pénurie, Pierre Mendès France, ministre de l'Économie, propose un échange des billets (afin d'éviter la thésaurisation) accompagné d'un blocage général des fortunes (billets, comptes en banque, chèques postaux...) : chaque contribuable recevrait une somme uniforme de 5000 F, le reste de sa fortune étant débloqué à mesure que la production reprendrait. Mais le général de Gaulle refuse cette politique trop rigoureuse, qu'il estime ne pas pouvoir imposer aux Français après les contraintes du temps de guerre et il se rallie aux conceptions de René Pleven, ministre des Finances, qui préfère l'emprunt au blocage. Ce choix pèsera lourd : en dépit des efforts consentis, l'inflation demeure le mal endémique de la IVe République.

• L'intervention de l'État et l'aide américaine

La gravité de la situation économique rend illusoire un redressement spontané de l'économie française si l'État n'intervient pas pour l'aider. Avant toute vue théorique (la gauche dont l'influence sur l'esprit de la Résistance est considérable est en effet généralement favorable à l'intervention de l'État dans l'économie), c'est la nécessité qui explique l'instauration en France du « dirigisme économique ». L'aspect le plus spectaculaire en est la série de nationalisations qui marquent la Libération. Les unes sont de caractère politique et apparaissent comme des sanctions contre des chefs d'entreprise coupables

de collaboration économique : c'est le cas des automobiles Renault et des camions Berliet. Mais les nationalisations les plus significatives sont celles des secteurs clés de l'économie, par lesquelles l'État se donne les moyens de provoquer la reprise de la production nécessitée par la situation :
– l'énergie : le gaz, l'électricité, les charbonnages sont nationalisés, donnant naissance à Gaz de France, Électricité de France, Charbonnages de France qui remplacent les anciennes sociétés propriétaires ;
– les transports : outre la SNCF créée depuis 1937, les compagnies d'aviation doivent fusionner avec Air France ;
– une grande partie du crédit : 34 sociétés d'assurances sont nationalisées. Avec elles, la Banque de France dont les actions sont transférées à l'État qui nomme désormais ses administrateurs ;
– enfin, les quatre principales banques de dépôt (Crédit Lyonnais, Société Générale, Comptoir national d'escompte de Paris, Banque nationale pour le commerce et l'industrie) connaissent le même sort. Seules, les banques d'affaires échappent à la nationalisation, mais elles sont soumises à un double contrôle, celui du Conseil national du crédit nommé par l'État, celui d'une commission comprenant le gouverneur de la Banque de France et de hauts fonctionnaires.

Devenu maître des instruments essentiels qui conditionnent la reconstruction de l'économie, l'État doit fixer sa stratégie. Celle-ci va prendre la forme de la planification par laquelle l'État fixe avec précision les objectifs économiques. À l'initiative de Jean Monnet, nommé commissaire au Plan, est promulgué en janvier 1947 le plan de modernisation et d'équipement qui se fixe pour objectif de permettre à la production de retrouver en 1948 son niveau de 1929 et de le dépasser de 25 % en 1950 (en fait, le plan Monnet sera prolongé jusqu'en 1952). Placés face à trois impératifs : renouveler et améliorer l'équipement ; répondre à une demande accrue de biens de consommation ; reconstruire les immeubles détruits – et conscients que les moyens du pays ne permettent pas de tout entreprendre à la fois, les promoteurs du plan optent délibérément pour une priorité à l'industrie de base qui commande le relèvement du reste de l'économie, en sacrifiant la consommation immédiate des Français. Cet objectif peut d'ailleurs s'appuyer sur les nationalisations qui viennent d'être effectuées et qui placent entre les mains de l'État une notable partie des secteurs concernés. Le premier plan met l'accent sur 6 secteurs auxquels sont réservés les crédits d'État et qui apparaissent comme la clé de la reconstruction économique : électricité, charbon, acier, ciment, transports ferroviaires, matériel agricole. Ce plan indicatif, et non obligatoire représente le premier exemple au monde de planification souple, très différente de la planification autoritaire des pays socialistes.

Il reste que la réalisation d'un tel plan suppose la collaboration de la population, appelée à accepter des sacrifices au niveau de sa consommation et des efforts à fournir. Pour pousser les Français à réaliser les objectifs gouvernementaux, une intense propagande dans laquelle le parti communiste joue en 1945-1946 un rôle essentiel, exalte la « bataille de la production ». C'est d'autant plus nécessaire que, la population active étant relativement peu nombreuse, la main-d'œuvre manque. L'appel massif aux travailleurs étrangers (300 000, surtout Italiens et Nord-Africains) s'avère insuffisant, il faut recourir aux heures supplémentaires et consentir des avantages aux ouvriers dont le rôle est indispensable, par exemple aux mineurs qui reçoivent des salaires élevés et des suppléments alimentaires. Mais, surtout, le gouvernement compte, pour stimuler les Français, sur l'effet des grandes réformes sociales adoptées à la Libération. D'abord l'institution des comités d'entreprise, obligatoire dans les établissements de plus de 100 ouvriers, est conçue comme un moyen d'associer le personnel à la gestion de l'entreprise, même si leur rôle est rapidement réduit à l'administration des œuvres sociales. Et, plus encore, la Sécurité sociale, conçue non point comme le système des assurances sociales sous la forme d'assurance individuelle, alimentée par des cotisations salariales et patronales, mais comme une forme de redistribution du revenu national. Elle opère en effet des transferts sociaux au bénéfice des enfants, des malades, des vieillards et augmente de ce fait indirectement les salaires des bénéficiaires. Ce revenu social représente une modification fondamentale de la condition salariale et donne aux Français une protection garantie par l'État supérieure à ce qu'ils connaissaient depuis toujours.

Si la participation des Français est la condition indispensable de la réussite du plan, celui-ci ne saurait être mis en œuvre sans des moyens financiers adéquats. De ce point de vue, deux sources de financement sont à distinguer :

– un financement national que l'État organise par sa politique financière. Les sommes mises à la disposition du fonds de modernisation et d'équipement proviennent pour une part des impôts prélevés et des emprunts lancés par le gouvernement (la dette publique de la France passe de 1945 à 1949 de 1 680 milliards à 3 140 milliards de francs). Mais cet endettement considérable n'est pas trop lourd à supporter, car il est largement corrigé par l'inflation. La dépréciation monétaire

allège le poids de la dette publique et, au total, fait retomber le poids de la reconstruction sur les souscripteurs des emprunts d'État, c'est-à-dire les détenteurs de capitaux ;
– si les Français consentent ainsi un effort considérable pour financer la reconstruction, un appoint décisif est fourni par l'aide américaine qui va permettre à la France de se procurer les importations que le délabrement de ses finances publiques ne lui permet pas d'acheter dans des conditions normales. Dès mai 1946, par les accords Blum-Byrnes, les États-Unis remettent à la France la plus grande partie de sa dette, le reste étant remboursable avec un intérêt de 2 % jusqu'en 1980. En même temps la France reçoit des crédits de l'Export-Import Bank, de la Banque internationale pour la recherche et le développement (BIRD) et du Fonds monétaire international (FMI). Outre ces prêts des organismes internationaux et des banques privées, le gouvernement américain aide directement la France, dans le cadre de la « doctrine Truman ». Celle-ci reçoit 284 millions de dollars en décembre 1947 au titre de l'aide intérimaire, puis 1 300 millions de dollars en 1948-1949 au titre du plan Marshall.

• Le bilan économique vers 1950

Aux alentours de 1950, la reconstruction peut être considérée comme terminée et l'économie retrouve son rythme de 1938. De bonnes récoltes permettent en 1948 à la production agricole de retrouver son niveau d'avant-guerre, si bien que le rationnement du pain est supprimé en 1949. Dans le domaine industriel, les résultats sont inégaux selon les secteurs. La production de charbon est à peu près au niveau de 1929 (55 millions de tonnes), mais n'atteint pas les 62 millions prévus par le plan en raison de la faiblesse du rendement moyen. En revanche, dans le secteur de l'énergie, l'électricité avec 33 milliards de kWh est en pleine expansion (le barrage de Génissiat est inauguré en 1948) et le pétrole, après l'aménagement des raffineries de l'étang de Berre, a porté sa capacité de raffinage à 16 millions de tonnes (le double du chiffre de 1938).

Secteur clé qui a bénéficié des aides de l'État, la sidérurgie ne donne que des résultats décevants (8 millions et demi de tonnes d'acier, le chiffre de 1938, moins qu'en 1929). Quant aux autres industries, qui n'ont pas bénéficié d'investissements prioritaires telles que le textile ou le bâtiment, elles connaissent la stagnation. Si l'indice de la production industrielle est à 128 contre 100 en 1938, il le doit à quelques branches motrices et non au développement général de l'économie. Ces

La réalisation du plan Monnet

	Production de 1929	Objectifs du plan Monnet	Production de 1953	% de réalisation du plan Monnet
Charbon (millions de t.)	55	65	54,5	84
Électricité (milliards de kWh)	15,5	37	41,4	112
Acier (millions de t.)	9,7	11	10	91
Ciment (millions de t.)	4,3	13,5	9	66

résultats finalement décevants expliquent la décision de prolonger le plan Monnet jusqu'en 1952 afin de promouvoir un développement harmonieux de l'économie exploitant au mieux l'aide américaine.

Si, quantitativement, la reconstruction peut être considérée comme achevée, on n'est guère en présence d'une économie moderne. On a reconstruit sur les bases existantes pour retrouver les chiffres de production d'avant-guerre, et sans se préoccuper de la rentabilité. La France de 1950 reste caractérisée par la prédominance des petites entreprises agricoles, artisanales, industrielles, sous-équipées, mais protégées par la situation de pénurie. Il existe cependant des secteurs modernes dans l'économie française : le secteur nationalisé (Charbonnages de France, EDF, GDF) s'est doté d'un équipement renouvelé et s'efforce de rentabiliser ses productions; les entreprises sidérurgiques se sont regroupées (Usinor, Sidélor résultent de fusions d'entreprises plus petites et constituent de véritables géants qui dominent respectivement la sidérurgie du Nord et celle de la Lorraine) et elles font un effort de rationalisation. Enfin, sous l'impulsion de l'État, on voit se créer un état d'esprit nouveau qui aboutit à consacrer à l'investissement une part importante du revenu national (20,5 % en 1949 contre 13 % en 1938).

Ainsi les ferments qui peuvent permettre la modernisation de l'économie française sont-ils présents en 1950 sans avoir encore pu faire sentir leurs effets.

Cette rapide reconstruction a laissé subsister des déséquilibres importants dont la société française va longtemps porter les traces. D'abord, des déséquilibres sociaux : les pénuries héritées de la guerre ont permis aux agriculteurs, industriels, commerçants qui avait des produits à vendre de s'enrichir, alors que la grande masse des salariés dont les salaires suivent avec retard la hausse des prix a été lésée.

L'inflation

(indice des prix de détail à Paris; base 100 = 1938)

	Indice des prix	Évolution par rapport à l'année précédente
1944	285	+ 27 %
1945	393	+ 38 %
1946	645	+ 63 %
1947	1030	+ 60 %
1948	1632	+ 59 %
1949	1817	+ 11 %
1950	2020	+ 11,2 %
1951	2363	+ 17 %
1952	2646	+ 12 %

En second lieu, la reconstruction a créé des déséquilibres financiers : le choix fait par le général de Gaulle en 1945 de la solution Pleven contre la solution Mendès France continue à peser sur la situation française et la reconstruction s'est opérée dans un climat d'inflation. Celle-ci a pour conséquence de gêner les exportations et de stimuler les importations, provoquant un déséquilibre permanent de la balance commerciale. Enfin, le budget de l'État demeure déficitaire, les recettes ne couvrant les dépenses qu'à 70 % entre 1947 et 1949.

L'ensemble de ces déséquilibres, imputés par une partie de l'opinion et du monde politique au dirigisme d'État, va contribuer, au début des années 50, à provoquer un retour au libéralisme économique au moment même où le balancier politique, longtemps fixé à gauche, revient vers la droite.

• Retour au libéralisme

Si la nécessité et l'opinion politique, majoritairement orientée à gauche, ont permis l'institution du dirigisme économique en 1945-1946, le contexte va très vite évoluer à partir de 1947. Au sortir de la guerre, le programme du CNR préconisait le contrôle des pouvoirs publics sur la vie économique et sociale. De plus, les trois grandes forces du tripartisme (PC, SFIO, MRP) ont en commun une grande méfiance envers le libéralisme économique qui favorise les puissants et sacrifie les faibles. Mais la droite elle-même ne proteste guère contre un interventionnisme d'État que la nécessité des temps avait déjà poussé le gouvernement de Vichy à pratiquer. En revanche, à mesure qu'on s'éloigne de l'époque du conflit, radicaux et modérés qui expriment l'opinion de la classe moyenne des industriels, commerçants, artisans, etc., et se présentent comme les défenseurs de la libre entreprise, critiquent de plus en plus vivement l'intervention de l'État. La rupture de mai 1947 va, dans ces conditions, lui porter un coup mortel. Le renvoi des communistes dans l'opposition, la marginalisation des socialistes, le retour en puissance des radicaux et des modérés diminuent l'audience des partisans du dirigisme économique. Dès l'automne 1947, ce sont des tenants du libéralisme économique, le radical René Mayer, les modérés Paul Reynaud et Maurice Petsche qui se succèdent au ministère des Finances et imposent un abandon progressif des pratiques dirigistes et un retour aux mécanismes du marché.

À partir de 1947, sont ainsi levés la plupart des contrôles pesant sur l'économie française. La réinsertion dans le marché international supposait une remise en ordre de la monnaie, la valeur officielle du franc étant manifestement supérieure à celle de son pouvoir d'achat. Deux dévaluations en 1948 et 1949 ramènent le franc à une valeur correspondant à celle du marché mondial. Il est amputé des neuf dixièmes de sa valeur de 1939. René Mayer préside à la libération des prix, puis à celle des salaires, l'État ne se réservant plus que la fixation d'un salaire minimum interprofessionnel garanti (SMIG), le « minimum vital ». Les échanges extérieurs sont partiellement libérés afin de soumettre les marchandises françaises à la concurrence internationale et de faire baisser les prix intérieurs.

Cette politique ne va d'ailleurs pas sans résultats et aboutit vers 1950 à une stabilisation économique, inconnue depuis la Libération. Le déficit budgétaire est en voie de résorption. La balance commerciale et la balance des comptes voient leur déficit s'amenuiser progressivement et une certaine tendance à l'équilibre s'instaurer. Enfin l'inflation qui avait atteint des taux spectaculaires en 1946-1948 tend à s'apaiser à partir de 1949.

La conjoncture internationale va faire que cette stabilisation obtenue à grand peine soit de courte durée. La guerre de Corée qui éclate en 1950 a pour résultat une hausse considérable du prix des matières premières et des transports maritimes en raison des énormes besoins des États-Unis et des efforts de réarmement entrepris par l'Europe dans le cadre du pacte Atlantique. Cette brutale accélération de la demande compromet les efforts de stabilisation entrepris par la France qui, embourbée par ailleurs dans la guerre d'Indochine, consacre près de 30 % de son budget à l'effort militaire. La hausse des denrées et des transports, mais aussi la volonté des chefs d'entreprise de profiter d'une conjoncture favorable pour faire des profits entraînent une importante augmentation des prix qui pousse les salariés à réclamer un accroissement de leurs salaires : l'inflation reprend. La relance de la consommation entraîne celle des importations et la balance commerciale de la France se détériore à nouveau. À la fin de 1951, le problème se trouve donc posé : faut-il poursuivre l'expansion en acceptant l'inflation, comme cela a été généralement le cas depuis la Libération, ou faut-il mener à tout prix une politique de stabilisation au risque de bloquer l'expansion ? Le choix d'Antoine Pinay comme Président du Conseil en mars 1952 montre que c'est le second terme de l'alternative, celui qui correspond au choix de la droite, qui est retenu : l'heure est au libéralisme économique et politique.

CHAPITRE 5

L'URSS à la fin de l'ère stalinienne

La victoire dans la Seconde Guerre mondiale s'est soldée pour l'URSS par une véritable saignée démographique, d'immenses destructions, mais aussi le développement économique des régions orientales où avaient été évacués équipement industriel et main-d'œuvre durant le conflit. L'objectif prioritaire de l'après-guerre est le relèvement de l'économie, qui s'opère par la voie de la planification volontariste et autoritaire décidée par Staline : retour à la collectivisation de l'agriculture, industrialisation à outrance, voire plans grandioses de transformation de la nature et projets irréalistes responsables de déséquilibres, qui sacrifient les conditions de vie de la population. Cet effort gigantesque s'accompagne d'un retour à la dictature totalitaire marquée par la répression contre les minorités religieuses et nationales, l'épuration de l'armée et la mise au pas des intellectuels. Un lourd appareil répressif, omniprésent, est mis en place. L'après-guerre représente l'apogée du stalinisme; Staline règne par la terreur et la crainte des purges sur ses collaborateurs et sur le parti, devenu une simple courroie de transmission, cependant que se développe un culte de la personnalité qui fait de Staline un demi-dieu et un théoricien génial du socialisme.

Le redressement de l'URSS (1945-1953)

• Bilan de la guerre

Alors qu'en 1941, les armées soviétiques ne parvenaient pas à arrêter l'avance foudroyante des armées allemandes, que l'URSS semblait condamnée à devenir possession du Reich, quatre ans plus tard, c'est au contraire en vainqueur que l'État soviétique sort du conflit, grâce aux immenses sacrifices consentis par ses citoyens.

Les pertes humaines sont effroyables. Le gouvernement n'ayant pas publié de statistiques, on les évalue à 20 ou 25 millions de morts. La moitié sont des civils, dont 8 millions pour la zone occupée par les Allemands. Trois millions de prisonniers sont morts dans des camps. À ce lourd bilan, il faut ajouter un grand nombre de blessés, de mutilés, d'affamés, comme ceux qui ont subi le siège de Leningrad, tellement affaiblis que beaucoup ne survivent pas longtemps ou restent diminués à jamais. Si la population de l'URSS est légèrement supérieure en nombre à ce qu'elle était avant la guerre (172 millions d'habitants), c'est grâce à l'agrandissement de son territoire vers l'ouest. Ces pertes humaines touchent particulièrement la population active, posant un grave problème de main-d'œuvre.

Les conséquences de la guerre affectent la démographie. Le nombre des jeunes hommes tués étant très important, on constate un déséquilibre entre le nombre d'hommes et de femmes. Il en résulte un important pourcentage de femmes célibataires et un déficit de naissances qui vient s'ajouter à celui des années de guerre, déjà évalué à plusieurs millions. Il en résulte également un nombre élevé de femmes dans le secteur de la production dont la qualification n'est pas toujours l'équivalent de celle des hommes qu'elles remplacent. Par ailleurs, la guerre modifie les rapports entre population urbaine et population rurale. Les paysans dont les terres et les villages sont détruits, se réfugient dans les villes, accroissant l'exode rural et amplifiant les difficultés de logement.

Les pertes matérielles sont considérables. À elle seule, l'URSS a supporté presque la moitié des destructions occasionnées dans le monde entier par la Seconde Guerre mondiale, ce qui correspond en valeur à cinq fois et demi son revenu national de 1941. Tout est à reconstruire. Les nazis ont dévasté et brûlé 1710 villes et plus de 70000 bourgades et villages… De ce fait, 25 millions de personnes sont sans abri. La dévastation a également touché 31 850 usines, 5000 kilomètres de voies ferrées, 40000 hôpitaux, 84000 écoles, 98000 kolkhozes… Le cheptel n'a pas été plus épargné et on considère que la moitié a été perdue.

Il résulte de toutes ces destructions et des pertes humaines une baisse importante du revenu national. Et pour reconstruire, on ne dispose que d'un matériel usé, d'hommes affaiblis par les privations. Les Soviétiques ne peuvent pas non plus compter sur l'aide des Occidentaux, car le Président des États-Unis Truman suspend toute aide à l'URSS pour répondre à ses empiétements en Europe orientale. Tout cela explique la faiblesse de la production soviétique en 1945. L'URSS n'est pas épargnée non plus par l'inflation qui accompagne la pénurie depuis la guerre. Elle touche particulièrement les denrées alimentaires et la hausse des salaires est loin de compenser celle du coût de la vie.

Mais, dans ce tragique bilan, le développement économique des régions orientales constitue un aspect positif dont les conséquences vont s'avérer durables. À partir de l'été 1941, le gouvernement a fait transférer une grande partie de l'équipement industriel et de la main-d'œuvre vers l'Oural surtout, mais aussi vers l'Asie centrale, la Sibérie occidentale et l'Extrême-Orient. Cette implantation industrielle a exigé le développement d'une infrastructure, routes, voies ferrées, réseaux de transmissions, qui constitue pour ces régions un acquis précieux. L'extraction minière y est intensifiée (pétrole, charbon, fer) et la production industrielle s'accroît considérablement : en Oural et en Sibérie occidentale elle atteint en 1943 le triple de celle de 1940. En 1945, l'Oural est devenu l'arsenal de l'URSS, lui fournissant 58 % de la fonte et 53 % de l'acier. Même après la libération des territoires occupés et le retour de beaucoup d'usines vers leur région d'origine, cette région conserve une population de 50 % supérieure à celle d'avant le conflit, la Sibérie occidentale de 25 %. Fiers d'avoir surmonté les terribles épreuves du conflit et heureux de retrouver la paix, les peuples soviétiques vont devoir maintenant consacrer leurs efforts à la reconstruction du pays.

La production soviétique en 1945 (indice 100 en 1940)

Production agricole	60
Céréales	50
Production industrielle (dans régions occupées par l'Allemagne)	92 (30)
Biens de consommation	59
Pétrole	62
Minerai de fer	52
Fonte	59
Ciment	31

• Objectifs de la planification

Comme avant la guerre, l'économie reste planifiée et ses objectifs fixés par Staline qui continue à accorder la priorité à l'industrie lourde (88 % des investissements industriels) et aux transports ferroviaires.

En fait, il assigne d'autres objectifs importants au IVe plan quinquennal : une forte progression de l'agriculture, un progrès technique de toutes les branches de l'économie, la reconstruction des régions dévastées par les Allemands, le développement de toutes les Républiques fédérées, un programme considérable de grands travaux de construction… En établissant ce plan, Staline espère que l'URSS va pouvoir rattraper et même dépasser les principaux États capitalistes au point de vue économique en ce qui concerne le volume de la production industrielle par habitant. Il reconnaît que la tâche est certes difficile à accomplir, que cela demandera peut-être plusieurs autres plans quinquennaux pour y parvenir, mais il l'estime indispensable. En même temps que le IVe plan quinquennal, il fait élaborer le plan annuel de 1946 qui doit constituer un test pour sa politique économique. Or, dès la mise en route de ce dernier, il apparaît que les objectifs fixés sont trop ambitieux pour être réalisés, d'autant qu'une très mauvaise récolte due à la sécheresse aggrave la situation. De ce fait, le rationnement va se prolonger jusqu'à la fin 1947. Les hommes, affaiblis par les privations, ont du mal à tenir les cadences élevées. Le matériel est usé par une utilisation intensive pendant la guerre. Les coûts de production sont tout de suite beaucoup plus élevés que prévu, ce qui réduit les ressources nécessaires à la réussite du plan. Pendant les années suivantes, l'écart s'accroît encore entre les objectifs à atteindre et la situation économique réelle du pays. Aussi le gouvernement soviétique, tout en continuant à présenter officiellement le plan comme parfait, s'emploie-t-il à décréter des plans partiels destinés à en modifier les dispositions.

• Le IVe plan quinquennal (1946-1950)

Ainsi, en ce qui concerne l'agriculture, le IVe plan n'a pas envisagé de mesures de collectivisation, mais des plans spéciaux cherchant à promouvoir l'agriculture collective. Une campagne de collectivisation est menée énergiquement dans les territoires occidentaux annexés par l'URSS. Dans les autres républiques soviétiques, les principes de l'avant-guerre sont rétablis. Les kolkhozes et les sovkhozes reconstitués sont contrôlés plus efficacement par le parti et dès 1946, les kolkhoziens ont dû rendre à la collectivité les terres accaparées pendant la guerre (elles correspondent environ à 5 % des terres cultivées en 1938) et une partie du bétail. La réduction des lopins individuels mécontente les paysans dont les ressources sont diminuées, d'autant que les économies qu'ils avaient pu faire grâce à la vente de denrées alimentaires au marché noir sont annulées par la réforme monétaire de décembre 1947 qui les oblige à échanger 10 billets anciens contre un nouveau (alors que les biens collectifs bénéficient d'un taux d'échange de 4 contre 1). Par la suite, toute possibilité d'enrichissement leur est interdite, car les prix agricoles sont fixés très bas, parfois au-dessous du prix de revient, si bien que plus un kolkhoze livre à l'État, plus il est déficitaire. Or, Staline augmente les quantités de livraisons obligatoires. Dans ces conditions, les paysans préfèrent concentrer leurs efforts sur leurs lopins de terre individuels qui leur fournissent les deux tiers de leurs revenus. Une nouvelle étape vers la collectivisation est franchie en 1950 lorsqu'on décide de regrouper les kolkhozes en unités plus vastes, le but étant de les transformer ensuite en sovkhozes pour rapprocher la condition de vie des paysans de celle des ouvriers : en un an, le nombre des kolkhozes tombe de 252000 à 121000; en 1953, il n'est plus que de 94000. Khrouchtchev annonce même la création d'« agrovilles », centres ruraux de type urbain, mais cette initiative semble trop précipitée et Staline la désapprouve. Globalement, la production agricole n'a pas dépassé à la fin du quinquennat celle de 1940; les cultures alimentaires et les produits de l'élevage sont nettement inférieurs aux prévisions. L'agriculture reste le point faible de l'économie.

La reconstruction industrielle présente des aspects positifs. On a fait à nouveau appel à l'émulation socialiste, c'est-à-dire au dépassement volontaire des normes du plan. 80 % des ouvriers suivent ce mouvement dès 1946. Les résultats de l'industrie lourde sont positifs, même en tenant compte des calculs faits par les Occidentaux et qui pondèrent les évaluations soviétiques officielles.

Autre point positif, l'avancement des grands travaux ; à la remise en état des installations anciennes s'ajoutent des réalisations nouvelles comme le canal Lénine achevé en 1953, qui permet la rencontre du Don et de la Volga, et le célèbre canal d'irrigation du Turkménistan, d'une longueur de 1100 km, de l'Amou-Daria à la mer Caspienne. Mais il est vrai que ces succès ont coûté la vie à 250000 prisonniers soumis au travail forcé. C'est aussi le début de construction de puissantes centrales hydroélectriques et en 1949 l'URSS fabrique une bombe atomique.

En ce qui concerne l'industrie des biens de consommation (chaussures, tissus, industries alimentaires, logement...), les réalisations du plan sont nettement insuffisantes, car Staline se préoccupe moins du bien-être des Soviétiques que de la puissance de l'URSS. Les réalisations ne sont pas non plus satisfaisantes en ce qui concerne les projets grandioses de Staline comme le « Plan stalinien » de transformation de la nature qui prévoyait en s'appuyant sur les théories de Lyssenko la plantation de massifs forestiers d'une longueur de 5300 km sur une largeur de 30 à 60 km allant des frontières occidentales de l'URSS jusqu'à l'Oural, l'aménagement de 44000 étangs artificiels et la construction de nombreux barrages pour lutter contre la sécheresse. On prévoyait même le détournement du fleuve Obi vers la mer d'Aral et la Caspienne.

Les résultats de l'industrie lourde de 1946 à 1954
(D'après les statistiques soviétiques)

IVe plan quinquennal (1946-1950)

Production industrielle	Prévision	Réalisation	% de réalisation
Fonte[1]	19,5	19,4	99 %
Acier[1]	24,4	27,3	112 %
Houille[1]	250	264	106 %
Pétrole[1]	35,4	37,8	107 %
Électricité[2]	82	90,3	110 %

V^e plan quinquennal (1950-1954)

Production industrielle	Prévision	Réalisation	% de réalisation
Fonte[1]	34,1	33,3	97 %
Acier[1]	44,2	45,2	102 %
Houille[1]	372	390	104,8 %
Pétrole[1]	70	70,7	101 %
Électricité[2]	163	170	104 %

1. Millions de t. 2. Milliards de kWh

• Le Ve plan quinquennal (1951-1955)

Le Ve plan quinquennal accuse encore les défauts du IVe plan. En effet le Président du Gosplan, Voznessenski, qui avait contesté la trop faible part d'investissements accordée aux industries de biens de consommation, a été éliminé par Staline en 1949 et exécuté l'année suivante. Aussi le dictateur impose-t-il alors ses choix économiques : fixation d'un taux de croissance élevé, accent mis sur les grands travaux plutôt que sur l'amélioration des conditions de vie, brutalité envers les paysans, caractère grandiose et peu réaliste des projets comme la construction d'un chemin de fer le long du Cercle polaire, par exemple. Khrouchtchev caractérisa plus tard le Ve plan comme « le pire de tous et d'une conception lamentable ». En fait, ce plan n'a pas survécu longtemps à Staline, car tout de suite, des modifications importantes sont effectuées par ses successeurs, concernant les secteurs déficients comme l'agriculture, la consommation et l'habitat.

Cependant, à la mort de Staline en 1953, l'URSS est redevenue une grande puissance industrielle, mais au prix des déséquilibres qui ont marqué l'ensemble de la période stalinienne : sacrifice du monde rural, faible niveau de vie de la population, emploi généralisé des méthodes coercitives.

Le retour à la dictature totalitaire

Après tant d'efforts et de sacrifices supportés pendant la guerre, les peuples soviétiques aspirent à la détente. Ils espèrent que leur chef, Staline, dont la victoire a accru le prestige, va poursuivre la politique de libéralisation entamée pendant la guerre. En effet, pour réaliser l'unité nationale indispensable à la victoire, il a assoupli sa dictature. L'autonomie relative concédée au clergé orthodoxe qui a pu élire un nouveau patriarche et tenir un synode, la renaissance des sentiments nationaux, l'émancipation de la paysannerie qui a négligé la production collective au bénéfice de celle de ses lopins individuels, vont-elles pouvoir se poursuivre ? La réponse est partout négative : les espoirs de libéralisation du régime sont déçus. Très vite Staline rétablit le système répressif et le climat de méfiance d'avant la guerre. Il justifie cette politique par le fait que l'URSS est obligée de reconstruire son économie dans des conditions rendues difficiles par les tensions entre le monde communiste et le monde capitaliste. Il reste persuadé que si la force de l'Union soviétique tient à son économie, elle réside aussi dans l'unité idéologique et tout ce qui risque de la rompre doit être éliminé : c'est en cela qu'on peut parler de totalitarisme.

• Persécutions et répression

Aussi, toutes les minorités, nationales, intellectuelles, religieuses ou autres, sont persécutées et tous ceux que l'ombrageux dictateur soupçonne de ne pas lui être inconditionnellement fidèles sont menacés.

En proclamant publiquement que le peuple russe est la nation la plus avancée de toutes celles qui composent l'Union soviétique, qu'il a joué le principal rôle dans la guerre et mérité ainsi d'être appelé peuple dirigeant, Staline engage tous les peuples soviétiques à se rassembler autour de lui. C'est la fin des aspirations nationales contre lesquelles il utilise la répression. Celle-ci prend la forme de déportations totales ou partielles de peuples. Les déportations totales frappent des nations entières coupables d'avoir pu pactiser avec les Allemands. On en compte sept ainsi arrachées à leurs foyers, ce qui représente, compte tenu des chiffres de la population en 1939, plus d'un million de personnes :

407690	Tchétchènes	134271	Kalmouks
92074	Ingouches	380000	Allemands de la Volga
75737	Karatchaïs	200000	Tatars de Crimée
42666	Balkars		

Les déportations partielles concernent les opposants à la soviétisation et à la collectivisation. Elles sont importantes dans les États baltes où le gouvernement déporte en 1948-1949 environ 400000 Lituaniens, 150000 Lettons et 35000 Estoniens. En outre, tous les peuples doivent oublier leur passé national et glorifier celui de leur « frère aîné, le grand peuple russe ». De même, toute culture nationale non russe devient interdite. Les mouvements de résistance, parfois très intenses, comme celui des Kirghiz sont brisés par le parti. L'encadrement politique des nationalités est opéré par des partis locaux épurés. La Géorgie en 1952 est particulièrement éprouvée par ces purges, dirigées par le ministre de la Police, Béria. Devant la force, les nations semblent accepter la supériorité des Russes.

À partir de l'été 1946, commence la mise au pas des intellectuels accusés d'être contaminés par les idées de l'Occident. Un décret réforme l'enseignement du parti pour l'adapter à la lutte contre les idées nouvelles qui affaiblissent l'esprit communiste. Les directives données ont pour objet d'imposer à tous le « réalisme socialiste ». Jdanov, secrétaire du Comité central, bien vu de Staline qui a déjà utilisé ses services pour différentes purges, notamment contre les intellectuels d'origine juive pendant la période d'entente avec l'Allemagne nazie (1939-1941), devient l'idéologue du PC soviétique et définit la loi à suivre. Les écrivains doivent être les « ingénieurs des âmes » ; il leur appartient de donner au peuple *« une nourriture spirituelle qui l'aide à réaliser les plans de la grandiose édification socialiste, du relèvement et du développement de l'économie nationale». Il leur faut «éduquer le peuple et l'armée idéologiquement... montrer les vertus de l'homme soviétique, fustiger les survivances du passé qui l'empêchent d'aller de l'avant».* Jdanov exerce une dictature intellectuelle qui porte son nom, la Jdanovtchina, et qui continue après sa mort en 1948. Tous ceux qui ne se soumettent pas complètement aux directives sont soumis aux purges. La poétesse Akhmatova, le romancier satiriste Zochtchenko sont exclus de l'Union des Écrivains (ce qui les prive de moyens d'existence) et les revues qui les ont publiés sont sanctionnées. Jdanov s'en prend aux musiciens comme Prokofiev et Chostakovitch auxquels il prétend donner au piano une «leçon de musique communiste», les accusant de formalisme antipopulaire. Il oblige à peu près tous les intellectuels et les artistes connus à faire leur autocritique. Les dénonciations, les purges finissent par réduire les intellectuels au silence. L'Université elle-même n'est pas épargnée : certaines sciences dites «bourgeoises» sont condamnées, et les hommes qui les défendent sont privés de moyens de subsistance ou déportés. Staline intervient personnellement dans les campagnes lancées contre eux par *La Pravda.* Il soutient personnellement Lyssenko, botaniste qu'il a fait nommer directeur de l'Institut de génétique, tenu par tous les savants pour un imposteur. Prétendant pouvoir accorder «la génétique avec le matérialisme soviétique», Lyssenko déclare fausses les lois de Mendel et affirme l'hérédité des caractères acquis donc la possibilité d'infléchir les lois naturelles : c'est l'origine du plan stalinien de transformation de la nature. Staline assure qu'on peut aussi agir sur l'homme pour créer un «homme nouveau», par exemple par le langage qui peut commander les réactions psychiques et les activités des hommes. Ce mythe, le lyssenkisme, devenu vérité officielle, et que les savants sont contraints d'accepter, entraîne un retard scientifique de l'URSS, qui sera comblé plus tard grâce aux travaux clandestins des chercheurs soviétiques.

Les minorités religieuses recommencent à être persécutées. Dans les dernières années de sa vie, Staline s'en prend particulièrement aux Juifs. Le comité juif antifasciste qui avait aidé l'État soviétique pendant la guerre est dissous. Des centaines d'intellectuels juifs accusés de sympathie pour Israël ou les États-Unis sont arrêtés et exécutés. Staline voit des complots juifs partout et dresse le parti à les «démasquer». En janvier 1953, il invente le «complot des blouses blanches» : les médecins juifs du Kremlin sont accusés d'avoir tué Jdanov et Staline contraint ses collaborateurs à leur faire avouer sous la torture des crimes imaginaires.

La répression gagne également l'armée. Staline craint qu'elle ne soit contaminée par les idées et les façons de vivre des pays où elle a combattu. Les prisonniers de guerre revenus des camps allemands et les déportés du travail sont souvent envoyés dans des camps de concentration en Sibérie. Il prend aussi ombrage de la popularité des généraux victorieux et il les met à l'écart. Ainsi, Joukov, vainqueur de Berlin, est envoyé en mission dans l'Oural et on ne mentionne même plus son nom.

La méfiance pathologique de Staline conduit à la mise en place d'un lourd appareil répressif. La peine de mort, supprimée en 1947, est rétablie en 1950. Deux organismes sont chargés du maintien de l'ordre, le ministère de l'Intérieur et celui de la Sécurité d'État, eux-mêmes surveillés secrètement par le secrétariat du Comité central. Staline, en effet, n'a plus confiance en Béria qui dirige la police. Il songe même à le liquider ainsi que d'autres proches collaborateurs comme Molotov et Vorochilov au moment où la mort le saisit, le 5 mars 1953. À cette date, on évalue la population des camps, gérés par le Goulag, entre cinq et douze millions de personnes. L'écrivain Alexandre Soljenitsyne, arrêté en 1945 et interné jusqu'en 1953, a décrit la vie des camps dans ses ouvrages, en particulier *Une journée d'Ivan Denissovitch* (1962) et *L'Archipel du Goulag* (1973). Les conditions d'hygiène défectueuses, la nourriture insuffisante, les rigueurs du climat, le travail très dur dans les mines, les carrières, les chantiers, entraînent un taux de mortalité très élevé.

• Staline après la guerre

Il est difficile de se faire une idée précise et objective de la personnalité de Staline, personnage très controversé. Dès les années 20, Lénine avait tenté de mettre les dirigeants du parti en garde contre lui, dénonçant sa brutalité. Son adversaire Trotski insiste sur son caractère sadique et son «éminente médiocrité». Ses collaborateurs le craignent et redoutent de provoquer sa colère. Lui-même tend à se présenter comme un personnage modeste, serviteur dévoué à son pays et à son parti, n'hésitant pas au besoin à reconnaître ses erreurs. Ainsi, en 1941, pris au dépourvu par l'invasion allemande, il reste prostré durant plusieurs jours, incapable de prendre aucune décision, comme il l'admet lui-même après la victoire : *«Pauvre peuple soviétique, tu pouvais, à juste titre, te demander en 1941 par qui tu étais dirigé. Tu avais tout lieu d'être indigné, car nous nous n'avons rien su faire.»* Après sa mort, Khrouchtchev le rend en effet responsable des désastres militaires de 1941-1942 en raison de l'impréparation du pays à la guerre en matière d'équipements (Staline, incompétent, imposait ses choix) et de commandement (les purges de 1936-1938 ont privé l'armée de chefs expérimentés et Staline, qui dirigeait les opérations militaires, était incapable de lire une carte et conduisait la guerre sur une mappemonde).

Staline a su se maintenir au pouvoir en jouant des rivalités entre les hommes et même entre les institutions, État et parti. Impitoyable, il n'épargne personne, ni le parti, durement épuré, ni ses collaborateurs dont beaucoup ont été exécutés, et leurs proches. Sauf pendant la guerre où elle a connu un répit, la terreur policière a fait d'innombrables victimes. Patient et calculateur, Staline choisit son moment pour annoncer une mesure ou frapper ses victimes. Khrouchtchev raconte dans ses souvenirs qu'après la guerre, sa folie de la persécution atteint des proportions incroyables. Hanté par la crainte des complots, il se retranche dans l'isolement d'une datcha comme celle de Koutsevo où il fait venir, souvent la nuit, les collaborateurs qu'il choisit et qui tremblent à l'idée d'une disgrâce possible. Krouchtchev a relaté ces séances où il jouait avec eux comme le chat avec la souris.

• Le stalinisme, système de gouvernement

L'État soviétique d'après-guerre est devenu un État nouveau où la construction marxiste-léniniste est remplacée par un système de gouvernement de conception très différente, le stalinisme. Pour Lénine, le parti est le cœur même du système ; l'État lui est subordonné. Staline, au contraire, tout en dirigeant le parti, se refuse à lui accorder autant d'importance, déclarant dans un discours : *« La seule différence entre les militants du Parti et les sans-Parti, c'est que les uns sont membres du Parti et que les autres ne le sont pas. Ce n'est qu'une différence formelle. »* Lénine avait supprimé certains titres qui rappelaient l'État traditionnel comme le terme de ministre, remplacé par celui de commissaire du peuple ; Staline reprend l'ancienne dénomination. Pareillement, on parle depuis 1947 des forces armées de l'URSS et non plus de l'Armée rouge. Déjà, en 1944, un hymne national qui glorifie Staline a remplacé le chant de *l'Internationale*. En 1952, le terme bolchevik accolé au nom du parti disparaît. Le mépris dans lequel Staline tient le parti fait qu'il le consulte rarement, le considérant en fait comme une simple courroie de transmission. Le plenum du Comité central n'est plus convoqué après février 1947, le Politburo est tenu à l'écart, les décisions sont prises par Staline et ses conseillers personnels, notamment Poskrebychev, chef du secrétariat privé. Khrouchtchev a raconté dans ses souvenirs comment Staline procédait pour obtenir satisfaction. Par exemple, pour faire adopter un plan, il s'empare des dossiers et s'adressant à ses collègues : *« Voici le plan. Qui est contre ? »* Et avant même qu'ils n'aient eu le temps de répondre, il conclut : *« Il est donc accepté. »* Staline décide seul et le parti doit avant tout lui être fidèle et lui obéir. Jusqu'alors le militant avait pour principal devoir de connaître le marxisme-léninisme ; le XIXe Congrès qui se tient en 1952 (treize ans après le précédent !) place en tête le devoir de défendre l'unité du parti, ce qui exclut toute opposition à Staline. Les dirigeants des démocraties populaires lui doivent la même obéissance aveugle que ses collègues du Politburo. Il les englobe dans le même mépris : *« Il me suffira de lever le petit doigt, et Tito s'écroulera »,* déclare-t-il en 1948. Le Kominform, créé en 1947, pour assurer la cohésion du monde communiste, n'a en fait d'autre réalité que l'exécution des volontés de Staline.

Le culte de la personnalité dont Staline est l'objet atteint après la guerre une intensité démesurée. De nombreuses villes, rues, usines, kolkhozes… portent son nom. Son portrait se voit partout, dans les logements, les rues, les édifices. De gigantesques statues de lui dominent les villes. Au sommet de l'Elbrouz, sa statue porte l'inscription : *« Sur le plus haut sommet d'Europe, nous avons érigé le buste du plus grand homme de tous les temps. »* Journalistes et écrivains encensent le « génial Staline » et, en 1949, son 70e anniversaire donne lieu à des manifestations d'idolâtrie. Les cadeaux, venus du monde entier, sont exposés dans des musées. Toutes les vertus et les connaissances sont attribuées au « père des peuples ».

Ce dictateur se veut aussi un théoricien du socialisme. Il a écrit des textes où il expose un certain nombre d'idées concernant l'économie et la politique. Avant la guerre, il a défendu la théorie du « socialisme dans un seul pays », et en 1952, dans un écrit, *Les Problèmes économiques du socialisme en Union soviétique,* il affirme qu'il est possible de passer, de façon progressive, du stade inférieur (le socialisme) au stade supérieur (le communisme) grâce à la planification et au pouvoir de l'État. Ce passage ne peut se faire qu'en profitant d'un répit sur le plan international. Il reste persuadé que l'extension de la révolution dans le monde dépend des progrès internes de l'URSS et c'est une raison supplémentaire pour lui d'affirmer que l'URSS doit hâter son développement. Pour Staline, c'est donc à l'État et non à la masse des citoyens que doit revenir l'initiative des transformations. C'est ce principe qu'il a appliqué par exemple lors de la collectivisation.

CHAPITRE 6

L'extension du communisme en Europe (1945-1948)

En 1945, l'Europe de l'Est est occupée par l'Armée rouge, qui y installe des gouvernements de coalition dominés par les partis communistes, qui s'emparent des leviers de commande et éliminent progressivement les autres tendances politiques. Dans tous ces pays, collectivisation des terres, nationalisation des entreprises et planification marquent le passage à une économie de type socialiste. Dans le cadre de la guerre froide, la création du Kominform permet aux dirigeants soviétiques d'instaurer leur contrôle sur les partis communistes européens et d'étendre leur emprise sur la Tchécoslovaquie par le « coup de Prague », en février 1948. Mais, en 1948, malgré les pressions du Kominform, la Yougoslavie, qui refuse la vassalisation, rompt avec l'URSS et choisit une voie nationale vers le socialisme. Staline réplique en procédant à une sévère épuration des partis communistes des pays de l'Est, tenus dorénavant de s'aligner sur l'Union soviétique et d'instaurer un totalitarisme de type Stalinien.

La mainmise communiste (1945-1947)

• Le temps des « Fronts nationaux »

La plus grande partie de l'Europe centrale et orientale se trouve en 1945 sous le contrôle de l'armée soviétique. Dans les pays où elle a chassé les Allemands, l'URSS exerce une emprise totale. Seule l'Autriche, à la périphérie de ce bloc compact d'États, échappe à cette mainmise complète, car elle est administrée non seulement par les Soviétiques, mais aussi par les Britanniques, les Américains et les Français. La zone orientale de l'Allemagne, occupée par les Soviétiques, n'a pas statut d'État avant 1949 ; son centre, Berlin, l'ancienne capitale du Reich, est contrôlée par les troupes des quatre vainqueurs.

Dans cette zone d'occupation, les militaires et les diplomates soviétiques mettent en place des gouvernements de coalition dominés par les communistes. Leur première préoccupation est la « dénazification » ; elle s'effectue de façon intensive sous la responsabilité du commandement militaire, doté des pleins pouvoirs. Elle entraîne une gigantesque épuration aboutissant à l'élimination de ceux qui ont collaboré avec les nazis ou appuyé les gouvernements autoritaires mis en place par Hitler, mais aussi des riches et des bourgeois considérés comme des « fascistes » virtuels. Les cadres traditionnels des pays occupés sont ainsi brisés. De nouveaux pouvoirs sont créés, confiés aux antifascistes, communistes, socialistes, démocrates, agrariens… réunis dans des Fronts nationaux, sauf en Yougoslavie et en Albanie où les communistes s'imposent directement au pouvoir.

• La prise du pouvoir par les communistes

En Yougoslavie, en effet, les partisans communistes dirigés par Tito ont joué un rôle essentiel dans la résistance à l'occupant fasciste et dans la libération de leur pays. Aussi les élections de novembre 1945 assurent-elles le triomphe du Front national de Tito (96 % des suffrages exprimés), d'autant plus facilement qu'elles ont été précédées de pressions exercées par la police politique et d'une épuration rigoureuse. À la suite de ces élections qui mettent fin à la monarchie est établie une République fédérale populaire et la Constitution adoptée est de type soviétique.

En Albanie, après les élections qui donnent la victoire au Front démocratique dominé par les communistes, est promulguée une Constitution imitée de celle de la Yougoslavie, pays avec lequel les Albanais entretiennent des relations d'amitié jusqu'en 1948. Un rôle très important est d'ailleurs joué à la tête de l'Albanie par le dirigeant communiste Kotchi Dzodze, ami de Tito.

Dans tous les autres États de l'Europe de l'Est, le passage à la démocratie populaire se fait par étapes et sous la pression des Soviétiques. Dans un premier temps, les partis communistes, encore peu puissants, doivent accepter de collaborer avec les autres mouvements politiques dont l'influence varie selon les pays, mais qui est particulièrement forte en Tchécoslovaquie et en Hongrie, où la transformation du régime est à la fois plus difficile et plus tardive. Dans ces gouvernements de coalition, les postes clés sont attribués aux communistes ou à leurs alliés (14 ministères sur 21 en Pologne, par exemple). Il s'agit notamment des ministères de l'Intérieur (contrôle de la police), de la Justice, de l'Armée, de l'Économie. La direction du gouvernement leur est même parfois confiée comme en Bulgarie et en Tchécoslovaquie. Cette attribution des ministères clés aux communistes n'est nullement spontanée, mais se fait partout sous le contrôle de l'Armée rouge. En Roumanie, par exemple, le roi Michel est contraint de former un gouvernement contrôlé par les communistes et, en Hongrie, il faut que le maréchal soviétique Vorochilov insiste pour que ceux-ci obtiennent des postes importants qui leur permettront de préparer leur marche au pouvoir.

Une fois maîtres des postes de commande, les communistes s'emploient à éliminer les autres tendances politiques, en premier lieu celles qui leur sont le plus hostiles. Pour forcer les représentants des partis rivaux à quitter le gouvernement, tous les moyens sont bons. Par exemple, la surenchère dans les promesses faites aux paysans pour attirer vers les communistes la clientèle des partis agrariens. Ou encore ces mêmes partis sont accusés d'espionnage au profit des intérêts anglo-américains; ainsi en est-il en Pologne et en Bulgarie où le parti communiste exclut du pouvoir les partis paysans. Quand les adversaires sont nombreux et de tendances diverses, le moyen utilisé est de les diviser pour les affaiblir, puis de les éliminer à tour de rôle; c'est la tactique dite du «salami», principalement employée en Hongrie. Partout, les communistes utilisent à leur profit les postes ministériels qu'ils détiennent, en particulier la justice, la police et l'armée, pour se débarrasser des éléments hostiles ou peu sûrs et placer leurs partisans là où ils peuvent exercer une action efficace.

Il résulte de cette tactique un important gonflement des effectifs communistes – ils triplent en deux ans en Tchécoslovaquie – et on assiste à un véritable noyautage par les communistes de l'État, de l'administration et de la société. Dès lors, les élections qui ont lieu

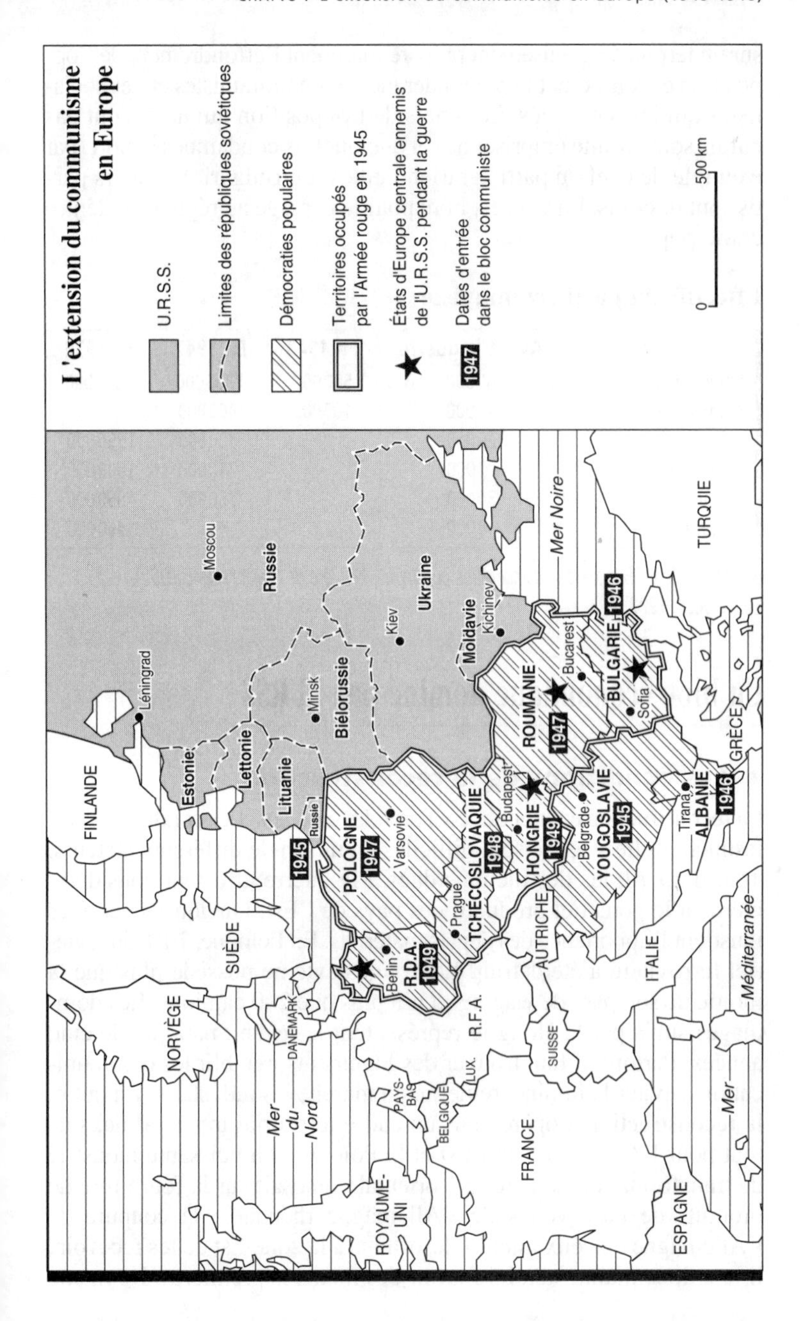
L'extension du communisme en Europe
U.R.S.S.
Limites des républiques soviétiques
Démocraties populaires
Territoires occupés par l'Armée rouge en 1945
États d'Europe centrale ennemis de l'U.R.S.S. pendant la guerre
Dates d'entrée dans le bloc communiste
1947
0
500 km
FINLANDE
Léningrad
Estonie
Lettonie
Lituanie
Russie
Moscou
Russie
Minsk
Biélorussie
Kiev
Ukraine
Moldavie
Kichinev
Mer Noire
TURQUIE
NORVÈGE
SUÈDE
DANEMARK
1945
POLOGNE
1947
Varsovie
R.D.A.
1949
Berlin
Prague
TCHÉCOSLOVAQUIE
1948
Budapest
HONGRIE
1949
ROUMANIE
1947
Bucarest
BULGARIE
1946
Sofia
Belgrade
YOUGOSLAVIE
1945
Tirana
ALBANIE
1946
GRÈCE
Mer du Nord
ROYAUME-UNI
PAYS-BAS
BELGIQUE
LUX.
R.F.A.
AUTRICHE
SUISSE
FRANCE
ITALIE
ESPAGNE
Mer Méditerranée

sur un terrain soigneusement préparé marquent l'effondrement de l'opposition et consacrent la prépondérance des communistes et des socialistes qui les ont ralliés. Les chefs de l'opposition qui ne se sont pas enfuis sont ensuite emprisonnés et quelquefois condamnés à mort (par exemple, le chef du parti agrarien Petkov, en Bulgarie), et leurs partis sont interdits. La voie est libre pour le passage au régime de démocratie populaire.

Effectifs du parti communiste

	Avant la guerre	En 1945	En 1947	En 1950
Tchécoslovaquie	80000	500000	1300000	2300000
Youfoslavie	15000	100000	400000	-
Pologne	20000	-	800000	1360000
Roumanie	1000	-	710000	1000000
Hongrie	30000	-	750000	950000
Bulgarie	8000			460000

Source : F. Fejtö, *Histoire des démocraties populaires, I – L'ère de Staline (1945-1952)*, Éd. du Seuil, 1992.

Un bloc économique dominé par l'URSS

• Les conditions de la reconstruction

La reconstruction économique va prendre cinq ans. Les conditions dans lesquelles elle s'opère sont difficiles en raison de différents facteurs. Tout d'abord, les destructions dues à la guerre affectent considérablement le potentiel productif des pays de l'Est. Quelques exemples illustrent l'importance des dégâts matériels. En Pologne, 70 % du matériel ferroviaire a été détruit. La Yougoslavie ne possède plus que la moitié de son parc de wagons et n'a plus que 200 camions. Les dommages subis par la Hongrie représentent le revenu national de cinq années. Partout, il faut trouver des logements, rétablir les communications, éviter la famine, remettre en marche les industries. En outre, la reconstruction s'opère dans un cadre territorial très modifié, surtout pour l'Allemagne de l'Est et la Pologne. La puissante industrie de transformation de l'Europe orientale reposait sur la fourniture de produits de base venus de l'Allemagne rhénane : la coupure de l'Allemagne en deux interdit désormais à la zone Est de les recevoir ; il faut donc maintenant lui fournir des matières premières. De même son agriculture étant étroitement spécialisée (céréales, pommes de terre…), il est nécessaire d'importer aussi des produits complémentaires. Quant à la Pologne, son glissement de 200 kilomètres vers l'ouest exige la reconstitution complète de ses circuits économiques.

Autre facteur défavorable : le niveau de vie de l'ensemble des démocraties populaires est très bas en raison d'une situation antérieure à la guerre. En effet, sauf en Allemagne orientale et en Tchécoslovaquie où l'industrie est plus développée, les autres pays ont une économie à dominante agraire. Le rendement des cultures n'atteint que le tiers ou la moitié de celui de l'Europe occidentale alors que la densité de la population rurale est deux à trois fois plus élevée qu'en France par exemple.

Enfin, la situation des États ex-ennemis de l'Union soviétique (Roumanie, Hongrie, Bulgarie) est encore aggravée par les réparations dues en vertu des traités. À titre de restitution des biens enlevés, la Roumanie doit livrer 100000 wagons de céréales, 261000 têtes de bétail, 550 wagons de sucre, 286 locomotives, 5000 wagons, 2600 tracteurs. De plus, les frais supportés du fait de l'occupation des troupes soviétiques représentent une charge encore plus lourde, croit-on, que le paiement des réparations. En ce qui concerne les livraisons à titre de réparations, la Roumanie doit les effectuer pour moitié en produits pétrolifères, le reste en navires, wagons, locomotives, outillage et céréales. Celles de la Hongrie consistent pour 30% en produits industriels, pour 25% en céréales, en matériel de transport, etc. En 1946, 65% de la production totale de la Hongrie sont destinés au paiement des réparations. Pour effectuer ces prélèvements, l'URSS crée dans ces pays des sociétés mixtes dans lesquelles l'apport soviétique est constitué par des biens allemands confisqués et celui des pays partenaires par des réparations de guerre, livrables en marchandises. Ainsi, la production de tabac de Bulgarie passe-t-elle sous contrôle soviétique. En Allemagne de l'Est, on procède d'abord au démontage des usines, transportées en URSS, et au prélèvement pur et simple de matériel (rails, fils télégraphiques…), puis à partir de 1947, on crée des sociétés mixtes, qui seront restituées à l'Allemagne en 1953. Dans les autres pays, elles seront dissoutes en 1954-1955. Pour les pays ex-alliés, épargnés par les sociétés mixtes, les relations commerciales avec l'URSS sont réglées par un système de prix qui avantage les Soviétiques.

Dès 1945, est établi un ensemble de liens bilatéraux entre l'Union soviétique et ses partenaires. La Yougoslavie y participe jusqu'à son exclusion du Kominform en 1948. Ce système fonctionne jusqu'à l'entrée en vigueur, en avril 1960, du COMECON (Conseil d'entraide économique) associant à l'URSS les pays de l'Europe de l'Est sauf la Yougoslavie (cet organisme, dont la naissance est annoncée en 1949, n'a sa charte signée qu'en 1959). Les activités économiques des démocraties populaires sont organisées prioritairement en fonction des orientations décidées par l'URSS dont les besoins commandent les relations entre les pays socialistes eux-mêmes.

• L'application du modèle soviétique

Les principes soviétiques de socialisation des moyens de production et de planification du développement sont appliqués dès 1946-1948.

La collectivisation des terres se fait par étapes. Soixante millions de paysans d'Europe centrale attendent surtout du régime socialiste l'expropriation des grands propriétaires fonciers et le partage des terres. C'est sur cette aspiration que les partis communistes se fondent pour établir leur pouvoir en promettant, comme Lénine en 1917, de donner la terre aux paysans. La première phase de la réforme agraire comprend la confiscation des grands domaines, suivie d'une redistribution aux paysans, gratuite au moins pour les plus pauvres d'entre eux. L'État ne garde qu'une faible partie des terres confisquées (5 à 14 %) pour former des fermes d'État qui jouent un rôle pilote (rénovation des méthodes culturales, développement de cultures industrielles, mise en valeur de nouvelles zones…). Ce partage conduit à la multiplication d'exploitations qui, dans cinq États au moins, sont le plus souvent inférieures à 5 ha et donc impropres à une activité rationnelle ; or, parmi les petits cultivateurs, beaucoup ne possèdent pas les instruments agricoles appropriés. En 1946, la surface cultivée n'atteint donc pas 70 % de celle d'avant-guerre, et comme la sécheresse a sévi, les récoltes sont tombées à la moitié du niveau de 1939. Pour pallier les conséquences du morcellement exagéré des exploitations, les gouvernements encouragent la constitution de coopératives agricoles, phase préparatoire au passage à la seconde étape, celle du regroupement des fermes collectives.

Jusqu'en 1953, le schéma est le même dans tous les pays ; la collectivisation est préparée par la création de « stations de machines et de tracteurs » sur le modèle des MTS soviétiques, pour habituer le paysan au travail en collectivité et faciliter la culture sur de grandes surfaces. Les types de coopératives sont très variés, allant de la simple mise en commun du travail, jusqu'à la collectivisation de tous les moyens de production, y compris le sol. En même temps, les paysans riches sont brimés : fiscalité très lourde, obligation de vendre leur récolte à bas prix, interdiction d'acheter du matériel agricole, des engrais, d'adhérer à une coopérative… La collectivisation des terres ne s'achèvera qu'entre 1956 et 1960, sauf en Pologne et en Yougoslavie où elle sera abandonnée.

Les nationalisations sont conduites avec prudence jusqu'en 1948 sauf en Yougoslavie et en Albanie où les communistes sont d'emblée maîtres du pouvoir. Elles commencent par la confiscation des biens des Allemands et de leurs collaborateurs (aviation et chemins de fer en Pologne par exemple). La nationalisation s'applique d'abord comme en URSS aux secteurs clés de l'économie : industrie lourde, mines, centrales électriques, transports et communications, banques, assurances... L'industrie légère n'est concernée que plus tard. L'artisanat lui-même est regroupé en coopératives. Dans presque toutes les démocraties populaires subsiste un secteur privé, mais limité et contrôlé par l'État : il s'agit de montrer que le communisme n'est pas l'expropriation totale et de convaincre le capital privé de coopérer à la reconstruction. Les nationalisations sont partout considérées comme achevées entre 1948 et 1952.

La planification, introduite dans l'économie, s'aligne progressivement sur le modèle soviétique. Si, pendant la période de la reconstruction (1945-1950), les plans sont à court terme, limités à quelques objectifs, avec la guerre froide, on entre dans la planification à long terme et l'alignement complet sur le modèle soviétique. Comme en URSS, les objectifs assignés à l'industrie lourde demeurent prioritaires, les taux annuels d'accroissement sont très élevés, la mystique des grands chantiers se développe. Ce déséquilibre provoque des difficultés économiques et politiques : l'agriculture manque de matériel, les rendements baissent, les revenus réels décroissent, l'approvisionnement des villes est difficile, les paysans opposent une résistance à la collectivisation. Après la mort de Staline, en 1953, des manifestations paysannes et ouvrières traduisent le mécontentement des masses populaires.

Le contrôle politique du Kominform

• Naissance du Kominform (1947)

Le Kominform, bureau d'information des partis communistes, est créé fin septembre 1947 en Pologne lors de la réunion des représentants de neuf partis communistes, ceux de l'URSS, de l'Italie, de la France et de six pays de la zone d'influence soviétique (Pologne, Tchécoslovaquie, Hongrie, Roumanie, Bulgarie et Yougoslavie). La nouvelle institution fixe son siège à Belgrade, capitale de la Yougoslavie, et se propose de publier une revue dont le titre est choisi par Staline lui-même : *Pour une paix durable, pour une démocratie populaire.* Sa tâche avouée doit être l'organisation des échanges d'expériences et la coordination des activités sur la base d'un accord mutuel. Le but réel est de renforcer le contrôle soviétique sur les partis communistes d'Europe orientale, de France et d'Italie au moment où l'influence américaine, fondée sur la doctrine Truman et sur le plan Marshall, vient contrecarrer la politique d'expansion de l'URSS en Europe. Il est impossible à l'URSS d'admettre que, par le biais d'une aide accordée par les États-Unis, il puisse y avoir ingérence des puissances capitalistes dans un des pays qu'elle tient sous sa domination.

À cette réunion de Pologne, Jdanov proclame officiellement la doctrine soviétique de la guerre froide. Il affirme en effet l'existence dans le monde de deux camps opposés, dont l'un est conduit par les États-Unis et l'autre par l'URSS, ce qui implique la direction par l'URSS du monde communiste. Cette déclaration désigne à tous l'ennemi commun, l'impérialisme américain, contre lequel il faut mobiliser tous les partis communistes. Dans ces conditions, toute la stratégie mise en place depuis plus de dix ans contre l'adversaire commun qu'était le nazisme est à réviser. Il n'est plus question de collaborer avec les socialistes et la gauche non communiste, considérés comme des alliés potentiels de l'impérialisme américain du fait de leur attachement aux principes de la démocratie libérale. Le signal de l'attaque contre les socialistes a été donné par un article de *La Pravda* de Moscou en juin 1947, preuve que le Kominform n'est rien d'autre que l'instrument d'exécution des volontés de Staline.

• L'action du Kominform

Dans le cadre de la nouvelle stratégie de guerre froide, les partis communistes français et italien se trouvent désavoués pour leur participation aux majorités d'union nationale de leur pays. Dans cette dénonciation, les Yougoslaves jouent un rôle d'accusateurs. Jdanov ayant déclaré que *« le principal danger pour les communistes était à présent de sous-estimer leurs propres forces et de surestimer celles de l'impérialisme »*, les Yougoslaves y voient une justification de la politique de Tito qui a brûlé les étapes pour réussir à implanter dans son pays la dictature du parti communiste. Ils sont confirmés dans ces vues par le choix de Belgrade comme siège de la nouvelle organisation. Ils ne réalisent pas que le but essentiel de Staline est de dominer les partis communistes et de diriger seul. Dans un premier temps, il se sert du parti communiste yougoslave pour mettre au pas les partis communistes italien et français, mais bientôt il se retournera contre les Yougoslaves eux-mêmes.

La politique du Kominform entraîne une double conséquence pour les dirigeants des démocraties populaires :

– d'une part, elle les rend encore plus dépendants de l'URSS puisqu'ils acceptent de s'aligner sur les consignes de Moscou ; ils apparaissent ainsi aux yeux de leurs compatriotes comme les représentants d'une puissance étrangère ;

– d'autre part, elle aboutit à la rupture des fronts constitués entre communistes et socialistes, ces derniers, suspects aux yeux de Staline, ne pouvant plus être associés à la direction des gouvernements. Les militants socialistes les plus actifs sont arrêtés en Hongrie, en Pologne, en Roumanie et en Bulgarie. Cette éviction est plus aisée en Roumanie où le parti socialiste est plus faible qu'en Tchécoslovaquie et en Hongrie où les communistes rencontrent une résistance inattendue.

C'est dans ce contexte de guerre froide que se situe le « coup de Prague » en février 1948. Dans ce pays, toujours gouverné par un Front national sous la présidence du libéral Bénès, la crise prend un tour particulièrement violent. Considérant que le chef du gouvernement, le communiste Gottwald, prépare le passage de la Tchécoslovaquie à une dictature communiste, les ministres modérés démissionnent afin de provoquer des élections anticipées et un changement de politique. Ils ne croient pas à une intervention armée de Staline pour aider les communistes tchèques, mais, de toute façon, il leur importe de faire comprendre à tous que le régime communiste, s'il s'installe, n'a pu le faire que par la violence. Les événements se précipitent alors. Avec l'accord de l'URSS, Gottwald fait appel aux milices populaires et aux masses ouvrières dont l'intervention assure la victoire définitive des communistes et de leurs alliés. Le Président Bénès démissionne peu après, tandis que, sous l'autorité de Gottwald, la Tchécoslovaquie devient à son tour une démocratie populaire.

Les uns après les autres, les partis socialistes, privés de leurs éléments les plus militants et de leurs chefs qui sont emprisonnés, se prononcent sous la menace pour la fusion avec le parti communiste. L'unification est proclamée par des congrès épurés : c'est la fin du pluralisme politique et le passage à un régime totalitaire régi par un parti unique et soumis aux consignes centralisatrices du Kremlin.

La Yougoslavie en marge du modèle imposé

• Le schisme yougoslave

La décision de Staline de prendre en main la direction du communisme international exige une obéissance absolue de Tito à la ligne fixée par le Kremlin. Or celui-ci, fort de son passé, n'entend pas se comporter en simple pion du dictateur soviétique. Communiste de la première heure qui s'est joint aux bolcheviks alors qu'il était prisonnier en Russie en 1917, animateur du parti communiste yougoslave dès sa création, fonctionnaire du Komintern, il joue surtout un rôle décisif en dirigeant les partisans communistes yougoslaves contre les Allemands à partir de 1941. Avec l'aide des Britanniques, il libère la plus grande partie de la Yougoslavie qu'il transforme en République populaire. Même après la création du Kominform, il continue à se comporter de manière indépendante et à traiter d'égal à égal avec Staline. Il prend des initiatives qui portent ombrage aux Soviétiques : projet d'une fédération balkanique, soutien aux communistes grecs dans une insurrection que Staline tient pour une aventure. La rupture entre les deux hommes est inévitable, car Staline, irrité par le prestige de Tito, n'envisage pas de partager l'autorité, et il craint que son esprit d'indépendance ne devienne contagieux dans les démocraties populaires.

La rupture soviéto-yougoslave intervient en diverses étapes :

– Dès 1945, Staline a essayé de dominer la Yougoslavie en noyautant l'armée, l'administration et le parti communiste avec des hommes qui lui sont inconditionnellement dévoués. Le gouvernement yougoslave, le chef de la police connaissent les multiples tentatives faites en ce sens par les services de renseignements militaire, civil, diplomatique de l'URSS, qui agissent d'ailleurs de même dans les autres pays de l'Est. Les dirigeants yougoslaves, groupés autour de Tito, tiennent à conserver leur indépendance et à créer le socialisme sans l'appui de l'URSS : ils refusent la subordination de l'État yougoslave, de sa police, de son armée, de sa politique extérieure et s'opposent à la prétention des Soviétiques de surveiller les autres partis communistes. Par ailleurs, Staline voulait fonder en Yougoslavie des sociétés mixtes de production, ce qui aurait permis à l'URSS d'exploiter à son profit les ressources en matières brutes du pays et aurait empêché le développement industriel de la Yougoslavie sans lequel tout développement moderne de la société était impossible. Grâce aux sociétés mixtes, les Soviétiques auraient exercé leur contrôle sur les branches essentielles de l'économie du pays, ce que Tito, jaloux de son indépendance, ne pouvait tolérer.

– En mars 1948, le gouvernement soviétique rappelle tous ses conseillers et instructeurs militaires, puis tous ses spécialistes civils résidant en Yougoslavie, sous prétexte qu'ils ne sont pas amicalement traités et que des informations économiques importantes ont été refusées à des officiels soviétiques par des fonctionnaires yougoslaves. En fait, Staline considère comme offensant et injurieux que ses experts soient placés sous le contrôle des organes de sécurité de la Yougoslavie.

– Peu après, une lettre du Comité central soviétique critique les décisions du parti communiste yougoslave, espérant déclencher ainsi au sein de celui-ci une opposition aboutissant au remplacement des éléments hostiles à l'URSS par de fidèles partisans de la direction soviétique. Mais la division de l'équipe gouvernementale ne se produit pas et, au contraire, ce sont les partisans de Moscou qui sont exclus du Comité central et arrêtés. Dans ces conditions, les dirigeants du Kremlin placent leurs espoirs dans le Kominform et suggèrent que le litige soit porté devant lui. Les Yougoslaves s'y refusent, car ils se sentent «inégaux en droit» et «déjugés par les autres partis frères». Le Kominform taxe cette attitude de trahison.

– Le 28 juin 1948, le Kominform publie une résolution condamnant les dirigeants yougoslaves. Il invite *«les forces saines du PC yougoslave à imposer une nouvelle ligne politique à la direction»*, accusée de trahison envers la théorie marxiste de la lutte des classes et de renforcer le camp des impérialistes. Les Soviétiques croient en effet qu'une insurrection est possible et que Tito et ses collaborateurs reculeront devant une rupture avec le monde communiste. Mais il n'en est rien. Le congrès du PC yougoslave, épuré des «kominformistes», rejette à l'unanimité les accusations du Kominform et élit un nouveau Comité central, totalement dévoué à Tito. Une conspiration militaire ourdie par les Soviétiques échoue pareillement.

• Une voie nationale vers le socialisme

Pour ôter toute valeur exemplaire au schisme yougoslave, les Soviétiques tentent de discréditer Tito. Les pays de l'Est qui tiennent à conserver de bons rapports avec l'Union soviétique sont conduits à rompre tout lien avec les Yougoslaves. En Albanie, jusqu'alors alliée fidèle de la Yougoslavie, le dirigeant communiste Enver Hodja, profitant de la brouille soviéto-yougoslave, se débarrasse d'un concurrent ami de Tito, Kotchi Dzodze, un des chefs de la Résistance contre

Hitler. Il le fait exécuter, puis dénonce les accords économiques avec la Yougoslavie. Ce faisant, il se libère de la tutelle de fait que la Yougoslavie exerçait sur l'Albanie depuis 1945. Entre les Yougoslaves et leurs voisins de l'Est, on en vient bientôt aux injures. On parle de la « clique de Tito », d'« agents impérialistes », de « nationalistes bourgeois ». Pourtant, Tito, exclu de la communauté socialiste, se refuse à pactiser avec les Occidentaux et se tient à l'écart des blocs, car s'il reconnaît que la résolution du Kominform a été un coup pour son peuple qui avait foi en l'Union soviétique et en Staline, il n'en perd pas pour autant sa foi dans le socialisme.

N'ayant pu mettre Tito à la raison par des moyens politiques, Staline utilise alors l'arme économique. En effet, la Yougoslavie s'est engagée dans l'exécution d'un plan à long terme qui ne peut réussir qu'avec l'aide des pays socialistes industrialisés. L'URSS espère donc faire céder la Yougoslavie en organisant un véritable blocus économique. Après la dénonciation par l'Albanie des accords économiques conclus avec la Yougoslavie, c'est la Roumanie qui cesse ses livraisons de pétrole. L'URSS réduit ses échanges de près de 90 %, privant ainsi les Yougoslaves de toutes les fournitures d'équipement industriel lourd. En juin 1949, la Tchécoslovaquie arrête pratiquement toute exportation vers la Yougoslavie. Enfin, la Hongrie et la Pologne rompent toute relation économique avec Belgrade. Les dirigeants yougoslaves sont alors obligés d'augmenter leurs échanges commerciaux avec l'Occident et acceptent l'aide proposée par les États-Unis. Mais, ce faisant, ils n'entendent pas changer de camp politique :

« Lorsque nous vendons notre cuivre pour acheter des machines, dit Tito, nous ne vendons pas notre conscience, mais seulement notre cuivre… Avec les machines reçues de l'Ouest, nous continuerons l'édification du socialisme. »

Tito, en se réclamant toujours du socialisme, malgré l'exclusion dont il est l'objet, a évité le piège tendu par Staline. À l'ONU ses représentants votent avec le bloc socialiste. En développant la collectivisation à l'intérieur de son pays, il se met à l'abri des accusations de trahison envers la cause socialiste. Il la mène avec acharnement, au risque de se créer des difficultés internes et procède à une bolchevisation rigoureuse de son parti. À la grande fureur de Staline se développe donc en Yougoslavie une forme de socialisme qui se réclame des mêmes principes que ceux de l'URSS mais reste politiquement indépendante de celle-ci. Tito remet ainsi en cause la direction unique du monde socialiste par l'URSS et ouvre la voie à l'idée d'un socialisme national.

Dans les autres démocraties populaires

• L'alignement des partis communistes sur le PCUS

Le resserrement des liens des différents partis communistes avec celui d'URSS est l'instrument de la prise en main totale par Staline des démocraties populaires. Staline a déjà montré son désir de dominer le monde socialiste par la création du Kominform et l'exclusion de l'indocile Yougoslavie. L'affaire yougoslave renforce sa méfiance envers le communisme national : il ne peut prendre le risque de voir les dirigeants communistes ou les anciens chefs de la Résistance aspirer eux aussi à l'indépendance. Aussi va-t-il, par fidèles interposés, procéder dès l'été 1948 à l'épuration des appareils.

Dans les démocraties populaires où jusqu'alors n'avaient été éliminés que les non-communistes, la peur s'installe désormais chez les membres du parti qui se sentent suspectés par Moscou. Un sentiment de culpabilité les envahit : certains dirigeants ont en effet entretenu des rapports amicaux avec l'équipe yougoslave, maintenant vilipendée ; d'autres se sont montrés opportunistes dans la question paysanne, menant mollement la collectivisation ; beaucoup, qui ont combattu dans la Résistance, peuvent être taxés de « nationalistes ». La méfiance et la délation règnent, l'autocritique se généralise.

En trois ans, l'épuration touche 25 % des effectifs communistes. Deux millions et demi de personnes sont ainsi atteintes, dont 5 à 10 % sont arrêtées. L'épuration touche d'abord les dirigeants du parti, de l'armée, de l'administration. Sont éliminés des secrétaires généraux de parti (Kostov en Bulgarie, Gomulka en Pologne, Slansky en Tchécoslovaquie), un Président de la République en Hongrie (Szakasits), des vice-Présidents du Conseil (Albanie, Bulgarie, Pologne, Roumanie), des ministres comme Rajk, alors ministre des Affaires étrangères de Hongrie, une centaine de généraux, un maréchal de Pologne. On se retrouve dans la situation qui avait été celle de l'URSS à l'époque des grandes purges de 1936-1938 ; presque tous les « vieux bolcheviks » sont éliminés au profit de communistes qui doivent tout à Staline. Les accusés sont soumis à toutes sortes de tortures physiques et morales. Réduits à des fantoches sans volonté, ils sont contraints d'apprendre par cœur des « aveux » fabriqués de toutes pièces par les policiers. L'épuration gagne ensuite les échelons inférieurs, avec parfois suspension du recrutement.

Ainsi épurés, les partis s'alignent sur le PC soviétique. Leur structure est calquée sur les siennes. Les nouveaux dirigeants imitent

Staline : ils écartent leurs rivaux, développent le culte de la personnalité et emploient des méthodes autoritaires. Ils adoptent les consignes venues de Moscou. La doctrine des partis est celle du PCUS et leur mission principale est de la propager pour mobiliser et éduquer la population. Aussi leur faut-il former des éducateurs communistes pour les différents groupes sociaux (paysans, jeunesse, femmes) et professionnels (bureaucratie, syndicats, armée). En outre, le communiste doit surveiller ses collègues et ses chefs, devenant ainsi un auxiliaire de la police. On assiste donc à la soviétisation des partis de l'Est, qui deviennent un bloc «monolithique» soumis aux volontés de Staline.

Cette soviétisation a pour effet de dénationaliser les militants communistes, et c'est bien là le but recherché par Staline. Ils doivent placer les intérêts de l'URSS au-dessus de ceux de leur propre pays. Les motifs d'accusation des procès faits aux chefs communistes des démocraties populaires révèlent un étroit parallélisme avec les thèmes de la propagande stalinienne. On voit revenir en permanence les accusations de «trotskisme», de «titisme», de collusion avec l'impérialisme, et, jusqu'en 1952, de «nationalisme». Avec le procès Slansky en Tchécoslovaquie (1952), on assiste à un tournant très net : l'accusation principale est désormais celle de «sionisme». Il s'agit de justifier le cours anti-israélien et pro-arabe pris récemment par la politique soviétique, mais aussi d'exciter l'antisémitisme latent afin de détourner sur les Juifs le mécontentement national, social et économique qui se manifeste avec les mécomptes de la planification et l'alignement sur Moscou. Au même moment, dans le monde entier, la presse communiste proclame le sionisme ennemi numéro un de la classe ouvrière. En Roumanie, deux des principaux dirigeants, d'origine juive, Anna Pauker et Basile Luca, sont victimes de l'épuration. Moscou, où éclate le «complot des blouses blanches», orchestre cette politique antisémite.

• Le totalitarisme stalinien

Les partis communistes se heurtent de plus en plus aux Églises, surtout à l'Église catholique. Les biens d'Église sont sécularisés; le clergé subventionné par l'État est soumis à des pressions politiques pour s'assurer de sa docilité; les évêques, d'abord surveillés, sont fréquemment arrêtés à partir de la fin 1948. Le cardinal hongrois Mindszenty est ainsi condamné à la prison à perpétuité. Un an plus tard, son successeur connaît le même sort. En 1949, le primat de Tchécoslovaquie est à son tour incarcéré et de nombreux procès ont lieu contre les ecclésiastiques et contre les membres des ordres religieux particulièrement dévoués au Saint-Siège comme les Jésuites et les Franciscains. En 1951, c'est au tour du clergé polonais d'être attaqué par *La Pravda* de Moscou, et en 1953 le primat de Pologne, le cardinal Wyszynski, est arrêté.

Les nouvelles autorités procèdent parallèlement à la «planification de la culture». C'est une vaste entreprise de mise en condition des esprits et de propagation du socialisme selon Staline, présenté comme un véritable dogme reposant sur l'infaillibilité du parti communiste soviétique. *L'Histoire du parti communiste bolchevik de l'URSS* devient le manuel de base de cette foi militante. La presse est tout entière mise au service du parti, sa tâche étant de *«populariser la politique de paix de l'URSS, ses grands succès dans l'édification du socialisme, de dénoncer les agissements des bellicistes anglo-américains...»*, de faire connaître les problèmes liés à la réalisation des plans, de combattre les erreurs idéologiques. À partir du moment où l'URSS dicte sa loi aux démocraties populaires, les savants, écrivains et artistes qui avaient connu jusqu'alors une relative liberté sont enrôlés à leur tour. Les dirigeants reprennent à leur compte les idées de Jdanov : c'est au parti seul qu'il appartient de diriger la vie culturelle. Seul le «réalisme socialiste» est admis comme forme d'expression. Tout ce qui rappelle l'attachement traditionnel des artistes de l'Est au mouvement artistique de l'Occident doit être banni, car la culture occidentale est «décadente et pourrie». On combat le «personnalisme», le «formalisme», le naturalisme...

L'alignement sur l'URSS est tel qu'il dépasse les domaines économique, politique, doctrinal, culturel et artistique pour gagner le terrain linguistique : la langue russe, considérée comme celle du socialisme, est largement propagée. Les démocraties populaires, à la fin de l'époque stalinienne, ont perdu leur identité nationale et n'apparaissent plus que comme des satellites de l'Union soviétique.

CHAPITRE 7

Les débuts du communisme en Chine (1945-1953)

Théoriquement unis depuis 1936-1937 contre les Japonais, nationalistes et communistes chinois entretiennent cependant toujours des relations conflictuelles. Représentant officiel de la Chine, Tchang Kaï-chek doit faire face à la montée des communistes qui ont renforcé leur audience dans le pays pendant la guerre contre le Japon. Entre les nationalistes, plus ou moins bien soutenus par les États-Unis, et les communistes chinois, la rivalité dégénère dès 1946 en guerre civile. D'abord victorieux, le régime de Tchang Kaï-chek ne tarde pas à s'effondrer et se replie sur l'île de Formose, laissant la Chine continentale aux mains des communistes de Mao Zedong (1949). Sans trop bouleverser les structures dans le domaine industriel, celui-ci, à l'aide de « campagnes de masse », prend de nombreuses mesures visant à modifier la société traditionnelle chinoise, comme la réforme agraire, la loi sur le mariage... Cette reconstruction intérieure s'accompagne, en politique extérieure, d'un alignement sur le bloc de l'Est par la signature, en 1950, d'un traité d'amitié sino-soviétique.

Les conséquences de la guerre sino-japonaise (1937-1945)

• Nationalistes et communistes chinois

À partir de 1936, la menace japonaise provoque un rapprochement entre nationalistes et communistes chinois en lutte depuis 1927. Jusqu'alors, Tchang Kaï-chek n'avait guère réagi devant les agressions nippones (invasion de la Mandchourie en 1931, «grignotage» du Nord-Est de la Chine depuis 1933), continuant à donner la priorité à l'écrasement des communistes, repliés après la «Longue Marche» de 1934-1935 dans le Shanxi. Mais cette attitude est de plus en plus critiquée en Chine, au sein même du parti nationaliste Guomindang, et en décembre 1936, sous la menace de certains de ses généraux, Tchang Kaï-chek est contraint d'accepter un «front uni» avec les communistes de Mao Zedong. L'alliance devient effective en septembre 1937, au lendemain de la guerre généralisée contre le Japon (qui ne s'intègre au conflit mondial qu'en décembre 1941). Devant le danger nippon, la Chine a refait momentanément son unité.

Jusqu'à la capitulation du Japon en 1945, la guerre est en fait double, les forces nationalistes combattant très peu les agresseurs nippons et beaucoup plus les communistes qui restent, aux yeux de Tchang Kaï-chek, l'adversaire principal. Aussi, pendant huit années, la Chine s'est pratiquement trouvée divisée en trois zones distinctes :
– d'une part, les vastes régions contrôlées par les Japonais ayant à leur tête des «gouvernements fantoches» (tel celui de Nankin) composés de «collaborateurs» chinois civils et militaires pro-nippons ;
– d'autre part, la «Chine libre» de Tchang Kaï-chek qui dirige théoriquement la lutte contre l'occupant ;
– enfin, les bases de guérillas communistes, situées le plus souvent en arrière des lignes japonaises.

À partir de décembre 1941, Tchang Kaï-chek reçoit une aide importante des États-Unis qui l'incitent à s'accorder avec les communistes chinois dont la lutte contre les Japonais est sans équivoque (alors que se maintiennent contacts politiques et trafics économiques entre la «Chine libre» et les gouvernements pronippons). Le général américain Stilwell, envoyé comme chef d'état-major en Chine, ne peut que constater et dénoncer l'attentisme, les carences et la corruption du gouvernement nationaliste. Tchang Kaï-chek réussit à le faire rappeler par Roosevelt en octobre 1944, les préoccupations politiques d'après-

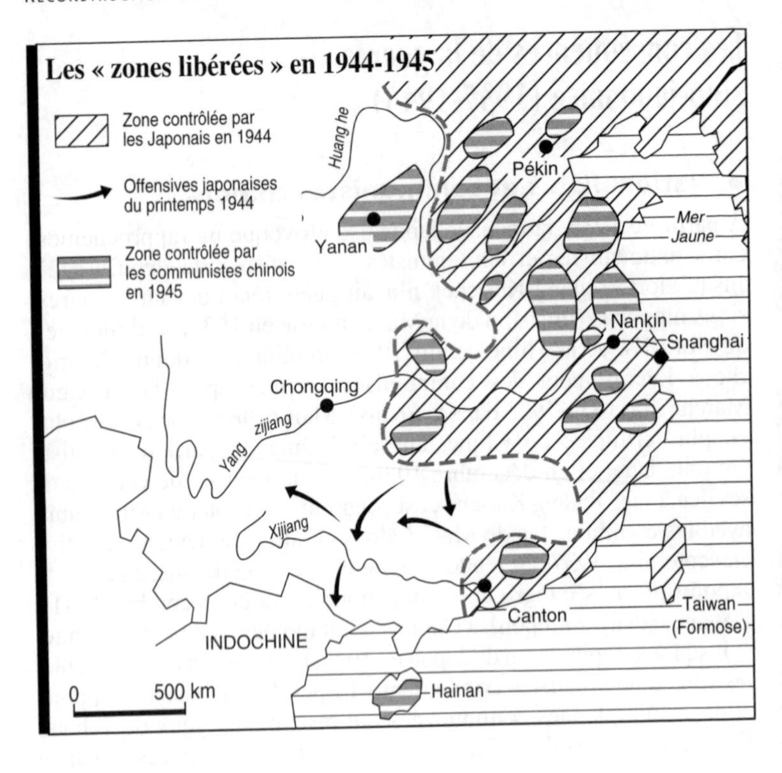

guerre sur l'équilibre des forces en Asie prenant peu à peu le pas sur les préoccupations militaires à court terme. Malgré certaines réticences, les États-Unis n'ont alors guère d'autre choix que de soutenir le régime déjà défaillant de Tchang Kaï-chek contre la poussée communiste.

• La Chine de Tchang Kaï-chek

Replié à Chongqing dans le Sichuan, le gouvernement de Tchang Kaï-chek a tout d'abord bénéficié de l'élan nationaliste qui dresse la grande majorité des Chinois contre l'agresseur japonais. Mais il se discrédite rapidement par son attentisme militaire, son autoritarisme politique et sa mauvaise gestion économique. Soutenu par les milieux d'affaires et les grands propriétaires fonciers, le régime du Guomindang est entièrement entre les mains du « chef suprême » de la Chine entouré de quelques clans (les « quatre grandes familles » dont celles de Tchang et de ses beaux-frères, les banquiers Soong et

Kung). Ils s'appuient sur des cliques politico-militaires, le parti nationaliste (et la jeunesse fascisante des 600000 « Chemises bleues »), l'armée et la police, véritables bases du pouvoir.

Malgré plusieurs promesses de démocratisation, les tendances autoritaires s'accentuent : une « Ligue démocratique », créée en 1941 par des intellectuels et des libéraux, ne parvient pas à s'imposer comme « troisième force » entre nationalistes et communistes, et ne peut infléchir un régime de plus en plus corrompu. Une inflation vertigineuse laisse en effet libre cours au marché noir, à la prévarication de nombreux fonctionnaires et aux profits frauduleux des spéculateurs. Frappées par de lourds impôts (en grains depuis 1941) et par la conscription, les masses paysannes ne sont guère motivées pour défendre un tel régime contre l'occupant japonais et, a fortiori, contre le « libérateur » communiste chinois.

En dépit de sa faible participation militaire dans le conflit mondial, la Chine de Tchang Kaï-chek est reconnue comme une grande puissance dès 1943 à la conférence du Caire. Sa déroute face à la dernière grande offensive japonaise au printemps 1944 et la dégradation du régime du Guomindang ne l'empêchent pas d'être admise à San Francisco comme un des « Cinq Grands » du Conseil de sécurité à l'ONU en 1945. Malgré ce succès diplomatique, ce n'est pas Tchang Kaï-chek mais le parti communiste qui, aux yeux de l'opinion nationale chinoise, apparaît comme le véritable vainqueur de la guerre contre le Japon.

• La montée des communistes chinois

À partir de bases de guérillas antijaponaises, très actives pendant tout le conflit, les communistes ont mené une « guerre de partisans », harcelant les arrières de l'ennemi grâce à la complicité de la population rurale. S'appuyant sur une volonté populaire de résistance à l'envahisseur nippon, ils ont su gagner la confiance des masses paysannes, les ont encadrées, dirigées sans les exploiter, se fondant avec elles comme le préconisait Mao Zedong dans plusieurs écrits sur la « guerre révolutionnaire ».

Tout en menant la lutte contre les Japonais, les communistes chinois organisent dans leurs bases un nouveau type de société fondé sur l'alliance de quatre classes « anti-impérialistes et antiféodales » : le prolétariat ouvrier, la paysannerie, la petite bourgeoisie et les « capitalistes nationaux » (par opposition à ceux liés aux grands intérêts étrangers). C'est la « Nouvelle démocratie », définie par Mao Zedong en 1939-1940 :

« L'étape actuelle de la révolution chinoise est une étape de transition qui se place entre la liquidation de la société coloniale, semi coloniale et semi féodale, et l'édification d'une société socialiste ; elle est un nouveau processus révolutionnaire, celui de la nouvelle démocratie (...). C'est la révolution du front uni de toutes les classes révolutionnaires. La Chine doit nécessairement passer par cette révolution afin d'aller plus loin dans son développement et d'arriver à la révolution socialiste. »

Ce régime politique fort souple (limitation volontaire du nombre de candidats communistes dans les différentes élections) est cependant largement dominé par le parti communiste chinois appuyé par l'Armée rouge et de nombreuses organisations de masse (jeunes, femmes, syndicats...).

Dans ces « bases rouges », où la paysannerie est de loin l'élément le plus important, les communistes font une politique agraire modérée : pas de confiscation de terres (sauf celles de « collaborateurs » pronippons) mais réduction des loyers et des impôts ; encouragement au travail collectif sous forme de coopératives ou de groupes d'aide mutuelle ; participation de l'Armée rouge aux travaux des champs... Malgré un effort général de production qui touche également le secteur artisanal (création de petites coopératives industrielles), la situation économique des bases communistes reste très précaire pendant tout le conflit. Mais l'égalité dans la pénurie et l'austérité répartie entre tous (dirigeants compris) contraste avec les énormes disparités que l'on trouve dans les zones nationalistes ou japonaises.

Après une période de repli en 1941-1942, au moment de la plus forte pression nippone, les communistes chinois élargissent considérablement leurs bases en 1944-1945, encerclant pratiquement l'ennemi dans les grandes villes. À la fin de la guerre, ils contrôlent 19 « zones libérées » représentant 950000 km^2 et près de 100 millions d'habitants, dont 3 millions de soldats (armée régulière et milice populaire). Avec 1210000 membres (contre 40000 en 1937), le parti communiste chinois, qui tient son VIIe congrès avant même la fin du conflit, en mars 1945, est désormais une force avec laquelle il va falloir compter.

La guerre civile et la victoire de Mao Zedong (1945-1949)

• Deux Chines face à face (1945-1946)

La capitulation du Japon, en août 1945, laisse face à face deux Chines : celle du Guomindang, et celle des « zones libérées » gouvernées par les communistes. Malgré le poids de ces derniers, le rapport des forces semble à première vue favorable à Tchang Kaï-chek qui incarne la légitimité chinoise à l'ONU : il contrôle la majeure partie du territoire, dispose d'une armée considérable dotée d'une aviation et de matériel moderne fourni par les Américains ou récupéré sur les Japonais. Il peut d'autre part compter sur le soutien, parfois embarrassé, des États-Unis alors que Mao Zedong ne reçoit qu'un faible appui de l'URSS qui signe même le 14 août 1945 un traité d'amitié avec le Guomindang. Mais le régime nationaliste, autoritaire et corrompu, est déjà en pleine décomposition.

Après de longues années de guerres civile et étrangère, la population chinoise aspire à la paix. Conscients de cette situation et des faiblesses du régime du Guomindang, les États-Unis poussent Tchang Kaï-chek à former un gouvernement de coalition avec les communistes. Après plusieurs semaines de négociations, Tchang Kaï-chek et Mao Zedong signent un accord à Chongqing en octobre 1945, accord que ne respectent ni les nationalistes, ni les communistes qui continuent à s'affronter sur le terrain. Tout en poursuivant le renforcement du potentiel militaire du Guomindang, les États-Unis envoient alors en Chine le général Marshall, ancien chef d'état-major de l'armée américaine, avec pour mission de trouver un compromis entre les deux parties afin d'éviter la guerre civile. Marshall réussit à obtenir en janvier 1946 la signature d'un cessez-le-feu et la réunion d'une conférence politique consultative composée de nationalistes, de communistes et de délégués de la Ligue démocratique.

• Une nouvelle guerre civile (1946-1947)

L'évacuation de la Mandchourie par les Soviétiques en avril 1946 provoque une nouvelle crise, chacun des deux camps voulant occuper le pays. Les combats reprennent, les nationalistes s'emparant des grandes villes et les communistes s'infiltrant dans les campagnes. Après une dernière et courte trêve en juin 1946, la Chine s'enfonce dans une nouvelle guerre civile.

Les grandes offensives militaires qui commencent en juillet 1946 tournent tout d'abord à l'avantage des armées nationalistes dont le matériel est très supérieur à celui des forces communistes. Les troupes de Tchang Kaï-chek avancent rapidement dans le centre et le Nord de la Chine, s'emparant même de Yanan, « capitale » de la vieille base rouge du Shanxi où Mao Zedong avait trouvé refuge à l'issue de la « Longue Marche ». Mais elles ne parviennent pas à détruire le potentiel militaire d'un adversaire qui évite au maximum les batailles rangées pour se livrer à des actions de guérilla dans les campagnes. Le Guomindang doit disperser ses forces dans les villes et le long des voies de communication, parfois dangereusement isolées. Dès le mois de juillet 1947, les communistes reprennent l'offensive en Mandchourie. À la fin de l'année, ils ont déjà grignoté beaucoup de terrain en Chine du Nord et commencent même à lancer des actions au sud du Huanghe (Fleuve jaune).

Malgré l'aide financière et militaire des États-Unis, la situation économique et politique se dégrade de plus en plus dans la Chine de Tchang Kaï-chek. L'inflation, le marché noir, la corruption font rage : ainsi, une grande partie du matériel américain est-elle revendue aux communistes par des trafiquants… Le mécontentement contre le régime éclate au grand jour dans de nombreuses régions et dans les milieux les plus divers : étudiants, ouvriers, paysans… Grèves, manifestations et pétitions sont interdites. La répression pousse certains éléments libéraux à se rapprocher des communistes : membres de la Ligue démocratique interdite en octobre 1947, dissidents du Guomindang dont la veuve de Sun Yat-sen… Dans l'armée où les généraux se jalousent ou se querellent, les désertions, individuelles ou collectives, se multiplient. Ce sont parfois des régiments entiers qui passent avec armes et bagages dans le camp communiste.

Dans les zones qu'ils contrôlent, les communistes radicalisent leur réforme agraire jusque-là modérée afin de rallier la grande masse des paysans pauvres. Une nouvelle loi, promulguée le 10 octobre 1947, confisque sans indemnité les terres des propriétaires fonciers, redistribuées en quelques mois à 100 millions de paysans, les attachant ainsi à la révolution.

• Vers la République populaire de Chine (1948-1949)

À partir de 1948, les communistes sont en mesure de passer de la guérilla aux batailles de grande envergure et à l'assaut des centres urbains où se trouve l'essentiel des forces nationalistes. Après la reconquête de Yanan, dès le printemps 1948, ils s'emparent de Jinan (Tsi-

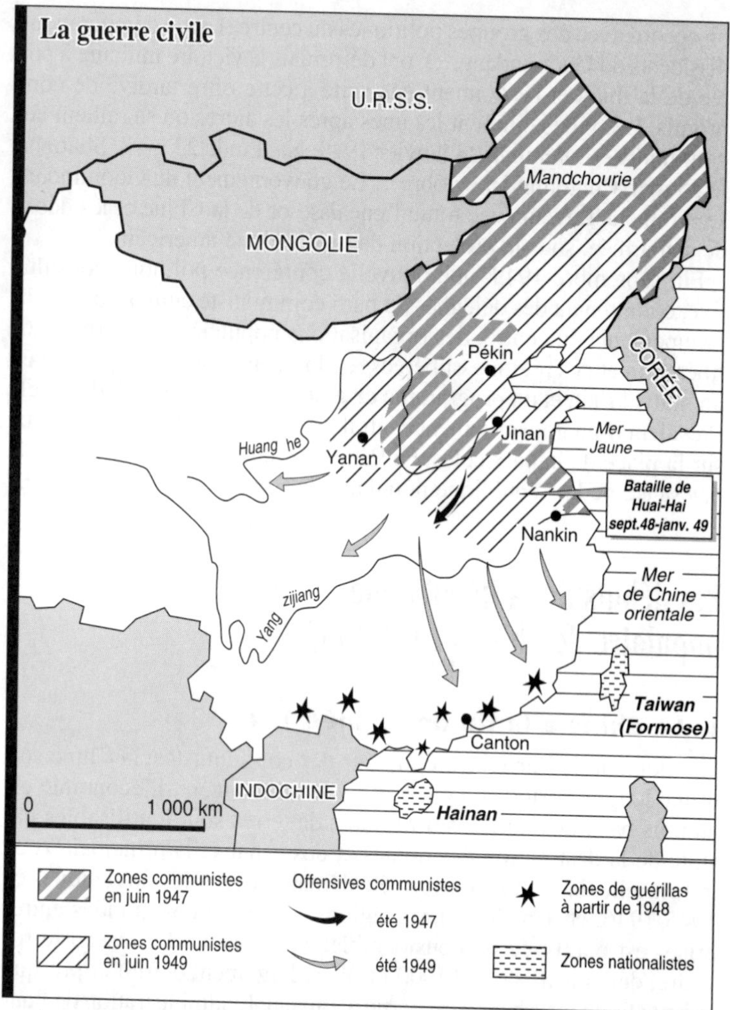

nan), capitale du Shandong, en septembre 1948 puis, en moins de deux mois, des principales villes de Mandchourie. De novembre 1948 à janvier 1949, la grande bataille de Huai-Hai, où un demi-million de soldats s'affrontent dans chaque camp, se termine par une déroute totale pour l'armée nationaliste, encerclée et anéantie.

Tchang Kaï-chek propose alors une paix négociée et abandonne ses fonctions de Président le 21 janvier 1949, préparant son repli sur Taïwan (Formose). Mais les communistes, qui ont conclu en novembre 1948 un accord avec des groupes politiques du centre (Ligue démocratique, dissidents du Guomindang…), ont désormais la victoire militaire à portée de la main et ne donnent pas suite à cette offre tardive de compromis. Les villes tombent les unes après les autres ou se rallient aux communistes : Pékin le 23 janvier 1949, Nankin le 23 avril, Shanghai le 25 mai, Canton le 15 octobre… Le gouvernement du Guomindang se réfugie à Taïwan avec toute l'encaisse-or de la Chine et les débris de son armée, sous la protection de la VIIe flotte américaine.

Fin septembre 1949, une nouvelle conférence politique consultative, comprenant des délégués du parti communiste chinois, des petits groupements du centre, des organisations populaires, des armées de libération et des régions « libérées », adopte une loi organique, créant un nouvel État, et un programme de gouvernement. Mao Zedong, élu Président d'un gouvernement central provisoire, peut alors proclamer sur la place de la paix céleste à Pékin, devant une foule en liesse, la naissance de la République populaire de Chine le 1er octobre 1949.

Les débuts de la République populaire de Chine (1949-1953)

• La Chine à la fin de l'année 1949

Au moment de l'arrivée au pouvoir des communistes, la Chine sort d'une longue période de guerres civile et étrangère. L'économie est au plus bas : des millions d'hectares de terres sont inutilisables par suite de la destruction des digues et des canaux ; la principale zone industrielle, la Mandchourie, a été démantelée par les Soviétiques en 1945-1946, et dans les autres régions, l'activité des grandes entreprises est paralysée ou considérablement ralentie. Le réseau ferroviaire, déjà insuffisant (20 000 km), est largement détruit et presque toute la flotte marchande est partie à Taïwan. L'administration de l'ancien régime est totalement désorganisée et la confusion monétaire à son comble : le yuan émis par le gouvernement nationaliste de 1946 à 1949 a subi une inflation galopante et la monnaie créée dans les zones libérées est sans pouvoir d'achat extérieur. La misère est grande et le revenu par tête ne dépasse pas 50 dollars… Dans ce contexte difficile, alors que des millions de réfugiés regagnent leur région d'origine, la Chine doit en grande partie sa survie au caractère essentiellement agricole et artisanal de son économie.

La tâche du nouveau régime, en 1949, apparaît gigantesque mais le parti communiste chinois (PCC) ne manque pas d'atouts. Fort de ses 4,5 millions de membres (dont 72 % de paysans pauvres et seulement 2 % d'ouvriers), il dispose de cadres et de dirigeants solides, peut s'appuyer sur de nombreuses organisations de masse et sur la prestigieuse Armée populaire de libération, engagée non seulement à des tâches militaires mais aussi à des fonctions de production, de gestion et d'éducation politique. Son autorité est incontestée dans tout le pays qui retrouve une unité jamais pleinement réalisée depuis la fin de l'Empire en 1911. Ce nouvel ordre politique est d'ailleurs d'autant mieux accueilli que le régime autoritaire et corrompu de Tchang Kaï-chek laisse bien peu de regrets dans la population.

Contrairement au parti bolchevik dans la Russie de 1917, le PCC dispose d'une certaine expérience du pouvoir : celle des « zones rouges » qu'il contrôle depuis parfois de longues années. Mais, très à l'aise dans ces bases rurales, les communistes chinois sont mal préparés à la gestion des grands centres urbains et industriels, a fortiori à celle de l'économie d'un immense État. Leur inexpérience en matière de diplomatie, d'administration centrale, de technologie moderne… va également leur poser de sérieux problèmes qu'ils s'efforceront de résoudre en faisant appel au « modèle » soviétique tout en cherchant à conserver, dans de nombreux domaines, une « voie chinoise » à leur révolution :

« Le système russe est un produit de l'histoire russe (…). Le système chinois sera le produit de l'histoire chinoise. Pendant une longue période, on y verra subsister une forme d'organisation particulière, absolument nécessaire et raisonnable pour nous, et en même temps différente du système russe : la forme d'État et la forme du pouvoir politique de la nouvelle démocratie, caractérisée par l'alliance de plusieurs classes démocratiques » (rapport de Mao Zedong au VIIe Congrès du PCC.)

• La reconstruction intérieure (1949-1953)

La première tâche des nouveaux dirigeants de la Chine est de reconstruire le pays dans le cadre du « programme commun » défini en septembre 1949 par la conférence politique consultative. Il s'agit donc, dans un premier temps, de remettre en état l'économie et l'administration sans bouleverser trop en profondeur les structures de la société. Ainsi, dans le domaine industriel, on ne nationalise que les entreprises appartenant aux étrangers et aux « quatre grandes familles » de l'entourage de Tchang Kaï-chek. Par ailleurs, on se contente de contrôler les grandes entreprises privées appartenant aux « capitalistes nationaux », le secteur mixte (groupant capitaux publics et privés), les coopératives et les petites entreprises privées individuelles.

Dans le domaine agricole, une nouvelle réforme agraire en juin 1950 étend à l'ensemble de la Chine celle adoptée en 1947 dans les « zones libérées » en ménageant toutefois davantage les paysans riches dont la capacité productive est alors vitale pour l'économie nationale. 47 millions d'hectares de terres sont alors distribués à environ 300 millions de paysans répartis en 70 millions de familles que le gouvernement cherche dès 1951 à regrouper en équipes « d'aide mutuelle », premier pas timide vers de futures coopératives agricoles. Les confiscations de terres s'effectuent parfois dans une atmosphère tendue, marquée par des procès publics et des exécutions de grands propriétaires détestés. Tout autant que l'aspect économique, c'est l'impact politique qui est recherché par les dirigeants chinois comme le souligne Liu Shaoqi dans le rapport introductif de la loi agraire :

« L'objectif de la réforme agraire n'est pas de donner des terres aux paysans pauvres (...). Le partage des terres et des biens peut profiter aux paysans. Il n'est pas le but visé. La réforme agraire est l'occasion d'organiser politiquement les masses paysannes. »

Selon les chiffres officiels, la production agricole et industrielle fait d'énormes progrès entre 1949 et 1952. La monnaie et les prix sont stabilisés, le système fiscal refondu, le budget équilibré... D'autres mesures visent à rénover la société traditionnelle, ainsi la très importante loi sur le mariage (1er mai 1950) destinée à mettre fin à la famille de type patriarcal :

« Le mariage féodal arbitraire et obligatoire, basé sur la supériorité de l'homme sur la femme, et qui ignore les intérêts des enfants, est aboli. Le mariage de la Nouvelle démocratie, basé sur le libre choix des partenaires, la monogamie, les droits égaux pour les deux sexes, la protection des intérêts légaux des femmes et des enfants, doit être mis en pratique. »

Une réforme de la langue simplifie l'écriture ; tout le système d'enseignement est réorganisé...

Tout en maintenant l'alliance tactique des « quatre classes révolutionnaires » de la Nouvelle démocratie (paysans, ouvriers, petite bourgeoisie et capitalistes nationaux), les dirigeants communistes accentuent la prise en main de l'opinion. La transformation idéologique de la population est assurée par de nombreuses réunions d'information et de propagande, mais surtout par de grandes « campagnes de masse » parfois souples, souvent brutales, s'accompagnant de procès devant des tribunaux populaires et d'exécutions publiques. Ainsi la campagne d'élimination des «contre-révolutionnaires» (agents du Guomindang, grands propriétaires...) fait-elle de 800000 à 3 millions de victimes de 1949 à 1952. En 1951, la campagne des «trois anti» (contre la corruption, le gaspillage et la bureaucratie) épure l'administration où une probité jusque-là inconnue s'instaure. En 1952, celle des «cinq anti» (contre la fraude fiscale, l'extorsion de biens publics...) s'en prend principalement à la bourgeoisie nationale alors que dans le même temps les intellectuels sont soumis à un «remodelage idéologique» ... Menées avec ardeur, ces campagnes contribuent à préparer la société chinoise à de nouveaux changements.

• Premiers pas en politique extérieure

Cette reconstruction intérieure s'effectue en pleine guerre froide qui intègre presque automatiquement le nouvel État au «bloc de l'Est». La République populaire de Chine n'est diplomatiquement reconnue que par les pays socialistes, quelques pays asiatiques (Inde, Pakistan, Indonésie) et européens (Royaume-Uni, Hollande...). Elle reste ignorée de la plupart des pays du monde et de l'ONU qui considère toujours le gouvernement nationaliste, réfugié à Taïwan, comme le seul dépositaire de la légitimité chinoise.

En février 1950, Mao Zedong signe à Moscou un traité «d'amitié, d'alliance et d'assistance mutuelle» sino-soviétique qui prévoit une coopération militaire et économique entre les deux pays. La Chine y gagne une aide financière (de 300 millions de dollars) et technique (prise en charge de grands projets industriels) mais se place désormais en politique extérieure dans le sillage de son puissant allié. La guerre de Corée, qui éclate quelques mois plus tard en juin 1950, achève de souder complètement la Chine populaire au bloc communiste.

CHAPITRE 8

La reconstruction du Japon (1945-1952)

Après sa capitulation, le 2 septembre 1945, le Japon est occupé par l'armée américaine. Le bilan de la guerre est particulièrement lourd sur tous les plans : démographique, matériel et moral. Une vaste épuration frappe le pays qui, sous la pression de l'occupant américain, doit entreprendre de profondes réformes. La Constitution de 1947 dote le pays d'un régime parlementaire, l'Empereur n'ayant plus qu'un rôle symbolique. Le Japon renaît peu à peu à la vie politique, d'abord sous protectorat américain. La guerre froide va permettre au pays de recouvrer pleinement sa souveraineté en 1952. Au lendemain de la guerre, les Américains imposent au Japon d'importantes réformes économiques et sociales, comme la redistribution des terres, la décartellisation de l'industrie et une loi eugénique. La situation commence à se redresser dès 1947-1948. À la faveur de la guerre froide et du renversement de la politique américaine à l'égard du Japon, c'est bientôt un véritable «miracle économique» qui s'accomplit.

L'état du Japon après la guerre

• La capitulation et l'occupation du Japon

Le 15 août 1945, neuf jours après Hiroshima, les Japonais entendent pour la première fois à la radio la voix de leur souverain, l'empereur Hiro-Hito, qui annonce sa décision de *« mettre un terme à la situation présente »* et leur demande *« d'accepter l'inacceptable »* : la capitulation du Japon. Tandis que plusieurs centaines d'officiers et de soldats extrémistes préfèrent recourir au suicide, les combats cessent dans le Pacifique. Désigné le 29 août par le Président Truman comme responsable de la politique alliée en Extrême-Orient, le général américain Douglas MacArthur reçoit le 2 septembre 1945 la reddition officielle nippone à bord du cuirassé Missouri ancré en rade de Tokyo. C'est pour le Japon la première grande défaite et la première occupation étrangère de son histoire.

Malgré l'institution en décembre 1945 d'un Conseil allié (à Tokyo) et d'une Commission d'Extrême-Orient siégeant à Washington et groupant 11 nations, l'occupation du Japon, contrairement à celle de l'Allemagne, va être uniquement américaine : le « suprême commandement des forces alliées » (*Supreme Commander for the Allied Powers,* en abrégé le SCAP) institué en septembre est en fait, malgré son nom, un organisme militaire américain entièrement entre les mains de MacArthur. Véritable « proconsul », celui-ci va exercer un pouvoir quasi absolu sur le pays jusqu'en avril 1951. Le SCAP ne sera supprimé que le 28 avril 1952, permettant alors au Japon de retrouver sa pleine souveraineté après une occupation américaine de près de sept ans.

• Un terrible bilan

Le pays sort de la guerre ruiné et traumatisé. Les pertes démographiques, civiles et militaires, sont considérables : 1,5 à 2 millions de tués (dont plus de la moitié dans les territoires annexés), 3 à 4 millions de blessés et d'invalides (sans compter les personnes victimes de radiations atomiques). Les bombardements ont fait des ravages dans les grandes villes nippones : plus de 700000 morts… Il faut d'autre part rapatrier environ 1,4 million de travailleurs chinois ou coréens réquisitionnés dans les usines japonaises (600000 Coréens resteront finalement dans le pays). En revanche, il faut accueillir dans l'archipel nippon près de 7 millions de Japonais civils ou militaires chassés des territoires extérieurs perdus (Mandchourie, Corée, Formose…), ce qui pose d'énormes problèmes de logement et d'emploi dans un pays qui n'est plus guère qu'un champ de ruines.

Le bilan matériel est en effet particulièrement sévère. La forte densité urbaine et l'utilisation importante du bois comme matériau de construction expliquent l'ampleur des destructions des bombes incendiaires américaines : 2500000 logements sont en ruine ou en cendres, dont 750000 à Tokyo. Mis à part Kyoto, épargnée pour ses richesses architecturales, toutes les grandes villes japonaises sont détruites à plus de 40 % : Nagoya à 75 %, Osaka à 70 %, Tokyo à 60 % … La capitale ne compte plus que 3,5 millions d'habitants en 1945 contre 7,2 millions en 1940. Les installations portuaires, le réseau routier et ferroviaire sont en grande partie anéantis. L'industrie, concentrée dans les zones urbaines, est fortement touchée, en particulier la sidérurgie (500000 t. d'acier en 1946 contre près de 8 millions en 1943), les constructions mécaniques et même le textile (2,5 millions de broches à filer le coton utilisables en 1946 contre 14 millions en 1941). L'agriculture, qui manque d'engrais et de matériel, ne peut nourrir une population en hausse rapide. Le chômage et la misère se développent dans les villes où la ration alimentaire moyenne tombe à 1500 calories par jour (à la limite du minimum de subsistance). La pénurie amène l'inflation et le marché noir…

Le bilan moral n'est pas moins lourd. Abusés par de longues années de propagande mensongère, les Japonais se retrouvent avec le traumatisme d'une défaite impensable et d'une occupation étrangère qu'ils n'avaient pas envisagée. La stupeur, le désarroi, l'apathie, la résignation des premiers temps vont bientôt faire place à une condamnation violente du militarisme et de l'ultranationalisme des années 1930, rendus responsables de la ruine et des souffrances du pays. Par une mutation totale, le Japon guerrier découvre après la défaite les bienfaits du pacifisme.

• Épuration et démocratisation de la société

La première tâche des occupants est d'ailleurs de démilitariser le pays, suivant en cela les directives prises à Washington dès août 1945, demandant de faire en sorte que le Japon *« ne redevienne jamais une menace pour les États-Unis ou pour la paix et la sécurité du monde »*. Les ministères de l'Armée et de la Marine sont transformés en « ministères chargés de la démobilisation » de la totalité des soldats japonais avant d'être ensuite supprimés. Les usines d'armement sont fermées. La dissolution des *zaïbatsui*, «responsables de l'impérialisme nippon», est décidée en novembre 1945 et commence effectivement en 1946. Toutes les organisations militaristes et nationalistes sont interdites. Comme à Nuremberg, un tribunal interallié est créé à Tokyo : il juge de mai 1946 à novembre 1948 vingt-huit grands «criminels de guerre», condamnant à mort sept des inculpés (dont les anciens Premiers ministres Tojo et Hirota). Outre les nombreuses poursuites judiciaires pour crimes de guerre, une vaste épuration frappe plus de 200000 personnes dont 180000 militaires écartés des fonctions publiques. Cela ne va pas empêcher le retour à la vie politique d'un grand nombre d'entre elles dès la fin de l'occupation : 130 «épurés» seront élus à la Diète en 1952 (soit un tiers des députés) et 3 d'entre eux deviendront Premiers ministres entre 1952 et 1960, dont Kishi, ancien membre du Cabinet de Tojo et emprisonné plusieurs années comme criminel de guerre…

Dès septembre 1945, le SCAP rétablit les libertés publiques et abroge les lois répressives du régime déchu, libérant de nombreux détenus politiques (notamment des communistes). D'autres réformes s'attaquent aux structures traditionnelles du pays : la noblesse est abolie, le Shinto n'est plus religion d'État… Un rescrit impérial publié le 1er janvier 1946 condamne les *«fictions selon lesquelles l'empereur est un dieu visible, le peuple japonais une race supérieure aux autres races et pour cette raison destinée à gouverner le monde»*. L'émancipation de la femme, qui accède à l'égalité civique, est confirmée dans le nouveau Code civil de 1948 (droit pour l'épouse de demander le divorce) qui supprime également le droit d'aînesse. Le système d'éducation est totalement réformé sur le modèle américain et tourné vers les «devoirs civiques», les manuels scolaires étant expurgés de toute trace de militarisme. Tout est mis en place pour que le Japon tente une nouvelle expérience de démocratie parlementaire.

Une reconstruction politique sous surveillance

• Le nouveau régime politique

Dès 1946, MacArthur impose au Japon ses nouvelles institutions. Il fait rédiger par ses services un projet de Constitution qu'une Assemblée, élue le 10 avril 1946, adopte avec quelques retouches en novembre. Remplaçant la Constitution de Meiji promulguée en 1889, la nouvelle Constitution japonaise (qui entre en application le 3 mai 1947) s'inspire en grande partie du modèle britannique tout en faisant quelques emprunts aux institutions américaines, notamment dans le domaine judiciaire et l'administration locale.

Si l'institution impériale est maintenue, le *Tenno* n'est plus que « le symbole de l'État et de l'unité du peuple », aux pouvoirs politiques inexistants. Comme le souverain britannique, il doit se contenter du rôle de monarque constitutionnel dans un régime parlementaire. Celui-ci n'est pas en fait une totale découverte pour le Japon, mais la Constitution de 1946 le démocratise par de nouvelles dispositions : suppression du Conseil privé et de la chambre des Pairs, haute administration passant entièrement sous la dépendance du Cabinet lui-même contrôlé par la Diète, suffrage universel total (masculin et féminin) …

Le Parlement (Diète) est composé de deux chambres : la chambre des Représentants (486 membres élus pour 4 ans) et la chambre des Conseillers (250 membres élus pour 6 ans et renouvelables par moitié). Comme dans de nombreuses démocraties occidentales, ce bicaméralisme est en fait inégalitaire au profit de la « chambre basse » (la chambre des Représentants) qui peut finalement imposer ses décisions pour le choix du Premier ministre comme pour le vote du budget à la « chambre haute » (la chambre des Conseillers) qui ne dispose guère que du droit de révision constitutionnelle.

Le gouvernement (Cabinet) est composé d'un Premier ministre choisi par la Diète en son sein, et de ministres d'État nommés (et révocables) par lui. Il est responsable devant la Diète (il peut être renversé par un vote de la chambre des Représentants) et dispose, au nom de l'empereur, d'un droit de dissolution. Une Cour suprême contrôle la constitutionnalité des lois.

L'originalité de cette Constitution imposée par l'occupant réside essentiellement dans son article 9 :

« Aspirant sincèrement à une paix internationale fondée sur la justice et sur l'ordre, le peuple japonais renonce pour toujours à la guerre en tant que droit souverain de la nation, et à la menace ou l'usage de la force comme moyen de régler toutes contestations internationales. »

Aussi le Japon s'engage-t-il constitutionnellement à n'entretenir *« aucune force terrestre, maritime ni aérienne, aussi bien que nul autre potentiel de guerre. Il ne sera jamais accordé à l'État le droit de belligérance »* … Un article 9 qui posera problème avec le développement de la guerre froide et le rétablissement de la souveraineté du Japon.

• Les forces politiques et syndicales

Le rétablissement des libertés publiques par le SCAP en 1945 fait aussitôt renaître la vie politique japonaise avec un personnel en grande partie renouvelé par suite de l'épuration. L'apprentissage de la démocratie ne se fait pas sans excès : pas moins de 360 partis sans compter les candidats indépendants se présentent à la première consultation électorale de l'après-guerre le 10 avril 1946. Mais, bien que 81 % des élus soient des hommes nouveaux, le Japon reste traditionnel dans ses choix politiques, malgré une relative poussée de la gauche.

Le vieux parti libéral Seiyukai, rebaptisé Jiyato, et l'ancien parti conservateur Minseito, devenu parti progressiste (Shimpotò), continuent à arriver largement en tête, même s'ils régressent à 43 % des voix. Fortement implantés dans les campagnes et dans les petites villes de province, ils se composent surtout de notables locaux disposant d'une forte clientèle électorale. Soutenus par les milieux financiers et industriels, ils se divisent en factions rivales, s'appuyant sur tout un réseau de relations personnelles, qui se livrent souvent une lutte sans merci pour l'exercice du pouvoir. Malgré quelques progrès, les forces de gauche restent minoritaires. Le nouveau parti socialiste (Shakaito), lui aussi en proie à des querelles internes, obtient 17,8 % des suffrages. Quant au parti communiste (Kyosanto), interdit au Japon de 1924 à 1945, il ne parvient qu'à 3,8 % des voix malgré une vigoureuse campagne.

L'influence communiste est cependant plus forte dans les syndicats, à nouveau autorisés par la loi du 22 décembre 1945. Ils connaissent alors une croissance rapide (500 syndicats locaux pour 380000 adhérents en décembre 1945, 34000 pour 6680000 adhérents en 1948). La Fédération japonaise du travail (Sodomei), dissoute en 1940, ne tarde pas à se reconstituer, mais l'agitation sociale et la place prise par les communistes dans le mouvement syndical amènent les autorités occupantes à prendre des mesures répressives dès 1946.

• L'évolution politique de 1946 à 1952

Disposant d'une majorité relative dans la Chambre de 1946, le libéral Yoshida (ancien ambassadeur japonais à Londres qui avait pris publiquement position contre la guerre) constitue le premier gouvernement du régime d'occupation. Mais une poussée des socialistes aux élections d'avril 1947 permet à ceux-ci de prendre le pouvoir en s'alliant au parti démocrate Minshuto (ex-parti progressiste) et à l'éphémère petit parti coopératif. Cette coalition disparate ne dure qu'un an et prend fin avec le retour de Yoshida à la tête du gouvernement en octobre 1948. Les élections de 1949 (où les communistes montent à 9,7 % des voix) donnent la majorité absolue des sièges aux libéraux, ce qui renforce la position de Yoshida (celui-ci restera Premier ministre du Japon jusqu'en 1954).

Le retour de Yoshida au pouvoir en 1948 après l'éphémère gouvernement à direction socialiste coïncide en gros avec le retournement de la politique américaine vis-à-vis du Japon. Le coût de l'aide économique et financière (2 milliards de dollars de 1945 à 1950) mais surtout la menace communiste en Asie du Sud-Est (offensive de Mao Zedong en Chine au printemps 1948) conduisent les États-Unis à encourager la renaissance économique du pays sous leur contrôle. Une série de mesures frappent le mouvement syndical tombé en grande partie sous influence communiste, ce qui conduit les socialistes japonais à créer en juillet 1950 une centrale se réclamant du marxisme non communiste, le Sohyo. L'épuration cesse pratiquement dès 1949 et, en 1951, on commence même à réviser les interdits pris contre les militaires et les responsables de l'ancien régime.

Envisagé dès 1947 par les États-Unis, le rétablissement de la pleine souveraineté du Japon pose cependant un problème : celui de la défense du pays en raison de l'article 9 de la Constitution. Aussi le gouvernement nippon est-il encouragé à élargir ses « forces de police » qui deviennent dès juillet 1950 une petite armée embryonnaire. Signé le 8 septembre 1951 par 48 pays (mais non par l'URSS, la Chine communiste et l'Inde), le traité de San Francisco permet au Japon de retrouver officiellement son indépendance politique, sinon militaire. Car, le même jour, un pacte de sécurité avec les États-Unis (confirmé en février 1952) garantit le maintien de bases et de troupes américaines dans l'archipel. Le 28 avril 1952, la dissolution du SCAP met concrètement fin au régime d'occupation.

Un redressement économique remarquable

• Les réformes imposées

Les réformes économiques imposées par les États-Unis au lendemain du conflit portent principalement sur deux points tendant à modifier les structures traditionnelles du Japon dans le domaine agricole comme dans le domaine industriel. L'objectif initial est de limiter la restauration économique pour que le pays ne redevienne pas une grande puissance impérialiste. Il ne devrait répondre qu'à la satisfaction des besoins de sa population en temps de paix (on voudrait faire du Japon la « Suisse de l'Extrême-Orient »).

Promulguée en octobre 1946, la réforme agraire est mise progressivement en application de 1947 à 1949. Elle a pour but une redistribution des terres afin de faire de chaque paysan japonais un petit propriétaire. Pour cela, toutes les terres cultivables de non-résidents sont vendues à l'État à un prix fixé très bas ; des dimensions maximales sont imposées aux propriétaires résidents mais non exploitants (1 hectare sauf à Hokkaïdo), et même aux propriétaires-exploitants (3 hectares sauf à Hokkaïdo), le reste étant vendu à l'État. Des facilités de paiement sont faites aux tenanciers pour acquérir les terres ainsi libérées. Malgré quelques difficultés (mauvaise application de la réforme par les commissions locales sous la pression des propriétaires, méfiance et impécuniosité des tenanciers…), 2 millions d'hectares, soit environ 70 % des terres concernées, changent de mains, modifiant la structure agraire du Japon en faveur de la micropropriété.

La décartellisation de l'industrie japonaise, prévue dès la conférence de Potsdam, est mise en œuvre par une série de lois en juillet 1946, avril et décembre 1947. Les *zaïbatsui* (Mitsui, Mitsubishi, Yasuda, Sumitomo…) sont dissous et émiettés en de nombreuses petites sociétés indépendantes. Les holdings qu'ils contrôlaient doivent remettre leurs avoirs à une commission de liquidation qui commence à mettre en vente plus de 10 millions de ces actions en février 1948. Des mesures inspirées par la législation antitrust américaine sont prises pour éviter de nouvelles ententes industrielles et financières. Avec d'autre part la renaissance du syndicalisme ouvrier, contrepoids possible au pouvoir des chefs d'entreprise, c'est toute la structure industrielle du Japon d'avant-guerre, reposant sur des oligarchies familiales toutes puissantes, qui est ainsi bouleversée.

• Une politique de contrôle des naissances

La situation démographique du Japon en 1945 se caractérise par une forte densité (72 millions d'habitants sur un territoire réduit à l'archipel nippon) et une surpopulation des campagnes accentuée par la guerre. La pression démographique augmente encore dans les années suivantes du fait du rapatriement de près de 7 millions de Japonais chassés des possessions extérieures perdues (Formose, la Corée…) et d'un *baby-boom* d'après-guerre qui monte le taux de natalité, déjà élevé, à 34,4 ‰

(chiffre record), ce qui correspond à plus de 2,7 millions de naissances par an. La pauvreté, le chômage, l'impossibilité d'émigrer et la multiplication des avortements clandestins conduisent rapidement les Japonais à étudier puis à voter des mesures antinatalistes.

La loi eugénique adoptée par la Diète en juillet 1948 préconise la généralisation du contrôle des naissances qui ne rencontre au Japon pratiquement pas de tabou moral ou religieux. Elle légalise l'avortement quand la naissance peut porter atteinte physiquement ou économiquement à la santé de la mère et rend obligatoire la stérilisation dans un certain nombre de cas (troubles héréditaires, lèpre...). La contraception est vivement encouragée par l'État comme par des entreprises privées (action de propagande auprès de l'opinion publique, recours à la publicité...). Grâce à ces mesures, qui provoquent peu à peu une évolution de la famille traditionnelle japonaise, l'accroissement annuel de la population va se stabiliser assez rapidement aux alentours de 1 %, favorisant ainsi le relèvement du niveau de vie dans un pays qui commence alors son redressement économique.

• La renaissance économique

La reprise s'amorce dès 1947, notamment dans le domaine agricole (11,3 millions de tonnes de riz, soit une récolte pratiquement normale), mais elle est limitée par une forte inflation et un grave déficit de la balance commerciale. Tant pour des raisons financières (coût de l'aide alimentaire) que politiques (poussée communiste en Chine), les États-Unis en viennent rapidement à souhaiter le relèvement de l'économie du Japon et la prise en charge de ses responsabilités par les autorités locales. Fin 1948, une commission d'experts du SCAP présidée par le banquier Dodge propose au gouvernement Yoshida une politique d'assainissement financier (mesures de déflation, équilibre budgétaire...) moyennant la fin des réparations. Adopté le 15 avril 1949, le « plan Dodge » stabilise la monnaie japonaise (360 yens pour un dollar) tandis que s'arrêtent peu après les mesures de décartellisation. La législation antitrust est d'ailleurs bientôt révisée. Les grands groupes se reconstituent dès 1950 et, à la fin de l'occupation américaine, on voit refleurir au Japon les noms de Mitsui, Mitsubishi et Sumitomo, nouvelles sociétés financières *(zaïkaï)* sensiblement différentes mais aussi puissantes que les anciens *zaïbatsui.*

Avec une main-d'œuvre abondante, qualifiée et à bas salaire, un patronat dynamique regroupé dans une puissante fédération *(Keidanren),* une politique audacieuse en matière d'investissement et de commerce extérieur, l'aide financière et technique des États-Unis, le Japon se remet rapidement au travail. La guerre de Corée, qui éclate en juin 1950, donne un coup de fouet à cette économie déjà renaissante en provoquant une forte demande de biens et de services, le Japon étant le fournisseur le mieux placé pour répondre aux énormes besoins des troupes américaines. À la fin de la période d'occupation, le pays a pratiquement retrouvé son niveau économique d'avant-guerre. Les Occidentaux, qui découvrent dans le même temps le cinéma japonais (succès de *Rashomon* d'Akira Kurosawa au festival de Venise en 1951), commencent alors à parler de « miracle » devant ce spectaculaire redressement.

CHAPITRE 9

Les craquements de la domination coloniale (1945-1954)

Le déclin de l'Europe et l'occupation japonaise en Asie pendant la Seconde Guerre mondiale accélèrent les mouvements de libération nationale dans les colonies. L'anticolonialisme progresse dès 1945, impulsé en particulier par l'URSS, qui soutient le groupe afro-asiatique mené par l'Inde et l'Égypte, et défendu à l'ONU, qui devient la tribune du débat colonial. Les États-Unis, quant à eux, conjuguent un réel souci de promotion des peuples opprimés et la volonté de préserver ce qui reste de la puissance des Européens dans le contexte de la guerre froide. Entre 1947 et 1950, l'édifice colonial britannique s'écroule, même si Londres parvient à maintenir l'essentiel de ses anciennes possessions dans le cadre du Commonwealth. Si la France ne réussit pas à éviter, en Indochine, une guerre meurtrière, l'Indonésie se libère de façon moins sanglante de la domination hollandaise.

Le renforcement de l'anticolonialisme

• Les conséquences de la guerre pour les colonies

Les vicissitudes de la guerre ont fait perdre à l'Europe le capital de crainte que sa force avait amassé auprès des peuples coloniaux. En Asie du Sud-Est, la victoire japonaise montre aux nationalismes indigènes que l'Occident ne détient plus le monopole technique et militaire qui assurait sa domination. D'autant que l'occupant nippon, sans pour autant soutenir les luttes d'émancipation, n'en remet pas moins en cause les structures coloniales : destruction des institutions existantes, promotion d'un personnel politique autochtone, mise en place de gouvernements « fantoches » dont les cadres sont considérés par les Européens comme des « collaborateurs », mais passent, aux yeux de leurs compatriotes, pour les défenseurs de la cause nationale. Aucun des territoires occupés n'acquiert toutefois l'indépendance, à l'exception de la Birmanie dont le gouvernement, dirigé par Ba-Maw, est reconnu par les amis de l'Allemagne en août 1943. Enfin, en Indonésie comme en Indochine, les nationalistes profitent du chaos consécutif à la défaite japonaise pour proclamer une indépendance sur laquelle il sera difficile de revenir.

De tous les territoires colonisés d'Asie, l'Inde est en 1939 le plus proche du statut d'autonomie. Dès l'ouverture des hostilités, le parti du Congrès reproche à la Grande-Bretagne d'avoir précipité le pays dans la guerre sans que ses représentants en aient été informés. Il réclame par la suite le droit, pour l'Inde, à l'établissement de sa propre Constitution. La désobéissance civile, latente, amène Sir Stafford Cripps à proposer la création d'une Union indienne, « dominion associé au Royaume-Uni ». Mais les freinages exercés par Churchill, résolu à minimiser les concessions, aboutissent à une tension croissante entre nationalistes indiens et Britanniques. À la fin de 1944, le gouverneur Wavell parle de placer le gouvernement de l'Inde entre les mains des Indiens. Le projet se heurte à l'hostilité des musulmans qui réclament l'égalité dans la représentation et la partition de l'Inde. Les deux communautés se retrouvent toutefois dans une même hostilité à l'égard de la métropole.

Touché par la guerre en 1941, le Proche-Orient connaît de son côté une série de tensions qui aboutissent à la remise en cause des tutelles européennes. En Irak, Rachid Ali tente, en vain, de soustraire son pays à l'influence anglaise avec l'aide des Allemands (avril 1941). Pour éviter que les territoires sous mandat ne tombent entre les mains de l'ennemi, Britanniques et «Français libres» occupent militairement la Syrie et le Liban en juin. Dès septembre, le haut-commissaire Catroux proclame l'indépendance de la Syrie et, le 30 novembre, celle du Liban. En 1943, des troubles éclatent à l'instigation des mouvements nationalistes, désormais largement majoritaires. Les Anglais hostiles à la concurrence française au Proche-Orient, s'opposent au «rétablissement de l'ordre» par les troupes françaises. Aussi, sous la pression des Alliés, le Gouvernement provisoire de la République française met-il un terme aux mandats français en 1945.

En Afrique du Nord, la guerre réactive les mouvements nationalistes. Il est vrai que l'imbroglio politique, issu de la collaboration et de la résistance, les incertitudes de l'autorité française, renforcées par le débarquement américain de novembre 1942, incitent les chefs locaux à reprendre une part de la souveraineté perdue. D'autant que les autorités coloniales refusent toute concession, malgré les données nouvelles de la guerre. En Tunisie, le bey Moncef, opposé au résident général, forme un gouvernement tunisien autonome, composé de nationalistes pacifistes. Dénoncé comme collaborateur, il est déporté sur ordre du général Juin. Emprisonné par les Français, le chef du parti Néo-Destour, Bourguiba, est libéré par les Allemands qui tentent, en vain, de se servir de lui. Au Maroc, l'élan nationaliste, plus ou moins secondé par les Américains, retombe dès la fin de la guerre, du fait de l'opposition française. Quant au nationalisme algérien, il se structure dès 1943 autour du «Manifeste du peuple algérien». Le mouvement est dissous en mai 1945 après des troubles qui éclatent à Sétif.

En marge du conflit mondial, l'Afrique noire n'en participe pas moins localement à l'effort de guerre. Dès août 1940, sous l'impulsion du gouverneur Félix Éboué, le Tchad adhère à la cause de la France Libre, prélude au ralliement de toute l'AEF (Afrique équatoriale française) entre septembre et novembre 1940. À la périphérie du continent, la Libye, l'Égypte, la Cyrénaïque, connaissent tour à tour l'occupation italienne et les contre-offensives britanniques. En mars 1941, l'une d'elles, en Somalie et en Érythrée, entraîne la libération de l'Éthiopie et le retour du Négus au pouvoir. De plus, des contingents levés en Afrique du Nord, mais aussi au Sénégal, participent aux victoires alliées en Italie (Cassino) et en France. En Afrique noire comme en Afrique du Nord, la guerre compte surtout pour ses conséquences à court terme. Les grandes conférences internationales, notamment celle de l'Atlantique où une charte proclame le « droit des peuples à disposer d'eux-mêmes », précipitent une évolution mentale qui conduit rapidement à la revendication de l'indépendance. D'autant que l'ONU, née des alliances de la guerre, propose un modèle aux Africains en instaurant, pour les anciennes colonies allemandes (Togo, Cameroun, Tanganyika, Sud-Ouest africain), le système des tutelles. Et le point XI de sa charte introduit la notion de *self-government* (gouvernement autonome).

L'intégration de l'Afrique noire dans l'économie de guerre européenne se solde par d'importantes mutations économiques et sociales. Une demande accrue de matières premières et de produits alimentaires par les métropoles accélère le processus d'urbanisation (Dakar passe de 53000 à 132000 habitants, Léopoldville de 27000 à 110000). Les liens tribaux s'en trouvent détendus tandis que les contacts se multiplient avec les Européens, transformant les mentalités des masses noires des villes, capables désormais de s'organiser pour défendre leurs intérêts. En Afrique francophone, le syndicalisme noir, quoique calqué – quant à son idéologie, sa pratique et ses structures – sur les organisations métropolitaines, n'en joue pas moins un rôle non négligeable dans la promotion de comportements nouveaux. Cette capacité d'incitation, c'est aux partis politiques qu'il faut l'attribuer pour ce qui est de l'Afrique anglophone. Partout, des élites nouvelles se constituent, combinant traditionalisme et volonté d'assimilation : elles souhaitent voir créer, dans leurs pays, des institutions démocratiques sur le modèle occidental. Aussi la guerre révèle-t-elle des « hommes nouveaux » : N'Krumah en Côte de l'Or, Senghor au Sénégal, Houphouët-Boigny en Côte d'Ivoire..., dont la pensée et l'action aboutissent à une transformation des rapports entre Africains et Européens. Elle contraint les puissances coloniales à reconsidérer leurs rapports avec leurs empires. Du côté français, la conférence de Brazzaville (30 janvier 1944), réunissant autour des dirigeants de la France Libre les gouverneurs de l'Afrique noire française, propose l'émancipation, mais à l'intérieur du « bloc français », en écartant toute idée de *self-government*.

• Les partisans de l'anticolonialisme

En 1945, le courant anticolonialiste s'alimente d'abord de l'idéologie marxiste dont l'influence se fait surtout sentir en Asie. Si elle suscite peu de théoriciens, elle séduit nombre d'hommes d'action qui lient étroitement la pensée théorique à l'action militante. Des chefs comme Hô Chi Minh au Vietnam, Sjarifuddin en Indonésie ou Than Tun en

Birmanie adaptent ses concepts de base pour les masses, invitées à lutter pour l'autodétermination et l'égalité sociale. Adaptation d'autant plus aisée dans ces pays que la « lutte des classes » y offre un aspect presque caricatural – grands féodaux et bourgeoisie d'affaires contrastant avec les masses rurales et ouvrières – qui semble donner toute sa légitimité à l'analyse marxiste. À cet égard, la révolution chinoise et la proclamation de la République populaire en 1949 ont eu un effet d'entraînement sur les peuples colonisés du monde asiatique. En Afrique, l'influence du marxisme est plus diffuse, du moins au cours des années de l'immédiat après-guerre. Elle agit surtout à travers des personnalités, telle celle de N'Krumah en Côte de l'Or (Ghana).

Au lendemain de la guerre, l'URSS se présente comme la championne de l'anticolonialisme. Or, son audience idéologique est à l'échelle de son prestige de nation résistante et victorieuse. Certes, les puissances coloniales ont tendance à majorer son rôle, et il est parfois difficile de mesurer, dans la politique de l'URSS, la part des données idéologiques et celle de ses intérêts de grande puissance. Il reste que, renouant avec les vues léninistes, Staline, dès 1947 (création du Kominform), proclame, par l'intermédiaire de Jdanov, la nécessité de développer la subversion dans les pays colonisés. À l'ONU, l'URSS se fait le porte-parole de l'anticolonialisme, soutenant les pays latino-américains et afro-asiatiques contre les résistances des métropoles et celles des États-Unis, soucieux de maintenir la solidarité occidentale. De leur côté, les partis communistes européens adoptent une position nuancée : ils militent pour l'émancipation des colonies, à condition que celles-ci aient acquis la maturité suffisante pour parvenir sans risque à l'indépendance. Ainsi, le parti communiste français s'engage-t-il à fond contre la guerre d'Indochine, mais se montre-t-il plus réservé devant le problème algérien, du moins avant 1954.

Plus spécifique apparaît l'anticolonialisme américain, lequel s'incarne en premier lieu dans les convictions du Président Roosevelt. Dès 1941, en effet, les États-Unis renouent avec la tradition interventionniste de Wilson, attitude où coexistent une volonté sincère d'émancipation des peuples dominés – les Américains aiment à rappeler que leur pays fut lui-même une colonie – et un désir de promotion du modèle américain en matière économique et politique. Aussi la charte de l'Atlantique d'août 1941 reprenait-elle de nombreux thèmes abordés par Wilson dans ses fameux *Quatorze points* de janvier 1918. La charte proclame en particulier *« le droit de chaque peuple de choisir la forme de gouvernement sous laquelle il doit vivre »* et le libre accès, pour tous les États du globe, aux matières premières.

Il est vrai que l'anticolonialisme américain du temps de guerre s'appuie sur des considérations politiques conjoncturelles : pour s'assurer le soutien des peuples coloniaux contre l'ennemi, il faut leur faire des promesses d'émancipation. Mais le Président Roosevelt insiste à plusieurs reprises sur le fait que son pays n'est pas entré en guerre pour conserver aux nations européennes leurs empires coloniaux. Selon lui, une transformation du statut politique des colonies est nécessaire, une fois la paix assurée. Enfin, au-delà des considérations stratégiques et économiques, les hommes d'État américains ne voient de paix durable que dans une refonte totale des relations entre États, en particulier par la mise en place d'une tutelle internationale sur les territoires coloniaux. L'attitude critique des Américains à l'égard du fait colonial continue de s'exprimer au début des années 1950. Mais la guerre froide amène Washington à apporter de sérieux correctifs à sa doctrine initiale. Le virage s'est d'ailleurs manifesté dès la conférence de San Francisco (avril-juin 1945) qui ouvre aux territoires coloniaux des perspectives d'évolution limitées (simple autonomie). Il est vrai qu'à cette date et dans les années qui suivent, le fossé se creuse entre l'Est et l'Ouest.

Ainsi, dans certains cas, les États-Unis préfèrent-ils maintenir les colonies sous la tutelle de leurs alliés européens, plutôt que de les voir glisser dans l'orbite soviétique. Là où le péril est le plus grand (Indonésie, Indochine, Malaisie), ils favorisent le processus de décolonisation. En Afrique du Nord, où la « contagion » marxiste est moins marquée, leur attitude est volontairement conciliatrice. Cette politique pragmatique provoque la méfiance des Européens et suscite la déception chez les mouvements nationalistes qui voyaient dans les États-Unis un allié contre la domination coloniale.

• Le rôle de l'ONU

L'ONU devient, dès 1945, l'une des tribunes du débat colonial. On voit s'y affronter les tenants de la colonisation classique et ceux de la décolonisation. Au plan géopolitique, un conflit latent oppose un « bloc colonial » (France, Belgique, Pays-Bas, Grande-Bretagne) et un « bloc anticolonial » formé des pays latino-américains et arabo-asiatiques, soutenus par l'URSS. Dès 1946, aux Nations unies, le délégué de l'Inde, K. Menon, se fait remarquer par la hardiesse de ses initiatives et la violence de ses discours, au moment où son pays prend la direction des mouvements de libération des peuples d'Asie. L'Égypte entend jouer le même rôle auprès des pays arabes et se fait la championne de leur lutte contre la domination franco-britannique.

Tandis que les Occidentaux déplorent cette domination «de l'ONU par les pays les plus petits, les plus nouveaux, les moins développés» (G. Kennan), les sessions de l'assemblée exercent une véritable fascination sur les nationalistes des pays soumis à une domination de type colonial, ravis d'entendre accuser leurs «tuteurs» de ne pas respecter les droits de l'homme. En 1951, les États-Unis s'opposent à la résolution du groupe afro-asiatique et latino-américain, réclamant que le droit à l'autodétermination soit un des principes inscrits dans la Déclaration des droits de l'Homme. Il est vrai qu'ici, l'enjeu colonial s'inscrit dans le cercle plus large des rivalités entre les deux «blocs».

L'activité de l'ONU reflète un effort constant pour faire disparaître les systèmes coloniaux. Infléchissant l'esprit des décisions prises à San Francisco, le pacte international des Droits de l'Homme (décembre 1948) accélère l'évolution des territoires sous tutelle des Nations unies par le moyen d'un contrôle international accru. Le but est de «favoriser le progrès politique, économique et social des populations», et leur évolution progressive «vers la capacité de s'administrer elles-mêmes ou l'indépendance». L'organisation internationale s'efforce encore d'amener les «territoires non autonomes» (c'est-à-dire les colonies) sous son contrôle, afin de leur donner un statut égal à celui des territoires sous tutelle. Par une résolution votée en 1949, elle incite ses membres administrant des colonies à promouvoir l'usage des langues indigènes.

Au total, l'ONU milite pour que soit reconnue la primauté de la communauté internationale sur l'acquis juridique des seules grandes puissances. Son pouvoir d'incitation s'exprime en particulier dans le règlement statutaire des anciennes colonies italiennes, abandonnées par leur métropole en vertu du traité de février 1947 : la Libye accéderait à l'indépendance au 1er janvier 1952, la Somalie en 1960, tandis que l'Érythrée formerait une unité autonome fédérée au royaume d'Éthiopie.

Les premières secousses indépendantistes (avant 1940)

• En Asie

Les conséquences de la guerre (en particulier les «traces» de l'occupation nippone), l'influence de l'URSS au sortir du conflit, les pressions de plus en plus fréquentes de l'ONU, sont autant d'éléments qui réactivent les nationalismes, tout particulièrement dans l'espace asiatique. En Inde, le consensus antibritannique n'efface pas les divisions au sein du mouvement nationaliste. Le statut de 1919 n'a introduit qu'une autonomie relative au niveau des gouvernements provinciaux, sans pour autant remettre en cause la tutelle «historique» de l'empire. Au cours des années 1920, malgré l'influence de Gandhi, partisan de la non-coopération pacifique (méthode expérimentée en Afrique du Sud où il avait commencé sa carrière d'avocat), les tenants de la rupture se multiplient au sein même du parti du Congrès. La modération du *Mahatma* ne satisfait plus les jeunes patriotes qui boycottent les nouveaux organismes élus. En 1928, Nehru exige l'insertion, dans le programme du parti du Congrès – dont il est l'un des grands leaders – de l'exigence d'une indépendance immédiate. Or, le statut de 1935 reporte à plus tard la création d'un État fédéral. Les divisions s'exaspèrent entre le parti du Congrès, soucieux de promouvoir une Inde unifiée, et la ligue musulmane de Jinnah Mohammed Ali, qui souhaite pour sa part le maintien de la tutelle britannique, garantie de la participation des musulmans aux affaires. Pendant la guerre, deux courants s'affrontent : celui de Gandhi, favorable à une collaboration avec les Japonais en échange de l'octroi d'une indépendance immédiate; celui de Nehru, partisan de la lutte à outrance contre les Japonais et d'un report de la question indienne après la guerre. Il n'en reste pas moins vrai qu'en 1942, au moment où la situation militaire n'a pas encore basculé en faveur des Alliés, tous considèrent la présence anglaise comme nuisible à l'Inde, tant au présent qu'au futur. Proclamée en août 1942, la résolution *«Quit India»* (Quittez l'Inde!) exige le départ des Anglais.

En 1945, le gouvernement travailliste organise des élections. Les musulmans, minoritaires, entament une véritable guerre civile. Cette effervescence nationaliste atteint Ceylan où la communauté cinghalaise, majoritaire, ne se contente plus du rôle de spectateur que lui fait jouer la Constitution de 1923.

Durant l'entre-deux-guerres, la remise en cause des tutelles coloniales a touché l'Asie du Sud-Est et l'Indonésie. C'est dès 1927 que le parti national vietnamien (recrutant surtout au sein de la petite bourgeoisie) inscrit à son programme l'élimination de la présence française en Indochine. En 1930, la création, par Nguyên Ai Quôc (futur Hô Chi Minh), du parti communiste indochinois accélère le processus de contestation en y associant les masses rurales et ouvrières exploitées par les grands propriétaires et les industriels. En Cochinchine, le parti agit dans la clandestinité. Sous l'impulsion de jeunes chefs (Pham Van Dong, Vô Nguyên Giap), l'Indochine se couvre de groupes d'action et de syndicats. La prise du pouvoir n'en est que plus facile. D'autant qu'en mars 1945, les Japonais rejettent les Français d'Indochine, du Cambodge et du Laos. Après la capitulation nippone, un gouvernement provisoire du Vietminh, appuyé par les Américains, s'installe à Hanoï sous la présidence d'Hô Chi Minh.

En Indonésie, les Hollandais, inquiets des progrès du panislamisme, ont contribué inconsciemment à forger une élite locale, bientôt marquée par la pensée occidentale et le léninisme. Durant la décennie 1920-1930, le nationalisme indonésien se radicalise par la création du parti communiste indonésien et du NPI (Parti national indonésien), dirigé par le jeune ingénieur Soekarno. Durant l'occupation japonaise, ce dernier fait le jeu de l'occupant, persuadé de pouvoir en tirer avantage pour la cause de l'indépendance.

• En Afrique

Les nationalismes africains ont émergé au cours de l'entre-deux-guerres, mais leurs destins sont différents, selon qu'ils se heurtent à la puissance française ou britannique. En installant très tôt l'*Indirect Rule* (l'autonomie indirecte) dans leurs possessions africaines, les Britanniques posent les bases d'une décolonisation « en douceur ». Il est vrai que la Grande-Bretagne s'oblige à nuancer sa politique coloniale en fonction des réalités locales. En Rhodésie, les colons obtiennent une participation à l'administration. Dans les régions d'Afrique occidentale (Nigeria, Gold Coast, Sierra Leone), l'*Indirect Rule* permet de confier l'exercice de l'autorité aux chefs locaux, gardiens de la tradition. Si cette politique veut, à long terme, constituer un obstacle à l'accès de ces territoires vers une civilisation moderne, elle n'en facilite pas moins l'émergence des nationalismes, nationalismes d'autant plus souples et réfléchis qu'ils n'ont pas eu à transgresser une loi immuable pour voir le jour. Avant même la Seconde Guerre mondiale, des cadres « nationaux » sont ainsi ébauchés qui préparent l'accès aux indépendances. Durant l'entre-deux-guerres des mouvements d'émancipation apparaissent au Nigeria : *African Student Union, National Nigerian Democratic Party, West-African Pilot.* En Gold Coast, le Congrès national Ouest-Africain, fondé en 1920, oriente son action sur le terrain économique à partir de la fin des années 1930 : il dénonce les sociétés commerciales européennes, responsables de la baisse catastrophique des prix du cacao. En 1945, les Africains sont représentés au Conseil législatif par neuf membres.

Leur influence est limitée mais une évolution est en marche. Surtout, ces différents mouvements nationalistes se réunissent et s'organisent. Leurs déclarations communes ont pour but de mobiliser l'ensemble des populations concernées.

Dans les colonies françaises d'Afrique noire, l'immobilisme rend plus difficile l'émergence de courants revendicatifs. La plupart des élites formées au contact de l'Occident préfèrent rester en métropole et rechignent à prendre la tête d'une opposition politique. Seules quelques personnalités, tel le Sénégalais L. S. Senghor, à la fois pétries de culture européenne et influencées par le courant africaniste, affirment, peu à peu, l'originalité de la civilisation africaine. La vitalité est tout autre en Afrique du Nord. Là s'affrontent, pour une même émancipation, deux courants différents : celui des réformateurs «religieux» qui, dans un retour aux sources de l'Islam, cherchent de nouveaux moyens de lutte contre la colonisation et sont inspirés par les intellectuels musulmans de l'université El-Azhar en Égypte; celui des réformateurs laïcistes, tel le Tunisien Bourguiba, pour qui le combat libérateur passe par la modernisation de leur pays. En Tunisie, après une phase panarabe, le Destour (« Constitution»), parti traditionaliste, s'oriente vers la lutte politique et institutionnelle. À partir de 1934, le Néo-Destour, animé par Bourguiba, s'inspire davantage de la tradition révolutionnaire française que de l'idéal panislamique. Il revendique le suffrage universel et une indépendance par étapes.

L'évolution est identique au Maroc où le mouvement des «Jeunes Marocains», derrière le sultan Mohammed ben Youssef, réclame les libertés démocratiques et l'égalité entre Français et Marocains. En 1944, le parti de l'Istiqlal (« Indépendance») demande la fin du protectorat et l'établissement d'une monarchie constitutionnelle. Ces différents mouvements se heurtent, pendant et après la guerre, aux intransigeances françaises. Plus teinté d'islamisme encore apparaît le nationalisme algérien. En 1931, l'Association des Ulémas répand l'idée que les Algériens constituent une nation ayant en propre sa race, sa langue, sa religion. Les Ulémas considèrent les Français comme des étrangers et rejettent la politique d'assimilation. Plus laïc, le parti populaire algérien, animé par Messali Hadj, réclame une indépendance «avec le concours de la France». La Faillite de la politique d'assimilation, les conséquences de la guerre, aboutissent en 1943 à l'unification des différents courants nationalistes autour du «Manifeste du peuple algérien». Dépouillé de toute référence religieuse, il réclame, dans un langage très ferme, la constitution d'un État algérien, autonome et démocratique.

On voit ainsi de quelle façon les élites nationalistes revendiquent à la fois l'indépendance économique et politique, au nom de libertés fondamentales que leurs métropoles ont dû conquérir elles-mêmes au cours de leur passé. De fait, l'expérience coloniale semblait condamnée à court ou moyen terme, puisque les élites «indigènes» rapportaient de leurs études métropolitaines une modernité qui ne se satisfaisait plus des antiques servitudes. Enfin le mythe de l'infaillibilité de la «civilisation» métropolitaine s'est trouvé fort bousculé par la défaite de 1940.

Le cas de l'intelligentsia bengalie en Inde illustre néanmoins les hésitations devant la construction d'un avenir autonome. Formée dans un moule culturel britannique qui a fonctionné comme une ouverture sur la modernité, elle cherche à préserver dans le même temps les cadres les moins aliénants de la civilisation indienne.

Les premières indépendances (1945-1954)

• L'Inde et l'Asie du Sud britannique (1947)

Les mouvements de décolonisation qui ont affecté l'Inde et l'Asie du Sud entre 1945 et 1949 ont revêtu un caractère relativement pacifique. Il s'agit, en tout cas, d'une décolonisation réussie. Il est vrai que les pays de l'Asie anglaise sont préparés à l'émancipation, et que le Royaume-Uni renonce volontairement à la souveraineté politique, pour sauver ses intérêts économiques dans le cadre d'un Commonwealth qui, dans bien des cas, facilite les transitions. En Inde, cette évolution n'est toutefois pas exempte de difficultés. Entre le parti du Congrès, dirigé par Nehru et la Ligue musulmane, les vues sont inconciliables. En mai 1946, le gouvernement britannique ne parvient pas à susciter la constitution d'un gouvernement intérimaire réunissant hindouistes et musulmans, Jinnah redoutant de voir enterrée l'idée d'un Pakistan autonome regroupant les communautés musulmanes. Mais, en mars 1947, le nouveau vice-roi des Indes, Lord Mountbatten, parvient à faire accepter aux deux communautés son plan de partition. Par le *bill* d'indépendance du 15 juillet 1947, deux États sont constitués : la République indienne et le Pakistan (territoires du Nord-Ouest, Belouchistan et Bengale oriental) reçoivent le statut de dominions. Six cents États princiers, groupant 80 millions d'habitants, rejoignent l'Union indienne. Mais la situation reste précaire au Cachemire où le roi est hindou et la population musulmane à 80 %. Le 18 juillet 1947 est signé l'acte d'indépendance de l'Inde.

En Asie du Sud, les Britanniques tentent, en vain, d'imposer un compromis entre l'autonomie et le maintien de leur influence. En décembre 1946, ils parviennent à faire accepter un statut d'autonomie interne à la Birmanie. Mais les nationalistes extrêmes refusent une situation transitoire qui laisse la défense et les Affaires étrangères du pays sous la coupe du Royaume-Uni. Le 17 octobre 1947, un nouvel accord donne naissance à la République de l'Union birmane, État souverain et indépendant, hors du Commonwealth. Ce précédent amène Ceylan à remettre en cause le plan Soulbury de 1945 qui reproduisait, en fait, la Constitution britannique dans l'île. Pour prévenir les tensions, Londres lui octroie un *self-government* complet, dans le cadre du Commonwealth, en décembre 1947. La Grande-Bretagne se montre plus rétive à abandonner la Malaisie, riche en ressources naturelles (étain, caoutchouc). Aussi, les différents statuts élaborés à la fin de la guerre maintiennent-ils l'essentiel de l'exécutif entre les mains de la métropole. Il faut attendre août 1957 pour qu'une Fédération malaise voie le jour au terme d'un long conflit entre l'administration britannique et les nationalistes. Un an plus tard, Singapour obtient l'autonomie.

• L'Indonésie (1949)

Plus difficile a été l'indépendance de l'Indonésie, oscillant de la guerre à la paix et de la paix à la guerre. Après la capitulation du Japon, Soekarno proclame l'indépendance le 17 août 1945. Né en 1901 à Sourabaya (Java orientale), le père de l'indépendance indonésienne va créer, en 1928, un parti national indonésien. Ses violents réquisitoires contre la domination hollandaise lui valent d'être emprisonné en 1929 et 1931. Revenu d'exil en 1942, au moment de l'invasion japonaise, il participe à la création du Centre du pouvoir populaire (PUTERA). En octobre de la même année, les Japonais autorisent la création d'une « Armée des défenseurs volontaires de la patrie » (PETA). Sous leur égide est proclamée la charte de Djakarta (préambule de la future Constitution) et fondé un Comité pan-indonésien pour la préparation de l'indépendance. Après la proclamation de celle-ci le 17 août 1945, les forces de la PETA reconquièrent l'archipel, bientôt divisé en huit provinces, chacune dotée d'un gouverneur dépendant directement du Président, Hatta, Soekarno est vice-Président.

Mais soucieux de maintenir leurs intérêts dans l'archipel, les Pays-Bas vont organiser deux «opérations de police» contre la jeune République. Par les accords du 16 novembre 1946, les Hollandais ont pourtant reconnu le nouveau régime de Java et Sumatra et admis la constitution d'États-Unis d'Indonésie associés aux Pays-Bas. Il n'en reste pas moins vrai que les accords de Linggadjati (25 mars 1947) doivent permettre à l'ancienne métropole de conserver des liens étroits avec son «empire».

Aussi, le 21 juillet 1947, les troupes hollandaises envahissent-elles Java et Sumatra. Un second accord, conclu sous l'égide de l'ONU le 19 janvier 1948, est à nouveau rompu par l'intervention armée des Hollandais : Soekarno et Hatta sont emprisonnés. Tandis que la guérilla s'organise, Ceylan, l'Inde et le Pakistan ferment, par mesure de solidarité, leurs aéroports aux avions néerlandais. De son côté, l'Union soviétique apporte son soutien aux nationalistes et les États-Unis, qui préfèrent une République non communiste à cette dangereuse déstabilisation, condamnent l'initiative de l'ancienne métropole, contrainte d'accepter l'indépendance des «États-Unis d'Indonésie» en décembre 1949. Une Union hollando-indonésienne est créée sur un pied d'égalité. Elle sera dénoncée par les Indonésiens en août 1954. À cette date, aucun lien ne subsiste plus entre les Pays-Bas et leur ancienne colonie.

• L'Indochine (1946)

En regard des deux exemples précédents, l'indépendance de l'Indochine constitue bien une opération manquée. C'est à Hanoï, le 2 septembre 1945, qu'est proclamée la République démocratique du Vietnam. Un gouvernement provisoire du Vietminh, appuyé par les Américains, s'installe sous la présidence d'Hô Chi Minh, contraignant l'empereur Bao Daï à l'abdication. C'est un mouvement de libération nationale qui associe, en un front uni, toutes les tendances politiques. Mais les Anglais occupent le sud du pays et les Chinois de Tchang Kaï-chek le Nord. De plus, mandaté par le général de Gaulle, le général Leclerc arrive en Indochine où il mesure la force du sentiment national. Il songe à une solution politique, mais les vues du gouvernement français et celles du Vietminh sont inconciliables. Le premier entend maintenir la division entre les deux provinces du Vietnam (Tonkin et Annam), unies à la Cochinchine, au Cambodge et au Laos dans une Fédération indochinoise sous souveraineté française. Le second veut, au contraire, promouvoir l'unité des trois *Ky*, Annam, Tonkin, Cochinchine dans le cadre de l'indépendance. Or, la France entend ne pas «lâcher» ses colonies :

n'a-t-elle pas déclaré lors de la conférence de Brazzaville (janvier 1944) qu'elle entendait maintenir ses possessions dans un « bloc français » ? Fin septembre 1946, la France réoccupe le Vietnam et signe deux accords, dans le cadre de l'Union française, avec le Cambodge et le Laos. Contraint de traiter avec la France, Hô Chi Minh signe, le 6 mars 1946, un accord aux termes duquel le Vietnam devient un État libre, membre de la Fédération indochinoise et de l'Union française. Mais le 18 mars, l'armée française entre dans Hanoï et, au mépris des accords du 6, l'amiral Thierry d'Argenlieu prend en gage la Cochinchine où il proclame la République, sans consultation des intéressés. Il parvient à convaincre socialistes et MRP de se montrer fermes face à la politique d'« abandon ». En septembre, à Fontainebleau, Hô Chi Minh accepte cette indépendance bâtarde. La France tente alors de reprendre en main les douanes du pays et, le 23 novembre 1946, Haïphong est bombardée par le croiseur Suffren, tuant 6000 personnes. Le Vietminh réplique le 19 décembre par l'attaque des quartiers européens de Hanoï tandis qu'Hô Chi Minh gagne le maquis. La guerre d'Indochine a commencé.

• La guerre d'Indochine (1946-1954)

C'est à la fois une guerre de décolonisation et l'occasion d'une tension entre les deux « blocs », dans le cadre de la « guerre froide ».

Opposant Français et partisans du Vietminh, cette guerre est d'abord l'occasion d'un affrontement militaire. Les Français tiennent les villes et la plupart des régions vitales du pays. De son côté, le Vietminh mène une guerre de guérilla et dans certaines régions d'accès difficile (zone de collines et de montagnes du Nord-Tonkin, plaine des Joncs, Nord-Annam, presqu'île de Camau) institue de véritables « zones libérées » où il crée un pouvoir de fait, partage les terres, dirige l'économie, les écoles, la police. On n'en recherche pas moins une solution politique. Refusant de traiter avec le Vietminh, les Français choisissent comme interlocuteur l'ex-empereur d'Annam, Bao Daï, autour duquel se rassemblent les nationalistes modérés. Par les accords de la Baie d'Along du 5 juin 1948, Bao Daï se voit reconnaître l'indépendance du Vietnam, refusée à Hô Chi Minh. Des accords identiques sont conclus avec le Laos et le Cambodge en 1949, reconnus comme États « associés ». Il s'agit en fait d'un maintien du protectorat français, tandis que la guerre continue avec le Vietminh.

À partir de 1950, le conflit s'internationalise. La victoire du communisme en Chine en 1949 permet à Hô Chi Minh de recevoir une aide importante et de trouver des refuges en territoire chinois pour ses troupes. Sans renoncer à la guérilla, le Vietminh passe progressivement à une guerre plus classique, engageant de grandes unités qui mènent de vastes offensives (Cao Bang puis Lang-son, en octobre 1950). En 1952, le général Giap triomphe des Français au Tonkin, en Annam et au Laos. En avril 1953, le delta tonkinois est encerclé. Ni le général de Lattre de Tassigny, ni ses successeurs (Salan, puis Navarre) ne peuvent résister, malgré l'aide des Américains, pour qui cette guerre n'est plus une « simple » guerre de décolonisation, mais une participation à l'« endiguement » du communisme, au moment où éclate, par ailleurs, la guerre de Corée (25 juin 1950).

Mais le soutien américain ne parvient pas à éviter la désintégration de l'Union française en Indochine et la défaite militaire. Pour trouver un appui dans les populations, les gouvernements du Vietnam, du Laos, du Cambodge sont conduits à faire contre les Français de la surenchère nationaliste. En 1953, l'empereur Bao Daï, le roi du Cambodge Norodom Sihanouk, le roi du Laos exigent la rupture des derniers liens avec la France prévus par les accords de 1948-1949. La France combat donc pour des États qui souhaitent son retrait total. En même temps, les Américains qui signent avec la Chine un armistice en Corée tentent d'engager une négociation globale avec les pays communistes pour régler les conflits asiatiques. Une conférence doit se réunir en mai 1954 à Genève dans ce but.

Décidé à obtenir un succès décisif avant cette conférence, l'état-major français tente d'obliger le Vietminh à concentrer ses troupes pour mieux l'écraser. Pour monter un « piège », l'armée française occupe la cuvette de Diên Biên Phû. Mais la tactique du général Giap, mêlant guerre classique et guérilla, aboutit à grignoter la ligne ennemie à partir de multiples points d'attaque. Le piège de Diên Biên Phû se referme sur 15 000 Français le 7 mai 1954.

Les accords de Genève signés en juillet 1954 par le Président du Conseil Pierre Mendès France mettent fin au conflit. Le Vietnam est partagé en deux États : au Nord du 17e parallèle, la République démocratique du Vietnam ; au Sud, un gouvernement pro-américain, dirigé par Ngo-Dinh Diem. Des élections générales sont prévues en 1956 pour aboutir à la réunification du pays. Le Laos et le Cambodge deviennent indépendants. En fait, entre les deux Vietnam, au Laos, au Cambodge, commence une lutte d'influence entre communistes et nationalistes pro-américains. Elle débouche dès 1957 sur une « seconde guerre d'Indochine » opposant cette fois les régimes pro-américains (directement soutenus par les États-Unis à partir de 1960) et les régimes communistes.

Au plan strictement français, c'est une décolonisation manquée qui coûte au pays 20700 morts, tandis que le Vietminh perd peut-être un demi-million d'hommes et que les pertes civiles s'élèvent, selon les estimations, entre 800000 et 2 millions de personnes. Il faudra attendre la décennie 1990 pour que le dialogue soit renoué entre Français et Vietnamiens.

CHAPITRE 10

L'environnement international : la guerre froide

L'ONU apparaît dès sa fondation, en 1945, comme le reflet du nouveau rapport de force international. La guerre froide, affrontement indirect entre l'Est et l'Ouest, commence au lendemain immédiat de la guerre par une poussée communiste en Europe orientale et en Asie. Pour la contrer, le Président des États-Unis Harry Truman énonce sa doctrine de l'« endiguement », *containment,* et offre aux Occidentaux une aide financière, le plan Marshall, qui va permettre aux économies européennes de redémarrer. Tandis que les Soviétiques achèvent de satelliser les démocraties populaires de l'Europe de l'Est, les alliés de l'Ouest décident de reconstituer un État allemand économiquement et politiquement fort et de se maintenir à Berlin, menacée d'asphyxie par un blocus entamé en juin 1948. Le pacte Atlantique, signé en avril 1949, place les pays de l'Europe de l'Ouest sous la protection militaire américaine. Bloquée sur le vieux continent, l'offensive communiste se poursuit en Asie orientale avec l'invasion de la Corée du Sud en juin 1950, elle aussi contrée par les Américains. La mort de Staline, en mars 1953, marque le début d'un dégel des relations internationales.

L'ONU : un nouveau cadre pour la paix

• Naissance et objectifs de l'ONU

S'il est vrai que la « grande alliance », scellée durant la guerre, ne dépasse guère l'année 1946 et se transforme, du fait des rivalités entre les « blocs », en un affrontement indirect auquel on a donné le nom de « guerre froide », il reste que, durant les années 1945 et 1946, nombreux sont ceux qui nourrissent, à travers la mise en place de l'ONU, l'illusion d'une paix durable. Discutée lors des grandes conférences interalliées du temps de guerre, l'idée, chère à Roosevelt, d'une organisation internationale pour la paix aboutit en 1945 à la création de l'ONU (Organisation des Nations unies). L'Allemagne hitlérienne n'a pas encore capitulé – elle le fera le 8 mai – et le Japon conserve l'essentiel de ses forces lorsque s'ouvre, le 25 avril, la conférence de San Francisco au cours de laquelle est élaborée la charte des « Nations Unies ». Signé le 25 juin par les représentants des 51 États fondateurs, ce texte comporte 19 chapitres et 112 articles fixant les règles d'une organisation que l'on voudrait plus efficace que la défunte « Société des Nations ». Le « préambule » de la charte énonce les principes sur lesquels doit reposer le nouvel ordre international. Il s'agit d'abord de *« préserver les générations futures du fléau de la guerre qui deux fois en l'espace d'une vie humaine a infligé à l'humanité d'indicibles souffrances »*. Mais au but fondamental qui demeure celui de la SDN, à savoir le maintien de la paix et de la sécurité entre les nations, s'ajoutent d'autres objectifs visant à modifier la nature même des rapports entre les hommes et les groupes sociaux : la défense des « droits de l'homme », l'affirmation de l'égalité entre les nations, entre les sexes, le souci de favoriser le progrès économique et social, le respect de la justice, de la tolérance, du droit des peuples à disposer d'eux-mêmes, etc. Plus contraignante que le « pacte » de la SDN, la charte permet à la communauté des États membres de s'opposer à toute guerre (et pas seulement aux guerres « illicites ») ; elle les oblige d'autre part à participer aux actions qu'elle a décidées et surtout elle prévoit la création d'une force militaire formée de contingents des différents pays membres de l'organisation. Autrement dit, ses principes se trouvent érigés en lois internationales valables pour tous. Seules échappent à la compétence de l'ONU les « affaires intérieures des États », ce qui permettra à nombre de ses membres d'éviter toute sanction dès lors que les violations porteront sur les droits de l'homme, la répression des luttes sociales ou la rébellion des peuples colonisés.

• Les rouages de l'organisation

L'ONU comprend trois grands organes politiques ayant leur siège à New York :
– L'Assemblée générale réunit en sessions ordinaires (tous les ans de septembre à décembre) ou extraordinaires les délégués de tous les États membres, lesquels disposent chacun d'une voix. Sa compétence s'étend à tous les domaines évoqués dans la charte. Elle fonctionne, soit en séance plénière, soit dans le cadre de ses 6 commissions spécialisées et prend ses décisions à la majorité des deux-tiers pour toutes les questions de fond (paix et sécurité, admission de nouveaux membres, etc.).
– Le Conseil de sécurité est l'organe exécutif responsable du maintien de la paix. Les cinq « Grands » (États-Unis, URSS, Royaume-Uni, Chine nationaliste, France) en sont membres permanents et disposent d'un droit de veto. Aussi l'égalité entre nations membres de l'organisation se trouve-t-elle fortement entamée par le rôle que s'attribuent les grandes puissances victorieuses, décidées à ne pas renoncer aux responsabilités qu'elles ont exercées pendant la guerre. L'URSS redoute, par ailleurs, que l'on utilise contre elle une majorité de petites nations clientes des États-Unis. À Yalta, Staline a déclaré qu'il était prêt à se joindre aux États-Unis et à la Grande-Bretagne pour sauvegarder les droits des petites puissances mais qu'il n'accepterait jamais de voir soumis au jugement des petites, les actes des grandes puissances. Les membres non permanents, au nombre de 6 (10 à partir de 1966), sont élus pour deux ans par l'Assemblée générale. Le Conseil peut intervenir par des recommandations dans le règlement des différends entre les États. En cas de conflit ou d'agression, il peut prendre des mesures comportant ou non l'emploi des forces armées.
– Le secrétariat constitue une vaste machine administrative (5 000 fonctionnaires internationaux) dont le financement est assuré par les contributions des États membres. À sa tête, le secrétaire général est un personnage important, élu par l'Assemblée générale sur la « recommandation » du Conseil de sécurité. De 1946 à 1953, le siège a été occupé par le Norvégien Trygve Lie.

Les autres rouages centraux sont le Conseil économique et social, qui tient deux sessions par an et assure la liaison avec les organisations spécialisées, le Conseil de tutelle, chargé de contrôler l'administration de territoires anciennement colonisés et ne disposant pas encore de leur souveraineté, et la Cour internationale de justice dont les 15 juges, élus pour neuf ans, siègent à La Haye et tranchent par jugements obligatoires les conflits juridiques entre États. Il existe enfin, reliées à l'ONU par l'intermédiaire du Conseil économique et social, des institutions spécialisées de coopération intergouvernementale dans les domaines non politiques. Les plus importantes sont le Fonds monétaire international (FMI) et la Banque internationale pour la reconstitution et le développement (BIRD), chargés en principe de favoriser la coopération économique et monétaire entre les États, en réalité dominés par les États-Unis. La FAO *(Food and Agricultural Organization)* doit, entre autres tâches, aider les États membres à élever le niveau de vie et les normes de mutation de leurs populations. De son côté, l'UNESCO entend *« contribuer au maintien de la paix et de la sécurité en resserrant par l'éducation, la science et la culture la collaboration entre les nations afin d'assurer le respect universel de la justice, de la loi, des droits de l'homme et des libertés fondamentales pour tous »*. On citera encore l'Organisation internationale du travail (OIT), l'Organisation mondiale de la santé (OMS), etc.

• Un directoire des puissances

Au-delà des grands principes et des bons sentiments qui animent les rédacteurs de la charte, l'ONU apparaît dès sa fondation comme le reflet du nouveau rapport de force international. Les vaincus en sont provisoirement exclus et les 5 grandes puissances victorieuses y exercent une action prépondérante par le biais du droit de veto. L'existence d'un « directoire » des Grands, doté d'un pouvoir exécutif pour le maintien de la paix, peut être certes un facteur de stabilité si l'entente se maintient entre les alliés du moment. Mais elle est en même temps un moyen d'asseoir leur hégémonie et de servir leurs intérêts. Une fois dissoute la « Grande Alliance » du temps de guerre, la règle de l'unanimité au Conseil de sécurité risque de mener à la paralysie du système. D'autre part, bien que l'URSS ait obtenu trois voix à l'Assemblée générale (elle en réclamait autant que l'Union comprenait de républiques, arguant du fait que chaque dominion de Commonwealth en avait une), l'organisation reflète jusqu'à la fin des années 1950 la structure d'un système international dominé par la toute-puissante Amérique. Aussi l'ONU devra-t-elle limiter ses ambitions au règlement de conflits mineurs, laissant aux Grands le soin d'éviter un affrontement général. Au total, la part prise d'emblée par les États-Unis et l'URSS mais aussi l'extension rapide du recrutement à l'Amérique latine, à l'Asie, bientôt à l'Afrique, marquent une différence profonde avec la SDN. Enfin l'Europe a cessé d'être au centre des relations internationales et le transfert du siège de l'organisation mondiale de Genève à New York est à cet égard hautement symbolique.

Les débuts de la guerre froide (1945-1946)

• La fin de la Grande Alliance

L'effondrement de l'Axe et l'épuisement de l'Europe ont laissé face à face les deux grands vainqueurs de la guerre : États-Unis et URSS. L'Angleterre, bien qu'elle ait fortement contribué à la victoire, n'est plus que l'ombre d'elle-même et va devoir se décharger très vite sur l'Amérique de ses responsabilités mondiales. La France, libérée mais exsangue, doit consacrer toutes ses forces vives à sa reconstruction et à la reprise en main de son empire. La Chine, épuisée par sept ans de guerre et d'occupation japonaises, s'apprête à basculer dans la guerre civile. Pendant quelque temps, on peut croire que les deux «Grands» vont s'entendre pour réorganiser le monde. Mais les nécessités de la lutte contre un ennemi commun ayant disparu, la coalition ne tarde pas à se désagréger, libérant des forces qui vont aussitôt s'affronter en divers points chauds du globe. Il en résulte une longue période de conflit larvé, ponctué de quelques crises violentes, à laquelle on a précisément donné ce nom de «guerre froide».

Les premiers mois de l'après-guerre ont connu les dernières manifestations de l'Alliance que sont l'adhésion peu enthousiaste de Staline à la charte de l'ONU, la signature de traités de paix entre les vainqueurs et les alliés de l'Allemagne (Finlande, Italie, Roumanie, Hongrie, Bulgarie), l'accord de novembre 1945 assurant la liberté de passage aux avions dans des couloirs aériens reliant les trois zones d'occupation occidentales à Berlin, et le Procès de Nuremberg (nov. 1945-oct. 1946). Dans la «ville-symbole» de l'Allemagne nazie comparaissent une vingtaine de dirigeants nazis jugés comme criminels de guerre. Douze condamnations à mort sont prononcées (dont celle de Goering qui se suicide pour échapper à la pendaison), six peines de prison et trois acquittements. Le châtiment des autres responsables est laissé à la justice des pays où ont été commis leurs méfaits.

Appliqué aux relations internationales de l'époque contemporaine, le terme « guerre froide » a fait son apparition aux États-Unis dès le début de 1947, sous la plume du financier Bernard Baruch. Popularisé par le journaliste Walter Lippman, il a été aussitôt repris en Europe par les médias et par les représentants de la classe politique pour caractériser les rapports entre l'Est et l'Ouest : à savoir des rapports conflictuels entre des acteurs du jeu international dont l'objectif est d'assurer leur domination ou leur sécurité par l'emploi de tous les moyens dont ils disposent – intimidation, propagande, conquête du champ idéologique et culturel, subversion, guerres locales menées à la périphérie, par clients interposés –, à l'exception de l'affrontement direct et généralisé.

Ainsi définie, la « guerre froide » s'inscrit dans un espace chronologique dont les limites diffèrent selon les auteurs. Pour André Fontaine *(Histoire de la Guerre froide)*, elle commence au lendemain même de la révolution bolchevique et s'achève avec la « crise des fusées » en 1962. Pour la plupart des historiens, elle se déclenche au lendemain de la Seconde Guerre mondiale, connaît une phase aiguë entre 1947 et 1953 et se poursuit sous une forme atténuée jusqu'au milieu de la décennie 1960. Le regel des relations internationales à partir des années 1978-1980 a fait que certains ont réintroduit le concept de « guerre froide » (on a aussi parlé de « paix tiède ») pour caractériser la période qui a suivi l'intervention soviétique en Afghanistan. Quoi qu'il en soit, l'effondrement du bloc de l'Est et la disparition de l'URSS en tant que superpuissance ont, semble-t-il, mis un terme définitif à la guerre froide.

• Premiers désaccords : la question allemande

La question allemande est au cœur du différend entre Russes et Occidentaux. Elle va alimenter les premiers désaccords. À Potsdam (juillet 1945), ont été fixés les frontières orientales (ligne Oder-Neisse) et le sort de la nouvelle Allemagne. En attendant d'être complètement dénazifiée et rendue à sa souveraineté, celle-ci est administrée par un conseil interallié et divisée en quatre zones d'occupation (russe, américaine, britannique et française), de même que Berlin, située en zone soviétique. Le Reich ne sera pas démembré, comme on avait envisagé de le faire à Yalta, mais entièrement désarmé et démilitarisé. Son industrie lourde sera démantelée, conformément au plan élaboré pendant la guerre par le secrétaire américain au Trésor, Morgenthau, et il devra payer de lourdes réparations. Or, dès le début de 1946, les anciens alliés adoptent des points de vue radicalement différents. Tandis que l'URSS, dont le territoire a été ravagé par la guerre, entend transformer l'Allemagne en un pays exclusivement agricole, incapable de prendre sa revanche, et se livre à un démontage systématique des usines situées dans la zone qu'elle contrôle pour aider à la reconstruction de sa propre économie, Américains et Britanniques mettent fin très rapidement à la politique de démantèlement industriel et de dénazification. Ils redoutent en effet de voir l'ancien Reich appauvri, privé de cadres et mécontent de son sort, basculer dans le communisme. Pour Staline, cette attitude indique un renversement de stratégie de la part des Occidentaux, désormais désireux de reconstruire une Allemagne forte, alliée de l'« impérialisme » et bientôt réarmée en vue de l'affrontement avec l'URSS. Aussi commence-t-il à préparer dans la zone orientale l'avènement d'un régime communiste, ce que lui reprochent ses partenaires. Le dialogue de sourd débute.

• La poussée soviétique dans le monde

La première phase de la guerre froide se caractérise en effet par une poussée communiste en Europe orientale et en Asie. À Yalta, Staline avait accepté de signer une déclaration indiquant que les peuples libérés pourraient choisir librement leurs institutions et leurs gouvernements. Mais la façon dont se déroulent, dès l'automne 1944, les élections et l'« épuration » en Roumanie et en Bulgarie, montre qu'il n'a pas la même conception que les Occidentaux du libre arbitre des peuples. Partout où stationne l'Armée rouge – Roumanie, Bulgarie, Tchécoslovaquie, Hongrie – les communistes prennent une place de plus en plus importante dans les gouvernements en exil à Londres, qui ont été intégrés après Yalta dans l'équipe dirigeante mise en place par les Russes, se trouvent isolés face aux partisans de Moscou. En Albanie et en Yougoslavie, pays qui se sont libérés sans l'aide de l'Armée rouge, les chefs de la résistance communiste (Hodja et Tito) prennent en main les leviers de commande, d'abord contre l'avis de Staline – qui entend dans un premier temps respecter la division de l'Europe en « zones d'influence », telles qu'elles ont été délimitées en octobre 1944 dans un accord secret avec Churchill, non reconnu par les Américains – puis avec son soutien. En Grèce, l'attitude des Soviétiques est la même. Après avoir freiné la résistance communiste, Staline souffle sur le feu et ravitaille les maquis du général Markos, en lutte contre les nationalistes grecs, soutenus par les Britanniques.

En Iran, il pousse les Kurdes à la révolte et cherche à se maintenir en Azerbaïdjan, tandis qu'il revendique le partage du contrôle des Détroits avec la Turquie. Le 5 mars 1946, Churchill, qui a été écarté du pouvoir l'année précédente mais conserve un immense prestige en Occident, tire la leçon de cette poussée de l'URSS dans un discours retentissant, prononcé à Fulton (Missouri) en présence du Président Truman et qui marque officiellement le coup d'envoi de la guerre froide. L'ex-Premier ministre britannique déclare en particulier :

« Une ombre est descendue sur les scènes si récemment éclairées par la victoire alliée... De Stettin dans la Baltique à Trieste dans l'Adriatique, un rideau de fer est tombé sur le continent. Derrière cette ligne se trouvent toutes les capitales des anciens États de l'Europe centrale et de l'Est, Varsovie, Berlin, Prague, Vienne, Budapest, Belgrade, Bucarest et Sofia, toutes ces illustres villes, avec leurs populations, se trouvent dans ce que je dois appeler la sphère soviétique, et toutes sont soumises d'une manière ou d'une autre non seulement à l'influence soviétique, mais à un contrôle très étroit et, dans certains cas, croissant de Moscou... Les partis communistes, qui étaient très faibles dans tous ces États de l'Est de l'Europe, ont obtenu une prééminence et un pouvoir qui dépassent de beaucoup leur importance et ils cherchent partout à exercer un contrôle totalitaire. Des gouvernements policiers s'installent à peu près partout, au point qu'à l'exception de la Tchécoslovaquie il n'y a pas de vraie démocratie (...). »

Mais la détérioration du climat international n'est pas le fait des seuls Soviétiques. Ces derniers considèrent en effet certaines décisions des Occidentaux comme des gestes agressifs dirigés contre l'URSS. C'est le cas, par exemple, au lendemain même de la capitulation allemande, de la suppression par Truman de l'aide accordée aux Russes au titre du prêt-bail. Néanmoins, on peut dire que jusqu'à la fin de 1946, les dirigeants américains n'ont pas cherché à dramatiser le conflit, forts de la supériorité que leur assurent le monopole nucléaire et la puissance de leur industrie (50 % de la production mondiale) et sûrs de pouvoir faire reculer les Soviétiques dès lors qu'ils chercheraient à sortir du « glacis » qui leur a été tacitement reconnu en Europe de l'Est.

L'émergence des blocs (1947-1949)

• La politique d'« endiguement »

Introduite en mars 1947 par le Président Truman, la politique dite de l'« endiguement » constitue un tournant dans ce que l'on peut désormais appeler les relations Est-Ouest. Au début de 1947, le gouvernement américain décide de porter un coup d'arrêt à la poussée communiste en Europe et en Asie. En janvier, le secrétaire d'État Byrnes est remplacé par le général Marshall et le 12 mars le Président Truman prononce devant le Congrès un discours dans lequel il engage les États-Unis à arrêter la progression du communisme en apportant une aide financière massive aux pays qui veulent rester « libres ». Il explique qu'à ses yeux, *« la politique des États-Unis doit être de soutenir les peuples libres qui résistent à des tentatives d'asservissement, qu'elles soient le fait de minorités armées ou de pressions étrangères »*. Pour lui, *« les semences des régimes totalitaires sont nourries par la misère et le dénuement »*. Il estime donc que son pays doit *« aider les peuples libres à forger leur destin de leurs propres mains... »*. Les premiers bénéficiaires de cette aide seront la Grèce – où les Américains prennent la relève des Britanniques, incapables de poursuivre leur effort – et la Turquie, qui reçoivent respectivement 250 et 150 millions de dollars. Le *containment* (endiguement), ou « doctrine Truman », aboutit assez rapidement à une stabilisation des positions en Europe du Sud et au Proche-Orient, les Américains établissant solidement leur influence en Iran et en Turquie et aidant les monarchistes grecs à triompher des forces communistes (le mont Grammos, dernier nid de résistance, est occupé en octobre 1949). Conséquence de ce durcissement de la politique américaine, la conférence permanente des ministres des Affaires étrangères des 5 « Grands », qui était chargée depuis 1945 d'élaborer les traités de paix, met définitivement fin à ses travaux en décembre 1947 sans avoir donné de solution au problème allemand.

L'application de la doctrine Truman aux pays industrialisés de l'Europe de l'Ouest est l'œuvre du plan Marshall. Ici, à la différence des secteurs intégrés dans le « glacis soviétique », les Américains ne défendent pas seulement des principes, mais également des intérêts. En 1946, 42 % de leurs exportations ont pris le chemin de l'Europe occidentale (contre 2 % dans le reste du continent) et, dans une conjoncture mondiale difficile, l'effondrement des économies européennes, incapables de se relever puisqu'elles manquent de dollars pour solder leurs achats (*dollar-gap*), ne peut être que catastrophique pour la prospérité américaine. En même temps, il risque de faire basculer dans le camp adverse des pays en proie à la misère et où de puissants partis communistes peuvent canaliser le mécontentement des masses. Jusqu'en 1947, les partis communistes, ralliés aux coalitions gouvernementales de la Libération, ont œuvré dans le sens d'une politique de rassemblement des énergies, voire d'austérité. Or, ils commencent à prendre du champ, condamnant les « erreurs » de la politique économique. L'interférence entre l'agitation sociale et la détérioration des rapports Est-Ouest conduit les majorités gouvernementales à éliminer les communistes. Mais il faut compter aussi avec le jeu des pressions extérieures, en particulier des États-Unis qui voient d'un œil de plus en plus critique la participation des partis communistes à la direction des affaires. Aussi, dès mai 1947, l'élimination des ministres communistes est-elle une chose acquise, tant en France qu'en Italie. Dès lors les partis communistes ont plus de latitude pour prendre en charge le mouvement revendicatif, lequel risque de déboucher sur un véritable mouvement révolutionnaire.

C'est pour parer à cette double menace que le secrétaire d'État Marshall propose dans son discours de Harvard, le 5 juin 1947, un vaste « plan d'assistance américaine pour le relèvement de l'Europe » (ERP, *European Recovery Program*), comportant à la fois des livraisons de produits à titre gratuit, et des crédits à très faibles taux d'intérêt, le tout financé par le Trésor américain. En contrepartie, les pays européens devaient se concerter pour définir leur plan de redressement et prendre les mesures nécessaires pour assurer la stabilité de leurs monnaies. L'aide ne serait pas accordée à chaque pays pris isolément, mais à un organisme groupant les bénéficiaires et répartissant entre eux les crédits. Cette aide économique de plus de 10 000 millions de dollars – dont plus de la moitié répartis entre l'Allemagne de l'Ouest, l'Italie, la France et le Royaume-Uni – est aussitôt acceptée avec enthousiasme par les 16 pays qui vont constituer l'OECE. Elle est également offerte à l'Europe de l'Est et à l'URSS. La Pologne et la Tchécoslovaquie sont prêtes à accepter mais le Kremlin, parlant au nom de tout le « camp socialiste », refuse tout net car il voit dans le plan Marshall une machine de guerre destinée à miner son influence dans les pays en voie de satellisation.

• De la « guerre froide de mouvement » à la « guerre froide de position »

La riposte soviétique aux initiatives du gouvernement américain s'opère sur deux plans : mise en tutelle économique et politique des pays occupés par l'Armée rouge et création, en octobre 1947, d'un organe de coordination des partis communistes, le Kominform. À cette occasion, l'un des principaux collaborateurs de Staline, Jdanov, formule dans un discours très dur la doctrine officielle du Kremlin, sorte de pendant à la doctrine Truman. Il y affirme que :

« Les États-Unis sont la principale force dirigeante du camp impérialiste. L'Angleterre et la France sont unies aux États-Unis… Le camp impérialiste est soutenu par les pays possesseurs de colonies, tels que la Belgique et la Hollande… ainsi que par des pays dépendant politiquement et économiquement des États-Unis, tels que le Proche-Orient, l'Amérique du Sud, la Chine (…). »

La « doctrine Jdanov » peut être résumée ainsi :

1. le monde est désormais divisé en deux camps irréconciliables ;
2. l'URSS est le chef de file du camp de la « démocratie » et de la « paix » ;
3. partout où ils le peuvent, les partis communistes doivent prendre le pouvoir.

En France et en Italie, où les communistes ont dû quitter les gouvernements de coalition en avril et mai 1947, l'application de la « doctrine Jdanov » donne lieu à de puissantes campagnes destinées à ébranler les pouvoirs « bourgeois » : grèves révolutionnaires et manifestations de masse se succèdent jusqu'à l'automne 1948, sans autre effet que d'isoler les PC dans un véritable « ghetto » politique et culturel.

Avec la crise de Berlin et le schisme yougoslave, on passe de la « guerre froide de mouvement » à la « guerre froide de position », l'Europe s'installant durablement dans un partage des influences soviétiques et occidentales. Fortement traumatisés par le « coup de Prague » qui porte au pouvoir dans des conditions dramatiques les communistes jusqu'alors minoritaires en Tchécoslovaquie, les Occidentaux décident d'accélérer dans leur zone la reconstitution d'un État allemand économiquement et politiquement fort, susceptible de faire barrage au communisme. La première étape du processus qui conduira en mai 1949 à la création de la République fédérale d'Allemagne, ayant sa capitale et son gouvernement à Bonn, est la réforme monétaire opérée par les Anglo-Américains dans leurs secteurs fusionnés (la « bizone »), ce qui entraîne aussitôt le retrait du représentant soviétique, le maréchal Sokolovski, du Conseil de contrôle quadripartite qui, depuis 1945, constituait l'autorité suprême pour l'ensemble du territoire allemand.

La rupture entre les deux Allemagne (une « République démocratique allemande », d'obédience communiste, sera proclamée à Berlin-Est le 30 mai 1949), se trouve ainsi consommée. Reste le problème de Berlin, lui aussi découpé en 4 secteurs dont 3 forment une enclave occidentale au cœur de la zone soviétique. Pour tenter d'en chasser les Occidentaux, les Soviétiques décident en juin 1948 de bloquer tous les accès routiers et ferroviaires de Berlin-Ouest, condamnant la ville à l'asphyxie. Peut-être Staline pense-t-il que la ville va tomber comme un fruit mûr ou veut-il tester la capacité de résistance des Américains ? Toujours est-il qu'il a sous-estimé cette dernière, puisque Washington va saisir cette opportunité pour montrer jusqu'où il est prêt à aller dans sa politique d'endiguement. Aussi les Américains ripostent-ils aussitôt par la mise en place d'un gigantesque « pont aérien » : 2,5 millions de tonnes de ravitaillement de toute nature seront ainsi transportées en un an par des centaines d'avions. En même temps, Truman fait savoir aux Russes qu'il n'hésitera pas à faire usage de la force pour maintenir libres les couloirs aériens. En levant le blocus en juin 1949, Staline reconnaît implicitement sa première grande défaite dans la guerre froide qui l'oppose au camp occidental.

Deux autres échecs marquent un coup d'arrêt pour l'URSS. Le premier concerne la Finlande, qui, malgré les pressions du Kremlin, parvient à maintenir sa neutralité, refusant le plan Marshall, mais évitant en même temps la domination communiste. Plus grave et plus inattendu est le conflit Staline-Tito. Ce dernier, on le sait, a libéré avec les forces de ses seuls partisans l'ensemble du territoire yougoslave et il entend tirer parti de cette situation pour affirmer son autonomie à l'égard de Moscou auquel il reproche son intervention excessive dans les pays satellites, et pour faire valoir les intérêts nationaux de la Yougoslavie. Le désaccord persiste, tant sur la question de Trieste que sur celle de la création d'une fédération balkanique avec la Bulgarie, projet refusé par l'Union soviétique. Dès 1947, les rapports entre Staline et Tito se détériorent. L'année suivante, les techniciens soviétiques quittent le pays et le 11 août 1948, dans une note adressée à Belgrade, le gouvernement soviétique rompt tous les liens diplomatiques et condamne le régime yougoslave, l'accusant d'être déviationniste. Mais le parti communiste yougoslave et son chef résistent aussi bien aux pressions et aux manœuvres politiques qu'à l'épreuve du blocus économique imposé par les démocraties populaires voisines.

Cette affaire affaiblit le camp socialiste. Double recul, en Yougoslavie même et en Grèce où les insurgés, abandonnés par Tito, sont condamnés à l'élimination. De plus, elle accroît la méfiance de Staline envers tous les dirigeants communistes des pays de l'Est, suspectés de tendances nationalistes, et elle déclenche une vague de procès et d'épuration qui ne peut être justifiée par le Kremlin que par une relance de la guerre froide.

Le pacte Atlantique (1949)

• Le contexte de guerre froide

Il s'agit du traité signé le 4 avril 1949 à Washington par les représentants des douze pays qui vont constituer l'alliance Atlantique : deux États d'Amérique du Nord (États-Unis et Canada) et dix États européens (Royaume-Uni, France, Italie, Belgique, Pays-Bas, Luxembourg, Portugal, Norvège, Danemark, Islande). L'origine du pacte est à rechercher dans l'angoisse des Occidentaux devant l'avancée communiste en Europe (création du Kominform, grèves communistes en Italie et en France en 1947-1948 et surtout, «coup de Prague» de février 1948 et blocus de Berlin en juin).

Ce sentiment pousse le Royaume-Uni et la France, liés par le traité de Dunkerque de mars 1947, à élargir leur pacte d'alliance. Le 17 mars 1948, un traité est signé à Bruxelles entre ces deux puissances et la Belgique, les Pays-Bas et le Luxembourg. Conclu pour cinq ans, il stipule dans son article 4 que dans le cas où l'une des parties serait l'objet d'une agression en Europe, les autres signataires «lui porteraient aide et assistance par tous les moyens en leur pouvoir, militaires et autres». Enfin, le blocus de Berlin va renforcer l'idée d'une extension du pacte de Bruxelles à d'autres pays de l'Europe occidentale et aux deux grands états industriels d'Amérique du Nord. Mais pour que les États-Unis puissent, en temps de paix, entrer dans un système d'alliances hors du continent américain, il faut un vote du Sénat : celui-ci est acquis le 11 juin 1948 par 64 voix contre 4. C'est la «résolution Vandenberg», du nom du sénateur qui l'a proposée. Cet engagement constitue une véritable révolution dans la politique extérieure américaine (abandon de la doctrine Monroe). Dès lors, il devient possible d'envisager un système unique de défense mutuelle intégrant celui du traité de Bruxelles. Des pourparlers s'engagent dans cette perspective à Washington en juillet 1948. Ils aboutissent le 4 avril 1949 à la signature du traité de l'Atlantique Nord.

• Les dispositions du traité

L'esprit et les buts du traité sont exposés dans le préambule et dans les trois premiers articles. Essentiellement défensif, le pacte a pour objet d'assurer collectivement la sécurité des États signataires. La référence à la charte de l'ONU est constante. Comme elle, le texte du traité évoque les grands principes sur lesquels doit reposer l'ordre international : la liberté des peuples, le «règne du droit», la «justice», le «bien-être» des populations, la coopération économique, le refus de l'emploi de la force dans le règlement déjà censés caractériser l'esprit de la SDN, il est fait très concrètement allusion à la communauté de civilisation et d'idéal qui lie les parties contractantes, respectueuses de la démocratie et des « libertés individuelles ». En deçà des questions militaires, il s'agit, dans un premier temps, d'affirmer la nécessité de promouvoir des politiques communes, garantie de paix entre les nations ; ce qui pose problème pour des États soumis à des régimes dictatoriaux comme le Portugal, voire la Turquie et la Grèce à certaines époques.

La sécurité collective des États membres est assurée :

– En temps de paix par l'assistance mutuelle et la coopération économique (art. 2). En 1949, au moment où est signé le traité, cela ne pose guère de problème. Il n'en sera pas de même plus tard, dans le courant des années 60, lorsque la CEE (instituée par le traité de Rome en 1957) deviendra la rivale commerciale des États-Unis. Autre source de difficulté pour l'avenir : il est dit, dans l'article 3, que chaque pays signataire devra accroître sa capacité de « résistance à une attaque armée ». Tant qu'il s'agira de forces conventionnelles intégrées ou non à celles de la communauté Atlantique, Washington n'y verra que des avantages. En revanche, lorsque le général de Gaulle entreprendra de développer une force atomique autonome, condition essentielle pour lui de l'indépendance de la France, les Américains critiqueront vivement cette initiative, coupable à leurs yeux de rompre la solidarité occidentale et de contribuer au risque de « prolifération » nucléaire.

– En temps de guerre, il est prévu une action concertée des États membres de l'Alliance. La disposition fondamentale est ici celle de l'article 5. Une attaque contre l'une des parties sera considérée comme dirigée contre toutes les autres et entraînera pour chacune de celles-ci « telle action qu'elle jugera nécessaire, y compris l'emploi de la force armée ». *« Cette stipulation,* déclarait René Mayer, rapporteur du traité devant l'Assemblée nationale française, *est un compromis entre l'impossible automatisme et l'absence de tout engagement. »* Chaque État membre conserve donc sa souveraineté en adhérant au traité, ainsi qu'une assez grande marge de liberté concernant sa participation à un éventuel conflit. Cette réserve, introduite pour apaiser les craintes de l'opinion isolationniste américaine, ne sera pas sans susciter par la suite des inquiétudes de la part des Européens.

D'autres dispositions du traité portent sur les points suivants :

– L'aire géographique concernée : il est précisé dans l'article 6 qu'elle s'étend aux territoires métropolitains des États membres mais non à leurs possessions d'outre-mer (sauf l'Algérie et les îles de l'Atlantique Nord).

– Le traité peut être révisé au bout de dix ans à la demande de l'une des parties et par voie de consultation (art. 12). Il peut être dénoncé par toute partie au bout de 20 ans (art. 13), mais sa durée est illimitée, comme le préciseront les Alliés dans les accords de 1954. D'autres pays peuvent être admis dans l'Alliance, dans les conditions fixées par l'article 10 qui précise : *« Les parties peuvent, par accord unanime, inviter à accéder au traité tout autre État européen susceptible de favoriser le développement des principes du présent traité et de contribuer à la sécurité de la région de l'Atlantique Nord. »*

La Turquie et la Grèce y seront intégrées en 1952, la RFA en 1955.

• L'OTAN

Ce qui distingue fondamentalement ce traité des alliances de type traditionnel qui l'ont précédé, ce sont les organes permanents qui se sont développés pour en assurer l'exécution et qui constituent l'Organisation du traité de l'Atlantique Nord (OTAN). Au temps de la guerre éclair et de la bombe atomique, une action concertée ne peut être laissée à l'improvisation. Sur ce point, le texte du traité ne contenait que des indications vagues, rassemblées dans l'article 9 : création d'un « Conseil », organisé « de façon à pouvoir se réunir rapidement et à tout moment », lequel « constituera les organismes subsidiaires qui pourraient être nécessaires ». Ce sont ces derniers qui vont être mis sur pied, précisés et diversifiés au cours des années suivantes. En 1952, l'organisation est en possession de ses structures essentielles, tant civiles que militaires. Parmi ces dernières, on notera la création d'un état-major militaire international supervisant 4 zones de commandement distinctes : en Europe (QG Rocquencourt – France), dans l'Atlantique (siège à Norfolk en Virginie) dans la Manche (Northwood – GB) et un Groupe stratégique régional Canada – États-Unis (Washington).

Malgré ses imperfections – elle est adaptée à une stratégie « frontale » en Europe, non à la stratégie « périphérique » que les Soviétiques vont développer dans le tiers-monde à partir de 1955 – et ses incertitudes, concernant notamment l'engagement automatique de la force nucléaire américaine en cas d'attaque contre l'Europe (ce sera le principal grief formulé par le général de Gaulle), l'alliance Atlantique a, depuis sa création en 1949, atteint l'objectif majeur exposé par ses promoteurs dans le préambule du traité, c'est-à-dire, la « préservation de la paix et de la sécurité » dans la zone couverte par le pacte.

Ainsi, à la fin de 1949, l'Europe et le monde paraissent-ils de plus en plus nettement s'organiser autour de deux « pôles » de puissances : les États-Unis qui, poussés par les circonstances, ont été amenés à exercer leur leadership sur le « monde libre » et assument les responsabilités majeures au sein de l'alliance Atlantique ; l'URSS qui, en attendant la mise en place du pacte de Varsovie en 1955, a signé des traités militaires avec ses satellites et s'efforce depuis janvier 1949 de les intégrer économiquement à l'espace soviétique par le biais du COMECON, réplique orientale à l'OECE. Par ailleurs, hors d'Europe, les communistes continuent de marquer des points en 1948-1949, obligeant les puissances coloniales à s'épuiser dans des interventions lointaines (Indochine, Indonésie) ou s'emparant du pouvoir (Corée du Nord, Chine). Ce sont désormais deux « blocs » relativement homogènes qui vont s'affronter dans les batailles de la guerre froide.

Apogée et reflux de la guerre froide (1950-1953)

• La guerre de Corée (1950-1953)

La guerre de Corée constitue un des événements majeurs de la guerre froide, puisqu'elle porte à son apogée l'affrontement Est-Ouest et débouche sur un raidissement des deux « blocs ». Lorsque, le 1er octobre 1949, Mao Zedong proclame la République populaire de Chine après avoir triomphé des forces nationalistes de Tchang Kaïchek refoulées dans l'île de Formose, on peut se demander si l'Asie orientale ne va pas devenir communiste. Or, les Américains ont peu réagi à la victoire du communisme en Chine et, sauf au Japon où ils sont installés depuis 1945, paraissent se désintéresser de la zone. Le secrétaire d'État Dean Acheson ne déclare-t-il pas le 12 janvier 1950 que la Corée du Sud et Formose se trouvent en dehors du « périmètre défensif des États-Unis dans le Pacifique » ? La tentation est grande pour Staline, mis en échec en Europe par la politique de *containment*, de faire avancer ses pions dans la région.

Après son évacuation par les Japonais, la Corée s'est trouvée coupée en deux de part et d'autre du 38e parallèle : au sud, la dictature de Syngman Rhee soutenue par les Américains ; au nord, la République populaire de Corée, dirigée par le général Kim Il Sung et appuyée par l'URSS et les démocraties populaires. En rétablissant l'unité du pays à leur profit, ces dernières pourraient du même coup menacer la présence américaine au Japon et contenir l'influence de

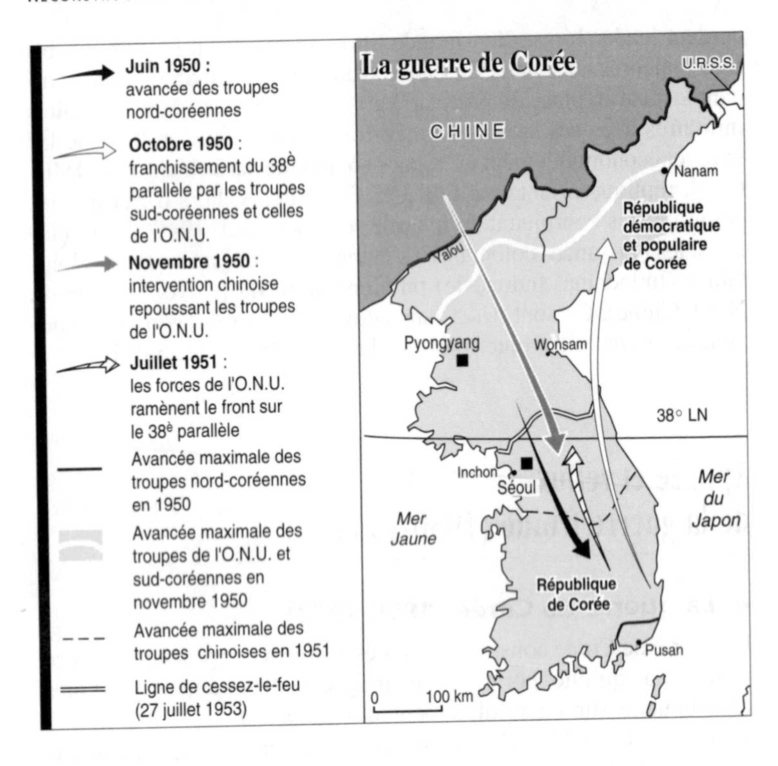

la Chine révolutionnaire, théoriquement amie de Moscou, mais dont Staline se méfie. Aussi encourage-t-il les Coréens du Nord à envahir le Sud : le 25 juin 1950 leurs troupes franchissent le 38e parallèle.

Décidant d'appliquer à l'Asie sa tactique de l'« endiguement », Truman réagit aussitôt. Il fait bombarder le Nord et envoie un puissant corps expéditionnaire placé sous le pavillon des Nations unies (en l'absence du délégué soviétique, le Conseil de sécurité a condamné l'agression nord-coréenne). D'abord mis en difficulté, les Américains – qui ont débarqué en septembre sur la côte ouest, près d'Inchon – refoulent leurs adversaires loin vers le nord, en direction du fleuve Yalou qui marque la frontière avec la Chine. Aussi Mao décide-t-il d'intervenir directement dans la bataille, envoyant au sud du Yalou plusieurs centaines de milliers de « volontaires » qui obligent à leur tour les unités de l'ONU à battre en retraite. Un débat dramatique s'engage alors entre le commandant en chef américain, le général MacArthur, partisan du « refoulement » qui envisage d'employer l'arme atomique pour faire reculer les Chinois, et le Président Truman qui redoute le déclenchement d'une troisième guerre mondiale et le relève de son commandement. À la fin de 1951, le front se stabilise à proximité du 38e parallèle. Des pourparlers s'engagent qui n'aboutiront qu'en juillet 1953, après la mort de Staline, à l'armistice de Pam Mun Jom.

• Le raidissement des blocs (1950-1952)

La guerre de Corée marque un nouveau tournant de la politique occidentale. Bien qu'elle ait concouru à la relance de l'économie américaine en stimulant les industries directement ou indirectement intéressées à l'effort de guerre (c'est le début du grand boom de la côte ouest), elle a été coûteuse en vies humaines et surtout elle a provoqué aux États-Unis une véritable psychose anticommuniste. « L'Amérique est en danger », déclare le sénateur Taft. C'est le moment où, sous l'influence du sénateur MacCarthy, la « chasse aux sorcières » bat son plein, et où le secrétaire d'État John Foster Dulles (les Américains ont élu en novembre 1952 à la présidence le républicain Dwight Eisenhower, ancien commandant en chef des troupes alliées pendant la guerre) applique à la conduite de la politique étrangère sa vision du monde en noir et blanc, tandis que les « faucons » partisans d'une ligne dure dans les rapports avec Moscou rêvent d'étendre le *roll-back* (refoulement) à tous les territoires occupés par les Soviétiques depuis 1945.

Cette « grande peur » de l'Amérique, partagée par les Européens de l'Ouest, se traduit dans les faits par la recherche d'alliances avec tous les pays qui se sentent menacés par le communisme. Au pacte du Pacifique ou ANZUS, signé en septembre 1951 entre l'Australie, la Nouvelle-Zélande et les États-Unis, se substitue en 1954 l'OTASE (Organisation du traité de l'Asie du Sud-Est) qui regroupe, outre ces trois pays, le Pakistan, les Philippines, la Thaïlande, le Royaume-Uni et la France. L'année suivante, le pacte de Bagdad, qui rassemble l'Angleterre, la Turquie, l'Iran, le Pakistan et l'Irak, achève l'encerclement par le Sud du bloc socialiste. En Europe, les Américains poussent les États de l'Ouest à s'unir et se déclarent favorables au projet de « pool charbon-acier », présenté en mai 1950 par le ministre français Robert Schuman. Surtout, ils réclament le réarmement de l'Allemagne, en contradiction formelle avec les accords de Potsdam et avec les engagements pris lors de la conclusion du pacte Atlantique. Pour éviter que cette démarche n'aboutisse à la renaissance d'une puissance militaire allemande, susceptible de remettre en cause les acquis de la victoire, ce à quoi l'opinion française est extrêmement hostile, le gouvernement de Paris, alors présidé par René Pleven, propose – avec l'accord des États-Unis – un projet d'armée européenne devant intégrer les forces allemandes reconstituées et celles des autres États membres de l'alliance dans un ensemble supranational. Le 27 mai 1952 est signé dans cette perspective le traité de Paris instituant la « Communauté européenne de défense » (CED). L'Angleterre s'y rallie sans accepter d'en faire partie, mais, en 1954, l'opposition conjuguée des communistes et des gaullistes empêche la ratification du traité par le Parlement français.

Le raidissement du camp socialiste est tout aussi spectaculaire. Bien qu'ils aient fait exploser leur première bombe atomique en 1949 et leur première bombe à hydrogène en 1953, les Soviétiques redoutent que leurs adversaires ne mettent à profit leur énorme supériorité stratégique pour les anéantir, ou du moins pour les ramener aux frontières de 1939. Staline, vieillissant et de plus en plus isolé, impose à son camp un véritable régime d'état de siège et pousse les communistes occidentaux à multiplier les manifestations violentes dirigées contre l'alliance américaine et le « revanchisme » allemand. Dans les deux camps, beaucoup croient à l'imminence d'un troisième conflit mondial.

• Vers une détente internationale ? (1953)

La mort de Staline, le 5 mars 1953, marque le début du « dégel ». Tandis que l'un des nouveaux dirigeants soviétiques, Malenkov, lance une grande offensive en faveur de la « coexistence pacifique », et que le Président Eisenhower expose un plan d'utilisation pacifique de l'atome, la paix est provisoirement rétablie en Extrême-Orient et en Asie du Sud-Est, avec l'armistice en Corée et les accords de Genève qui mettent fin, en juillet 1954, à la première guerre d'Indochine. Le monde paraît s'acheminer vers une relative détente.

CHAPITRE 11

Les cultures de l'après-guerre

La vie intellectuelle et culturelle de l'après-guerre est marquée à la fois par une forte volonté d'affranchissement formel et existentiel, et par un sentiment d'angoisse et d'absurde auxquels nombre d'intellectuels s'efforcent d'échapper par l'engagement dans le combat politique. Le champ culturel devient ainsi, à partir de 1946, un terrain d'affrontement privilégié pour les influences rivales des deux grands vainqueurs de la guerre. Favorisée par la force de pénétration de puissants réseaux financiers et par l'hégémonie linguistique de l'anglais, celle des États-Unis s'exerce surtout dans le domaine des cultures de masse : cinéma, jazz, bande dessinée, roman « noir » ... Cette prégnance du « modèle américain » se heurte à la résistance des formes traditionnelles et élitistes de la culture nationale, la littérature, le théâtre, les arts plastiques..., et à une contre-culture communiste, elle-même très fortement influencée par le modèle « jdanovien » et par les canons du « réalisme socialiste » en vigueur en URSS et dans les pays de l'Europe de l'Est. Aussi s'enfonce-t-elle dans un dogmatisme figé d'où émergent cependant des œuvres de grande valeur.

Le climat intellectuel du milieu du siècle

• Les «chemins de la liberté»

Après six années de guerre totale, les hommes retrouvent leurs libertés perdues. L'hédonisme généralisé qui accompagne ce retour à la paix n'exclut pas l'interrogation lucide sur la notion de liberté, tant sont complexes les chemins que peut prendre cette valeur retrouvée. Certes, la guerre, l'Occupation, la propagande nazie, fasciste ou «collaborationniste», n'ont pas fait disparaître en Europe toute trace de vie culturelle indépendante.

En Italie, les dernières années du fascisme ont été marquées par une puissante montée de sève contestataire d'où surgiront les moissons fécondes de l'immédiat après-guerre. En France, la littérature a donné quelques chefs-d'œuvre diffusés publiquement ou clandestinement, ou dont la publication a été simplement différée. Tel est le cas pour *L'Être et le néant de Sartre,* publié en 1943, ou, du même auteur, des deux premiers volumes des *Chemins de la liberté,* parus en 1945, mais dont la rédaction remonte aux années de l'Occupation. Dans le même temps le théâtre, et plus encore le cinéma connaissent une sorte d'«âge d'or» dont témoignent, entre autres, côté caméra, *Les Visiteurs du Soir* (1942) et plus encore, *Les Enfants du Paradis* (1943) de Marcel Carné, ou *Goupi Mains Rouges* (1943) de Jacques Becker.

Toutefois, une rupture profonde avec le passé immédiat et lointain se produit au moment de la Libération et avec le retour à la paix, après cinq années d'un conflit impitoyable. De la même façon que le premier après-guerre avait donné naissance à l'esprit des «années folles», la période qui suit l'effondrement de l'Axe voit se développer un climat d'affranchissement, affectant tous les domaines de la vie intellectuelle. Sous la plume de Malraux, d'Eluard, de Sartre, de Camus et de beaucoup d'autres, le mot et la notion de «liberté» occupent une place considérable dans le champ de la production littéraire et théâtrale. Libertés «formelles», reconquises au prix fort sur les partisans de l'«Ordre nouveau» et qui vont bientôt servir de drapeau aux adversaires d'un autre totalitarisme. Liberté pour l'homme d'échapper – par l'acte voulu et choisi – à sa condition d'être déterminé, biologiquement et socialement, liberté enfin d'affirmer ses propres choix d'existence, entre les dogmes, les tabous et les conformismes imposés par les idéologies, les religions ou la simple pression du corps social.

• Angoisse et fureur de vivre

Il est vrai que la guerre a fait resurgir, avec une force décuplée, les interrogations de l'homme occidental, confronté aux réalités d'un monde perçu comme de plus en plus irrationnel et inhumain. La science et la technique mises au service de la tuerie de masse, la révélation des capacités de destruction propres aux armes nucléaires, le massacre des civils, la réapparition de la torture et de la famine, l'horreur du génocide hitlérien, plus tard la découverte des crimes staliniens, puis des atrocités commises à l'occasion des guerres coloniales, au nom du «socialisme», du «progrès» et de la «démocratie», sont autant d'éléments qui contredisent les idéaux se rattachant au rationalisme de progrès hérité de la philosophie des lumières et du positivisme, et achèvent de ruiner l'ancien système de valeurs.

Cette remise en question de certitudes transmises depuis des générations par la famille et l'école se développe dans un climat où la peur d'une nouvelle guerre, plus meurtrière encore que celle qui vient de finir, a très vite remplacé l'euphorie de la Libération. Une sensation d'angoisse et un sentiment de l'absurde se trouvent ainsi renforcés, auxquels les idéologies et les religions en place – figées à cette date dans des positions de combat – n'offrent d'autre solution de rechange que celle de l'engagement inconditionnel.

De fait, beaucoup, surtout parmi les jeunes et les cercles intellectuels, réagissent à ce pessimisme ambiant en affichant une «fureur de vivre» qui est à la fois volonté d'exploiter toutes les virtualités d'une existence que l'on veut sans contraintes et fuite un peu suicidaire dans un monde artificiel que symbolise, jusqu'au début des années 50, le mythe de Saint-Germain-des-Prés.

À la «coupole», au «Café de Flore», dans des cafés ou des cabarets, se rencontrent poètes et chanteurs (J. Prévert, J. Gréco, Boris Vian) mais aussi, autour de Jean-Paul Sartre, tous ceux que séduit la philosophie nouvelle, l'existentialisme.

• Changer le monde

Il n'en reste pas moins que pour nombre d'écrivains et d'artistes, l'engagement, quelle qu'en soit la forme, est à l'ordre du jour. D'autant qu'au lendemain de la guerre, il s'inscrit dans la continuité de la lutte antifasciste et des combats de la Résistance. Nombreux sont ceux qui, comme Louis Aragon, Paul Eluard, Roger Vailland, Claude Roy, Pablo Picasso, ou comme l'Italien Elio Vittorini, ont adhéré au parti communiste, autant par haine du fascisme et par souci de justice sociale, que par choix idéologique délibéré. D'autres, se réclamant ou non du marxisme, se refusent à franchir le pas et à entrer dans une organisation dont ils ne partagent pas toutes les idées mais qui leur paraît porteuse d'avenir parce que «sur les positions de la classe ouvrière». Sartre, malgré ses démêlés avec le parti communiste et avec les idéologues du Kremlin, des catholiques comme ceux qui se rassemblent autour de la revue *Esprit*, des «progressistes» et des socialistes déçus par le réformisme prudent de la gauche modérée et par ses compromissions avec la «bourgeoisie» et avec l'«impérialisme», acceptent ainsi de se ranger, pendant quelque temps, parmi les «compagnons de route» du parti communiste. Toutefois, à partir de 1947, la guerre froide et l'alignement des communistes occidentaux sur les positions de l'URSS vont amener nombre d'entre eux à rompre avec le communisme.

De la révolte à l'engagement

• Les intellectuels dans la bataille

La plupart des intellectuels sont donc passés, en quelques années, de la révolte à l'engagement partisan dans la perspective d'un changement de société, voire de civilisation. Les plus nombreux adhèrent au marxisme, tantôt «compagnons de route», tantôt militants des partis communistes, à un moment où ces organisations connaissent en Europe occidentale un essor sans précédent.

C'est que la guerre a déterminé un profond clivage parmi les intellectuels et les artistes. À droite, nombre d'entre eux, et non des moins célèbres, sans subir à la Libération le sort tragique d'un Brasillach ou d'un Drieu La Rochelle (le premier a été fusillé, le second s'est donné la mort), sont déconsidérés par leur attitude durant l'Occupation et vont connaître quelques années de «purgatoire» avant de redonner de la voix à la faveur des reclassements de la «guerre froide». Les autres, ceux qui d'une façon ou d'une autre ont participé aux combats de la Résistance, cherchent, par leurs écrits et par leurs actes, à en prolonger l'esprit une fois la paix revenue. Beaucoup vont ainsi s'engager dans l'action politique, avec le souci de promouvoir un monde plus juste; certains, comme Albert Camus, sans autre raison que de «protester contre l'univers du malheur».

• La vague existentialiste

Le succès que rencontre au lendemain de la Libération l'œuvre romanesque et scénique de Jean-Paul Sartre, animateur d'un petit groupe de philosophes et d'écrivains rassemblés autour de la revue *Les Temps modernes,* ne correspond pas seulement à un phénomène de « mode », plus ou moins orchestré par les médias de l'époque. Il traduit également le « mal du siècle » d'une génération issue de la guerre, en quête de réponses aux inquiétudes qui sont les siennes. Non que la version sartrienne de l'existentialisme (qui emprunte beaucoup au Danois Kierkegaard et aux Allemands Jaspers, Heidegger et Husserl) constitue à proprement parler une « philosophie » érigée en système, encore moins une clef d'explication du monde. L'angoisse qu'éprouve le héros sartrien (le Roquentin de *La Nausée,* le Mathieu des *Chemins de la liberté*) naît au contraire du sentiment de l'absurde, du « fourmillement de la contingence », auxquels l'individu ne peut échapper que par l'action. L'homme n'est ni la créature de Dieu, ni le représentant d'une « nature humaine » antérieure à sa propre existence. C'est son existence même qui le définit *(« l'existence précède l'essence »)* et il n'a de sens que par ses actes *(« l'homme est ce qu'il se fait »)*; ce qui fonde à la fois sa liberté et ses valeurs, car le bien et le mal ne doivent pas être considérés comme des absolus.

Non directement assimilable au courant existentialiste, la démarche d'Albert Camus présente de nombreuses analogies avec celle de Sartre et a également exercé, en France comme à l'étranger, une influence considérable sur la génération de l'après-guerre. Faisant lui aussi le constat de l'absurdité d'un monde à la fois étrange, hostile et « peuplé d'irrationnel », Camus récuse les attitudes d'évasion que constituent à ses yeux le suicide et la croyance religieuse. Ce qui fait la grandeur de l'homme et donne un sens à son existence, c'est d'agir, avec la conscience de la vanité des efforts qu'il déploie. Ce « défi », cette révolte lucide et désespérée, vécue avec passion, font de l'homme un être libre et lui offrent le seul bonheur qui lui soit accessible. *« La lutte vers les sommets suffit à remplir un cœur d'homme – écrit Camus. Il faut imaginer Sisyphe heureux »* (*Le Mythe de Sisyphe,* 1942).

Si l'acte individuel suffit à fonder la liberté et les valeurs humaines, sans référence à une métaphysique ou à une morale préétablie, toute action, quelle qu'elle soit, présente un aspect positif. Ainsi peuvent être justifiés aussi bien l'acte humanitaire et désintéressé que le geste gratuit du nihiliste, voire des actions nuisibles à autrui. Sartre et Camus, chacun à sa manière, ont eu conscience des dangers d'une telle attitude et n'ont cessé de la corriger, en intégrant dans leur doctrine – au prix de contradictions qui ne leur échappent pas – des données inspirées de l'humanisme traditionnel. Camus pose ainsi des limites à sa révolte, en proposant à ses contemporains de *« diminuer arithmétiquement la douleur du monde »,* en se réclamant de valeurs telles que la justice et la fraternité, et en refusant toute forme de terreur, fût-elle destinée à préparer l'avènement d'une société meilleure. Alors que Sartre accepte de faire épisodiquement un « bout de chemin » avec les communistes, Camus condamne sans appel le terrorisme totalitaire, fût-il « de gauche ».

De son côté, Sartre ne reproche pas seulement à Flaubert et aux Goncourt d'être *« responsables de la répression qui suivit la Commune parce qu'ils n'ont pas écrit une ligne pour l'empêcher »,* il exalte aussi le combat d'un Voltaire et d'un Zola contre l'injustice et l'intolérance.

Une culture de guerre froide

• Le « modèle américain »

Le champ culturel, au sens large – englobant aussi bien la culture de masse que celle des élites – est devenu à partir de 1946-1947 un terrain d'affrontement privilégié pour les influences rivales des deux grands vainqueurs de la guerre. Celle des États-Unis s'exerce de façon prioritaire en Amérique latine, au Japon et surtout en Europe occidentale, où elle bénéficie des atouts que confèrent à l'Amérique son avance technologique, sa formidable puissance industrielle et financière, ainsi que le prestige résultant du rôle qu'elle a joué dans la lutte contre les totalitarismes nazi et fasciste, puis dans la reconstruction rapide des pays libérés avec le plan Marshall. À l'image, très répandue dans l'intelligentsia de l'avant-guerre, d'un pays sans âme et sans culture, voué à la robotisation et soumis au règne du dollar, se substitue pour nombre d'Européens – privés pendant de longues années de liberté et d'un minimum de bien-être – celle d'une civilisation qui a su allier aux avantages matériels qu'elle tire de sa haute technicité le respect des idéaux démocratiques.

Tout naturellement, à l'heure où dans le contexte de la guerre froide l'Europe affaiblie et sinistrée paraît menacée par un totalitarisme d'une autre nature, les Européens se tournent vers la superpuissance de l'Ouest, non seulement pour lui demander d'assurer leur défense, mais pour se mettre à son école, en oubliant d'ailleurs souvent les zones d'ombre que recouvre à cette date le mythe de l'Amérique terre de liberté (problème noir, inégalités, maccarthysme).

La force de contagion du «modèle américain» concerne moins directement les formes traditionnelles et élitistes de la culture – littérature, théâtre, arts plastiques – que les divers aspects d'une culture de masse conforme aux aspirations d'un vaste public, composé principalement de jeunes et épris de modernité. Certes, des écrivains comme Hemingway, Steinbeck, Caldwell, Faulkner, trouvent des lecteurs plus nombreux et plus enthousiastes qu'avant la guerre. Mais, comme en témoigne une enquête réalisée en 1948 auprès des étudiants de la Sorbonne, on leur préfère généralement les «classiques» de la littérature française du XXe siècle : les Gide, Valéry, Malraux, Duhamel, Claudel, ou les nouveaux «mandarins» de la Rive gauche. En revanche, il existe un engouement très fort pour le jazz (perçu d'ailleurs fréquemment comme musique «noire», ce qui aboutit à un renversement d'image), pour le cinéma américain (celui des années 30 et 40, plutôt que celui, souvent médiocre, des *fifties*), pour le roman «noir», la littérature de fiction et la bande dessinée. Tout n'est pas cependant adhésion spontanée du public dans cette percée des modèles nord-américains. Celle-ci doit en effet beaucoup à la force de pénétration de puissants réseaux financiers, à l'hégémonie linguistique que l'anglais commence dès cette époque à exercer dans le monde et à l'action concertée d'hommes d'affaires et de gouvernants, pour qui l'ouverture des marchés extérieurs aux produits de la culture de masse américaine présente à la fois un intérêt politique (en véhiculant une «bonne image» de l'Amérique) et économique (le film par exemple est en même temps objet d'exportation et créateur de besoins nouveaux que peut satisfaire l'industrie d'outre-Atlantique). La diffusion des modes et des modèles en provenance des États-Unis se heurte toutefois à la résistance des formes traditionnelles de la culture. Y compris d'une culture populaire qui conserve à cette date beaucoup de ses traits spécifiques, que ce soit dans le monde rural ou en milieu urbain (en France le jazz ne triomphe définitivement du «musette» qu'à l'extrême fin des années 50).

• Une contre-culture communiste

Mais la vague «américaine» doit surtout compter avec l'émergence d'une contre-culture communiste. La puissance du courant marxiste et le poids des partis communistes constituent en effet un contrepoids non négligeable à la pénétration des influences américaines. Aux modèles «décadents», produits d'une culture dont ils dénoncent le caractère étranger et la vocation impérialiste, les communistes opposent ceux qui, dans la tradition nationale, correspondent le mieux à leurs propres idéaux. En fait, le «réalisme socialiste», au nom duquel sont mobilisés – «à leur créneau» – les intellectuels du parti et leurs «compagnons de route», ne s'inspire que partiellement, et pas toujours avec bonheur, des grandes œuvres du passé : celles d'un Zola, d'un Victor Hugo ou d'un Courbet. Il se rattache bien davantage au conformisme et au dogmatisme culturels qui règnent alors en Union soviétique où Jdanov – responsable de l'idéologie du PCUS – a fixé les principes d'une production intellectuelle et artistique vouée de façon exclusive à l'exaltation de la classe ouvrière et du parti : culte du «héros positif», glorification des valeurs «prolétariennes» (travail, qualités morales), condamnation du «modernisme» dans les arts et les lettres, etc. En août 1948, lors d'un congrès des «intellectuels pour la paix», qui se tient à Wroclaw en Pologne, ces préceptes jdanoviens (leur promoteur est alors en disgrâce et mourra quelques jours plus tard) sont présentés à la tribune – d'où le romancier russe Fadeïev dénonce en Sartre une «hyène dactylographe» – comme devant désormais guider l'intelligentsia progressiste. À partir de cette date, la culture communiste de guerre froide s'enfonce pour de nombreuses années dans un dogmatisme figé et véhément, d'où émergent toutefois épisodiquement des œuvres de grande valeur (Eluard, Picasso), pas toujours bien accueillies par les instances des PC nationaux. En mars 1953, au moment de la mort de Staline, le secrétariat du PCF dénoncera Louis Aragon pour avoir laissé publier dans les *Lettres françaises* (dont il est directeur) un portrait du dirigeant soviétique par Picasso, non conforme aux canons du réalisme socialiste.

Les vecteurs de l'affrontement culturel

• Le champ littéraire

L'affrontement Est-Ouest ne pouvait que transparaître à travers les divers secteurs de la culture, qu'ils soient traditionnels, et souvent encore réservés à une élite (théâtre, littérature, arts plastiques), ou, de plus en plus, axés vers une communication de masse (sport et surtout cinéma).

La littérature des années de guerre froide, et en particulier la littérature romanesque qui draine les plus gros bataillons de lecteurs, se partage, selon les attitudes politiques de ses représentants, en quatre tendances principales :
– Le courant existentialiste, que domine la stature de Jean-Paul Sartre (1905-1980), auteur de *La Nausée* (1938), du *Mur* (1939) et des *Chemins de la liberté* (1945-1949). Philosophe, écrivain, c'est aussi un auteur dramatique qui produit *Huis clos* (1944), *Morts sans sépulture* et *La Putain respectueuse* (1946), *Les Mains sales*, représentée pour la première fois en 1948, *Nékrassov* (1955). À cette œuvre se rattache par certains aspects celle de Camus, par ailleurs en désaccord sur de nombreux points avec le « pape de l'existentialisme ».
Deux livres, *L'Étranger* et *Le Mythe de Sisyphe* (1942), ont placé Albert Camus (1913-1960) sur le devant de la scène au lendemain de la guerre. Mais l'auteur du *Malentendu* (1943), de *Caligula* (1945), de *l'État de siège* (1948) et des *Justes* (1951) s'est éloigné de Sartre à partir de 1952, sur le problème clé de l'engagement à gauche. Moins soucieux que ce dernier d'échafauder une philosophie totale, il déclarait :
« Le malheur est que nous sommes au temps des idéologies et des idéologies totalitaires, c'est-à-dire assez sûres d'elles-mêmes, de leur raison imbécile ou de leur courte vérité pour ne voir le salut du monde que dans leur propre domination. »
En 1954, Simone de Beauvoir brossera dans *Les Mandarins,* prix Goncourt 1954, un tableau très suggestif du milieu des intellectuels « existentialistes » et évoquera le conflit entre Sartre et Camus.
– Le courant communiste, engagé dans toutes les batailles du PC et qu'illustrent en France – outre les grands noms d'Aragon (*Les Communistes,* 1949-1950) et d'Elsa Triolet (*Le Cheval blanc,* 1942, *Le Premier accroc coûte deux cents francs* – Prix Goncourt 1944) – le romanesque militant d'un André Stil (Prix Staline en 1951 pour *Le Premier Choc*), d'un Pierre Courtade (*Jimmy,* 1951) ou d'un Jean Laffite, ou celui, moins dogmatique, plus littéraire, d'un Roger Vailland *(Beau Masque, 325 000 francs).* Le ton a été donné par Laurent Casanova lors du XIe congrès du PCF à Strasbourg en 1947, lorsqu'il a déclaré que les intellectuels devaient *« rallier les positions idéologiques et politiques de la classe ouvrière ».* Autant de recommandations qui aboutissent souvent à un art de circonstances, vilipendé par la droite, mais aussi par les intellectuels de la gauche non communiste.
– Un courant engagé à droite, mais issu lui aussi de la Résistance et qui se rassemble autour du gaullisme. André Malraux (1901-1976) en est la figure la plus représentative, mais il a cessé à cette date d'exer-

cer son talent dans le genre romanesque. Nombre de représentants de ce courant collaborent à la revue *Liberté de l'Esprit,* où ils ne tardent pas à être rejoints ou dépassés en anticommunisme par des écrivains se rattachant à une droite plus traditionnelle.
– Un courant se réclamant en principe du non-engagement politique, en fait nettement orienté à droite, comme le petit groupe des « hussards », comprenant R. Nimier, M. Déon, A. Blondin, J. Laurent, au moins aussi hostiles à Sartre et à son école qu'au communisme.

Notons enfin que de grands écrivains comme Gide (Prix Nobel de littérature en 1947) n'appartiennent à aucune de ces tendances et se tiennent à l'écart de tout engagement politique.

Si la plus grande partie des œuvres représentées au théâtre au cours des dix années qui suivent la Libération appartiennent au répertoire classique et à celui du « Boulevard », un petit nombre de pièces développent explicitement des thèmes politiques qui sont ceux de la guerre froide. Peu représenté à droite, où il est surtout illustré par les œuvres de Jean Anouilh *(Ornifle, Pauvre Bitos),* ce théâtre « engagé » connaît dans l'autre camp un relatif succès, qu'il s'agisse du théâtre de Sartre, de l'adaptation par Jean Vilar et son « Théâtre national populaire » des œuvres du dramaturge communiste allemand Bertolt Brecht, *(Mère Courage),* ou de la pièce de l'Américain Arthur Miller, *Les Sorcières de Salem*, créée à la fin de 1954 à Paris par Yves Montand et Simone Signoret et qui transpose dans l'Amérique puritaine du XVIIe siècle les problèmes posés par le maccarthysme aux États-Unis (affaire Rosenberg). En revanche, la pièce que Roger Vailland consacre à la guerre de Corée *(Le Colonel Foster plaidera coupable)* – et dans laquelle il développe une thématique assimilant l'armée américaine aux occupants hitlériens, ne connaîtra que deux représentations (mai 1952), interdite il est vrai par le préfet de police à la suite de manifestations provoquées par l'extrême droite.

• Les arts plastiques

Les arts plastiques de l'après-guerre, en particulier la peinture, semblent moins traversés par les débats du jour que les autres domaines de l'univers culturel, encore qu'un Picasso restât longtemps dans la mouvance du PCF. Dès avant la guerre, une œuvre comme *Guernica* incitait les artistes, sinon à s'engager, du moins à se faire l'écho des drames et des passions de l'Histoire.

Il n'en reste pas moins vrai qu'un art comme la peinture ne mobilise, au lendemain de la guerre, qu'une minorité éclairée de l'opinion publique. Deux mois après la Libération de Paris, en octobre

1944, le Salon d'Automne est le théâtre d'une manifestation d'hostilité envers ce qu'une partie du public considère comme des « fumisteries ». Plusieurs toiles, parmi les plus provocantes, sont décrochées et passent de main en main sous les quolibets des adversaires de l'art d'avant-garde. Cette petite émeute, vite oubliée, est probablement la dernière manifestation de ce genre, émanant d'un public de connaisseurs, face à la percée inexorable de l'art non figuratif.

Connus de tous grâce à la reproduction de leurs œuvres, diffusées par les livres d'art et bientôt affichées en posters dans les demeures « petites-bourgeoises », les grands peintres de l'entre-deux-guerres – cubistes, expressionnistes, surréalistes – connaissent un sort analogue à celui des impressionnistes, voire des « classiques », même lorsqu'ils ont conservé toute leur audace créative, comme le Matisse des grands papiers collés (*La tristesse du roi,* 1952) ou le Picasso triomphant qui s'installe à Antibes en 1946 et va dominer pendant plus d'un quart de siècle l'art pictural du monde occidental. Bonnard (mort en 1947), Braque, Rouault, Chagall, Fernand Léger bénéficient de la même consécration au cours des dernières années de leur vie, tout en continuant d'apporter un sang neuf à l'art de leur temps.

Dans un monde marqué par la guerre, en proie aux incertitudes, à l'angoisse et au sentiment de l'absurde, s'impose avec plus de vigueur encore qu'au lendemain du premier conflit mondial la volonté de fuir le réel, ou du moins le monde – faussement rationnel – des apparences. Dans la foulée d'une génération qui s'efface (Kandinsky et Mondrian disparaissent l'un et l'autre en 1944), le surréalisme connaît une seconde jeunesse, illustré par les noms de Paul Klee, Joan Miró, René Magritte, Salvador Dali… Il en est de même de l'art abstrait, ou « concret », selon la définition que l'on en donne.

À l'opposé de ces tendances se développe par réaction un courant réaliste ou néo-réaliste qui s'incarne, en particulier, dans les œuvres du Français Fougeron ou de l'Italien Renato Guttuso. Dans certains cas, le talent peut coexister avec l'application des préceptes du réalisme socialiste. Émotion et réflexion guident le pinceau d'un Fougeron, qui s'attache à décrire la misère, la maladie et la mutilation, rançon payée, à ses yeux, par la classe ouvrière à la prospérité des sociétés capitalistes : *Les Juges, Le Pays des mines,* 1950.

• Le cinéma

Au cinéma, les tensions Est-Ouest apparaissent moins dans le contenu des films réalisés que par l'influence des États-Unis au triple plan économique, politique et culturel.

Si la guerre froide apparaît directement ou indirectement (par le biais de films « militaires » dont la fonction est de montrer une Amérique libre et forte aux prises avec le totalitarisme) dans le cinéma américain de la décennie 1945-1955, alors soumis à la pression inquisitoriale de la commission sur les activités anti-américaines (qui procède à des milliers d'enquêtes et d'auditions et poursuit des centaines d'acteurs, de réalisateurs, de scénaristes, accusés d'être liés au parti communiste), elle est rarement présente dans la cinématographie européenne de l'époque. Très peu nombreux sont les films qui font référence au conflit Est-Ouest comme *Avant le déluge* d'André Cayatte (1955) ou *Le Troisième Homme* du Britannique Carol Reed (1949). Si combat politique il y a, il s'inscrit dans le cadre d'une cinématographie classiquement « sociale », dans la veine du cinéma français des années 30 (*Le Point du jour* de Louis Daquin, 1949), ou prend la forme de la comédie humoristique, comme la série des *Don Camillo* qui met en scène, sous les traits de Fernandel et de l'Italien Gino Cervi, un curé de choc de la plaine du Pô aux prises avec un maire communiste et bon enfant qui, comme beaucoup de ses semblables – c'est, de façon très explicite, le message du film de Julien Duvivier, premier de la série, sorti sur les écrans en 1952 – rentrerait bien vite dans le giron de l'Église, s'il n'était manipulé par l'état-major du parti.

Jusqu'à la fin des années 50, la production américaine occupe une place privilégiée dans la cinématographie mondiale. Cette domination, qui fait du film américain un vecteur puissant d'influence, s'explique par des raisons diverses :

– Il s'agit d'abord d'une prépondérance financière et technique. La concentration des firmes productrices et la haute technicité du cinéma hollywoodien permettent à celui-ci de réaliser – outre des films de qualité – des produits à bon marché (« série B ») ou au contraire des œuvres à « grand spectacle » (Cecil B. de Mille) et à gros budget, diffusés dans le monde entier grâce à d'excellents circuits de distribution.

– Il s'agit par ailleurs d'une domination politico-économique. Elle s'exprime par les accords commerciaux signés au lendemain de la guerre avec des pays libérés et stipulant fréquemment – c'est le cas des accords Blum-Byrnes – que ces derniers devront accorder un quota minimum à la projection de films américains. Ce qui permet à la production d'outre-Atlantique d'occuper, un peu partout dans le monde, une proportion très importante du temps de projection sur les écrans.

– On peut parler enfin d'influence artistique. Si la cinématographie hollywoodienne des années 1945-1955 subit les effets négatifs de la « chasse aux sorcières » maccarthyste (élimination des « dix de

Hollywood» par la commission sur les activités antiaméricaines, mise au chômage forcé de nombreux acteurs et réalisateurs suspects de communisme, exil vers l'Europe de grands cinéastes comme Chaplin, Losey et Jules Dassin), elle continue de réaliser des œuvres techniquement excellentes (comédies de B. Wilder; westerns de J. Ford et H. Hawks; comédies dramatiques de R. Aldrich et W. Wyler, etc.) et vit sur l'acquis de son prestige et de ses mythes, féminins et masculins tel celui de Bogart.

Cette prééminence du cinéma américain rencontre toutefois de nombreuses résistances, tout particulièrement en Europe:

– En Italie, où les troupes alliées ont – surtout dans le Sud – équipé de nombreuses salles en matériel moderne, impropre à la projection de films nationaux, le flux de la production d'outre-Atlantique n'a pas empêché des réalisateurs de talent (Visconti, de Sica, etc.) de faire naître une cinématographie nouvelle, tout aussi éloignée de l'univers aseptisé et conformiste de la comédie hollywoodienne que des productions boursouflées du cinéma proprement «fasciste». Bien que son contenu social et son orientation politique – à gauche – soient évidents, ce courant néo-réaliste, aboutissement d'une longue maturation accélérée par la guerre, ne tire pas davantage son inspiration du «réalisme socialiste», tel que le conçoivent Staline et Jdanov, et s'il emprunte parfois au cinéma soviétique, ses modèles s'appellent Eisenstein et Poudovkine. Cela dit, les thèmes que développent les cinéastes de l'école néo-réaliste (misère urbaine, délinquance des jeunes, exploitation des populations rurales, etc.) s'inscrivent dans un combat politique qui n'est pas très éloigné de celui que mène au même moment le PCI dont nombre de réalisateurs sont ou seront membres. D'une très riche production, on retiendra *Rome, ville ouverte* de R. Rossellini (1944-1945); *La Terre tremble* de L. Visconti (1948); *Les Nuits de Cabiria* de F. Fellini (1956); *Le Voleur de bicyclette* de V. de Sica (1948); *Riz amer* de G. de Santis (1949).

– En France, où des sondages effectués dans les années 50 indiquent que le public consomme beaucoup de films américains mais ne les apprécie que médiocrement et où la veine néo-réaliste produit peu d'œuvres significatives, la résistance aux modèles hollywoodiens prend appui sur une tradition, sur un savoir-faire, qui prolongent sans beaucoup le renouveler le cinéma des années 30 et celui de l'Occupation. Films roses, comédies gaies ou dramatiques, films historiques à vocation récréative ou didactique, théâtre filmé, films à contenu «social», etc., s'éloignent peu des formes «classiques» et ne font l'événement que lorsqu'ils égratignent la morale traditionnelle (*la Manon* de

Clouzot, *Le Diable au corps* de Claude Autant-Lara avec Gérard Philipe). Peu d'influence de l'Amérique dans tout cela, sinon, en fin de période, avec l'apparition sur les écrans de thrillers à la française, genre dans lequel Jacques Becker s'est essayé en 1954 en adaptant le roman «noir» d'Albert Simonin : *Touchez pas au grisbi.* Mais, si l'atmosphère et le montage rappellent effectivement les films policiers d'outre-Atlantique, les héros – interprétés par un Jean Gabin ou par un René Dary – le décor et la langue restent des modèles de francité.
– Quant au cinéma britannique, il témoigne, mieux que tout autre, des limites de l'influence américaine et demeure lui aussi fidèle aux traditions de l'avant-guerre tel *Brève rencontre,* de David Lean, en 1946. Film de «guerre froide» par excellence, *Le Troisième homme* de Carol Reed (1949) ne fait pas exception dans la mesure où il s'agit d'une œuvre anglo-américaine.

• Sport et politique

Le sport n'est pas demeuré en reste et a répercuté à son échelle l'affrontement entre les deux superpuissances. Les Jeux olympiques d'Helsinki, en 1952, les premiers où l'URSS ait été présente, ont été l'occasion d'un affrontement planétaire entre les deux Grands, par athlètes interposés. Au-delà de ce choc spectaculaire, les images que les journaux des deux camps nous renvoient des champions de l'Est et de l'Ouest sont révélatrices du climat de la guerre froide. S'agissant des premiers, l'image qui revient le plus souvent dans la presse non communiste est celle du «rouleau compresseur» (les footballeurs soviétiques opposés aux Yougoslaves «individualistes» et «imaginatifs»), de la machine (le Tchèque Emil Zatopek, trois fois médaillé d'or), impeccable, parfaitement mise au point, mais anonyme, pour ne pas dire inhumaine. *«Ce sont,* écrit Thierry Maulnier, *des soldats disciplinés et solides, rudes et massifs» (L'Équipe).* Ils sont moins «élégants» que les Américains, moins souples, moins brillants aussi. Ils sont *«ramassés»* et *«trapus».* Ils sourient peu. On les reconnaît, écrit le correspondant du *Monde,* à leurs *«pommettes saillantes»* et à leurs *«mâchoires carrées sous la casquette prolétarienne».* Autrement dit, un curieux mélange de portrait-robot du Russe traditionnel et de l'homme nouveau, implacable et impersonnel, qu'a forgé la mécanique stalinienne. La presse communiste insiste au contraire sur la santé physique et morale de l'équipe d'URSS, sur la vigueur tranquille et l'enthousiasme que révèlent les «yeux clairs», le regard «droit», les gestes assurés des athlètes de l'Est.

L'âge d'or des pays industriels

(1953-1973)

2e partie

CHAPITRE 12

Le progrès scientifique et technique et ses conséquences économiques

La Seconde Guerre mondiale a donné une forte impulsion aux sciences et aux techniques, qui connaissent un nouvel âge d'or depuis 1945. Leurs profondes implications stratégiques et économiques justifient la priorité accordée à la recherche appliquée qui est au cœur de la concurrence entre les États et les entreprises, dont elle commande désormais les rapports de puissance. D'un autre côté, la multiplication des applications quotidiennes des nouvelles techniques en font un enjeu majeur de société. Les progrès énormes réalisés dans les domaines décisifs de la physique nucléaire, de l'espace, de l'informatique, de la biologie ont radicalement modifié les données de la vie économique et sociale. À l'ancienne notion de révolution industrielle, ils substituent celle beaucoup plus immatérielle de révolution de l'informatique qui entraîne progressivement nos sociétés développées vers un âge postindustriel encore mal maîtrisé.

Un nouvel âge d'or des sciences et des techniques

• L'impulsion durable de la Seconde Guerre mondiale

Si le développement des sciences et des techniques semble bien s'inscrire dans une longue continuité depuis le XIXe siècle, la Seconde Guerre mondiale lui a incontestablement donné une nouvelle impulsion parce qu'aucune victoire n'avait auparavant autant dépendu de la mobilisation des technologies d'avant-garde. La mise au point définitive du radar a permis aux Anglais de réduire l'intensité des bombardements de la *Luftwaffe*. Mais ce sont surtout les savants de nationalités différentes réunis autour du projet « Manhattan » qui l'ont finalement emporté sur les chercheurs allemands et japonais également en quête de l'arme absolue, avec la mise au point de la bombe atomique. Or cette puissante incitation de l'effort de guerre, bientôt relayé par la rivalité multiforme entre l'Est et l'Ouest (la « guerre froide »), devait donner naissance à un nouvel âge d'or des sciences et des techniques, fécondées en permanence par des États désireux de maintenir leur prestige et leur puissance dans un monde caractérisé par les concurrences et les antagonismes. C'est ainsi que depuis 1945 le nombre des savants et de leurs découvertes ou inventions a dépassé tout ce qu'avait additionné l'humanité depuis les débuts de son histoire.

Les États-Unis qui ont pris à la faveur de la guerre le premier rang mondial en matière de recherche scientifique et technique comptent 400 000 chercheurs dès les années 50, contre 15 000 seulement dans les années 20. Cette exceptionnelle concentration de matière grise, enrichie par l'appel systématique aux cerveaux étrangers (le *brain drain*), leur permet de monopoliser les prix Nobel scientifiques depuis la guerre. L'URSS, dont l'idéologie officielle privilégie la science, et qui dispose de mathématiciens remarquables, concentre ses efforts de recherche sur les armements et la conquête spatiale, priorités de la guerre froide, au détriment des programmes affectés à l'efficacité économique et sociale. L'Europe occidentale qui, de la Renaissance à Descartes et au positivisme du XIXe siècle, a inventé une méthode d'expérimentation et de raisonnement logique, hérite d'un outillage intellectuel qui a fait ses preuves et n'a rien perdu de son efficacité ; mais les moyens financiers manquent désormais pour soutenir des programmes onéreux, ce qui encourage la coopération avec les États-Unis. À partir de structures mentales différentes, les peuples d'Asie, et d'abord les Japonais, sont devenus les champions de l'innovation qui a pris le pas sur la recherche fondamentale, sans doute trop longtemps négligée. À l'exception notable de l'Inde, les pays sous-développés ne disposent pas des moyens qu'exige la recherche moderne et le retard technologique constitue l'une de leurs faiblesses, parmi les plus pénalisantes.

Les sciences et techniques sont devenues depuis 1945 des enjeux de puissance entre les États, qu'il s'agisse en toute priorité de la course aux armements sophistiqués, de la bombe atomique à l'initiative de défense stratégique (IDS, défi victorieux lancé en 1983 par le Président Reagan à l'URSS), mais aussi de la conquête spatiale, de la maîtrise des réseaux planétaires de communication, et même de la recherche médicale comme le montre le débat récent entre chercheurs français et américains à propos de l'identification du virus du sida.

• L'importance accrue de la recherche appliquée

La science pure a pour objet la connaissance de l'univers, l'analyse des éléments qui le constituent et des forces qui le régissent, la compréhension des mystérieux mécanismes de la vie. Elle aspire, sauf dans les « sciences humaines » comme l'histoire, l'économie politique ou la sociologie, où le libre arbitre des individus interdit toute systématisation, à traduire ses acquis sous la forme de lois de portée générale. Cette quête requiert des moyens considérables pour des résultats nécessairement aléatoires qui ne débouchent qu'occasionnellement sur des applications immédiatement rentables, Ce sont donc les États qui, à travers le réseau de leurs centres de recherche (en premier lieu les Universités) prennent à leur charge le plus grand risque financier pour cette recherche que l'on dit « fondamentale ».

Or, l'impératif de compétition impose aux dirigeants politiques comme aux chefs d'entreprises de privilégier l'efficacité immédiate qui suppose l'innovation, c'est-à-dire la mise en application du savoir théorique de la science par le moyen des techniques. L'ingénieur français Louis Armand, dont le nom restera attaché à plusieurs grandes réalisations techniques du second XXe siècle (de la conception des trains rapides au développement de l'industrie nucléaire), a proclamé avec force cette nouvelle union de la science et de la technique :

« … Plus de barrière entre la vile technique et la noble science. Une grande symbiose des connaissances, de l'habileté de la main-d'œuvre et de l'esprit, voici l'image conforme à la grande convergence de notre époque ».

Les programmes et les budgets favorisent donc la recherche appliquée ou recherche-développement, étant bien entendu qu'au très haut niveau de complexité atteint par les technologies actuelles, l'apport de la recherche fondamentale est le plus souvent indispensable, et que des interactions s'établissent de plus en plus fréquemment entre la théorie et la pratique. Par exemple, si les progrès scientifiques de l'astronomie et de l'astrophysique ont permis l'exploration de l'espace extra-atmosphérique, les techniques de l'astronautique ont aussi fait avancer la connaissance de l'univers.

Tous les grands États s'efforcent de consacrer entre 2 et 3 % de leur revenu national à la recherche dans son ensemble, dans le but d'acquérir un maximum de brevets, sources de pouvoir et de profits. Pour contrôler la gestion de ces dotations considérables, les États ont créé des organismes spécialisés dont le plus célèbre est l'Agence spatiale américaine, la NASA *(National Aeronautics and Space Administration),* mais on pourrait citer aussi sa concurrente, l'Agence spatiale européenne, ou encore des créations françaises comme le CNRS *(Centre national pour la recherche scientifique)* ou le CEA (Commissariat à l'énergie atomique) parmi beaucoup d'autres. En même temps les pouvoirs publics comme les entreprises multiplient les contrats de recherche avec les Universités dont le travail théorique se trouve ainsi mis en relation directe avec des utilisateurs éventuels : en Californie, la *« Silicon Valley »* a ainsi regroupé des entreprises vouées à la recherche et à la production en symbiose avec l'université Stanford de San Francisco, exemple que tentent d'imiter de nombreuses technopoles à travers le monde.

• Les implications sociales de la techno-science

En s'intégrant de plus en plus nettement dans un projet social, qu'il soit d'ordre politique ou économique, le couple étroit de la science et de la technique (la « techno-science ») est nécessairement devenu un enjeu de société. D'un côté, la condition du chercheur s'est profondément modifiée depuis que l'invention a largement cessé d'être un acte individuel motivé par une curiosité désintéressée. La complexité croissante des travaux de recherche impose la formation d'équipes étroitement spécialisées, de sorte que les grandes inventions sont le plus souvent le fruit d'un travail collectif. Cet anonymat relatif (il y a toujours un ou plusieurs chefs de travaux) n'enlève pourtant rien à la responsabilité du savant qui se sent au contraire de plus en plus comptable devant l'opinion de ses découvertes et de leurs conséquences éventuelles. Il n'est pas rare qu'il se trouve confronté à de graves problèmes moraux, à l'instar du savant atomiste américain Robert Oppenheimer qui, au début des années 50, choisit de manifester au prix de sa révocation son opposition à la fabrication de la bombe thermonucléaire (« bombe H »). Ce sont aujourd'hui les biologistes qui s'inquiètent des manipulations génétiques rendues possibles par les progrès de leur science.

D'un autre côté, les citoyens qui contribuent par l'impôt au financement de la recherche exigent que les grandes options scientifiques fassent l'objet d'un débat démocratique. Les opinions publiques sont d'autant plus sensibles à la civilisation technicienne que celle-ci occupe une grande place dans les programmes d'enseignement et dans l'information, et que parallèlement de nombreux biens d'usage courant affichent ostensiblement un label technologique, souvent devenu synonyme de qualité. Cependant, la relation trop étroite qui s'est établie entre les techniques de pointe et les finalités militaires d'une part (relations soulignées par les médias à l'occasion de l'intervention contre l'Irak en 1991), et d'autre part le sentiment de crainte, souvent mêlé d'admiration, qu'éprouve l'individu devant la puissance des techniques modernes, ont provoqué des réactions de défiance ou d'hostilité qui visent à soumettre le progrès scientifique et technique à des limitations d'ordre éthique ou écologique. C'est dans ce but qu'ont été constitués des comités d'éthique pour protéger l'intégrité de la personne humaine contre toute manipulation génétique abusive, ou encore des commissions désignées pour veiller à l'utilisation démocratique des fichiers informatisés. L'approfondissement de la démocratie apparaît finalement comme la meilleure méthode de gestion des nouveaux enjeux que posent à nos sociétés contemporaines les progrès accélérés des sciences et des techniques.

Les domaines clés du progrès scientifique et technique

Depuis que la science existe, ses domaines d'investigation n'ont cessé de se différencier en définissant plus précisément leurs spécificités et leurs limites respectives, au point de mettre en péril le vieux rêve de l'unité de la connaissance. S'il arrive qu'une découverte exceptionnelle, comme la mise en évidence en 1953 de l'ADN et des chromosomes, permette de restituer son unité au monde vivant, il convient cependant de reconnaître la diversité des domaines du progrès scientifique et technique, et de les distinguer en privilégiant ceux qui ont constitué les plus importants vecteurs de modernisation depuis 1945.

• La physique nucléaire, du militaire au civil

Depuis le début du siècle la physique nucléaire poursuit son exploration de l'atome et de la radioactivité. La découverte par Einstein que la matière peut disparaître en libérant de l'énergie trouve un prolongement opérationnel dès 1939 quand Frédéric et Irène Joliot-Curie réalisent la fission de l'atome. La guerre privilégie alors les applications militaires qui conduisent en 1945 à la bombe atomique américaine utilisée contre le Japon.

La stimulation militaire a fait progresser les moyens d'investigation de la physique nucléaire, sous la forme d'impressionnantes machines, les accélérateurs de particules, de plus en plus puissants depuis 1945. Le cyclotron conçu dans les années 30 a été largement dépassé par les synchrotrons construits depuis la guerre aux États-Unis et en Europe.

Malgré l'horreur rétrospective qu'a soulevé le massacre d'Hiroshima dans l'opinion mondiale, le fait nucléaire est d'abord à l'origine d'une formidable révolution des armements. Un seuil quantitatif est franchi lorsqu'on découvre vers 1950 que la fusion du noyau d'hydrogène (principe de la bombe H) libère, à masse égale, huit fois plus d'énergie que la fission du noyau d'uranium utilisée dans la bombe A. La puissance des bombes passe alors rapidement de l'échelle de la kilotonne à celle de la mégatonne et, en dépit de la réunion de nombreuses conférences destinées à l'enrayer, la course aux armements aboutit à l'accumulation d'une capacité de destruction effrayante, théoriquement capable d'annihiler toute vie sur la planète. Au début des années 80, la bombe à neutrons conçue pour opérer des destructions sélectives représente la dernière acquisition dans ce domaine ; avec les progrès de la miniaturisation, elle rend de nouveau envisageable l'utilisation tactique des armements nucléaires.

Parallèlement, la maîtrise progressive de l'énergie nucléaire a permis de produire de l'électricité en abondance. Jusqu'en 1970, le Royaume-Uni s'est imposé, dans le cadre d'une politique de diversification énergétique, comme le premier producteur mondial de courant électrique d'origine nucléaire. Les États-Unis, exploitant l'avance acquise sur le plan militaire, mettaient cependant au point des filières de production qui, fondées sur l'utilisation d'uranium enrichi en isotopes 235, paraissaient d'une exploitation plus commode et plus rentable. À partir de 1973, la crise pétrolière incite les grands pays industriels à lancer d'ambitieux programmes de construction de centrales nucléaires en utilisant le plus souvent les brevets américains. De conception plus récente la technique du surrégénérateur qui dérive de la théorie de la fusion nucléaire, s'est développée notamment en URSS et en France (construction de super-Phénix à Creys-Malville dans l'Isère); elle devrait offrir l'avantage de produire autant de matière fissile qu'elle en consomme. Cependant le coût financier de ces programmes, les risques de contamination par la radioactivité, la peur de voir les combustibles radioactifs (surtout le plutonium) utilisés à des fins militaires par des pays toujours plus nombreux, provoquent l'inquiétude d'une fraction importante de l'opinion et conduisent à freiner la mise en œuvre des équipements prévus.

Dès 1981, sous le coup du second choc pétrolier, 10% de l'électricité consommée dans le monde était déjà produite par des centrales nucléaires, mais cette part dépassait 20% en France, 35% en Belgique, Suisse, Suède et elle excédait 50% dans certaines régions comme l'État d'Arkansas aux États-Unis ou le land de Hambourg en RFA. Dix ans plus tard, les centrales nucléaires fournissent 18% de l'électricité utilisée dans le monde, mais cette part atteint 21,6% aux États-Unis, entre 40 et 50% en Belgique, Suisse, et Suède, et 75% en France où l'EDF a particulièrement privilégié la production d'origine nucléaire. Sollicitée comme un remède contre les crises pétrolières, l'énergie nucléaire garde cependant de ses applications militaires une image menaçante qui resurgit périodiquement à l'occasion d'accidents majeurs comme celui de Three Miles Island en Pennsylvanie (1979) et surtout celui de Tchernobyl en Ukraine (26 avril 1986).

• La conquête spatiale

Vieux rêve de l'humanité, la conquête de l'espace prolonge l'histoire de l'aviation dont elle utilise les acquisitions. Sa réussite implique en effet des progrès constants dans la chimie des combustibles, la métallurgie, la mécanique de haute précision, les systèmes de téléguidage. Les vols habités exigent une meilleure connaissance du comportement de l'organisme humain en état d'apesanteur. Toutes les disciplines scientifiques se trouvent donc mobilisées par les programmes spatiaux dans des recherches convergentes vers le même objectif final. Ici encore la rivalité entre les deux super Grands a aiguillonné les chercheurs. Le premier objectif de la recherche spatiale a été la maîtrise de la satellisation; dès 1957, la mise en orbite du premier «spoutnik» par l'URSS donne le signal d'une course acharnée dont l'enjeu est autant le prestige que la puissance. Si le Soviétique Gagarine réussit en 1961 le premier vol orbital habité, bientôt suivi par l'Américain Shepard, c'est un compatriote de ce dernier, Neil Armstrong, qui est le premier être humain à fouler le sol lunaire le 21 juillet 1969, événement d'une portée considérable. Après 1970, la recherche spatiale travaille à la mise au point de stations orbitales : stations « Saliout » soviétiques périodiquement ravitaillées par des vaisseaux « Soyouz », navettes spatiales américaines (« Columbia » « Challenger » puis « Discovery » et « Endeavour ») qui tendent à devenir de véritables avions de l'espace. Tandis que l'Europe s'engage à son tour dans l'aventure spatiale avec le lancement de la fusée « Ariane », l'URSS et les États-Unis envoient des sondes de plus en plus loin de la terre dans le but d'explorer l'espace interplanétaire. En 1976, la sonde Vicking se pose sur Mars et, en juin 1983, après avoir « frôlé » plusieurs planètes, Pioneer 11 est la première machine construite par l'homme à sortir du système solaire tout en continuant d'émettre pour un temps des signaux qui nous parviennent.

Si la conquête spatiale n'a pu progresser qu'en mobilisant les apports de tout un ensemble de sciences et de techniques, elle a aussi fait avancer la connaissance scientifique en permettant la réalisation de toutes sortes d'expériences dans des conditions d'apesanteur jusqu'alors inconnues ; il devient possible d'envisager à terme le développement d'une « industrie spatiale » produisant des alliages rares et de nouveaux matériaux. D'autre part, la multiplication des satellites programmés en vue de missions spécialisées entraîne des retombées de portée considérable dans de nombreux domaines, de l'observation inédite de notre planète au service de la prévision météorologique, de l'inventaire de ses ressources, de l'estimation anticipée des récoltes agricoles, ou de la transmission quasi instantanée des informations de toute nature d'un continent à l'autre. Ainsi, depuis la mise en orbite de Telstar en 1962, de nombreux satellites de télécommunications assurent la transmission « en direct » des informations en tous points de la planète ; d'autres ont donné plus de sûreté et de précision aux prévisions météorologiques ; d'autres encore, comme Spot, nous font découvrir par la photographie à distance des ressources ignorées de notre propre planète. Il ne s'était pas produit de tels progrès dans la connaissance de l'univers depuis la révolution copernicienne. Les conséquences en sont encore incalculables.

• L'informatique, nouvel auxiliaire de l'intelligence humaine

Dérivée des recherches sur l'électricité mais utilisant les lois de variation des courants électriques, l'électronique progresse à pas de géant depuis un quart de siècle et ses utilisations ont déjà commencé à modifier profondément notre mode de vie. Elle procure en effet à l'homme une gamme d'outils nouveaux qui prolongent sa pensée et plus seulement sa force musculaire comme les outils du passé. Dès avant la guerre la projection électronique avait réalisé le principe de base de la télévision qui a depuis envahi notre vie quotidienne. En 1948 l'invention du transistor, semi-conducteur de petite dimension, marque une étape importante dans la miniaturisation des machines électriques. L'application principale en est la conception de l'ordinateur, calculatrice de grande puissance, dotée d'une mémoire et capable de transmettre des ordres à d'autres équipements au moyen d'impulsions électriques (les plus récents communiquent même avec l'homme par l'écriture et la parole !). Après 1960, les recherches sur les circuits intégrés aboutissent à la mise au point du microprocesseur, « puce » électronique qui équivaut à l'unité centrale d'un micro-ordinateur. En dix ans, la capacité des circuits électroniques intégrés a été multipliée par cent et les ordinateurs les plus performants sont aujourd'hui capables de résoudre des milliers d'opérations complexes à la vitesse de la nanoseconde (qui est à la seconde ce que celle-ci est à la durée de trente ans). La maîtrise des grands ordinateurs ainsi que le contrôle des vastes banques de données qu'ils exploitent assurent à leurs détenteurs le pouvoir sur les techniques de communication modernes, clé du progrès économique et social. Les États-Unis, le Japon à partir des années 70, suivis d'assez loin par l'Europe occidentale et l'URSS, ont acquis une avance confortable dans ces technologies nouvelles.

Enfin, au carrefour des recherches sur la matière et les radiations électriques, l'invention du laser par Alfred Kastler en 1960 revêt une grande importance et trouve rapidement de nombreuses utilisations dans la médecine et dans l'industrie. Appliqué à la reproduction du son, le rayon laser est en passe de produire une mutation aussi radicale que celle provoquée par l'avènement du disque microsillon au début des années 60.

• Le grand essor de la biologie

Héritière de la biochimie, la biologie cellulaire a réussi à mettre en évidence les substances porteuses du code génétique (ADN et ARN) et à isoler les molécules biologiques que sont les gènes et les protéines. Ces progrès ouvrent la voie à des interventions techniques dans le domaine de la vie, comme de nouvelles méthodes de procréation artificielle ou de manipulations génétiques par transfert de gènes identifiés d'une cellule dans une autre. Cette faculté de modifier les lois de l'hérédité ne va évidemment pas sans soulever de graves questions morales. La possibilité de manipulation apparaît d'autant plus grande que la maîtrise du processus de procréation a également accompli d'énormes progrès. La fécondation in vitro d'un ovule par la technique de l'insémination artificielle avant que l'embryon ne soit réimplanté dans l'utérus maternel pour une vie fœtale normale permet la mise au monde de « bébés-éprouvettes » dans des cas de stérilité parentale. La première naissance de ce type en Angleterre en 1978 a soulevé curiosité et émotion ; elle a été suivie par beaucoup d'autres, notamment en France depuis 1982.

Tandis que les biologistes affinent constamment leur connaissance des êtres et des systèmes vivants, les progrès de la médecine et de la chirurgie ont permis de sauver de nombreuses vies humaines. Si la mise au point de nouveaux médicaments (les antibiotiques notamment) ou de nouveaux vaccins (pour prévenir la poliomyélite) n'a pas provoqué de grands débats, il n'en va déjà pas tout à fait de même du perfectionnement des techniques de réanimation. À côté du sauvetage indiscutable de nombreuses vies humaines, elles peuvent aussi dans certains cas poser la question du maintien durable d'êtres vivants en état de survie artificielle. Le développement des greffes d'organes (le rein puis le cœur) qui offre une chance de survie à de nombreux malades n'a pas manqué de soulever des problèmes délicats particulièrement sur les modalités du prélèvement des organes à greffer.

Parallèlement, les applications industrielles de la biologie se développent en se diversifiant. L'exploitation des études effectuées sur les micro-organismes conduit déjà à des utilisations importantes dans la production d'énergie (exploitation possible de la biomasse) et dans plusieurs activités industrielles liées à la chimie comme la fabrication des produits pharmaceutiques ou l'élaboration de produits agro-alimentaires actuellement en plein essor.

De la révolution industrielle à la révolution informatique

La relation d'étroite dépendance qui s'est établie entre la recherche scientifique et ses applications pratiques se traduit par une accélération notable du passage de l'invention à l'innovation et à la production : il n'a fallu au transistor que trois ans après son invention pour faire son apparition sur le marché. Il n'est donc pas surprenant d'observer qu'en quelques années, compte tenu de l'importance des acquisitions technologiques évoquées ci-dessus, sont apparus tous les caractères distinctifs d'une troisième révolution industrielle : augmentation des disponibilités énergétiques, perfectionnement du transport et de la communication, promotion d'activités de pointe et de nouveaux produits sur le marché, réforme de l'organisation du travail et du fonctionnement même de l'entreprise. Comme les progrès les plus révolutionnaires affectent le traitement de la transmission de l'information, on doit désormais considérer que cette troisième révolution industrielle s'accompagne d'une révolution informatique d'une portée encore bien plus considérable.

• La rénovation de l'énergie et des transports

La production et la consommation d'énergie ont fait plus que décupler depuis 1945. L'accroissement des disponibilités s'est accompagné, phénomène aussi important à relever, d'une diversification des sources de production et d'une différenciation des formes d'utilisation en fonction des besoins. Les avantages techniques et économiques se sont conjugués pour porter la part des hydrocarbures, gaz naturel et surtout pétrole, jusqu'aux trois quarts du bilan énergétique des grands pays industriels. Parallèlement, l'électricité produite en abondance par les grands barrages et les centrales thermiques (classiques ou nucléaires) s'est imposée par sa souplesse et sa propreté d'utilisation comme une forme d'énergie privilégiée, tant pour les besoins industriels que pour les usages domestiques. En revanche, le charbon connaît un déclin provisoirement ralenti par la hausse récente du prix du pétrole. Ce sont plutôt les énergies renouvelables (soleil, force des marées, géothermie, biomasse) qui avec le nucléaire, ouvrent les perspectives d'un nouvel âge énergétique au XXIe siècle.

Les progrès des transports ont assuré une plus grande maîtrise de l'espace, donc de son utilisation rationnelle et efficace au service de l'économie. Tous les moyens de transport classiques (air, rail, route, mer ou voie navigable) ont connu simultanément une augmentation de leur vitesse, un accroissement des volumes transportés, une amélioration de la sécurité et une plus grande souplesse d'utilisation. Il faut évidemment souligner le développement des transports par tubes (gazoduc ou oléoduc), moyens peu coûteux en relation avec le rôle accru des hydrocarbures dans la vie économique. On notera aussi comme un fait essentiel le souci de coordination entre les différents moyens de transport qu'illustre l'utilisation croissante du conteneur, caisse métallique adaptable à tous les supports au gré des besoins et des destinations.

• La révolution informatique et ses applications industrielles

L'information circule de plus en plus vite d'un point à un autre de la terre puisque, grâce au relais assuré par les satellites, les télécommunications ont presque aboli les délais de transmission entre les continents. De plus, l'informatique qui applique l'électronique au traitement de l'information permet une exploitation ultra rapide de très nombreuses données. Le couplage des télécommunications et de l'informatique a donné naissance à la télématique qui rend possible l'utilisation à distance des ordinateurs. Les réseaux câblés se densifient depuis quelques années et ouvrent à leurs abonnés, entreprises ou particuliers, un accès à l'information d'une efficacité sans précédent. La révolution informatique affecte les techniques de production et de distribution, elle rénove radicalement la gestion des services actuellement en forte croissance, c'est-à-dire qu'elle conduit à une redéfinition des normes de fonctionnement de la vie économique et sociale.

La rénovation des machines outils conduit à l'automatisation de la production. Inventée en 1948 par le mathématicien américain Norbert Wiener, la cybernétique a perfectionné les processus de commande et de communication, notamment dans les systèmes mécaniques. En même temps, l'électronique permettait de construire les servo-mécanismes des machines-transferts capables d'assurer l'usinage d'une pièce donnée et son transport sur la chaîne de fabrication. Plus perfectionnés encore, les robots, apparus récemment dans les ateliers, «palpent» électroniquement les pièces pour les identifier et y adapter les opérations nécessaires. L'aboutissement de ces transformations est l'usine automatisée qui regroupe des machines ordonnées selon un programme conçu par les bureaux d'études et mises en œuvre par un ordinateur central. L'automation progresse rapidement dans l'industrie, qu'il s'agisse des complexes chimiques ou sidérurgiques « sans toit et sans hommes », des usines de montage automobile ou encore dans les ateliers de construction électrique.

En amont de la production, l'ordinateur est désormais sollicité pour la conception même des produits nouveaux qui doivent répondre à des exigences spécifiques ; c'est ainsi que les firmes de construction automobile (à commencer dit-on par Citroën pour la BX) élaborent la ligne de leurs véhicules en combinant esthétique, robustesse, moindre résistance à l'air... C'est encore l'ordinateur qui permet aujourd'hui l'analyse immédiate et la mise au point optimale des moteurs, notamment pour les voitures de course. La conception et la fabrication assistées par ordinateur (CFAO) deviennent des critères d'efficacité pour les firmes industrielles.

Les effets de l'informatique apparaissent encore plus novateurs dans le domaine foisonnant des services divers qui accompagnent de plus en plus étroitement l'activité économique et sociale. La bureautique qui intègre des machines perfectionnées à commande électronique modifie profondément le fonctionnement des services financiers (bourses de cotation et banques) comme celle des assurances ou plus généralement des administrations. Elle transforme aussi la gestion des entreprises de toute nature (agricoles ou industrielles) en leur donnant des moyens jusqu'alors inaccessibles de maîtriser très précisément leurs facteurs de production (personnel, stocks divers, flux financiers), et d'appréhender rapidement les données du marché qui peuvent d'ailleurs faire l'objet de simulation par ordinateur. La stratégie des entreprises s'en trouve considérablement changée.

• Les conséquences économiques et sociales des progrès en cours

L'automatisation informatisée influe sur la production. Elle permet certes son accroissement mais elle autorise surtout sa modulation permanente en fonction de la conjoncture, de l'état du marché à un moment donné : à l'âge de la production de masse incarnée par le « fordisme » succède celui de la production ajustée en temps réel à la production, dont certains attribuent l'avènement au système japonais symbolisé par le « toyotisme » (du nom du groupe automobile nippon Toyota). Elle agit aussi sur la qualité des produits, assurant leur amélioration en même temps qu'une plus grande homogénéité des biens fabriqués en série. La précision de l'usinage qui atteint désormais l'échelle du micron dans les constructions mécaniques, et d'autre part l'utilisation de matériaux nouveaux, légers et résistants, comme par exemple le titane et le teflon, permettent aussi une amélioration des produits, notamment dans les secteurs de pointe.

Comme toujours, le progrès technique entraîne partout où il est introduit une amélioration de la productivité du travail, avantage économique décisif au regard de la concurrence. Dans son *Histoire générale du travail,* Alain Touraine mesurait déjà qu'entre 1950 et 1957 l'adoption de la production automatique dans un atelier de fabrication de culasses de moteurs automobiles avait permis de multiplier par 26 le nombre de pièces tout en divisant par 9 le nombre des emplois affectés à cette production. Dans les industries manufacturières particulièrement concernées par la modernisation technique (métallurgie et mécanique, chimie, constructions électriques) la productivité a augmenté entre 1963 et 1973 de 3 à 4 % par an aux États-Unis et en Grande-Bretagne, d'un peu plus de 5 % en France, Italie et RFA, et de plus de 9 % au Japon. Or ces gains de productivité diminuent les coûts de production. Ils permettent de produire plus tout en distribuant davantage de revenus, donc de stimuler à la fois l'offre et la demande qui constituent les ressorts de la croissance et du développement économiques.

Les progrès techniques impulsent une modification des structures du capitalisme en même temps qu'ils provoquent de profondes mutations sociales au sein même des entreprises.

En effet, la prospérité d'une entreprise dépend de plus en plus de sa capacité d'innovation technologique; or, la mise au point et l'acquisition des nouvelles machines exigent des investissements toujours plus importants. Si l'accès à la recherche-développement n'est pas interdit aux petites et moyennes entreprises qui y ont d'ailleurs pris une large part en fonction de leurs possibilités, il est clair néanmoins que seules les très grandes firmes ont à la fois la capacité financière de se procurer les équipements les plus coûteux et le pouvoir de les rentabiliser sur les vastes marchés qu'elles contrôlent. C'est ainsi que dans les domaines de l'aéronautique, de l'électronucléaire, de l'informatique, voire de la chimie et de la construction automobile où l'affrontement concurrentiel se situe sur le marché mondial, l'impératif technologique a constitué un puissant facteur de concentration des entreprises.

Cependant, à mesure que le progrès technique alourdit le capital investi, sa rentabilisation par le taux de profit devient de plus en plus aléatoire. D'où la nécessité de confier la gestion des entreprises à des techniciens formés dans des écoles spécialisées dans l'enseignement des disciplines du « management » moderne. Ces spécialistes forment

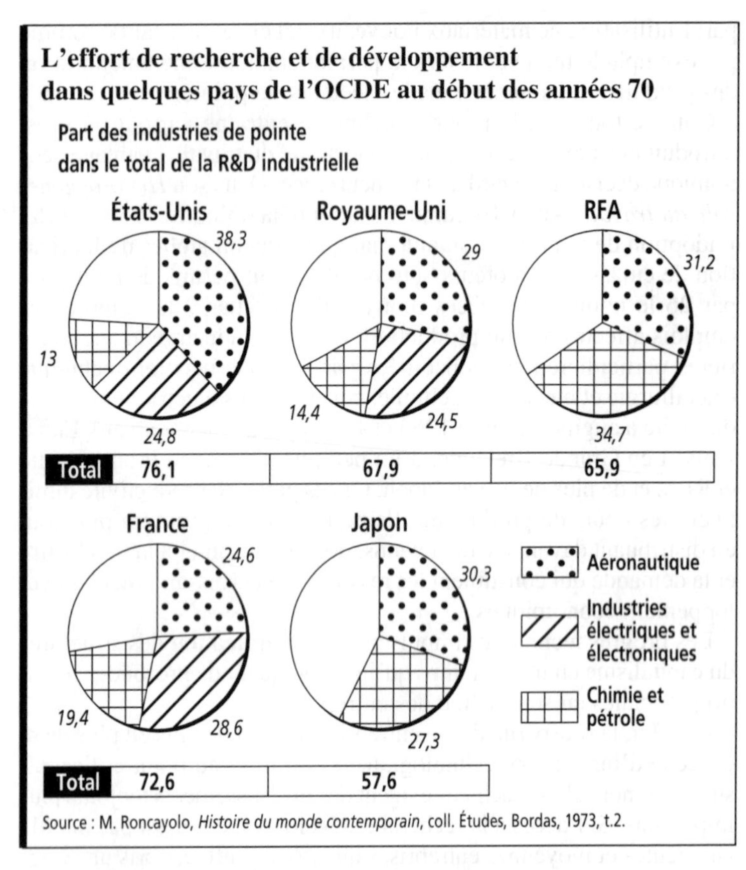

Source : M. Roncayolo, *Histoire du monde contemporain*, coll. Études, Bordas, 1973, t.2.

la technostructure, groupe de décideurs distinct des actionnaires ; ils sont beaucoup plus motivés par la croissance maximale de la firme que par le versement de dividendes qu'ils ont tendance à considérer comme un prélèvement stérile. La gestion des grandes entreprises se sépare de plus en plus nettement de leur propriété dans le capitalisme contemporain qui évolue vers une direction bicéphale des sociétés anonymes, où les propriétaires conservent néanmoins le contrôle des gestionnaires. Le progrès technique provoque enfin une modification de la structure professionnelle des entreprises. Il exige en effet une élévation générale du niveau de qualification et de responsabilité à chaque poste de travail. De ce fait, le nombre des cadres, des agents de maîtrise, des ouvriers qualifiés augmente plus vite que celui des OS démunis de formation.

Cette évolution positive est cependant ternie par la question du chômage technologique qui alimente depuis les années 70, un débat contradictoire aux données complexes. Sans pessimisme excessif, il faut bien constater que les progrès de la mécanisation et plus encore le passage à l'automation provoquent à court terme la suppression de postes de travail, même si elle enrichit le contenu de ceux qui subsistent. Comme l'avait pressenti en France le rapport Nora, l'informatisation des services bancaires a entraîné (d'ailleurs plus lentement que prévu) des réductions d'emplois de l'ordre du tiers des effectifs. Les optimistes avancent qu'il se produit plutôt un déplacement d'emplois à moyen terme, soulignant en effet que la construction et la maintenance des machines modernes entraînent la création de nouveaux emplois qui viennent compenser ceux dont la modernisation technique a provoqué la suppression. Dans les pays les plus développés, le chômage structurel des années 80 semble bien démontrer que la modernisation technique de l'économie implique, en l'absence de croissance forte, le passage par une longue période de sous-emploi qui pose dramatiquement la question de la réduction du temps de travail. C'est pourquoi les syndicats européens revendiquent la semaine de 35 heures.

Repères chronologiques de 1945 à nos jours

Biologie et médecine	
1941 :	Invention de la cortisone
1945 :	Usage étendu de la pénicilline
1950 :	Tuberculose soignée *(Rimifon)*
1952 :	Usage des tranquillisants en psychiatrie
1953 :	– Vaccin contre la poliomyélite – Découverte de la structure de l'ADN
1955 :	Début de la chirurgie à cœur ouvert
1956 :	Établissement du nombre de chromosomes chez l'être humain
1959 :	Transplantation du rein
1960 :	Pilule contraceptive de Pincus
1968 :	Invention du scanner
1969 :	Gène isolé pour la première fois
1978 :	– Naissance d'un bébé conçu par insémination artificielle (GB) – Création d'une nouvelle céréale (triticale)
1982 :	– Naissance d'un « bébé éprouvette » en France – Mise au point d'une hormone de synthèse – Sucre artificiel (aspartame) obtenu par création d'une molécule nouvelle

Biologie et médecine	
1984 :	Fécondation *in vitro* d'un embryon congelé
1988 :	Gène de la différenciation sexuelle isolé
1994 :	Réalisation de la carte génétique complète du génome humain
1996 :	Mise au point de la trithérapie dans le traitement du sida (association de trois molécules)

Espace	
1947 :	Franchissement contrôlé du « mur du son » (ÉU)
1957 :	Lancement du premier satellite (*Spoutnik I*, URSS)
1958 :	Création de la NASA et lancement du premier satellite américain *(Explorer)*
1959 :	Envoi des premières sondes vers la lune
1960 :	Premier satellite météorologique *(Tiros)*
1961 :	Premier vol orbital (Y. Gagarine, URSS)
1962 :	– Premier satellite de télécommunications (*Telstar*, ÉU) – Lancement d'une sonde en direction de Vénus (*Mariner*, ÉU)
1965 :	Premier rendez-vous spatial réussi (programme Gemini)
1966 :	Luna 9 se pose sur la lune
1969 :	– Les Américains Armstrong et Aldrin sur la lune (vol *Apollo II*) – Premier essai du Concorde
1971 :	Première station orbitale (*Saliout I*, URSS)
1972 :	– Lancement de la sonde *Pioneer* vers Jupiter (ÉU) – Mise en orbite de *Landsat 1*, premier satellite d'observation des ressources terrestres
1975 :	Rendez-vous spatial Apollo-Soyouz
1976 :	Sonde *Vicking* sur Mars (ÉU)
1977 :	Lancement de la sonde *Voyager* vers Saturne (ÉU)
1978 :	Lancement de la fusée franco-européenne *Ariane*
1981 :	Premier vol de la navette *Columbia* (ÉU)
1982 :	Premier spationaute français à bord d'un vaisseau soviétique
1983 :	Explosion de la navette *Challenger*
1986 :	Lancement de la station orbitale *Mir* (URSS) Premier lancement du satellite *Spot* (observation de la Terre)
1989 :	Premier vol de la navette *Discovery* (ÉU)
1990:	Mise en orbite du téléscope spatial *Hubble*
1992 :	Premier vol de la navette *Endeavour* (ÉU)
1994 :	La sonde américaine *Clementine* transmet des informations renouvellant la connaissance de la lune
1995:	– Jonctions entre les navettes américaines *Discovery* puis *Atlantis* et la station russe *Mir* – La sonde *Galileo*, 1er satellite artificiel d'une grosse planète, Jupiter

Informatique	
1946 :	ENIAC, premier ordinateur électronique construit par IBM (à lampes et à programmation externe)
1948 :	Invention du transistor (ÉU)
1949 :	Mise au point de la télévision par câbles (ÉU)
1953 :	Création du réseau international de diffusion TV « Eurovision »
1958 :	Invention du circuit intégré (ÉU)
1959 :	Deuxième génération d'ordinateurs (transistors et mémoire centrale intégrée)
1964 :	Troisième génération d'ordinateurs (circuits intégrés)
1967 :	Diffusion de programmes de télévison en couleurs en Europe
1971 :	Invention du microprocesseur (ÉU) et développement de la micro-informatique
1974 :	Invention de la carte à puce
1981 :	Premier micro-ordinateur PC
1988 :	Recherches sur les ordinateurs « neuronaux »; développement des programmes d'intelligence artificielle
1990 :	La chaîne japonaise NHK diffuse des programmes de télévision en haute définition. Mise au point du transistor optique

L'atome	
1942 :	Première réaction en chaîne par la désintégration d'un noyau d'uranium
1945 :	Explosion des premières bombes atomiques américaines
1946 :	Premier accélérateur de particules aux États-Unis
1949 :	Première bombe A soviétique
1952 :	1re bombe à hydrogène (bombe H) américaine. 1re Première bombe A britannique. Création du CERN (Centre de recherche nucléaire, à Genève)
1953 :	Première bombe H soviétique
1954 :	Premier sous-marin à propulsion nucléaire
1957 :	Première bombe H britannique
1960 :	Première bombe A française
1964 :	Première bombe A chinoise
1967 :	Bombe H chinoise
1968 :	Bombe H française
1970 :	Amplification des programmes de construction de centrales nucléaires
1974 :	Bombe A en Inde
1978 :	Le Congrès des États-Unis décide la construction des bombes à neutrons
1979 :	Accident de Three Miles Island (ÉU)
1980 :	260 tranches de prod. d'électr. nucléaire en service dans le monde (2 % du bilan énergétique mondial; grands pays industriels : 5 à 10 %)
1986 :	Accident de Tchernobyl (URSS)
1991 :	18 % de l'électricité consommée dans le monde sont produits par les centrales nucléaires (21,6 % aux ÉU, 75 % en France)

CHAPITRE 13

La croissance des économies libérales

De 1950 au milieu des années 70 l'économie mondiale a connu une croissance forte, au rythme moyen de 5 % par an, et régulière, seulement ralentie par quelques brèves récessions. Soutenue par un puissant élan démographique, cette expansion sans précédent dans les pays d'économie libérale est largement due à l'efficacité du système capitaliste profondément rénové après 1945. Au-delà de caractères généraux bien accusés, la croissance s'est opérée à des rythmes variables selon les pays et selon les branches d'activité. Il en est résulté une redistribution partielle des forces au niveau planétaire, mais aussi le creusement d'écarts facteurs de tensions. Dès la fin des années 60, alors même que l'économie mondiale apparaît plus prospère que jamais, les mécanismes de croissance commencent à se gripper dans un contexte de contestation Nord-Sud qui annonce la crise des années 1970-1980.

Les facteurs de la croissance

• L'élan démographique

Il faut souligner d'emblée le rôle essentiel de l'essor démographique puissant et durable de l'après-guerre, car il a fourni à la grande croissance ses millions de consommateurs et de producteurs. En effet, amorcé dès la fin de la guerre par des naissances de récupération (le célèbre «*baby-boom*»), un régime démographique dynamique vient partout démentir, au moins jusqu'en 1965, les tendances malthusiennes des années 30. Il se caractérise par une natalité élevée, proche du taux annuel de 20 ‰, elle-même soutenue par une forte fécondité qui exprime à la fois un renouveau conjugal, un sentiment de confiance en l'avenir et une conséquence positive des mesures de protection familiale et sociale aménagées dans le cadre de l'État-Providence *(Welfare State).* En même temps, grâce aux progrès de la médecine, la mortalité recule pour tendre vers le taux annuel de 10 ‰. La population rajeunit, gage d'une meilleure réceptivité aux innovations tandis que l'espérance de vie à la naissance s'allonge de 5 à 10 ans selon les cas pour franchir dans tous les pays industrialisés le cap des 70 ans. L'écart entre natalité et mortalité laisse un croît naturel qui porte la population mondiale de 2,5 milliards à 3,7 milliards d'individus entre 1950 et 1970. Chaque année, dans un marché qui s'unifie progressivement à l'échelle planétaire pour le plus grand profit des économies développées, des dizaines de millions d'êtres humains supplémentaires (42 millions en 1950, 59 millions en 1960, 68 millions en 1970) réclament des produits alimentaires, des vêtements, des logements, des équipements collectifs (crèches, écoles…). La demande stimule fortement la production.

Certes, la croissance démographique des pays industrialisés a été beaucoup plus modérée que celle du tiers-monde : ils ne regroupent en 1970 que 17 % de la population mondiale alors qu'ils assurent les deux tiers de la production totale. Le facteur démographique n'a pourtant pas été négligeable. En une trentaine d'années, les États-Unis ont gagné 100 millions d'habitants, le Japon 35 millions, un pays comme la France pourtant réputé pour son malthusianisme séculaire, une douzaine de millions; l'Allemagne, qu'Hitler estimait surpeuplée avec 65 millions d'habitants, en compte près de 80 millions (en incluant la RDA) sur un territoire diminué. Les densités de population qui expriment le degré d'emprise sur l'espace occupé dépassent 300 habitants par km^2 au Japon et approchent les 200 en Europe occidentale, se situant parmi les plus élevées au monde.

Il faut encore souligner les avantages qualitatifs de cette population dont l'efficience s'enrichit du niveau d'organisation économique et sociale atteint par les pays industrialisés. Elle rassemble tout à la fois des consommateurs exigeants et des producteurs efficaces. Ainsi, la réaction aux longues années de pénurie imposées par la crise et la guerre y a favorisé l'adoption des normes américaines de consommation qui poussent la notion de besoin bien au-delà du strict nécessaire. La nouvelle mentalité consommatrice réclame des biens de confort souvent superflus mais proposés par la publicité et rendus accessibles par l'élévation du pouvoir d'achat (fruit de la croissance), elle-même anticipée par la généralisation du crédit à la consommation. À ces consommateurs insatiables répondent des producteurs efficaces. Le taux d'activité dépasse 40 % de la population totale dans les pays industrialisés, ce qui est très supérieur au coefficient d'emploi du monde sous-développé ; celui-ci constitue au demeurant un énorme réservoir de main-d'œuvre disponible largement utilisé par l'Amérique du Nord et l'Europe occidentale dans le cadre de politiques systématiques d'immigration. En outre, la recherche de l'efficacité maximale du travail est un souci constant des sociétés avancées. Elle s'obtient par une redistribution de la main-d'œuvre au profit des secteurs les plus productifs (industrie, services de valorisation de la production) et au détriment des activités dépassées que l'on abandonne ou que l'on modernise, à l'exemple de la révolution agricole accomplie depuis 1945 en Europe occidentale. Elle résulte aussi d'une qualification acquise depuis plusieurs générations et constamment actualisée en fonction des progrès techniques par des systèmes d'enseignement, de recyclage, d'information d'autant plus efficaces qu'ils touchent l'ensemble (ou peu s'en faut) de la population. On ne saurait évidemment négliger que l'amélioration de la productivité du travail traduit aussi l'accroissement de l'efficacité du potentiel technique mis en œuvre par un effort constant d'investissement.

• Un énorme effort d'investissement

Le capitalisme accumule des moyens de production par l'investissement. Depuis 1945, les pays industrialisés ont admis la nécessité de consacrer une part substantielle de leur revenu national (en moyenne 20 %) à l'acquisition de biens d'équipement et d'outillage. À titre d'exemple, le stock de capital productif recensé en France a vu sa valeur quadrupler en un quart de siècle (903 milliards de francs en 1954 et 3 648 milliards de francs en 1979, en monnaie constante à la valeur de 1979), ce qui représente un effort sans précédent à ce niveau. Tout investissement crée du travail et engendre par la suite une production supplémentaire ; mais les investisseurs ont aussi cherché à augmenter la productivité du travail en intégrant les progrès techniques dans les méthodes de production. En finançant la modernisation technologique de l'appareil productif, l'investissement a amplifié la croissance économique. L'effort est sensible dans tous les domaines d'activité, aussi bien dans les industries clés, laboratoires de l'innovation, que dans un secteur aussi traditionnel que l'agriculture européenne dont les modes de production ont été profondément modernisés au moyen d'investissements massifs. La décennie 1960-1970 est exemplaire car elle cumule des investissements soutenus, un doublement de la productivité horaire du travail dans les pays développés et, donc, une croissance vigoureuse de la production. On observe une corrélation entre de forts taux de croissance et des taux d'investissement élevés.

Croissance et investissement

	Croissance du PIB en termes réels (moyenne annuelle 1950-1978)	**Taux moyen d'investissement** (en % du PIB)
Japon	8,4 %	29,9 %
RFA	5,5 %	23,0 %
France	4,8 %	21,2 %
Italie	4,6 %	20,7 %
États-Unis	3,5 %	17,6 %
Royaume-Uni	2,5 %	16,9 %

Or, investir n'est pas toujours chose facile pour une entreprise car il lui faut réunir les ressources financières nécessaires et pouvoir ensuite rentabiliser la dépense engagée. Jusqu'à la fin des années 60, la prospérité a généralement permis aux entrepreneurs d'autofinancer leurs investissements en trouvant dans le bénéfice de l'entreprise les trois quarts ou parfois même la totalité de leurs besoins. Avec le ralentissement de la croissance, il a fallu recourir davantage à l'emprunt au prix d'un endettement croissant et parfois dangereux pour l'équilibre financier des entreprises. La charge financière de l'investissement, jointe à l'impératif de modernisation technologique, a constitué un puissant facteur de modernisation financière et technique du capitalisme : la croissance de la firme devient une condition de sa survie dans un système concurrentiel à l'échelle planétaire.

• La puissance des entreprises internationales

Le groupe géant, déjà en gestation depuis le début du siècle, s'impose comme la structure la mieux adaptée tout à la fois au financement de la recherche-développement, à la mise en œuvre des facteurs de production, capital et travail massivement mobilisés, et enfin à l'écoulement de la production sur de vastes marchés organisés et contrôlés à l'échelle internationale. Toutes les formes de concentration sont exploitées mais le nouveau capitalisme privilégie les moyens financiers sous la forme de prise de participation directe dans le capital des entreprises convoitées. À la tête du groupe, une société de portefeuilles, « holding » ne réunissant généralement qu'un nombre restreint de dirigeants, gère l'ensemble de ses avoirs enchevêtrés et détient ainsi la réalité du pouvoir sur la firme. Deux caractères s'affirment de plus en plus nettement dans cette course à la puissance :
– La diversification des productions, avec ou sans liaisons techniques, aboutit à la constitution de conglomérats, dont un exemple fameux parmi beaucoup d'autres est fourni par ITT, initialement spécialisé dans les télécommunications mais intervenant successivement dans la location de voitures (Avis de 1965 à 1971), la construction de pavillons individuels (Levitt de 1966 à 1971), l'hôtellerie (Sheraton depuis 1967), l'édition, les assurances, la confiserie… Il s'agit d'éviter les situations de monopole dans un domaine particulier car cette position est interdite par la loi, tout en regroupant des branches disparates qui offrent de bonnes perspectives de profit ou, au pire, équilibrent les risques ; la structure d'un conglomérat évolue donc constamment par achat et revente d'actions.
– L'internationalisation de plus en plus poussée des activités caractérise les sociétés multinationales qui disposent d'unités de production et de vente dans de nombreux pays. Cette stratégie mondiale permet de contourner les obstacles douaniers, d'organiser au mieux des intérêts de la firme la division internationale du travail, de répartir les risques non plus seulement entre les produits mais entre les pays.

Les conglomérats multinationaux sont les grandes entreprises du capitalisme contemporain. Ils détiennent une puissance considérable et une richesse souvent supérieure à celle d'États de taille moyenne ; ils contrôlent sans doute plus du tiers du commerce mondial. Leur soutien à la croissance, notamment par l'investissement industriel, est indéniable. On observe cependant que l'hétérogénéité des conglomérats n'est guère favorable à la conduite de recherches actives sur des terrains dissemblables. Le poids énorme des groupes n'est pas sans inconvénient : il entraîne des frais de gestion qui diminuent la rentabilité de l'ensemble; il conduit à des effets de domination qui peuvent être paralysants, en particulier pour les petites et moyennes entreprises dont le dynamisme est soumis par la sous-traitance à la politique des groupes. Néanmoins, supports d'une croissance dont elles tirent largement profit, les grandes sociétés multinationales font aussi preuve d'une grande capacité de résistance en cas de récession. Du fait même de leur puissance, elles constituent un élément de régularité de la croissance, autant que de dynamisme.

• La libération des échanges commerciaux et financiers

Le néo-libéralisme de l'après-guerre a fortement contribué à une extraordinaire expansion du commerce international. Le GATT en particulier a joué le rôle qui lui était assigné en faveur de la libéralisation des échanges. Il a servi de cadre au *Kennedy round*, ensemble de négociations commerciales longues et difficiles qui, entre 1963 et 1967, ont finalement abouti à une réduction moyenne de 35 % des droits de douanes entre les États-Unis et la CEE. Cette dernière, en dépit du maintien d'un tarif extérieur commun, cherchait d'ailleurs moins à résister au grand courant de libération des échanges qu'à y intégrer pour leur profit des économies européennes en voie d'internationalisation. De nombreuses autres unions douanières régionales, à commencer par l'AELE, ont activé de la même façon les relations commerciales. En 1971 le GATT cherche à favoriser les exportations du tiers-monde en incitant les pays riches à adopter un système généralisé de préférence tarifaire qui supprime les taxes à l'importation sur la plupart des produits industriels en provenance des pays en voie de développement. Les résultats (qui tiennent aussi à la modernisation des transports) sont remarquables : entre 1950 et 1974, le commerce international a connu une multiplication par 5 de son volume et, compte tenu de l'inflation, une multiplication par 9 de sa valeur. Son rythme de croissance annuel moyen se situe à 7 %, soit au-dessus de celui de la production qui ne dépasse généralement pas 5 %. L'exportation entraîne la production en lui ouvrant de nouveaux marchés, effet particulièrement net pour les produits manufacturés comme le montre le tableau.

Les pays développés à économie de marché qui détiennent l'essentiel du potentiel industriel mondial se taillent la part du lion dans l'expansion commerciale : ils assurent 62,8 % des exportations mondiales en 1948, 66,4 % en 1960 et 72,7 % en 1972, à la veille du premier choc pétrolier. Il est donc clair que l'économie des pays capitalistes s'est développée en s'internationalisant : la part exportée de la production intérieure brute est d'ailleurs passée de 7,5 % en 1950 à 13,6 % en 1973 et à 20,1 % dans les pays membres de la CEE, tandis qu'augmentait dans des proportions analogues le rôle des importations dans l'économie interne de chaque pays. Cette interpénétration des économies nationales stimule par la concurrence la compétitivité de chacune d'entre elles, la poussant à la rationalisation et à la spécialisation de sa production.

Le système monétaire adopté à Bretton-Woods a su fournir au développement du commerce extérieur des liquidités internationales assez abondantes pour équilibrer le volume des échanges, et des monnaies suffisamment stables pour assurer la sécurité des transactions. L'évolution des liquidités mondiales prouve que le stock de monnaie internationale s'est essentiellement nourri de dollars distribués par les États-Unis sous forme d'aide économique ou militaire, au titre de crédits internationaux, ou encore en contrepartie du déficit de la balance des paiements. L'augmentation est restée modérée jusqu'à la fin des années 60, époque où le dollar était encore assez fort pour garantir la solidité du système. Tout change rapidement après 1970. L'émission en 1969 des premiers droits de tirage spéciaux (DTS) par le FMI vient encore augmenter les moyens de paiements internationaux.

Paralysé depuis la crise de 1929, l'investissement international renaît avec la disparition progressive des entraves aux mouvements de capitaux et le retour des grandes monnaies à la convertibilité externe vers 1957. Le flux mondial annuel d'investissement connaît alors un essor remarquable, plus vif même que celui du commerce extérieur : il passe en effet de 3,3 milliards de dollars par an pour la période 1951-1955 à 6 milliards en 1956-1959 pour atteindre 20 milliards de dollars en 1970. La nature de cet investissement porte l'empreinte de la stratégie des firmes multinationales. Il s'agit en effet pour l'essentiel de fonds privés directement placés dans la production sous forme de prise de participation au capital des entreprises. La source principale de l'investissement se situe une fois encore aux États-Unis.

Les placements se dirigent majoritairement vers les pays développés dont la reconstruction puis la croissance offrent l'attrait de perspectives de profit élevé : le Canada et l'Europe, surtout les pays du Marché commun où, après 1958, les États-Unis investissent 9,5 milliards de dollars en 8 ans dans les industries pétrolières et de transformation. À partir de 1965, la multiplication des eurodollars conduit au lancement puis à l'essor foudroyant de l'« Euromarché » dès 1971 se développe un marché à long terme sous la forme d'émissions d'euro-obligations.

Le développement des entreprises et des banques multinationales qui interviennent sur ces marchés de capitaux, la multiplication des holdings internationaux au rayonnement géographique de plus en plus vaste, sont autant de signes de la tendance mondialiste du capitalisme de croissance.

• L'intervention modérée de l'État

Bien que leur pouvoir se trouve partiellement remis en cause par l'internationalisation de l'économie, les États se sont appliqués à exercer un rôle d'organisation du nouveau capitalisme, à « maximiser » et à harmoniser la croissance. Pour ce faire, s'inspirant des théories de Keynes, les ministres des finances ont pratiqué des politiques de « régulation conjoncturelle » qui consistent, par une combinaison habile des politiques fiscale, budgétaire et monétaire, à soutenir alternativement la demande de consommation des ménages et l'investissement des entreprises lorsque la situation économique paraît l'exiger. Si les objectifs des gouvernements ont été partout d'assurer le plein-emploi, de préserver la stabilité des prix et l'équilibre de la balance des paiements, de réaliser la croissance maximale et d'en redistribuer les fruits de manière à réduire les inégalités sociales, les modalités nationales se sont révélées fort diverses pour les atteindre : *Stop and Go* en Grande-Bretagne, « économie sociale de marché » en RFA, alternance de gestions keynésienne et monétariste aux États-Unis, régulation conjoncturelle tributaire d'une planification souple dans le cas français. Jusqu'au début des années 70, ces politiques de dosage minutieux ont néanmoins débouché sur une maîtrise assez sûre de la croissance économique.

Caractères généraux et aspects nationaux de la croissance

• La croissance forte et régulière des économies capitalistes libérales

De 1950 à 1973 l'économie mondiale a connu une croissance forte, en franche rupture avec l'expansion lente du XIXe siècle et même de la première moitié du XXe siècle.

Si les pays socialistes ont participé dans une mesure variable au mouvement général de croissance, ce sont incontestablement les pays industrialisés d'économie libérale qui ont joué le rôle moteur dans ces « trente glorieuses », selon la formule que Jean Fourastié a lancée pour caractériser la croissance française. Résolument tourné vers l'expansion, le capitalisme rénové de l'après-guerre n'avait jamais fait montre d'un tel dynamisme puisque le taux de croissance annuel moyen des pays de l'OCDE (qui regroupe depuis 1960 les États-Unis, le Canada, l'Europe occidentale et le Japon) a frôlé les 5 %, ce qui représente un doublement de la production en 30 ans. Impulsée par la reconstruction, soutenue ensuite par la vitalité économique du Japon, de l'Allemagne fédérale, de l'Italie et aussi de la France, la croissance culmine en 1973 par une expansion générale de l'économie mondiale.

Cette longue croissance s'est caractérisée par une régularité exceptionnelle. Les brèves récessions qui sont venues troubler la courbe ascendante en 1948-1949, 1952-1954, 1957-1958, 1967-1968 n'avaient en effet rien de commun avec la crise de 1929 ; elles sont plutôt analysées comme de simples paliers dans la croissance, phénomène normal voire nécessaire de réajustement périodique dans une économie soumise aux lois du marché. La reprise qui succède rapidement au ralentissement de l'activité semble même démontrer que le néo-capitalisme a désormais acquis la capacité de maîtriser sa propre croissance et ses inévitables aléas. Ainsi, durant presque trois décennies, les sociétés des pays développés se sont accoutumées à disposer chaque année d'une quantité de biens et de services supérieure à celle de l'année précédente. Elles sont entrées avec délectation dans le temps de l'abondance puisqu'en 30 ans (de 1950 à 1980) les pays capitalistes industrialisés ont offert à leurs habitants plus qu'un doublement du produit annuel par tête : 3841 dollars en 1950, 9684 dollars en 1980, soit une augmentation de 5843 dollars, équivalente à 35000 francs en valeur réelle.

Derrière cette progression générale, le tableau ci-contre montre cependant que les principaux pays capitalistes se répartissent en trois groupes au regard de la croissance : les États-Unis avec un taux modéré de 3,7 % par an sur l'ensemble de la période perdent une partie de leur avance sur le groupe des pays à croissance rapide, Italie et France au rythme moyen de 5,4 % l'an, RFA à 5,8 % et surtout Japon à 10,2 %, tandis que le Royaume-Uni s'isole, attardé dans une évolution lente de 3 % par an à peine supérieure au rythme du XIXe siècle.

La croissance au XXe siècle (taux annuels moyens du PNB)

	1913-1950	1950-1970	1973
États-Unis	2,9 %	3,9 %	5,9 %
Royaume-Uni	1,7 %	2,8 %	5,3 %
France	0,7 %	4,3 %	6,0 %
RFA (Allemagne)	1,2 %	5,5 %	5,3 %
Italie	1,3 %	5,4 %	–
Japon	4,0 %	10,9 %	10,2 %

• Aux États-Unis : une croissance modérée et irrégulière

La croissance de l'économie américaine se situe au-dessous du rythme moyen des pays de l'OCDE qui est proche de 5 % par an entre 1950 et 1973. Elle est en outre perturbée par sept années de progression médiocre (inférieure à 3 % par an) et surtout par trois reculs absolus du PNB en 1954, 1958 et 1970. La position extérieure des États-Unis se détériore parallèlement puisque la balance des paiements est déficitaire depuis 1960 et que la balance commerciale enregistre en 1971 son premier déficit du XXe siècle.

Les forces de travail n'ont pourtant pas manqué car la main-d'œuvre est passée en 30 ans de 65 à 85 millions d'actifs qui, par leur efficacité, ont engendré le tiers de la croissance de l'économie fédérale. C'est donc paradoxalement du côté du capital que, dans cette citadelle du capitalisme libéral, il faut chercher les faiblesses. On constate en effet que, trop sollicité par les placements extérieurs, l'investissement dans l'appareil productif interne n'a progressé en moyenne que de 3,5 % par an entre 1951 et 1971. Il est vrai que les grandes firmes multinationales américaines compensent largement par leur puissance internationale la lenteur de la croissance intérieure. En 20 ans, elles ont investi 115 milliards de dollars à l'étranger et assurent avec leurs nombreuses filiales entre les deux tiers et les trois quarts de la production mondiale de la plupart des biens industriels. On se gardera également d'oublier qu'en deux décennies le PNB américain a quand même été multiplié par 2,3 et qu'il dépasse en 1971 les 1 000 milliards de dollars, soit la moitié des PNB cumulés des pays de l'OCDE.

Par le volume de leur production, par leur puissance financière soutenue par le rayonnement mondial du dollar, par l'attrait qu'exerce l'*American Way of Life* synonyme de revenu individuel élevé et de consommation abondante, les États-Unis restent bien l'économie dominante en même temps que la vitrine du capitalisme.

• Les miracles économiques : mythes et réalités

La France affaiblie par quatre années d'occupation allemande mais surtout les puissances de l'Axe, vaincues en 1945, font figure de « miraculées » par leur forte croissance économique des décennies 1950 et 1960. Ces expansions facilement explicables ont vite replacé leurs bénéficiaires dans le concert économique mondial.

La RFA a cumulé de nombreux atouts décisifs : une aide américaine justifiée par les tensions de guerre froide, un réseau bancaire efficacement lié à la production, un mark compétitif mais assez solide pour attirer les capitaux étrangers, une rente de situation géographique inégalable dans le Marché commun grâce à la maîtrise de l'axe rhénan, un consensus social forgé par l'histoire et préservé par l'ordolibéralisme des dirigeants démocrates-chrétiens. La mobilisation énergique de ces facteurs conduit à une puissante reprise de la production industrielle et à la reconquête rapide d'une place de choix dans le commerce international : l'Allemagne occidentale qui avait pratiquement disparu des exportations mondiales au lendemain de la guerre (1,4 % du total en 1948) talonne les États-Unis en 1972 en effectuant 11,2 % des exportations mondiales avec une balance commerciale largement excédentaire. La RFA devient un important centre d'accumulation des liquidités internationales, et le Deutschemark s'impose comme l'une des devises essentielles du SMI.

L'Italie tire avantage de certains inconvénients : la pauvreté du Mezzogiorno en fait une réserve de main-d'œuvre à bon marché, et l'absence de la plupart des matières premières libère de toute contrainte nationale le recours au marché mondial où les cours sont peu élevés. Parallèlement, la concentration économique, sous l'impulsion de firmes privées dynamiques (Fiat, Montecatini, Pirelli) et d'un large secteur public (IRI, ENI), permet de doter le pays d'assises énergétiques et sidérurgiques modernes et d'effectuer une percée spectaculaire sur de nombreux marchés porteurs tels que l'automobile ou l'électroménager.

Le Japon a retrouvé son élan industriel avec la guerre de Corée. Les grandes entreprises cartellisées qui concentrent le pouvoir économique se sont vite reconstituées en prenant appui sur un vaste secteur de sous-traitance qu'elles dominent complètement. Une très forte discipline sociale favorise le travail et l'épargne, source d'un investissement puissant qui absorbe jusqu'à 30 % de la richesse nationale, en augmentant de 15 à 20 % chaque année au cours des années 60.

La faiblesse des charges militaires permet de consacrer tous les efforts à la croissance économique qui atteint des taux records supérieurs à 10 % par an. Dès 1970, le Japon est devenu la troisième puissance économique mondiale, dotée d'une efficacité industrielle et commerciale redoutable (7 % des exportations mondiales en 1972).

La France a opté dès la reconstruction pour la croissance et la modernisation de ses structures économiques. Elle a su relever le double défi de la perte de son empire et de l'ouverture de ses frontières sur l'Europe en 1957, au demeurant favorable à ses exportations agricoles. L'industrie trop longtemps négligée est activement développée, notamment le secteur des biens d'équipement. Entre 1969 et 1973, la croissance française frôle les 7 % par an, ce qui la situe juste derrière les performances japonaises. Pourtant, l'industrialisation présente encore des failles, le franc subit des dévaluations périodiques (1949, 1958, 1969) et le commerce extérieur reste fragile.

• La crise de langueur de l'économie britannique

L'économie pionnière de la première révolution industrielle paraît incapable de changer de rythme après 1945. Travail et capital se dérobent : la stagnation de la population active et plus encore celle des investissements expliquent la médiocre productivité de l'industrie britannique qui porte la responsabilité des contre-performances de l'économie nationale. La volonté de défendre la livre sterling a inspiré des politiques conjoncturelles contradictoires, en *Stop and Go,* le plus souvent déflationnistes, donc néfastes à l'expansion et génératrices de revendications syndicales qui ont contribué au freinage de la croissance. La dévaluation de la livre sterling en 1967, le recul dramatique des exportations (11 % du total mondial en 1948 et seulement 5,9 % en 1972), l'impossibilité de tenir toutes les promesses sociales du *Welfare State* donnent la mesure de l'échec britannique, malgré des éléments de force (investissements à l'étranger, dynamisme des industries de pointe). Les difficultés de l'ancienne économie dominante n'annoncent-elles pas déjà en pleine période de prospérité le marasme des années 70 ?

Croissance économique et reclassements sectoriels

• Une profonde redistribution des activités

L'expansion économique de l'après-guerre a été trop puissante et durable pour être en même temps uniforme. Des écarts se sont creusés entre les activités traditionnelles à évolution lente et les secteurs nouveaux à croissance rapide. De profonds reclassements se sont opérés. La comparaison du poids relatif des trois grands secteurs d'activité dans les principaux pays industriels capitalistes entre 1960 et 1979, alors que se sont fait sentir les effets de la croissance, montre nettement le sens de l'évolution : le recul de l'agriculture a permis le maintien de l'industrie dont la modernisation a soutenu l'essor du secteur tertiaire.

L'évolution des secteurs d'activités (1960-1979)

	Agriculture		Industrie		Services	
	1960	1979	1960	1979	1960	1979
Répartition de la population active	15 %	6 %	39 %	38 %	45 %	56 %
Répartition du produit intérieur brut	6 %	4 %	40 %	37 %	54 %	59 %

• Progrès et déclin relatif des agricultures

Placées devant la double nécessité de nourrir des consommateurs plus nombreux et d'assurer un revenu décent à leurs travailleurs, toutes les agricultures ont accompli des progrès considérables depuis 1945. Elles ont opéré une profonde mutation technique au prix d'un effort d'investissement sans précédent et d'un mouvement concomitant de concentration des exploitations. La «révolution du tracteur» achevait la motorisation du travail agricole tandis que la mécanisation assurait la mise en valeur des terres par des machines de plus en plus puissantes et spécialisées. L'utilisation des produits chimiques que sont les engrais et les pesticides est devenue courante et massive, et le recours à la biologie et à la génétique s'impose pour la sélection des semences végétales comme des espèces animales.

Les résultats de cette modernisation sont importants : les rendements se sont intensifiés et les gains de productivité proches de 7 % par an ont le plus souvent dépassé ceux de l'industrie. Les productions ont fortement augmenté, à l'exemple de celle des 6 céréales principales qui ont plus que doublé au niveau mondial, passant de 549 à 1 230 millions de tonnes entre 1946 et 1974. Progrès indiscutables ! Et pourtant l'ampleur de la faim dans le monde vient constamment rappeler les insuffisances de cette activité indispensable à la vie humaine qui bute sur de rigides contraintes naturelles. En réalité, le paradoxe de l'évolution de l'agriculture tient essentiellement au fait que la croissance agricole a été moins forte que celle des autres activités économiques. Les consommateurs des pays riches se nourrissent certes mieux que par le passé et pourtant ils ne consacrent qu'une part décroissante de leurs revenus aux dépenses alimentaires car leur demande se porte d'avantage sur l'achat de biens industriels et de services. Comme l'augmentation de la productivité du travail agricole a été supérieure à l'évolution de la demande, les prix ont tendance à baisser et le nombre des agriculteurs diminue ; c'est l'exode rural, rançon de la modernisation technique. Enfin, son intégration dans une filière agro-industrielle complexe a soumis l'agriculture aux industries qui, en amont, lui fournissent les biens nécessaires à sa production (tracteurs, machines, engrais, etc.) et à celles qui, en aval, assurent la transformation des produits agricoles avant de les livrer aux consommateurs (industries agro-alimentaires). L'agriculture est devenue une activité dominée.

• Les industries pilotes de la croissance

Domaine privilégié de l'innovation, l'industrie a, depuis 1950, donné ses caractères distinctifs à la production et à la consommation de masse. Dominant l'agriculture, suscitant l'essor des activités de service, soutenant les exportations, l'industrie a été la principale pourvoyeuse de revenus pour les ménages comme pour les entreprises et les États.

Chaque année, la production industrielle mondiale a progressé de 5 % en moyenne, mais en 25 ans la production totale d'électricité a été multipliée par 12, celle de pétrole par 10, d'acier par 6,5, d'automobiles par 10. Les gains de productivité du travail ont permis d'obtenir cette expansion de la production sans augmentation comparable des effectifs employés et avec une inflation modérée ; la stabilité du poids relatif de l'industrie dans les économies développées masque donc un très réel développement de ce secteur. Toutes les branches n'ont pourtant pas participé également à la croissance. En Europe occidentale, les activités héritées du XIXe siècle comme les charbonnages, le textile ou les constructions navales ont connu des difficultés et parfois même un déclin prononcé. En revanche, partout, les secteurs orientés vers la consommation des ménages ont enregistré une progression importante de leur production : les biens divers relevant de l'équipement électroménager, l'automobile qui avec ses multiples effets d'entraînement a été la grande industrie porteuse de la croissance, les produits agro-alimentaires qui ont réalisé une poussée spectaculaire avec l'apparition d'habitudes alimentaires liées aux nouveaux modes de vie urbains. Les industries de pointe, qui mobilisent les techniques les plus avancées, se sont montrées les plus dynamiques. Les branches d'activité rattachées au nucléaire, à l'aérospatiale ou à l'électronique, stimulées par les commandes stratégiques de l'État, constituent le fer de lance de la croissance par leur propre développement et aussi par leurs « retombées », c'est-à-dire par les applications qu'elles trouvent dans les autres secteurs industriels (à l'exemple de l'électronique qui se diffuse un peu partout et touche maintenant le grand public). Des industries classiques se sont rénovées, comme la chimie, omniprésente avec sa gamme infinie de produits en constant renouvellement, ou la sidérurgie dont les complexes modernes fournissent tôles, poutrelles, ronds à béton, aciers spéciaux à de nombreux secteurs de transformation. La croissance a donc consolidé le triomphe de « l'état industriel » et accéléré le mouvement d'urbanisation qui lui est lié.

• L'irrésistible essor des activités tertiaires

Le secteur multiforme des services a vu sa place s'étendre considérablement dans la vie économique et sociale sous l'effet d'une demande puissante et diverse à laquelle il n'a pas été possible de répondre, au moins à court terme, par une augmentation suffisante de la productivité du travail. Il a donc fallu accroître les effectifs employés tandis que s'élevait le prix des prestations de service. Il n'est donc pas surprenant que le secteur tertiaire fournisse désormais plus de la moitié des emplois (les deux tiers en Grande-Bretagne et aux États-Unis) et participe également pour plus de 50 % à la formation de la richesse nationale. La diversité des activités de service souligne quelques caractères essentiels de l'évolution récente de nos sociétés industrielles. Les unes rendent plus efficace le travail productif (banques et assurances, transports, gestion des entreprises, services commerciaux) ; d'autres répondent aux besoins nouveaux des consommateurs dans les domaines de la santé, de la culture et des loisirs, tandis que le développement des administrations publiques traduit le rôle grandissant de l'État moderne dans la vie économique et sociale.

Une croissance déséquilibrée et contestée

• Les mécomptes de la coopération internationale

La conviction optimiste que la croissance, en créant la prospérité des nations, engendrerait la concorde internationale et la paix n'a guère été vérifiée par la plus grande période d'expansion que le monde ait jamais connue. Trop d'inégalités ont subsisté ou se sont même aggravées entre les pays pour que puisse s'instaurer un climat de confiance et de véritable coopération.

Bien que très réel à partir de la fin des années 60, le rapprochement entre économies capitalistes et socialistes demeure limité et fragile, tandis que le tiers-monde conteste de plus en plus vivement l'ordre économique international dominé par les pays industrialisés. Au même moment, les relations se ternissent entre les États-Unis, la CEE et le Japon qui forment les trois pôles dominants du monde développé, chacun de ces partenaires dénonçant à plus ou moins bon droit tantôt le protectionnisme excessif et tantôt la concurrence déloyale des deux autres.

Au début des années 70, dans un climat général de détente, les relations commerciales s'intensifient brusquement entre l'Est et l'Ouest. Les dirigeants soviétiques qui ont entrepris la modernisation de leur pays prennent conscience du retard accumulé en matière de technologie et souhaitent acquérir des équipements industriels à l'Ouest ; en contrepartie les dirigeants occidentaux voient dans l'URSS moins une nouvelle source d'approvisionnement en matières premières qu'un immense marché potentiel enfin ouvert à l'écoulement de leur production de masse. Ouverture précaire ! Les échanges commerciaux entre l'Est et l'Ouest ont vite plafonné à moins de 4 % du commerce mondial. L'irréductibilité du conflit idéologique a pareillement limité les amorces de coopération technique entre « partenaires-adversaires ». Enfin, malgré l'opportun répit obtenu par les négociations SALT au début des années 70, il ne faut pas perdre de vue la gigantesque course aux armements qui, en stimulant les industries stratégiques, a certainement constitué l'un des moteurs les plus puissants mais aussi les plus périlleux de la croissance.

Les mécanismes qui ont soutenu l'expansion des pays développés semblent bien avoir simultanément aggravé le retard économique et la pauvreté de la plupart des régions sous-développées. En trente ans, l'accroissement de production et de revenu des pays les plus riches a été 70 fois supérieur à celui des plus pauvres : tandis que les habitants des premiers voyaient leur revenu individuel s'accroître en moyenne de 5843 dollars, celui des «pays à faible revenu» n'augmentait que de 81 dollars ! L'effritement des cours des produits de base depuis 1952 ampute les recettes d'exportation de nombreux pays sous-développés et réduit la part du tiers-monde à 17% des exportations mondiales en 1973, soit à peine la moitié du niveau relatif de 1948. Chiffres éloquents aux conséquences désastreuses puisqu'ils signifient que près de la moitié de l'humanité survit sans disposer du minimum requis pour assurer les consommations de base. Tensions sociales, coups d'État innombrables, guerres sanglantes secouent le tiers-monde. Ce partage inégal des fruits de la croissance attise les revendications des pays pauvres. Leurs dirigeants demandent aux nantis une aide au développement mais ils exigent surtout une révision des relations économiques internationales dans un sens plus équitable. Fondée en 1960, l'OPEP cherche à regrouper les exportations de pétrole dans le but de disputer aux grandes compagnies anglo-saxonnes le contrôle et les profits du marché pétrolier alors en pleine expansion. En 1964, à l'instigation du «groupe des 77» se crée la conférence des Nations unies pour le commerce et le développement (CNUCED) qui offre un cadre mondial aux discussions sur l'aide au tiers-monde. Exaspérés par l'insuffisance des réalisations concrètes, les représentants des pays non alignés réunis à Alger en septembre 1973 appellent les dirigeants du tiers-monde à nationaliser leurs ressources propres et à en assurer eux-mêmes la valorisation industrielle. À quelques semaines du premier choc pétrolier la tension s'accroît donc soudainement entre le Sud et le Nord.

Le renouveau économique de l'Europe occidentale et du Japon qui remet partiellement en question la suprématie américaine provoque une «querelle de famille» souvent vive au sein du camp occidental. Les États-Unis dénoncent le protectionnisme du Marché commun, notamment en ce qui concerne les produits agricoles, et accusent le Japon de recourir au dumping commercial. De son côté, le général de Gaulle refuse la soumission de l'Europe aux intérêts du capitalisme américain ; il s'en prend tout particulièrement à l'émission abusive de dollars, non gagés par l'or de Fort-Knox, qui inondent le vieux continent, vecteurs d'inflation et instruments de domination. Dès 1968 il est probable que les dirigeants de Washington songent à utiliser l'arme monétaire au détriment de leurs alliés pour tenter de consolider un pouvoir économique qu'ils estiment menacé.

• Les déséquilibres internes de la croissance

Fléchissement de la productivité, enracinement de l'inflation et apparition d'un chômage structurel, ces trois éléments caractéristiques de la crise des années 70 prennent en effet naissance dans la grande croissance du capitalisme, dès la fin des années 60. À partir de 1965 et plus nettement encore après 1968, les indices statistiques qui mesurent ces phénomènes se dégradent, traduisant un malaise profond en contradiction avec la poursuite apparente de l'expansion.

À la fin des années 60, on observe un net ralentissement dans l'évolution de la productivité du travail, facteur essentiel de l'expansion économique. Il semble que le cycle de production caractérisé par le travail à la chaîne et la parcellisation des tâches atteigne ses limites techniques en même temps qu'un seuil de rejet social manifesté par une forte poussée de l'absentéisme qui ampute sensiblement la productivité. D'autre part, comme on l'a relevé plus haut, la croissance a eu pour effet de favoriser une redistribution exagérée des hommes et des richesses en faveur du secteur tertiaire dont l'insuffisante modernisation pèse négativement sur la productivité moyenne de l'ensemble de l'économie.

Tous les États, sauf la RFA, se sont accoutumés à une inflation monétaire chronique, maintenue à un taux inférieur à 5 % par an (inflation «rampante»). Le gonflement de la masse monétaire soutenu par l'accumulation dans les réserves officielles des principaux pays capitalistes de quelque 60 milliards de dollars entre 1947 et 1971 paraît en effet conditionner l'expansion. L'abondance monétaire profite à tous les acteurs de l'économie : l'État qui finance ainsi plus facilement les dépenses publiques engendrées par la croissance (infrastructures, prise en charge des coûts sociaux de la croissance), car l'inflation grossit les rentrées fiscales et allège la charge des emprunts; les entreprises dont la hausse des prix gonfle le profit, source d'amortissement des investissements, d'autofinancement et d'augmentations salariales qui neutralisent les revendications syndicales. Malgré les gains de productivité du travail et l'avantage retiré du bas prix des matières premières, l'inflation s'impose obstinément comme une composante structurelle du capitalisme organisé. Elle constitue aussi un germe de crise.

Avant la crise de 1975, le chômage reste limité, ne concernant que moins de 5 % des actifs. Toutefois, dans tous les pays industrialisés, le mal apparaît et grandit lentement mais sûrement au cœur même de la prospérité des années 60, surtout après 1965, lorsque les générations nombreuses issues du *baby-boom* de l'après-guerre arrivent sur le marché du travail. Certes, la croissance de la production et de la consommation entraîne logiquement la création de nouveaux emplois, mais en nombre insuffisant pour satisfaire toutes les demandes nouvelles encore gonflées par l'augmentation rapide du travail féminin dans les activités de services. Il semble bien que le capitalisme de croissance se soit révélé incapable de créer le volume d'emplois nécessaire pour deux raisons essentielles. En premier lieu, l'investissement a privilégié, dans un souci de productivité maximale, les équipements techniques par rapport à la main-d'œuvre : substitution classique du capital du travail qui freine au moins temporairement la progression de l'emploi. D'autre part, l'intense mobilité professionnelle provoquée par les reclassements sectoriels de la croissance a rompu, dans de nombreuses branches d'activité comme dans la plupart des régions, le fragile équilibre entre les offres et les demandes d'emploi.

• La croissance en question

À la fin des années 60, dans les grands pays industrialisés, les opinions publiques prennent conscience que la croissance n'est pas gratuite et que ses coûts ont même tendance à s'alourdir exagérément. La gestion des grandes métropoles urbaines gonflées par l'exode rural devient de plus en plus difficile et onéreuse en ce qui concerne les transports, l'entretien de la voirie, le maintien de la sécurité par la police; New York est déjà au bord de la faillite. Le malaise urbain fait prendre conscience des coûts sociaux de l'expansion. Le mode de vie trépidant qu'elle impose engendre le surmenage, le «stress», qui favorisent les dépressions nerveuses, les maladies cardio-vasculaires, voire selon certains le développement du cancer. La «fée automobile» exige chaque week-end son macabre tribut de morts et d'estropiés : un gouffre financier pour les systèmes d'assurance et de protection sociale. Il devient également impossible d'ignorer les menaces que la croissance fait peser sur l'environnement : épuisement des ressources naturelles, nuisances et pollutions diverses qui, dix ans avant les grandes marées noires et l'apparition des premières fuites dans les centrales nucléaires, imposent de nouvelles mesures de protection au prix de dépenses supplémentaires. Bref, on commence à se demander si l'augmentation de la production ajoute assez de richesses pour compenser les destructions qu'elle occasionne.

La récession de 1967 favorise la synthèse de ces inquiétudes diffuses. Elle n'est pas étrangère au vaste mouvement de contestation du printemps 1968 qui se prolonge par un débat sur la valeur de la croissance. Dans le climat de l'époque, celle-ci est accusée de gaspiller les richesses naturelles et d'aliéner la liberté des hommes en les livrant à un travail absurde ne débouchant que sur l'illusion de consommations sans cesse plus vaines. À la demande du Club de Rome formé en 1968 par des économistes de toutes nationalités, les spécialistes du MIT *(Massachusetts Institute of Technology)* analysent méthodiquement les conséquences prévisibles de la poursuite de la croissance. Leurs conclusions, que certains jugent trop simplificatrices, sont publiées en 1971 dans le rapport Meadows sous le titre évocateur de *« Limits of Growth »* que la traduction française radicalise en *Halte à la croissance.* Elles renforcent les thèses favorables au ralentissement, voire à l'arrêt de la croissance (« zégistes » partisans d'une croissance zéro), qui renouent d'une certaine façon avec les théories de Stuart Mill sur l'État stationnaire. Ainsi, avant même d'être interrompue par le premier choc pétrolier, l'expansion a été mise en question de l'intérieur, par ceux qui en étaient à la fois les auteurs et les bénéficiaires.

CHAPITRE 14

Les transformations sociales dans les pays industrialisés

La croissance économique des «trente glorieuses» a achevé de faire entrer les sociétés des pays industriels dans l'ère de la civilisation de masse, dont l'homogénéité n'est cependant qu'apparente. Tout à la fois reflet des mentalités et facteur déterminant des sociétés, l'évolution démographique connaît une rupture aussi nette que paradoxale au milieu de la décennie 60, qui fut par excellence celle de la prospérité. La modernisation économique a entraîné une profonde redistribution des emplois, brisant les cadres bien établis des anciennes catégories socioprofessionnelles. L'accession du plus grand nombre aux normes nouvelles de la consommation de masse a modifié l'équilibre des budgets familiaux sans néanmoins faire disparaître l'inégalité des niveaux de vie. La mobilité sociale accrue et l'intégration des conflits sociaux dans des procédures démocratiques n'a pas suffi à faire disparaître toute contestation : celle-ci renaît, à la fois diffuse et violente, dès la fin des années 60.

Une évolution démographique alarmante

• Un poids démographique modéré

La population des vingt pays industrialisés à économie de marché les plus avancés est passée de 502 millions d'habitants en 1950 à 648 millions en 1973 et à 693 millions en 1981 (et environ 750 millions en ajoutant l'Espagne, le Portugal, Israël). L'Amérique du Nord (254 millions d'habitants en 1981), l'Europe occidentale (370 millions d'habitants) et le Japon (près de 118 millions d'habitants à la même date) constituent les grands foyers de peuplement du monde développé. Ce sont les pays déjà avancés en 1950 qui ont tiré profit de la croissance sans précédent des « trente glorieuses » pour améliorer encore leur niveau de vie. En dépit d'écarts parfois importants et du caractère toujours approximatif des moyennes statistiques, tous les indicateurs convergent pour mettre en évidence la richesse des sociétés industrielles : un revenu moyen annuel supérieur à 9000 dollars, une surabondance alimentaire (3400 calories par habitant et par jour, soit 30 % de plus que les besoins), un environnement médical perfectionné (recul de la mortalité infantile : le taux annuel est localement inférieur à 10 ‰) et l'allongement de la vie (l'espérance de vie à la naissance dépasse 70 ans), un taux d'alphabétisation des adultes proche de 100 % du fait que, proportionnellement aux tranches d'âges concernées, 99 % des adolescents fréquentent l'enseignement secondaire et 37 % poursuivent des études supérieures.

On constate pourtant que le poids démographique relatif des sociétés nanties ne cesse de s'affaiblir. En effet, malgré un gain de 50 % en une trentaine d'années, elles ne représentent plus qu'à peine 15 % de l'humanité en 1981 contre le quart à la veille de la guerre. Le dynamisme démographique des pays sous-développés a donc été beaucoup plus soutenu, surtout lorsqu'à partir de 1963-1964, en pleine période de croissance économique, le régime démographique des pays industriels s'est détérioré avec un remarquable synchronisme.

• La rupture démographique du milieu des années 60

Le phénomène est net et général dans ses manifestations : les taux de natalité fléchissent irrémédiablement et tendent à descendre au-dessous de 15 ‰ tandis que ceux de la mortalité résistent autour de 10 ‰, si bien que la population des pays industriels qui s'accroissait annuellement de 1 % dans la décennie 60 n'augmente plus que de 0,7 % par an depuis 1970. Les évolutions divergentes de la natalité et de la mortalité entretiennent le mécanisme de repli démographique en accentuant la proportion des personnes âgées de plus de 65 ans qui dépasse 10 % de la population totale tandis que la part des jeunes de moins de 15 ans se trouve ramenée au-dessous du quart.

Les causes proprement démographiques du phénomène se décèlent aisément : si la natalité recule au moment où arrivent à l'âge du mariage les nombreux jeunes issus du *baby-boom* de l'après-guerre, c'est nécessairement que la fécondité chute, c'est-à-dire que chaque femme de la nouvelle génération met au cours de sa vie moins d'enfants au monde que celles de la génération précédente. Si ce malthusianisme se maintient, le taux de remplacement de la population (légèrement supérieur à 2 selon l'arithmétique démographique) ne sera plus assuré dans aucun pays industriel. Grave menace déjà assez précise en RFA pour inquiéter de nombreux observateurs spécialisés et alerter les responsables politiques de ce pays.

• Le symptôme d'un malaise social ?

Il n'est guère douteux que les comportements démographiques sont influencés par le fonctionnement de la société et les perspectives d'avenir qu'elle offre à chaque individu. Le débat porte essentiellement sur la part respective des éléments matériels et des options morales.

Du côté des contraintes matérielles, on peut incriminer sans grand risque d'erreur les conditions de vie dans les grandes villes qui apparaissent d'ailleurs comme les « laboratoires » de l'effondrement de la fécondité. La croissance économique a favorisé la concentration urbaine : les grandes métropoles du monde industriel (New York, Tokyo, Paris, Londres) ont dépassé le seuil des 10 millions d'habitants et les villes de plus de 500 000 habitants se sont multipliées au point de regrouper maintenant 55 % de la population du monde industrialisé. Or, les infrastructures urbaines ne se sont pas développées au même rythme et les citadins se trouvent confrontés à de nombreux problèmes : difficultés rencontrées pour se loger (ou pour changer de logement), fatigues éprouvées quotidiennement du fait de la vie trépidante des grandes cités, notamment à l'occasion des déplacements pendulaires quotidiens entre le domicile et le lieu de travail.

D'autre part, dans nos sociétés techniciennes la promotion sociale dépend largement du niveau de qualification obtenu ; il s'ensuit une élévation sensible du coût d'éducation et de formation qui peut inciter les familles à concentrer leur effort sur un nombre restreint d'enfants d'autant plus que les allocations familiales rognées par l'inflation ont mal suivi l'évolution des dépenses. Enfin, il est opportun de souligner que l'augmentation spectaculaire du travail féminin depuis une quinzaine d'années, particulièrement dans les activités de service, se révèle naturellement peu compatible avec la répétition des maternités. Cette dernière observation, peu contestable, est lourde de signification : elle renvoie au phénomène majeur de la tertiarisation des économies modernes, mais elle implique aussi la montée des besoins salariaux du couple dans une société de consommation de masse ; elle pose la question des relations du travail entre les employeurs et leur personnel féminin ; elle signale enfin plus fondamentalement l'évolution du statut social de la femme dans les sociétés développées et soulève le problème (partiellement moral) de l'option entre travail et vie au foyer. Il n'est pas douteux que le travail féminin effrite un peu plus la famille conjugale, cellule traditionnelle de la procréation et de la prise en charge de l'enfant, tandis que l'évolution des mœurs favorise le développement des comportements individualistes par définition peu natalistes. L'influence des morales religieuses hostiles à toute atteinte contre la vie s'affaiblit alors que l'avortement se trouve légalisé dans de nombreux pays où il était naguère réprimé, et que la multiplication des organismes de planning familial ouvre une large diffusion aux moyens contraceptifs en constants progrès depuis le lancement de la pilule du docteur Pincus sur le marché américain en 1960.

Ensemble, tous ces facteurs interdépendants, contribuent à affaiblir la motivation à fonder des familles d'au moins trois enfants dans des sociétés industrielles sans doute prospères mais en proie au doute, surtout lorsqu'apparaissent dès la fin des années 60 les premières menaces de chômage. Les conséquences de ce repli démographique apparaissent vite redoutables. Dans l'immédiat, le recul des naissances risque de freiner l'évolution de la demande globale dont l'accroissement constitue pourtant un puissant acteur économique dans des sociétés de consommation. À moyen terme, l'augmentation du poids des personnes âgées ne peut que grever dangereusement les pensions de vieillesse au détriment de l'ensemble des budgets sociaux ; à plus long terme, il ne peut que creuser l'écart numérique entre un tiers-monde pléthorique et des pays développés dont les capacités créatrices sont simultanément menacées par le non-remplacement des générations.

Ne peut-on pourtant trouver quelques gages d'optimisme en observant l'évolution démographique du monde industrialisé depuis un demi-siècle ? Les classes creuses des années 30 et de la guerre n'ont-elles pas réagi à leur propre déclin par une reprise aussi puissante qu'inattendue de leur fécondité dès lors que renaissait après 1945 l'espérance d'une ère de paix et de progrès ? Les générations pleines qui leur ont succédé n'ont-elles pas alors cherché plus ou moins consciemment à épargner à leurs enfants les méfaits de la croissance dont elles ont eu à souffrir, en partie du fait même de leur nombre, sous la forme de pollutions diverses mais aussi et surtout de manque de logements et d'emplois ? Or, les relations complexes qui lient démographie, société, économie, mentalités et comportements peuvent se modifier rapidement. Depuis la révolution démographique du XIXe siècle, le monde développé tend vers un régime de croissance lente commandé par une natalité réduite et une mortalité encore plus faible ; mais il n'est pas impossible qu'à l'intérieur de cette évolution tendancielle de longue durée et dans le cadre d'une démographie maîtrisée, des ajustements à plus court terme permettent de préserver en permanence un équilibre entre la population et les ressources économiques. Avec d'inévitables décalages chronologiques, une reprise générale dont les spécialistes guettent les moindres signes annonciateurs dans de légères remontées de la natalité peut donc être espérée.

Emploi et classes sociales

• Une profonde redistribution des emplois

Malgré les progrès de la mécanisation, la production de masse a exigé le maintien d'un taux d'activité élevé dans les pays hautement industrialisés, et ce phénomène s'est accentué avec l'arrivée de nombreux jeunes sur le marché du travail. Depuis 1960, la population active augmente de 1,2 % chaque année dans les vingt principaux pays industriels à économie de marché qui regroupent en 1981, 300 millions d'actifs soit 43 % de la population totale et les deux tiers de l'effectif en âge de travailler (de 15 à 65 ans). Les femmes, très nombreuses dans les emplois du secteur tertiaire, représentent environ 40 % des actifs des pays développés.

L'évolution des modes de consommation et les mutations de l'appareil productif qui ont accompagné la croissance ont opéré une profonde redistribution de l'activité. Elles ont engendré une nouvelle répartition socioprofessionnelle qui influence la hiérarchie sociale ;

chacun s'y place en fonction de son métier et du rôle que lui reconnaît le corps social. La croissance a entraîné dans ce domaine trois modifications bien visibles :
– un déplacement massif de l'emploi du secteur primaire vers les secteurs secondaire et surtout tertiaire ;
– une élévation générale des qualifications professionnelles, exigence de la société technicienne issue du progrès technique ; si le phénomène est très apparent dans la montée des cadres, il n'est absent ni du monde ouvrier ni de la nouvelle paysannerie ;
– un développement considérable du salariat qui se substitue au petit patronat indépendant dans les structures concentrées du nouveau capitalisme : les salariés représentent aujourd'hui environ 80 % des actifs dans les pays industriels, et même plus de 90 % aux États-Unis et au Royaume-Uni ; le salaire devient un critère essentiel de statut social, dans la mesure où il définit les possibilités d'accès à la consommation et détermine le niveau de protection contre les risques sociaux.

• La fin des paysans ?

Le passage du paysan traditionnel à l'agriculteur moderne représente sans aucun doute le bouleversement social le plus profond des « trente glorieuses ». L'irruption du progrès technique dans l'agriculture a provoqué une concentration accélérée des exploitations et entraîné simultanément une transformation complète du métier d'agriculteur.

L'exode rural mesure l'éviction des paysans incapables de relever le défi de la modernisation : journaliers agricoles sans terre ni qualification vite remplacés par les machines, jeunes trop nombreux pour espérer succéder à leurs parents sur une exploitation trop petite, exploitants enfin manquant de ressources foncières et financières pour réaliser les progrès strictement nécessaires au maintien de leur rentabilité économique. Au total, des millions de déracinements mal compensés par le versement de trop maigres indemnités, vécus le plus souvent silencieusement mais non sans de nombreux drames individuels.

L'agriculteur moderne est, il est vrai, bien différent de ses ancêtres. Doté d'un bagage agronomique, c'est un chef d'entreprise qui s'intègre dans la société par les multiples relations qu'il entretient quotidiennement avec la banque, l'industrie, le commerce, les pouvoirs publics. Il est fréquemment sociétaire d'une coopérative dans laquelle il prend des responsabilités et membre d'un syndicat agricole dont il partage les activités et les luttes. Il a revendiqué et obtenu une certaine « parité » avec les autres groupes sociaux dans la mesure où il bénéficie désormais d'une protection sociale plus efficace et où il accède à la consommation avec la possession d'une automobile et des principaux éléments du confort ménager. Mais la modernisation est un processus continu qui entretient des contraintes permanentes : l'endettement paysan s'alourdit alors que les revenus restent aléatoires, souvent insuffisants, à la merci d'une mauvaise année qui empêchera d'honorer les échéances des emprunts et fera renaître l'angoisse de l'expropriation. Il est donc prudent de recourir au travail à temps partiel c'est-à-dire au double emploi qui équilibre le risque agricole par la perception d'un salaire régulier.

Les paysanneries actuelles présentent donc de vifs contrastes. Les exploitations familiales héritées du passé demeurent partout majoritaires, même aux États-Unis où elles forment 90 % du total, mais très peu sont devenues des entreprises performantes et rentables capables d'assurer l'aisance à leurs propriétaires. D'autre part les valeurs de la civilisation rurale dont elles étaient porteuses sont en voie d'extinction. L'agriculture s'est intégrée dans un complexe agro-industriel et les paysans ont en même temps adopté les valeurs de la société urbaine même quand ils n'ont pas quitté la campagne pour la ville. Le rôle social de la paysannerie, si important avant la guerre, surtout en Europe, s'est considérablement affaibli : la sociabilité villageoise n'a pas résisté à l'exode rural tandis que l'uniformisation des modes de vie et de pensée, largement favorisée par les *mass media*, a détruit un système de valeurs fondé sur la communauté familiale, l'attachement affectif à la terre, un rythme de vie marqué par l'alternance du travail et de fêtes souvent associées à une fidèle pratique religieuse. Il faut enfin souligner que la disparition des pénuries alimentaires dans le monde riche, le report des besoins sur d'autres produits, l'habitude de consommer des aliments préparés industriellement ont également contribué à diminuer l'importance sociale du paysan.

• Les mutations de la condition ouvrière

Le débat très politisé sur « l'embourgeoisement » de la classe ouvrière ne doit pas faire oublier quelques réalités essentielles. D'abord, la croissance, malgré les gains de productivité du travail, a exigé un nombre accru d'ouvriers même si leur part dans la population active est restée stable du fait de l'augmentation encore plus rapide d'autres catégories socioprofessionnelles. Ensuite, la production de masse a été obtenue par le travail à la chaîne, parcellaire et déqualifié, de nombreux ouvriers dont la spécialisation se résumait à celle des machines qu'ils servaient.

Dans des sociétés de plus en plus techniciennes, cette déqualification explique que le travail manuel reste durablement frappé de discrédit par rapport aux tâches de conception et de gestion propres aux activités intellectuelles; elle justifie le maintien au bas de l'échelle salariale des revenus ouvriers qui, de ce fait, dépendent plus que les autres des prestations sociales. La présence en son sein d'un grand nombre de travailleurs immigrés particulièrement démunis accentue encore le sentiment d'exclusion du corps social que ressent le monde ouvrier.

La prise de conscience de ces caractéristiques entretient chez de nombreux travailleurs un fort sentiment d'appartenance à un groupe social défavorisé. Au-delà des inévitables divisions internes, elle fait naître des solidarités qui s'organisent en de puissantes centrales syndicales dont la métallurgie et la construction automobile constituent les principaux bastions; elle commande des comportements politiques qui font la force des partis de gauche et singulièrement des partis communistes européens. La fierté des luttes menées en commun et l'impératif de défense des acquis sociaux qu'elles ont permis d'obtenir achèvent de souder la classe ouvrière qui aura sans doute connu son apogée des années 30 aux années 60 du XXe siècle.

On ne peut cependant ignorer les progrès et les mutations qui commencent à modifier la condition ouvrière. Des études statistiques nombreuses ne laissent guère de doute sur l'augmentation du pouvoir d'achat des ménages ouvriers qui se dotent progressivement des biens les plus représentatifs de la société de consommation, la voiture, la machine à laver le linge, le téléviseur, le réfrigérateur et parfois même le logement possédé en copropriété. L'endettement qu'il a nécessairement fallu contracter pour les acquérir constitue une charge nouvelle souvent assez lourde pour refroidir la combativité syndicale, car la régularité des échéances bancaires n'autorise guère l'amputation des feuilles de paie pour faits de grève. En parallèle, le progrès technique favorise le glissement vers le haut des qualifications professionnelles et enrichit le travail ouvrier de tâches de responsabilité. Par opposition aux ouvriers spécialisés (OS) largement recrutés parmi les travailleurs immigrés et menacés par l'automatisation, les ouvriers professionnels qualifiés (OP), mieux payés et mieux considérés, se fondent insensiblement par leur mode de consommation dans la norme générale qui les rapproche des classes moyennes.

Il convient enfin de mentionner que la multiplication des emplois subalternes dans le secteur tertiaire, particulièrement dans le grand commerce concentré, aboutit à reproduire hors du monde ouvrier traditionnel des situations analogues à celles du prolétariat industriel (tâches d'exécution répétitives, peu qualifiées et mal rétribuées, souvent effectuées par du personnel féminin) ce qui contribue à troubler l'image héritée d'une nette répartition socioprofessionnelle dans laquelle la classe ouvrière avait une identité clairement définie par son appartenance à l'industrie.

• Des classes moyennes salariées nombreuses et hétérogènes

En expansion depuis le début du siècle, les classes moyennes qui regroupent par définition les couches intermédiaires entre la bourgeoisie dirigeante et la classe ouvrière, continuent à se transformer après la guerre du fait de la généralisation du salariat. Aux classes moyennes du travail indépendant majoritaires au début du siècle se substitue, particulièrement sous l'effet du gonflement des emplois tertiaires salariés, la masse hétérogène des «cols blancs», gens munis d'une formation généralement sanctionnée par un diplôme et exerçant, plutôt au bureau qu'à l'usine, des professions plus intellectuelles que manuelles.

Cette masse socioprofessionnelle qui représente plus de la moitié des actifs dans tous les pays industrialisés ne saurait évidemment se confondre avec la notion de bourgeoisie qui en constitue pourtant le modèle de référence. Elle recouvre au contraire des situations professionnelles très diverses dans un éventail salarial largement ouvert avec une lourde composante de revenus médiocres au point d'être parfois inférieurs à certaines rémunérations ouvrières. On y trouve donc une gamme infiniment nuancée de situations qui recouvrent tout à la fois les représentants en recul numérique du travail indépendant (agriculteurs-exploitants, artisans, commerçants) et les membres aux effectifs rapidement croissants des services d'enseignement, de santé et plus généralement des administrations publiques et privées. Dans les grandes entreprises dont la gestion s'est modernisée, les cadres moyens se sont multipliés, enrichissant les classes moyennes de nouveaux et nombreux contingents.

L'élargissement de ces groupes sociaux instruits et solidement attachés aux pratiques démocratiques représente sans doute le résultat le plus spectaculaire de la croissance dans les pays développés, et le gage le plus sûr de stabilité sociale et politique. Généralement propriétaires de leur résidence principale, attachés à une consommation assimilée au progrès, persuadés des possibilités d'ascension sociale de génération en génération, les membres des classes moyennes forment en effet le principal support de la civilisation de masse que gèrent les démocraties modernes.

• Une bourgeoisie partiellement rénovée

L'extension du salariat aux postes de création et de décision a également provoqué un renouvellement partiel de la bourgeoisie qui couronne l'édifice social. Groupe minoritaire et relativement fermé bien que composite, la bourgeoisie affiche sa prééminence sociale par son aisance (voire sa fortune), son pouvoir, sa culture, son éducation dont les comportements raffinés s'acquièrent dès le plus jeune âge. À côté du groupe étoffé des hauts fonctionnaires s'est constituée la nouvelle bourgeoisie salariée des cadres supérieurs dont le prototype est le PDG (Président-directeur général), véritable patron appointé et bénéficiant de différents avantages en nature tels que l'usage d'une voiture ou d'un logement de fonction. Ce groupe cultivé participe au pouvoir économique et parfois politique. Assuré de percevoir, au moins en période de prospérité, des revenus confortables et réguliers, il affiche un niveau de vie élevé davantage fondé sur la consommation que sur l'épargne. Les cadres supérieurs rejoignent ainsi, au sein d'une bourgeoisie rénovée mais toujours hétérogène, le groupe en recul bien qu'encore solide du patronat indépendant et la catégorie en prudente ascension des professions libérales à caractère juridique, médical, ou artistique. La défense intransigeante de l'avantage salarial devient alors, à l'égal de la protection de la propriété, une condition de préservation du statut social, tandis qu'une haute bourgeoisie minoritaire mais détentrice du plus clair des patrimoines fonciers et mobiliers s'assure la prééminence sociale et diffuse ses conceptions dans toutes les strates de la bourgeoisie, et même au-delà.

En tout état de cause, dans les sociétés développées c'est le niveau des revenus, dont la grande majorité provient de salaires, qui définit la hiérarchie sociale dans la mesure où il détermine pour chaque catégorie des seuils de consommation différents. Ainsi, le bourgeois manifeste sa position sociale non seulement en habitant les beaux quartiers mais aussi en se livrant, contrairement à l'ancienne austérité de la bourgeoisie, à une consommation intense qui se porte sur les produits nouveaux dès leur apparition sur le marché et se réserve les domaines de luxe de la *« jet society »* : fréquents déplacements en avion, sports onéreux, produits alimentaires rares et coûteux.

La consommation de masse

• L'adoption de l'*American Way of Life*

Venant satisfaire un besoin ressenti comme légitime, la consommation de masse a amélioré le niveau de vie général des sociétés développées sans en éliminer pour autant les inégalités. La contestation sociale s'amplifie en prenant des formes nouvelles à partir de la fin des années 60.

Les conséquences sociales de la grande dépression des années 30 puis les privations imposées par la guerre ont grandement facilité, surtout en Europe, l'abandon des habitudes de frugalité et d'épargne au profit d'un élargissement des consommations, attitude qui s'était déjà manifestée au cours des « années folles » de la décennie 1920 et avait alors été sévèrement jugée par une grande partie de l'opinion.

Cependant, une fois la reconstruction achevée et alors que les besoins essentiels sont de nouveau satisfaits, la grande consommation inspirée de l'*American Way of Life* s'impose durablement comme un moteur de la croissance économique. Celle-ci repose en effet sur une large diffusion de la production de masse selon un système que l'on qualifie parfois de « fordisme » par référence aux conceptions de Henry Ford : réaliser une production en série relativement bon marché et en faciliter l'écoulement par une politique de hauts salaires. Or l'élévation très réelle des revenus de la plupart des catégories socio-professionnelles a effectivement permis d'acquérir des biens sans cesse renouvelés dont le prix relatif s'abaissait au fur et à mesure qu'ils devenaient plus abondants sur le marché. En garantissant les principaux risques sociaux, l'État-Providence rendait en même temps moins utile l'épargne de précaution des ménages alors que la généralisation du crédit élargissait encore leurs capacités de consommation. Le perfectionnement des méthodes publicitaires et la rénovation des réseaux commerciaux, du magasin à grande surface à la vente par correspondance, ont également concouru à maintenir la demande des consommateurs à son niveau le plus élevé. Dès le milieu des années 50, la consommation prenait donc une signification sociale différente : il s'agissait non seulement de se procurer des éléments de confort pour rendre la vie quotidienne plus facile mais aussi d'affirmer son appartenance à un groupe social déterminé par l'adoption d'une norme de consommation spécifique et différente de celle des autres catégories sociales : « on dépense pour paraître » bien que simultanément la généralisation de certaines formes de consommation (automobile, mode vestimentaire, télévision...) entretienne l'illusion d'une homogénéisation du corps social.

• La redistribution des dépenses familiales

La croissance économique a globalement permis aux sociétés des pays industriels développés de consommer davantage de toutes choses; mais, dans cette expansion générale, la part relative de chaque catégorie de biens a évolué de façon très différente dans le budget des ménages.

La diminution des dépenses alimentaires constitue à cet égard un cas exemplaire : il est bien évident que les pénuries de l'après-guerre ne sont qu'un mauvais souvenir et que l'alimentation est devenue plus riche et plus variée (la consommation de céréales recule devant celle de viande, de laitage, de légumes et de fruits). Pourtant, le «panier de la ménagère», qui absorbait près de la moitié du revenu des ménages en 1950, n'en représentait plus que le tiers en 1960 et seulement le cinquième en 1980 avec, il est vrai, des écarts importants entre les pays et les catégories sociales. Les dépenses vestimentaires ont connu la même évolution : on s'habille mieux que naguère en y consacrant une moindre part de ses ressources. Cela signifie que les ménages ont employé la majeure partie des revenus supplémentaires que leur a procurés la croissance économique à d'autres consommations jugées plus attrayantes, dès lors que les besoins essentiels de nourriture et de vêtements étaient satisfaits.

À partir du milieu des années 50, mais plus tôt dans des pays comme la Suède et les États-Unis, ce sont les achats de biens durables et semi-durables qui ont progressé le plus. L'acquisition du logement a mobilisé l'essentiel de l'épargne des ménages; elle a ensuite logiquement entraîné l'achat des éléments nécessaires à son équipement : mobilier et appareils électroménagers en constante évolution. C'est sensiblement à la même époque que la possibilité d'acquérir une automobile a été ouverte à la clientèle populaire, non sans un nouveau recours à l'endettement.

Après 1960, vient s'ajouter aux achats précédents un développement rapide de la consommation des services. Les dépenses de santé, partiellement allégées par les systèmes de sécurité sociale, ont connu un accroissement spectaculaire avec le recours plus fréquent aux soins médicaux et l'utilisation parfois abusive de produits pharmaceutiques. Puis les premiers signes de la société postindustrielle sont apparus depuis une quinzaine d'années avec le développement rapide des activités de communication et de loisir : livres, disques, films connais-

Les nouvelles habitudes de consommation (1950-1971)

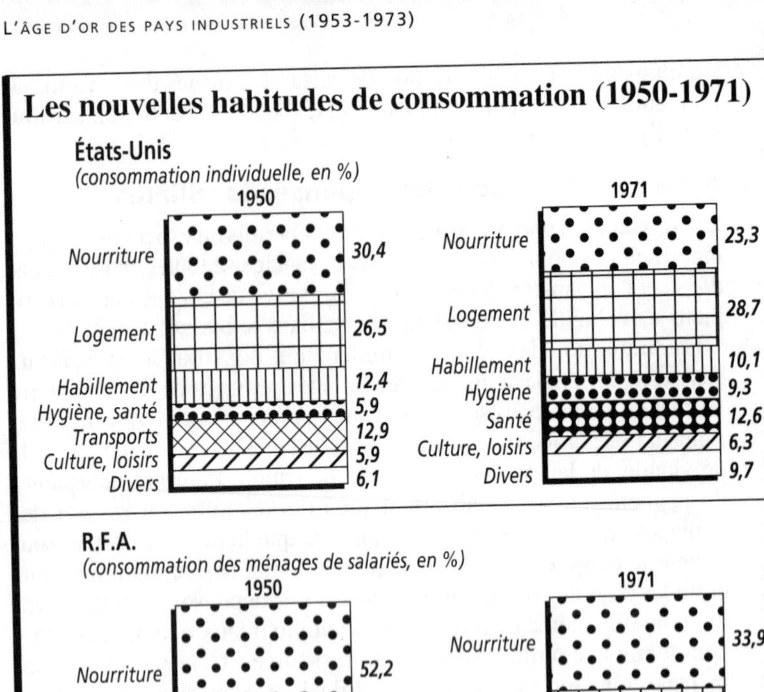

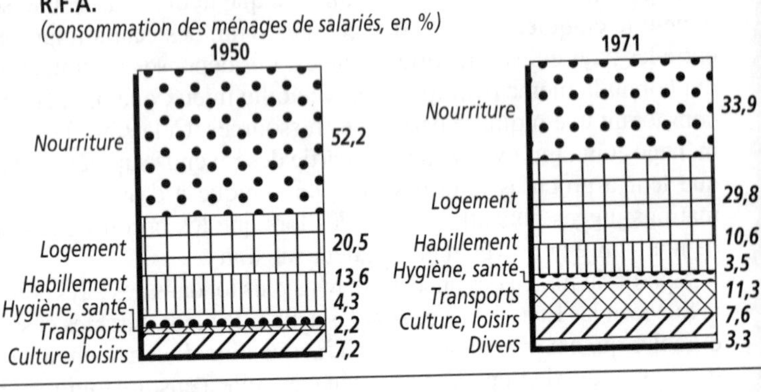

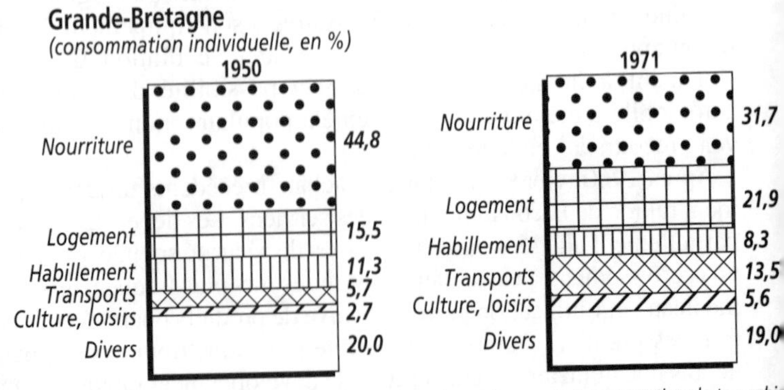

Source : Annuaires nationaux, *La Documentation photographi[que]*

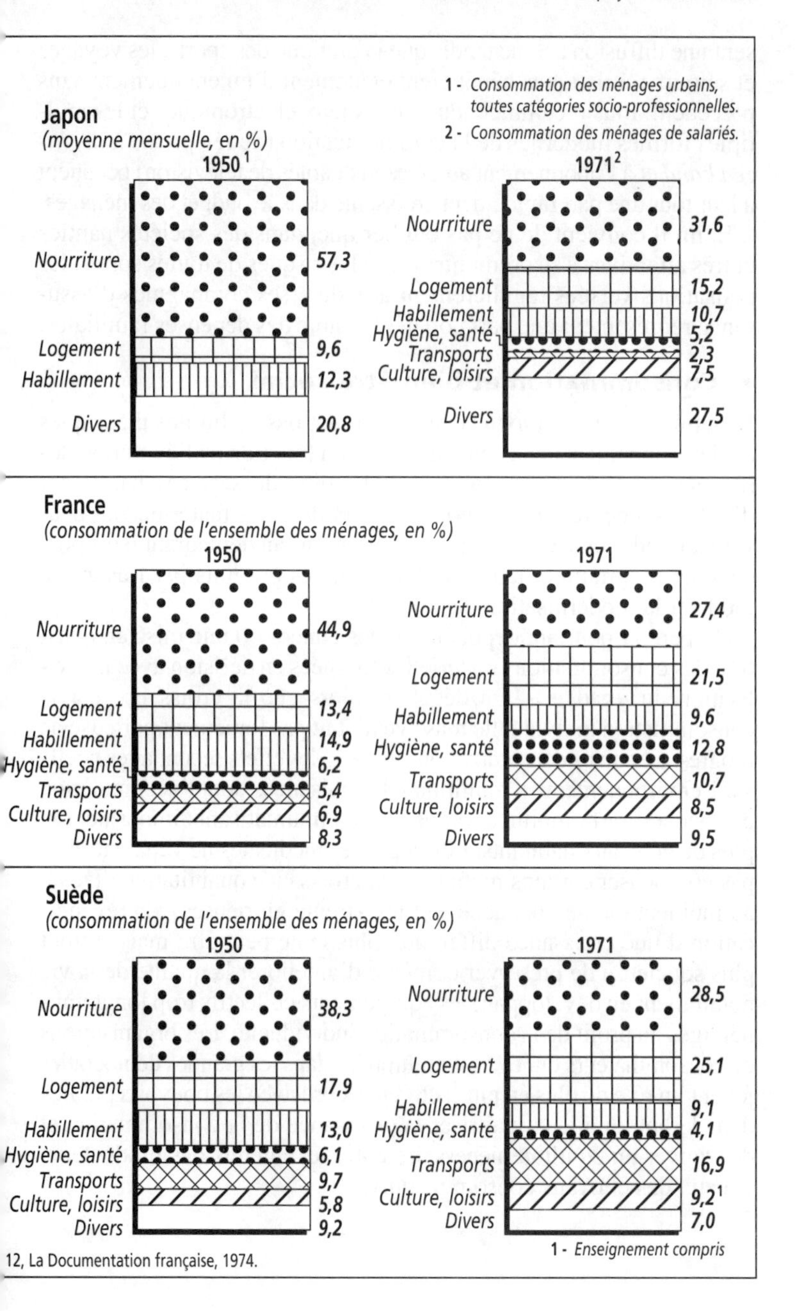

12, La Documentation française, 1974.

sent une diffusion accrue tandis que la pratique des sports, les voyages et séjours touristiques bénéficient également d'un engouement sans précédent. Plus récemment encore les jeux électroniques et les multiples formes modernes de la communication (du téléphone à la *citizen band* et à l'abonnement aux réseaux câblés de télévision) occupent à leur tour une part rapidement croissante dans le budget des ménages.

Enfin il convient de ne pas oublier que, dans des sociétés nanties et très attentives à se prémunir contre les risques de toutes sortes, les cotisations versées régulièrement aux diverses compagnies d'assurance représentent une part non négligeable des dépenses familiales.

• Consommation et bien-être social

Économistes et sociologues ne perçoivent pas de limites théoriques au développement de la consommation en fonction de l'évolution des revenus et de la technologie. Les besoins de services paraissent d'ailleurs, encore plus ouverts que ceux de biens matériels qui peuvent atteindre un certain degré de saturation ; au demeurant il est possible de programmer le renouvellement des produits par l'usure, la mode et la modernisation des modèles.

On perçoit pourtant depuis la fin des années 60 une mise en question des consommations matérielles tournées en dérision avec la civilisation du « gadget ». On découvre alors que la croissance par la consommation individuelle massive n'était pas forcément porteuse de progrès. Certaines consommations avaient des effets secondaires nocifs sur l'environnement en multipliant les nuisances dont l'accumulation des déchets et l'amplification des bruits traumatisants imposaient le plus de gêne aux habitants. Les dépenses médicales ne venaient-elles pas compenser certains méfaits de la croissance quantitative ? De là, au moment même où s'achèvent les « trente glorieuses », la revendication d'une croissance différente, plus lente peut-être mais surtout plus soucieuse de préserver et même d'améliorer la qualité de la vie notamment en développant les équipements collectifs trop longtemps négligés au profit de la consommation individuelle. Les organisations de consommateurs qui se sont multipliées dans les grandes démocraties jouent un rôle de plus en plus actif en accord avec les pouvoirs publics dans le but de mieux maîtriser la croissance de la consommation et de trouver un équilibre nécessaire entre les intérêts des producteurs et ceux des citoyens consommateurs.

Intégration et contestations sociales

• La mobilité sociale et ses limites

Dans les démocraties avancées, il n'existe plus officiellement d'obstacle juridique à la mobilité sociale : chacun a la possibilité théorique de prétendre aux postes qui correspondent à ses vœux et à ses capacités. Depuis 1945, les barrières qui limitaient encore les droits des femmes ont été levées partout où elles subsistaient. Avec la généralisation du suffrage les femmes ont acquis des pouvoirs accrus en matière politique et économique et les organisations internationales se sont prononcées avec fermeté contre toute discrimination entre les sexes, particulièrement en matière d'emploi et de rémunération. Il est vrai que de nombreuses organisations féministes continuent à dénoncer la persistance d'inégalités de fait, prouvant une fois de plus qu'il y a souvent loin entre la décision de principe et sa mise en application générale, écart vérifiable dans d'autres domaines de la vie sociale.

Nul ne conteste en revanche la promotion individuelle qui résulte de l'élévation du niveau de qualification professionnelle assortie d'une augmentation du salaire. Les différentes études menées par le CERC (Centre d'étude sur les revenus et les coûts) autorisent à conclure que, dans les grands pays industriels, le salaire moyen progresse, qu'il est perçu par un plus grand nombre de bénéficiaires que par le passé et que l'extension du salariat dans les sociétés développées joue en faveur de la réduction des inégalités de revenus. Encore faut-il ajouter que les prélèvements fiscaux et les prestations sociales opèrent une redistribution des ressources dont le résultat est de diminuer les écarts constatés entre les salaires bruts. Cette augmentation générale du pouvoir d'achat conditionne l'élévation du niveau de vie par l'accès à une norme de consommation qui joue comme un puissant facteur d'intégration et d'homogénéisation sociales : chacun identifie sa réussite à l'adoption d'un mode de vie et à la possession de biens qui font référence dans des sociétés de consommation où les comportements sociaux sont largement dictés par des *mass media* ne laissant aux consommateurs qu'une illusion de libre choix.

Il reste que l'accès à la grande consommation caractéristique des « trente glorieuses » n'a pas été général ; les inégalités en ce domaine n'en sont apparues que plus criantes dès lors que la disponibilité de biens multiples était fallacieusement présentée comme offerte au plus grand nombre.

• Inégalités sociales et exclusion

Le plus grave échec des « trente glorieuses » se mesure sans aucun doute au nombre des exclus de la grande consommation : la croissance n'a pas éliminé la pauvreté. Aux États-Unis, où ils sont régulièrement recensés, les pauvres n'ont jamais été moins de 20 millions et partout ailleurs le « quart-monde » des marginaux forme un groupe aussi nombreux que mal défini. La pauvreté frappe particulièrement les immigrés, les minorités raciales, les personnes handicapées ou isolées (invalides, veuves, orphelins), les personnes âgées dépourvues de pension de retraite et condamnées à la solitude, les chômeurs mal ou non indemnisés, d'une manière générale toutes les personnes incapables d'adopter les normes de la société de rentabilité et de consommation. Aggravée par la crise, cette situation tient à l'existence de ce que l'économiste Alfred Sauvy appelle une « société duale ». Elle oppose ceux, fonctionnaires ou employés des grandes entreprises, qui bénéficient d'un travail assuré et d'une large protection sociale, aux victimes du secteur informel de « l'économie souterraine » omniprésente mais semble-t-il particulièrement développée en Italie et au Japon, monde anarchique de petites entreprises qui n'assurent pratiquement aucune sécurité à leurs travailleurs. Les différents États concernés accordent une importance très variable à la protection sociale : si aux Pays-Bas les prélèvements sociaux atteignent 32 % du Produit intérieur brut, ils ne représentent au Japon que 11 % du PIB en 1978. La pauvreté n'est que la plus voyante des inégalités qui subsistent dans toutes les sociétés développées. Selon les études du CERC, c'est en Italie et en France que les disparités de salaires semblent les plus importantes entre les différentes catégories socioprofessionnelles, bien qu'en France les écarts paraissent plus faibles qu'ailleurs (RFA, USA, Grande-Bretagne) entre salaires féminins et masculins pour des emplois comparables. Les inégalités sont beaucoup plus marquées encore entre les patrimoines et elles se réduisent d'autant plus lentement que, là où ils existent, les impôts sur la fortune s'appliquent avec modération. Ainsi, dans tous les grands pays industriels, au sommet de la fortune, 10 % des ménages concentrent entre leurs mains plus de 50 % de la richesse nationale. Quant à l'accroissement du patrimoine des classes moyennes, il tient essentiellement à la possession d'une résidence principale et parfois secondaire.

Or, à mesure que les inégalités tendent à s'amenuiser, celles qui subsistent tant au niveau des salaires que des patrimoines paraissent plus insupportables. À la contestation globale du système capitaliste se superposent ainsi une multitude de conflits entre catégories socio-professionnelles, chacune s'efforçant de protéger ses avantages acquis mais n'hésitant pas à dénoncer les privilèges supposés des autres. Il en résulte un freinage de la mobilité sociale et un risque de sclérose pour l'ensemble du corps social surtout lorsque la crise incite chaque groupe à durcir ses positions.

• De nouvelles formes de contestation sociale

Dans les grands pays industrialisés, les revendications ouvrières sont canalisées par de puissantes organisations syndicales dont l'audience est cependant très variable puisque le taux de syndicalisation des travailleurs s'étale de 20 % en France à 80 % en Suède. Alors qu'un syndicalisme révolutionnaire d'inspiration anarchiste ou marxiste reste bien vivant en Espagne, en Italie et en France, les grands syndicats anglo-saxons, allemands et scandinaves apparaissent plus liés aux partis politiques qui se réclament d'un socialisme modéré. Ils impriment à l'ensemble du mouvement syndical du monde industriel une tonalité générale plus réformiste que révolutionnaire. Il s'agit essentiellement d'obtenir l'amélioration des conditions de travail et des rémunérations soit par la négociation contractuelle avec le patronat sous l'arbitrage des gouvernements, soit en cas d'échec par des actions dont la conception s'est adaptée à l'évolution du grand capitalisme comme la mise sur pied, à l'instigation du syndicaliste américain Charles Levinson, d'une coordination internationale qui vise, sans grand succès, à déjouer la stratégie de l'emploi des firmes multinationales. Mais, tandis que les grandes centrales syndicales sont ainsi devenues des centres de pouvoir qui tendent à institutionnaliser les conflits sociaux, de nouvelles formes de contestation se développent plus ou moins spontanément dans la base ouvrière. La plus spectaculaire est, dans les années 60, le réveil du terrorisme en Europe, particulièrement en Irlande, en Espagne, en Italie (les Brigades Rouges) et en Allemagne occidentale (Fraction Armée Rouge d'Andréas Baader). Ses objectifs sont sans doute autant politiques que socio-économiques mais ce phénomène n'en traduit pas moins une défiance à l'égard du mouvement syndical officiel et le refus désespéré d'un réformisme si prudent qu'il confine à leurs yeux au gel durable des situations acquises (le patronat et les cadres d'entreprise ont d'ailleurs constitué une des cibles privilégiées des attentats terroristes en RFA et en Italie). Mais en même temps, se diffuse plus insidieusement dans le monde ouvrier une véritable « crise du travail » aux lourdes conséquences économiques. Le rejet des contraintes héritées du taylorisme se manifeste par une augmentation considérable de l'absentéisme et par l'accélération du *turn-over*, c'est-à-dire du rythme de remplacement des ouvriers aux postes les plus pénibles et les moins qualifiés, ceux précisément où le travail est le moins rémunérateur et le plus dépourvu de signification économique et sociale. Parmi les nombreuses solutions expérimentées dans le but de conjurer cette désaffection, il faut noter le développement du travail à temps partiel dans tous les pays industriels. Le patronat trouve avantage à employer des travailleurs intérimaires peu syndicalisés et mal protégés par la législation sociale, mais en même temps le relatif succès rencontré par ces nouvelles formes d'emploi, notamment auprès du personnel jeune et féminin, signifie sans doute un profond changement d'attitude à l'égard du travail : celui-ci devient le moyen à court terme d'obtenir un revenu mais il n'est plus le moyen de programmer une carrière sur toute la vie.

Cette remise en question de l'emploi, fondement de la vie sociale, rejoint la contestation des genres de vie et des modes de production des sociétés industrielles qui s'est développée surtout parmi les jeunes dans les années 60 pour culminer dans la révolte de 1968. C'est le plus souvent la Californie, région de pointe, qui a constitué en quelque sorte le laboratoire de la contestation. Relayant les *beatniks* de l'après-guerre qui prônaient la non-violence, le mouvement hippie a tenté, non sans ambiguïté, de fonder à San Francisco une communauté libérée des contraintes de l'argent. En déclin dès la fin des années 60, le mouvement hippie a fait des adeptes en Europe. D'une certaine façon, son esprit a inspiré des expériences communautaires du mouvement alternatif qui, particulièrement actif en Allemagne fédérale au début des années 80, cherche à inventer de nouvelles formes de vie en société.

À partir de 1975, la première grande crise de l'après-guerre risque d'attiser des conflits qui étaient relativement faciles à apaiser en période de prospérité. Un accord social minimal peut être préservé aussi longtemps que l'État providentiel a les moyens de couvrir les risques nouveaux nés de la crise, en premier lieu celui d'un chômage en forte expansion ; si cette capacité s'épuise, ne risque-t-on pas une redoutable mise à l'épreuve du modèle démocratique, comme ce fut le cas dans les années 30 ? En d'autres termes, si la grande croissance des « trente glorieuses » n'a pas permis de résoudre tous les problèmes sociaux, a-t-elle du moins donné aux sociétés développées des capacités nouvelles de résistance aux crises, grâce au développement des systèmes de protection contre les risques sociaux et à la multiplication des procédures démocratiques propres à réguler les tensions sociales ?

CHAPITRE 15

Les relations internationales

Le risque nucléaire et la volonté de gagner du temps afin de permettre à l'URSS de rattraper son retard économique sur les États-Unis conduisent Khrouchtchev à adopter une politique de « coexistence pacifique » avec les Occidentaux. Ce dégel n'empêche ni le renforcement des blocs ni de brefs regains de tension sur la scène internationale. L'installation de missiles soviétiques à Cuba, à l'automne 1962, provoque une très grave crise, que la détermination du Président Kennedy permet de résorber. Les deux Grands s'engagent alors dans un processus de « détente » qui atteint son apogée avec Nixon. On assiste parallèlement au jeu des forces centrifuges à l'intérieur des deux camps. Mais, pendant toute la période, des conflits « périphériques » sanglants opposent, au Moyen-Orient et au Vietnam, les alliés des deux camps.

L'équilibre de la terreur (1953-1962)

• Une coexistence forcée

Les années 1953-1956 sont marquées par un relatif « dégel » des relations internationales, encore qu'il faille davantage parler de coexistence forcée que de détente concertée. Du côté soviétique, l'avènement d'une nouvelle équipe dirigeante, bientôt dominée par la personnalité de Khrouchtchev, coïncide avec l'adoption d'une ligne plus souple vis-à-vis de l'Occident. Reprenant certaines idées de Lénine (la théorie du « répit » adoptée au moment de l'armistice de Brest-Litovsk, en 1918) et de Staline (le « socialisme dans un seul pays »), le nouveau numéro un soviétique développe sa doctrine de la « coexistence pacifique ». La victoire du socialisme demeure, à long terme, l'objectif suprême et la lutte des classes le moteur de l'Histoire. Mais si la compétition avec le camp adverse ne disparaît pas, elle doit se limiter aux terrains idéologique et économique.

Plusieurs faits expliquent ce changement de cap du Kremlin :
– la prise de conscience des conséquences possibles d'une guerre nucléaire entre les deux Grands, à une époque où chacun d'eux a les moyens de détruire plusieurs fois l'autre camp et d'anéantir en même temps une bonne partie de l'humanité.
C'est, en d'autres termes, l'équilibre de la terreur ;
– le relatif sentiment de sécurité que confèrent aux Russes la possession de l'arme nucléaire (bombe A : 1949 – bombe H : 1953) et bientôt les « vecteurs » (superbombardiers, fusées) capables d'atteindre n'importe quel point du territoire américain. Le complexe de la « citadelle assiégée » demeure, mais il a perdu beaucoup de son intensité ;
– la nécessité d'une longue période de paix, dont Khrouchtchev entend tirer parti pour réaliser ses grandioses projets économiques et rattraper, puis dépasser (à l'horizon de 1980) la puissance industrielle des États-Unis.

Du côté américain, il n'y a pas de véritable rupture avec la période précédente. La perte du monopole nucléaire, puis l'expérimentation par les Russes de puissants engins balistiques intercontinentaux (le lancement du premier Spoutnik en octobre 1957 crée un choc très fort aux États-Unis) ont plutôt pour effet dans un premier temps de radicaliser la politique de la Maison Blanche. Toutefois le Président Eisenhower, qui avait fortement critiqué la politique de simple « endiguement » de son prédécesseur lors de la campagne présidentielle de

1952, n'ira pas jusqu'à appliquer les idées de certains de ses collaborateurs, favorables – comme le secrétaire d'État Foster Dulles – au «refoulement» *(roll-back)* des Russes sur leurs positions de départ. Le «*new look* diplomatique» adopté par la nouvelle équipe consistera seulement en un *containment* renforcé, appliqué notamment au Proche-Orient (« doctrine Eisenhower») et complété par l'adoption d'une nouvelle doctrine stratégique, dite des «représailles massives». Désormais, une attaque communiste contre un pays quelconque entraînerait une riposte nucléaire immédiate des États-Unis pouvant intervenir en n'importe quel point du camp socialiste.

Conséquence de cette relative modération des deux partenaires, le climat international s'améliore lentement au cours des trois années qui suivent la mort de Staline. Dès janvier 1954, une conférence à quatre sur l'Allemagne marque, malgré son échec, la reprise du dialogue. D'avril à juillet de la même année se tient à Genève la conférence qui met fin à la première guerre d'Indochine. À peu près en même temps, l'URSS se réconcilie avec la Yougoslavie de Tito et en juillet 1955 – toujours à Genève – les chefs de gouvernement des quatre grandes puissances se rencontrent pour la première fois depuis dix ans. Enfin, en janvier 1956, les deux principaux dirigeants soviétiques, Boulganine et Khrouchtchev, se rendent en visite officielle en Angleterre où ils déploient l'«offensive du sourire». Le spectre de la guerre paraît s'éloigner du continent européen.

• Le chaud et le froid (1956-1962)

De part et d'autre, en dépit de ces quelques signes de détente, la méfiance demeure très vive. Les années 1956-1962 voient alterner des périodes de «dégel» et de tensions, jusqu'à la crise majeure de Cuba à l'automne 1962.

Paradoxalement, c'est en pleine période de «dégel» que s'achève la constitution des deux blocs militaires. Les parlements français et italien ayant rejeté le traité de Communauté européenne de défense (octobre 1954), l'Allemagne est admise en octobre 1955 dans l'alliance Atlantique (accords de Paris). Les Soviétiques répliquent en mai 1955 par la mise en place du pacte de Varsovie, regroupant autour de l'URSS les démocraties populaires d'Europe de l'Est, à l'exception de la Yougoslavie. Néanmoins, la détente survit aux deux grandes crises de l'automne 1956, Hongrie et Suez. La première s'achève par une épreuve de force, voulue par le Kremlin, pour mettre fin à la tentative neutraliste d'Imre Nagy, sans que les Occidentaux – et notamment les Américains – qui avaient pourtant lancé des encouragements pressants aux insurgés hongrois (par « Radio-Europe libre ») fassent quoi que ce soit pour les secourir. La seconde trouve sa solution dans une action parallèle, sinon concertée, des deux Grands pour faire reculer les anciennes puissances colonisatrices en Égypte. Le réchauffement relatif des relations Ouest-Est va ainsi se prolonger jusqu'en 1958. À cette date, de nouvelles difficultés surgissent en Extrême-Orient, avec le bombardement par les communistes chinois des îlots nationalistes de Quemoy et Matsu. Les États-Unis ayant avisé Pékin qu'ils ne toléreraient pas un débarquement à Formose, l'affaire retombe vite. Mais l'URSS ne peut, sans dommage pour son prestige dans le tiers-monde, laisser à son alliée asiatique le monopole de la lutte « anti-impérialiste ». Ainsi va-t-elle s'engager à la fin de 1958 dans de nouvelles épreuves de force.

De 1958 à 1961, l'Allemagne se trouve à nouveau au centre des relations Est-Ouest. Fort de l'avantage que lui a conféré le succès du « spoutnik » (en fait, il use largement de l'arme du « bluff » car les États-Unis conservent une confortable avance dans le domaine stratégique), Khrouchtchev rouvre brusquement, en novembre 1958, le dossier de Berlin, exigeant la transformation du secteur occidental en une ville libre neutralisée. À défaut de quoi, il signera avec la RDA un traité de paix donnant à ce pays le droit de s'opposer aux mouvements de troupes entre la RFA et l'ancienne capitale allemande. Contrôles et entraves à la circulation se multiplient autour de la ville, mais les Occidentaux ne cèdent pas. Une conférence des ministres des Affaires étrangères, réunie à Genève dans le courant de l'été 1959, ne trouve aucune solution au problème allemand.

L'automne apporte toutefois un nouveau « dégel », motivé semble-t-il par les débuts du conflit ouvert entre l'URSS et la Chine, cette dernière reprochant à Khrouchtchev sa politique de coexistence pacifique. Le numéro un soviétique se rend aux États-Unis en septembre 1959 et rencontre Eisenhower à Camp David. L'entrevue n'aboutit à rien de concret mais contribue à détendre le climat entre les deux superpuissances. Pour peu de temps, car le printemps de 1960 apporte un nouveau retour à la guerre froide. Khrouchtchev qui doit faire front aux critiques conjuguées des dirigeants chinois et des adversaires que sa politique a dressés contre lui en URSS même, prend prétexte de l'affaire de l'U2 (un avion espion américain abattu au-dessus du territoire soviétique) pour faire échouer la « conférence au sommet », réunie à Paris en juin 1960 pour tenter de trouver une solution définitive au problème de l'Allemagne. En juin 1961, il rencontre à Vienne le nouveau Président des États-Unis, J. F. Kennedy, et l'avertit de son intention de signer un traité de paix avec l'Allemagne de l'Est avant la fin de l'année, si les Occidentaux ne cèdent pas sur Berlin. Il n'obtient d'autre résultat que l'augmentation des effectifs américains stationnés en Allemagne. Aussi, dans la nuit du 12 au 13 août 1961, le gouvernement de la RDA fait-il édifier un mur le long de la ligne de démarcation qui coupe Berlin en deux, mettant fin par un coup de force à l'exode ininterrompu vers l'Ouest de dizaines de milliers d'Allemands de l'Est mécontents du régime. Néanmoins Khrouchtchev renonce à fixer un délai pour la neutralisation de la ville. Dernier acte de ce regain de tension entre l'Est et l'Ouest : la reprise par l'URSS de ses essais nucléaires en septembre 1961. C'est dans ce contexte international extrêmement tendu qu'éclate, à l'automne 1962, la crise la plus grave de l'après-guerre : l'affaire des fusées à Cuba.

Cuba : le monde au bord du gouffre (octobre 1962)

• Origine et déclenchement de la crise

La crise de Cuba s'inscrit dans un contexte international de retour à la guerre froide après la relative détente des années 1953-1956. Sur le plan des relations entre les deux Grands, deux faits expliquent la hardiesse de l'initiative soviétique : d'une part, les succès décisifs que remporte l'astronautique russe et qui lui permettent de combler son retard par rapport aux États-Unis ; d'autre part, la façon dont le numéro 1 soviétique voit et juge son homologue américain, qu'il a rencontré à Vienne les 3 et 4 juin 1961. Il estime, à tort, que Kennedy manque d'expérience et de fermeté.

Au niveau régional, la « crise des fusées » est le point d'aboutissement d'un processus qui a commencé trois ans plus tôt, lorsque les guérilleros cubains de Fidel Castro – réfugiés dans la Sierra Maestra depuis 1956 – ont occupé la Havane, après une longue marche à travers l'île, chassant du pouvoir le dictateur Batista, longtemps soutenu par les États-Unis. Fidel Castro est un jeune avocat nationaliste qui souhaite pour son pays une plus grande indépendance vis-à-vis des États-Unis ainsi que de profondes réformes sociales, mais il n'est au départ ni communiste, ni partisan d'une rupture avec la grande puissance voisine. C'est l'intransigeance des Américains, que ses projets révolutionnaires inquiètent et qui ont tôt fait de voir en lui un « dictateur marxiste », qui va le jeter dans les bras des Soviétiques et transformer peu à peu l'expérience castriste en un régime inspiré du modèle en vigueur en Europe de l'Est. La fin de la présidence Eisenhower est marquée par la rapide dégradation des rapports entre les deux pays : soutien des Américains aux anticastristes réfugiés en Floride, accord commercial entre Cuba et l'URSS (février 1960) prévoyant l'achat par les Russes de 5 millions de tonnes de sucre (principale ressource de l'île) en 5 ans, nationalisation des entreprises américaines par Castro (août 1960), enfin embargo total sur le commerce américain vers Cuba décidé par Washington en octobre 1960. Tandis que l'URSS proclame son amitié à l'égard de Cuba et fait savoir qu'elle défendra l'île contre une agression américaine, au besoin en utilisant des armes atomiques, le numéro deux cubain, Ernesto « Che » Guevara, annonce solennellement le 3 juillet 1960 que Cuba fait désormais partie du « camp socialiste ».

C'est au Président Kennedy qu'il incombe de faire face à cette « nouvelle donne » dans les relations Est-Ouest. L'hôte de la Maison Blanche n'a pas toujours été hostile à Fidel Castro. Dans *La Stratégie de la paix,* publié en 1960, il le comparait même à Bolivar et attribuait son passage au communisme à la politique d'Eisenhower. Poussé par son opinion publique, il a toutefois, lors de la campagne présidentielle, exprimé une position très ferme : les États-Unis ne soutiendront ni Castro ni Batista mais des forces « démocratiques ». Une fois installé à la présidence, son attitude se durcit et en avril 1961, il donne son accord au projet d'invasion de l'île préparé par Allen Dulles, chef de la CIA. Le 14 avril 1961, après un bombardement de Cuba par des B 26 américains camouflés en avions cubains et pilotés par des exilés anticastristes, une petite force composée de réfugiés cubains équipés et entraînés par les Américains débarque au sud-ouest de l'île, dans la Baie des Cochons. On a misé sur un soulèvement général des adversaires du régime qui ne se produit pas et les envahisseurs sont rejetés à la mer ou faits prisonniers. Équipée lamentable qui porte un coup très dur au prestige des États-Unis et de leur Président et accentue le raidissement du castrisme, ainsi que le rapprochement avec l'URSS. Le 11 septembre 1962, une note du gouvernement soviétique énonce que toute attaque contre Cuba provoquerait un conflit mondial. Le 3 octobre, une déclaration du Congrès se référant à la déclaration Monroe menace d'employer la force pour empêcher une action subversive dans l'hémisphère occidental.

Le 14 octobre 1962, des avions U2 volant à très haute altitude ont repéré sur le territoire cubain des rampes de lancement en cours d'installation pouvant recevoir des engins balistiques à moyenne portée (IRBM) capables de transporter des charges nucléaires et d'atteindre une partie du territoire américain (Cuba est distant de 150 km des côtes de Floride). Kennedy est mis au courant deux jours plus tard et apprend en même temps que des cargos soviétiques font route vers l'île, porteurs de fusées offensives et de bombardiers Ilyouchine. La mise en place de ces armes, qualifiées de «défensives» par le Kremlin, ne modifie pas fondamentalement le rapport de forces entre les deux Grands, mais elle est en violation flagrante des promesses faites par les Soviétiques, et surtout elle peut avoir un effet psychologique considérable sur les alliés et clients de la superpuissance de l'Ouest. Aussi Kennedy, dont le crédit personnel se trouve engagé à la fois en Amérique centrale, en Afrique (affaire du Congo ex-belge) et au Vietnam, et qui doit affronter quelques semaines plus tard l'épreuve des élections au Congrès, décide-t-il de réagir avec la plus grande fermeté.

• La riposte américaine

Le 22 octobre 1962, Kennedy prononce un important discours destiné à faire connaître à la nation américaine ses décisions. Celles-ci s'articulent autour de 7 points principaux :

– interdiction aux navires soviétiques de débarquer du matériel de guerre à Cuba. Le «blocus» étant un acte de guerre, on décide de baptiser «quarantaine» la mission d'interception qui est confiée à la marine américaine ;
– surveillance de Cuba renforcée et accélération des préparatifs militaires ;
– tout lancement de missile nucléaire depuis Cuba contre une nation de l'hémisphère occidental sera considéré comme une agression contre les États-Unis ;
– renforcement de la base de Guantanamo, conservée par les Américains sur le territoire de l'île ;
– convocation de l'Organisation des États américains ;
– demande de réunion du Conseil de sécurité de l'ONU ;
– appel à Khrouchtchev, pour qu'il *«arrête et supprime cette menace clandestine, irréfléchie et provocatrice à l'égard de la paix mondiale et pour qu'il instaure des relations stables entre nos deux pays (...) pour qu'il abandonne cette entreprise de domination mondiale, et pour qu'il se joigne à un effort historique, en vue de mettre fin à la dangereuse course aux armements et de transformer l'histoire de l'humanité»*.

Au-delà d'un discours au demeurant très dur, plusieurs formes de riposte ont été envisagées. Celle qui a été finalement choisie comporte un certain nombre de risques, acceptés à l'avance par le Président. Kennedy a conscience de pratiquer une politique «au bord du gouffre» qu'il expose clairement aux Américains : les États-Unis ne veulent pas la guerre; ils savent quel serait le prix à payer en cas de conflit nucléaire avec l'URSS. Mais Kennedy tient à rappeler à ses compatriotes le précédent des années 30 qui *«nous enseigne une leçon claire : les menées agressives, si on leur permet de s'intensifier sans contrôle et sans contestation, mènent finalement à la guerre»*. Le message sera d'ailleurs entendu. Un sondage en date du 26 octobre indique que 84% des Américains approuvent la décision de la Maison Blanche. De surcroît, les alliés américains et européens (à commencer par le général de Gaulle) font bloc autour des États-Unis.

• Le dénouement

Le règlement viendra finalement d'une reculade de Moscou. Soucieux à la fois de l'emporter et de ne pas déclencher une nouvelle guerre mondiale, Kennedy a pris soin de laisser à Khrouchtchev la possibilité de reculer sans perdre la face. Le 28 octobre, à la suite de diverses manœuvres diplomatiques, le numéro un du Kremlin décide de faire faire demi-tour à sa flotte et de retirer ses missiles et ses bombardiers de Cuba. En contrepartie, il obtient la levée du blocus et la promesse que les Américains n'envahiraient pas le territoire de l'île. La crise s'apaise rapidement. C'est un très grand succès personnel pour Kennedy qui est devenu en quelques jours le héros de l'ère nucléaire. Khrouchtchev, au contraire, dont les mobiles demeurent aujourd'hui encore assez obscurs (test de la volonté américaine? désir de contraindre les États-Unis à une négociation globale, y compris sur Berlin? ou simplement marchandage possible : retrait des fusées américaines déployées en Turquie et en Iran contre celui des missiles soviétiques à Cuba?) a perdu dans l'affaire beaucoup de son crédit dans le tiers-monde et en URSS même.

Le monde a frôlé pendant quelques jours la catastrophe nucléaire. Au lendemain de la crise des fusées, Russes et Américains vont s'efforcer de mettre en place les moyens d'éviter une telle confrontation au sommet. Les événements d'octobre 1962 marquent ainsi à la fois le point culminant de la guerre froide et le premier pas d'un processus qui va conduire à la «détente».

De la coexistence pacifique à la détente

• L'armistice nucléaire

La crise de Cuba a fait prendre conscience aux deux Grands du danger que la possession et la multiplication des armes nucléaires font courir à l'humanité. Aussi vont-ils s'efforcer de promouvoir une sorte d'armistice dans ce domaine, sans pour autant renoncer, pour eux-mêmes, à la course aux armements stratégiques. Ils vont s'efforcer néanmoins d'en garder le monopole et d'en maîtriser le déploiement, en négociant le maintien d'un relatif équilibre entre leurs forces de dissuasion. Ils s'appliquent également à réduire les risques de « dérapages » qui peuvent résulter d'une erreur de calcul sur les intentions de l'adversaire. Les Américains ont été sensibilisés à ce problème par toute une série de livres de « politique-fiction » et de films, parmi lesquels le *Docteur Folamour* de Stanley Kubrick, sorti sur les écrans en 1963. Cette volonté de maintenir le « duopole nucléaire » se traduit par la conclusion de divers accords.

Dès juin 1963, il est convenu d'établir entre Washington et Moscou un système de liaison par télétype – le fameux « téléphone rouge » – permettant aux responsables suprêmes d'entrer en communication rapide en cas de crise grave (il fallait jusqu'alors une douzaine d'heures pour qu'une lettre remise à l'ambassadeur dans l'une des deux capitales parvienne à son destinataire). Le 5 août 1963, un traité signé à Moscou et auquel adhéreront de nombreux pays interdit, même à des fins pacifiques, les essais nucléaires autres que souterrains. Le texte le plus important est le traité du 1er juillet 1968 sur la non-prolifération des armes nucléaires. Les États possesseurs de la bombe s'engagent à n'aider en aucune façon les autres pays à fabriquer ou à acquérir des armes nucléaires. Les autres États signataires prennent de leur côté l'engagement de ne pas se doter de telles armes. La Chine et la France, qui ont fait exploser leur bombe H respectivement en 1967 et 1968, refusent de s'associer à ce traité qui leur interdit l'accès au « club nucléaire ».

Jusqu'en 1968, le contrôle des armements s'accompagne d'une lente amélioration des rapports entre l'Est et l'Ouest. D'autant que depuis le XXe Congrès du PCUS, la coexistence pacifique a été érigée en « ligne générale » de la politique étrangère de l'URSS. On a vu que l'adoption d'une ligne « révisionniste » – c'est le terme employé par les Chinois – répondait, chez les Soviétiques, à un double constat :

– le caractère suicidaire d'un affrontement direct à l'âge nucléaire (la crise de Cuba a servi ici de prise de conscience);
– les progrès spectaculaires accomplis par le camp socialiste dans les domaines de l'économie et de la conquête de l'espace, alors que l'Occident paraissait voué à une croissance moins rapide et aux difficultés de la décolonisation. Aux yeux des dirigeants soviétiques, la coexistence pacifique offrait à l'URSS une pause prolongée lui permettant de gagner la course engagée avec l'Ouest sur le terrain de la production et du niveau de vie. De plus, elle permettait de réduire l'effort d'armement qui hypothéquait lourdement l'économie de l'Union. Enfin, le retour à la détente favorisait la réapparition des contradictions interimpérialistes. En particulier, dès le milieu des années 50, les Soviétiques ont misé sur les «bourgeoisies nationales» des pays récemment décolonisés et désormais considérés comme progressistes, contre leurs anciens tuteurs (aide à l'Inde de Nehru et à l'Égypte de Nasser, en particulier).

Néanmoins, si les invectives se font moins nombreuses et si la tension s'apaise en Europe – notamment à propos du problème allemand – Américains et Soviétiques continuent de s'affronter à la «périphérie» (pays du tiers-monde) par alliés ou clients interposés : Nord-Vietnamiens contre Sud-Vietnamiens depuis 1961, Arabes contre Israéliens lors de la «Guerre des six jours» en 1967. Simplement, ils s'abstiennent de souffler trop fort sur le feu et veillent à ce que les conflits régionaux ne dégénèrent pas en épreuve de force «au centre».

• La détente : principes et applications

À partir de 1968, les relations entre les deux camps s'améliorent très sensiblement sous l'impulsion de nouvelles équipes dirigeantes. Une «détente» s'instaure dans les principes et dans les faits. Du côté soviétique, Leonid Brejnev se préoccupe surtout de la consolidation des positions de l'URSS dans le monde. Tel qu'il est, le statu quo permet à son pays de dominer une partie de la planète et à l'oligarchie des hommes d'appareil – la *Nomenklatura* – de conforter leurs pouvoirs et leurs privilèges. Sous sa direction, le Kremlin mène une politique prudente, visant à faire reconnaître par le camp adverse les changements intervenus depuis 1945 et l'accession de l'URSS au rang de superpuissance mondiale. Bien plus, tirant la leçon de la survie et de la prospérité du monde capitaliste, il cherche à utiliser la force vive de l'Occident pour aider l'URSS à combler une partie de son retard, en obtenant – pour prix de sa modération – des prêts avantageux, des livraisons de céréales et d'importants «transferts de technologie». Ces objectifs de Brejnev – porte-parole de la majorité de compromis qui se manifeste au sein du Politburo – rencontrent ceux de Richard Nixon, élu Président des États-Unis en novembre 1968, et de son conseiller pour les affaires de sécurité – plus tard secrétaire d'État – le professeur (de science politique à Harvard) Henry Kissinger. Très hostiles au communisme mais également très réalistes, l'un et l'autre ont conscience d'un relatif déclin du rôle des États-Unis dans le monde, révélé et accentué par la guerre du Vietnam.

Pour se maintenir au premier rang des puissances et ne pas s'épuiser à jouer seule les gendarmes du monde, la «République impériale» devra effectuer des révisions déchirantes et adopter une ligne plus souple. À la confrontation avec l'Est, il faut substituer la négociation, de façon à mettre en place une «structure stable de paix», comparable à celle que l'Europe a connue au XIXe siècle (Kissinger est en effet un admirateur de Metternich et de Bismarck).

Ceci implique deux conditions essentielles : d'une part, l'acceptation par les Soviétiques d'une certaine «retenue» dans la politique extérieure.

D'autre part, le futur secrétaire d'État américain entend fonder le *containment* sur la négociation, de façon à multiplier les liens avec l'URSS afin de la rendre solidaire des intérêts du camp occidental (« théorie de l'ours et du filet», selon Stanley Hoffmann : *«Quand l'ours se conduit bien, on lui donne une petite récompense, on lui donne un sucre. Quand il se conduit mal, on lui donne un coup de fouet»*). Il s'agit de pratiquer la politique du *linkage* (articulation).

Autrement dit, il faut aboutir à de véritables marchandages planétaires : on propose aux Soviétiques de leur donner satisfaction sur telle question qui leur tient à cœur en échange d'une compensation de valeur correspondante, et on lie entre eux les deux accords. Dans les deux camps on paraît ainsi renoncer à la «croisade», pour peu que l'autre veuille bien jouer le jeu et laisser la superpuissance adverse imposer son hégémonie dans le secteur qu'elle contrôle. Vision fondamentalement conservatrice qui s'accommode mal des velléités d'indépendance à l'intérieur des deux blocs.

La nouvelle politique débouche sur la consolidation du statu quo en Europe. En 1969, le nouveau chancelier ouest-allemand, le social-démocrate Willy Brandt, entame avec la bénédiction de Washington une politique d'«ouverture à l'Est» *(Ostpolitik)* qui, en trois ans, aboutit à la conclusion de plusieurs accords de grande importance : traités germano-russe d'août 1970 et germano-polonais de décembre 1970, reconnaissant l'«inviolabilité» des frontières européennes, y compris la ligne Oder-Neisse; traité quadripartite sur Berlin de septembre 1971, par lequel l'URSS permet de laisser les marchandises et les personnes transiter entre l'ancienne capitale du Reich et le territoire de la RFA ; enfin, « traité fondamental » du 21 décembre 1972, normalisant les relations entre les deux États allemands, admis ensemble à l'ONU en septembre 1973. La même année s'ouvre la conférence sur la sécurité et la coopération en Europe (CSCE), laquelle s'achèvera deux ans plus tard par les accords d'Helsinki, confirmant à la grande satisfaction des Soviétiques les situations et les frontières issues de la Seconde Guerre mondiale.

Le domaine nucléaire constitue l'autre champ privilégié de la détente. Washington et Moscou concentrent leurs efforts sur la « maîtrise des armements » *(Arms Control)*, autrement dit sur le ralentissement d'une course à la supériorité stratégique qui coûte cher et accroît les risques de guerre. En novembre 1969 s'ouvrent des négociations sur ces armes qui instaurent un mécanisme permanent de discussions à deux : ce sont les SALT *(Strategic Arms Limitation Talks)*. Un premier accord est signé en mai 1972 à Moscou, lors de la visite de Nixon dans la capitale soviétique : il comporte un traité sur la limitation des missiles antibalistiques (ABM), jugés à la fois trop coûteux et contraires au principe de la « destruction mutuelle assurée » (chacun des deux partenaires offre à l'autre sa population en gage de sa volonté pacifique), et une convention provisoire, conclue pour 5 ans, sur la limitation des armes offensives stratégiques.

L'apogée de la détente se situe en juin 1973, lorsque Leonid Brejnev se rend aux États-Unis et signe avec Nixon divers accords de coopération économique et technique, ainsi que le traité « sur la prévention de la guerre nucléaire ». Les deux puissances s'engagent à empêcher un conflit de ce type, non seulement entre elles, mais également entre l'une d'elles et des pays tiers. Certes, bien des problèmes subsistent entre les deux Grands (confrontation idéologique, Moyen-Orient, Asie du Sud-Est). Néanmoins, on peut se demander à la fin de 1973 si le monde n'est pas sur le point d'entrer dans une ère de stabilité et de paix.

La fissuration des blocs

• À l'Ouest, la France affirme son indépendance

Le relâchement des tensions internationales libère des forces centrifuges menaçant, à l'intérieur de chaque bloc, l'hégémonie de la puissance dominante. C'est ainsi qu'à l'Ouest, le général de Gaulle remet en cause le leadership américain. Dès son retour au pouvoir, il a en effet pris ses distances à l'égard de son ancien allié, jugeant la tutelle américaine peu compatible avec l'indépendance de la nation. Après avoir réclamé (septembre 1958) la création d'un «directoire» à trois (États-Unis, France, Angleterre) à la tête de l'alliance Atlantique et décidé de doter la France d'une force autonome de dissuasion équipée d'armes nucléaires stratégiques, il oppose une fin de non-recevoir au «grand dessein» du Président Kennedy. En juillet 1962, celui-ci avait proposé une redéfinition complète des rapports entre les États-Unis et l'Europe.

Au *leadership* pur et simple de Washington serait substitué un *partnership* Atlantique reposant sur deux piliers égaux, sauf sur un point essentiel : celui de la force nucléaire dont les Américains garderaient le monopole après avoir intégré celle du Royaume-Uni et la toute récente «force de frappe» française. En décembre 1962, le Britannique Mac Millan accepte le principe de cette «force multinationale», lors d'une rencontre avec Kennedy à Naussau (Bahamas), mais le général de Gaulle refuse net. En même temps (janvier 1963), considérant que la Grande-Bretagne serait le «cheval de Troie» de l'Amérique dans une Communauté européenne élargie, il oppose son veto à l'entrée des Britanniques dans le Marché commun, y ouvrant une crise grave. De 1963 à 1968, la volonté d'indépendance de la France gaullienne se manifeste à divers niveaux.

Au plan militaire d'abord, avec la poursuite du programme d'armement nucléaire et le retrait, en 1966, des organisations intégrées de l'OTAN, dont de Gaulle estime qu'elle n'est plus adaptée aux nouvelles conditions du jeu international. La France reste membre du pacte Atlantique, mais elle refuse de prolonger l'intégration de ses forces en pleine paix dans un ensemble supranational ainsi que la présence sur son sol de troupes américaines.

Au plan économique et financier ensuite, avec l'adoption d'une «filière française» pour l'utilisation industrielle de l'énergie nucléaire et l'offensive menée à partir de 1965 contre la suprématie du dollar. Au plan diplomatique enfin, de Gaulle multiplie les gestes spectaculaires, en principe dirigés contre les «deux hégémonies», en fait essentiellement contre celle des Américains, que ses initiatives irritent fortement. Rapprochement avec l'URSS, illustré par son voyage dans ce pays en juin 1966, reconnaissance de la Chine populaire, dénonciation dans un discours prononcé à Phnom-Penh (Cambodge), le 30 août 1966, des responsabilités américaines dans la guerre du Vietnam, affirmation, lors de son voyage au Canada en juillet 1967, de l'intérêt qu'il porte au «Québec libre», plaidoyer, dans certains cercles militaires français, pour une défense «tous azimuts», telles sont les principales manifestations d'une diplomatie qui affaiblit psychologiquement l'Alliance sans beaucoup ébranler la prépondérance des États-Unis. Après le départ du général des affaires (avril 1969), son successeur Georges Pompidou se montre plus souple – notamment sur le problème de l'adhésion britannique au Marché commun – sans toutefois modifier radicalement les orientations de la politique extérieure française. Sous sa présidence (1969-1974), c'est la CEE dans son ensemble qui paraît s'orienter vers une politique plus autonome.

• Dans le camp socialiste

Des lézardes s'ouvrent aussi dans le bloc oriental, avec le schisme maoïste et les tensions en Europe de l'Est. Depuis le début des années 50, les dirigeants chinois critiquent avec véhémence la politique de Khrouchtchev. Ils lui reprochent son «révisionnisme» et son action en faveur de la coexistence pacifique avec l'Ouest. En 1963, le ton monte avec la publication par le PC chinois d'une déclaration en vingt-cinq points énumérant les divergences avec l'URSS. Les principaux reproches portent sur la nature du régime soviétique, qualifié de «bourgeois», la trahison par le Kremlin de la révolution mondiale et son obstination à vouloir diriger le mouvement communiste international. Ces griefs d'ordre doctrinal et tactique en recouvrent d'autres, parfois plus profonds et plus anciens : empiétements territoriaux effectués par l'ancienne Russie aux dépens de la Chine, attitude ambiguë de l'URSS lors de la révolution chinoise, rapports inégaux entre un État industrialisé et un pays pauvre, etc. En 1966, alors que s'est déclenchée en Chine la «révolution culturelle», le conflit devient aigu et oppose désormais deux puissances ouvertement rivales. Les incidents de frontière se multiplient et aboutissent, en mars 1969, à de graves affrontements sur l'Oussouri. L'URSS parle de «raids de brigands» et la Chine de «provocations des tsars du Kremlin». La tension retombe vite mais l'URSS «social-impérialiste» est maintenant devenue pour Pékin «l'ennemi principal». Au début des années 70, alors que s'amorce le rapprochement entre Washington et Pékin, le bloc communiste se trouve bel et bien coupé en deux.

En Europe centrale, et orientale, les Soviétiques parviennent à maintenir leur sphère d'influence, au prix de grandes difficultés. Après le «schisme» yougoslave (1948), les révoltes de Berlin-Est (1953) et de

Hongrie (1956), c'est la Tchécoslovaquie, l'un des pays les plus avancés du bloc de l'Est, qui en 1968 tente de se donner un régime plus libéral. Il ne s'agit pour les promoteurs du «Printemps de Prague» ni de rompre avec le socialisme, ni de quitter le pacte de Varsovie, comme avait tenté de le faire le Hongrois Imre Nagy en 1956, mais simplement de réformer le régime dans un sens moins rigide. Sous la direction d'Alexandre Dubcek, le parti communiste s'efforce de canaliser le mouvement populaire et la contestation des intellectuels. Mais à Moscou et dans les capitales des démocraties populaires voisines (notamment en RDA) on estime que les risques de contagion et de déviation sont trop forts pour qu'on laisse l'expérience se développer. Le 21 août 1968, les troupes du pacte de Varsovie envahissent la Tchécoslovaquie où elles ne rencontrent qu'une résistance passive.

Désormais, toute velléité d'indépendance ou de libéralisation excessive se heurtera à la «doctrine Brejnev», dite de la «souveraineté limitée» : le socialisme est un fait irréversible et les États frères ont le devoir d'intervenir lorsqu'ils se trouvent menacés dans un des pays du bloc. La seule dérive acceptable, lorsqu'elle ne dépasse pas un certain seuil et ne se situe pas dans une zone stratégiquement vitale, est celle de la politique extérieure. Le Roumain Ceaucescu peut ainsi pratiquer pendant vingt ans une diplomatie relativement autonome (il marque son opposition à l'intervention à Prague), au prix il est vrai d'un durcissement de son régime. Les événements de l'été 1968 ont entraîné de vives protestations dans le monde, non seulement de la part des gouvernements occidentaux, mais également de la Yougoslavie, de la Chine et de nombreux partis communistes. À la fin des années 60, Moscou a cessé d'être le centre unique du communisme mondial.

L'affrontement périphérique

• Les conflits du Moyen-Orient

La création d'un État hébreu en mai 1948 est le point d'aboutissement d'un long processus historique. Il débouche néanmoins sur une crise majeure du second XXe siècle.

À la fin du XIXe siècle, dans un contexte où interviennent à la fois la contagion de l'idée nationale et les persécutions dirigées en Europe de l'Est contre certaines communautés juives, s'est constitué le mouvement sioniste (Sion nom de l'ancienne citadelle de Jérusalem), dont le principal animateur fut l'écrivain hongrois Théodore Herzl. Pour les hommes qui se réclament à cette date du « sionisme », le but de l'organisation est de fonder un foyer national regroupant en Palestine – berceau du peuple d'Israël – les Juifs de la *Diaspora* (dispersion). Dès 1882, des villages de pionniers ont été créés dans ce pays alors sous contrôle ottoman et, en 1917, le gouvernement britannique a pris l'engagement – par la déclaration Balfour – d'*« employer tous ses efforts pour faciliter la réalisation »* du projet sioniste. Il est vrai qu'au même moment des assurances étaient données aux Arabes révoltés contre les Turcs, ennemis de l'Entente, en vue de la constitution après la guerre d'un vaste État arabe indépendant. Le « problème israélo-arabe » réside dans cette politique contradictoire des puissances coloniales.

Jusqu'à la Seconde Guerre mondiale, les Britanniques, qui ont obtenu en 1920 le mandat de la SDN sur la Palestine, se montrent peu disposés à tenir la promesse faite aux dirigeants sionistes. Ils s'appuient sur la communauté arabe majoritaire et s'efforcent – même après l'avènement du nazisme et les premières mesures antisémites en Allemagne – de limiter l'immigration juive. Tandis que celle-ci transforme économiquement le pays – de grandes exploitations communautaires *(kibboutzim)* s'appliquant à la mise en valeur du désert et des zones marécageuses – des troubles graves opposent à plusieurs reprises les deux communautés. Le *Livre Blanc,* publié en 1939, confirme cette politique pro-arabe du gouvernement de Londres. Toutefois, à partir de 1945, celui-ci ne peut s'opposer à l'arrivée massive de colons juifs, rescapés du génocide hitlérien (608 000 Juifs en Palestine en 1946 sur une population totale de 1 800 000 habitants). N'ayant ni le désir ni les moyens de maintenir l'ordre dans le pays, face à une agitation croissante et aux organisations sionistes terroristes (Irgoun, groupe Stern) qui multiplient contre eux les attentats, les Britanniques décident de saisir l'Assemblée générale des Nations unies à qui est soumis l'ensemble du problème.

L'ONU adopte en novembre 1947 un plan de partage de la Palestine. À l'ancien mandat britannique seront substitués deux États, liés par une union économique, l'un juif, l'autre arabe, Jérusalem et Bethléem formant une enclave internationalisée. Le projet est accepté par les Juifs mais rejeté par les Palestiniens et par les pays arabes qui réclament la création d'un État indépendant unitaire. Le Royaume-Uni ayant décidé de mettre fin à son mandat, David Ben Gourion proclame l'Indépendance d'Israël, immédiatement reconnue par les États-Unis et l'URSS, le 14 mai 1948.

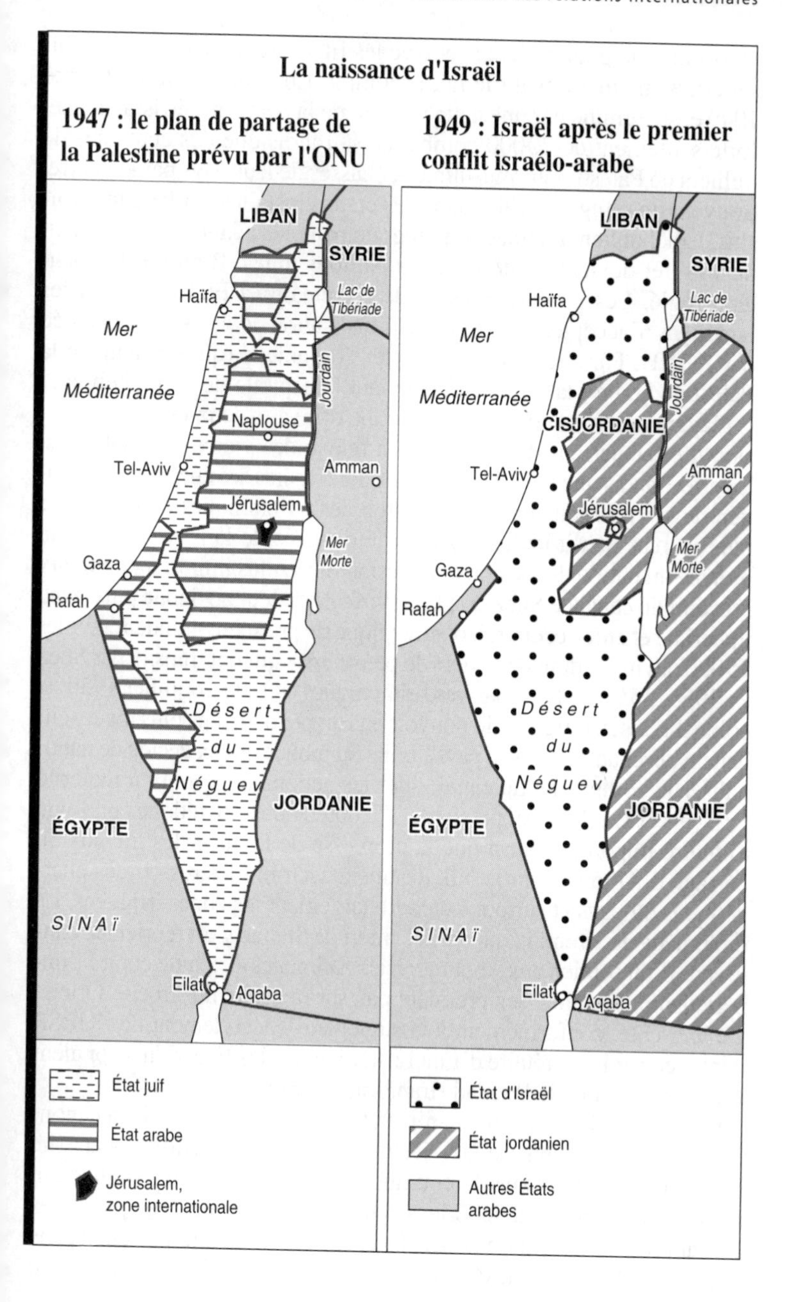
La naissance d'Israël
1947 : le plan de partage de la Palestine prévu par l'ONU
LIBAN
SYRIE
Haïfa
Lac de Tibériade
Mer
Méditerranée
Jourdain
Naplouse
Tel-Aviv
Amman
Jérusalem
Mer Morte
Gaza
Rafah
Désert du Néguev
JORDANIE
ÉGYPTE
SINAÏ
Eilat
Aqaba
État juif
État arabe
Jérusalem, zone internationale
1949 : Israël après le premier conflit israélo-arabe
LIBAN
SYRIE
Haïfa
Lac de Tibériade
Mer
Méditerranée
Jourdain
CISJORDANIE
Tel-Aviv
Amman
Jérusalem
Mer Morte
Gaza
Rafah
Désert du Néguev
JORDANIE
ÉGYPTE
SINAÏ
Eilat
Aqaba
État d'Israël
État jordanien
Autres États arabes

Aussitôt, la guerre s'engage avec les États arabes voisins qui refusent de s'incliner devant le fait accompli. Elle dure jusqu'en février 1949 et se termine par une nette victoire de la petite armée israélienne, forte seulement de 70000 combattants. Tandis que des centaines de milliers de Palestiniens musulmans, chassés de leur pays par la guerre, trouvent un refuge précaire dans des camps installés par les États voisins, Israël obtient un tracé frontalier un peu plus avantageux que celui de 1947 et devient le 49e État des Nations unies. Rien n'est cependant réglé. Les Arabes refusent de reconnaître l'État hébreu et les Israéliens n'acceptent pas l'internationalisation de Jérusalem, décidée par l'ONU. Partagée entre eux et les Jordaniens (qui ont annexé la Palestine arabe), la ville sainte devient la capitale de l'État hébreu.

L'aggravation du conflit israélo-arabe offre aux deux Grands l'occasion d'effectuer au Moyen-Orient la relève des vieux impérialismes. En effet, tandis que la France doit consacrer toutes ses énergies au maintien de ses positions dans le Maghreb, les Britanniques éprouvent de plus en plus de difficultés à garder le contrôle de la région, face à la montée du nationalisme arabe. Le problème le plus important pour eux est celui du canal de Suez, à la fois symbole de leur ancienne puissance impériale et enjeu économico-stratégique de première grandeur (sur les 15000 navires – dont deux tiers de pétroliers – qui ont transité par Suez en 1955, 35 % sont des navires britanniques). Or, le 26 juillet 1956, le colonel Nasser, qui a pris le pouvoir en Égypte deux ans plus tôt et souhaite réaliser autour de son pays l'unité du monde arabe, décide de nationaliser la compagnie du canal, dont les actionnaires sont en majorité Français et Anglais. Au préalable, il a obtenu des Soviétiques une aide militaire importante ainsi que la promesse de financer les travaux du barrage d'Assouan, sur le Nil, destiné à accroître les ressources énergétiques du pays et surtout à étendre largement les zones irriguées. La diplomatie du Kremlin, qui après la mort de Staline s'est réorientée dans le sens d'un soutien aux « bourgeoisies nationales » en lutte contre l'impérialisme, fait ainsi ses premiers pas sur la scène du Proche-Orient. De leur côté, conformément à la stratégie d'encerclement de l'URSS déployée par le secrétaire d'État Foster Dulles, les États-Unis appuient les pays du pacte de Bagdad (Iran, Irak, Turquie).

La crise de Suez, ultime manifestation de la « politique de la canonnière » pratiquée depuis le XIXe siècle par les Européens, trouve son issue à l'automne 1956. Dans le courant de l'été, Français et Anglais ont mené parallèlement de laborieuses négociations avec l'Égypte et des préparatifs d'intervention armée. Les premiers, parce qu'ils voient dans la chute de Nasser l'une des conditions de leur victoire en Algérie (Le

Caire apportant son soutien aux rebelles), les seconds pour tenter de sauver ce qu'il leur reste de prestige et d'influence dans le monde arabe. Israël, qui redoute que les armements fournis par les Russes ne modifient à ses dépens l'équilibre des forces se sent menacée par ses voisins. Elle décide de se joindre à la coalition franco-britannique et, le 29 octobre 1956, ses troupes attaquent l'Égypte et envahissent le Sinaï. Une semaine plus tard (5 novembre), Français et Britanniques, qui ont concentré 60 000 hommes à Chypre, débarquent dans la zone du canal.

Les trois alliés paraissent devoir l'emporter sans difficulté mais Moscou et Washington réagissent avec une extrême vigueur à une initiative qui peut les empêcher de substituer leur propre influence à celle des anciennes puissances coloniales. Tandis que le Soviétique Boulganine menace d'envoyer des fusées sur Londres et sur Paris, les Américains (Eisenhower a été réélu le 6 novembre) exercent des pressions politiques et financières sur le cabinet Eden (GB). Celui-ci oblige par sa défection le gouvernement français présidé par Guy Mollet à accepter le cessez-le-feu ordonné par l'ONU. L'opération « Mousquetaire » se termine par un échec. Désormais, tandis que Nasser s'applique à transformer sa défaite militaire en succès politique, les deux Grands se trouvent face à face au Proche-Orient.

La troisième guerre israélo-arabe – « guerre des Six jours » – éclate en juin 1967. La force de police des Nations unies, les « casques bleus », mise en place dans la zone du canal à l'issue de la crise de Suez, s'est retirée à la demande de Nasser. Soucieux à la fois de mettre un terme aux activités des combattants palestiniens qui opèrent depuis l'Égypte, la Syrie et la Jordanie, et de briser le blocus que Nasser a établi au débouché du golfe d'Aqaba, Israël déclenche le 5 juin une guerre éclair contre ses adversaires. Elle dure six jours et se termine par une victoire totale des Israéliens. Ceux-ci occupent le Sinaï, une partie du plateau syrien du Golan et la Cisjordanie, et décident de garder ces territoires en gage, malgré la Résolution 242, votée en novembre suivant par le Conseil de sécurité, et qui dispose dans ses points I et II le *« retrait des forces armées israéliennes des territoires occupés[1] lors du récent conflit »* et la *« cessation de toutes assertions de belligérance ou de tous états de belligérance et respect et reconnaissance de la souveraineté, de l'intégrité territoriale et de l'indépendance politique de chaque État de la région et de leur droit de vivre en paix à l'intérieur de frontières sûres et reconnues à l'abri de menaces ou d'actes de force »*.

1. Le texte de la version anglaise *(from occupied territories)*, le seul qui soit admis par les Israéliens et les Américains, permet une interprétation plus restrictive (*de* territoires occupés).

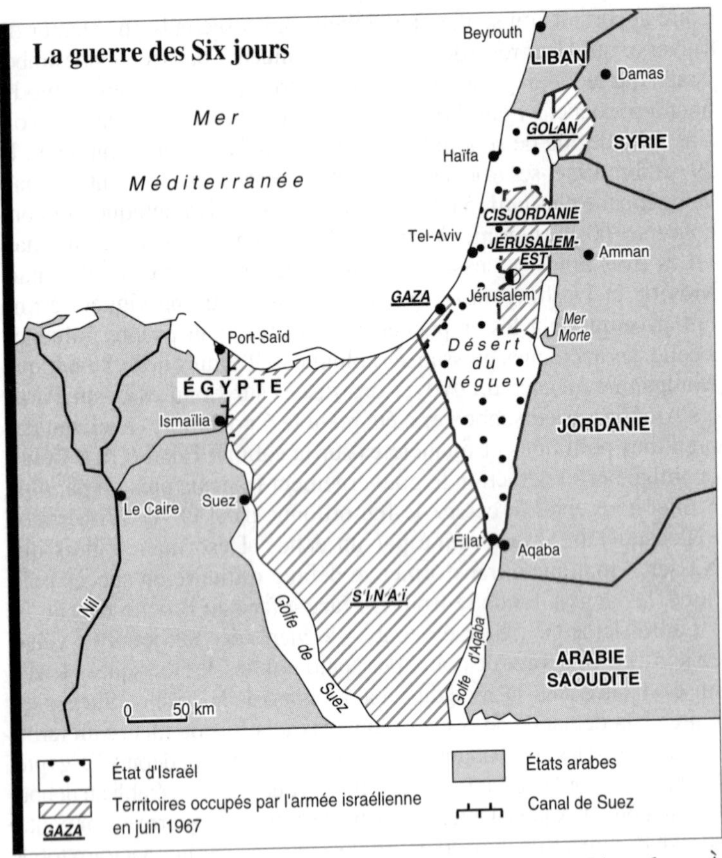

Les Israéliens annexent en même temps la ville de Jérusalem. À la fin des années 60, le conflit israélo-arabe n'a rien perdu de son acuité et menace à terme la paix du monde. La « détente » entre l'Est et l'Ouest – qui s'affrontent par petits États interposés – trouve ici l'une de ses limites.

• La guerre du Vietnam

La décennie 1954-1964 voit les débuts de l'engagement des Américains en Asie du Sud-Est. Les accords de Genève prévoyaient la réunification du Vietnam, mais ils n'ont été signés ni par les États-Unis ni par les Sud-Vietnamiens. De part et d'autre du 17e parallèle, une coupure durable paraît devoir s'opérer entre le Nord-Vietnam communiste, dirigé par Hô Chi Minh, et le Sud-Vietnam, où l'empereur Bao Daï est chassé de son trône dès 1955 par son Premier ministre Ngo Dinh Diem. S'appuyant sur la bourgeoisie de Saigon et sur les catholiques (environ un million parmi lesquels beaucoup de réfugiés venus du Nord), celui-ci refuse les élections générales sous contrôle international, prévues par les accords de juillet 1954 et qui auraient probablement donné la victoire à ses adversaires, et transforme son régime en une dictature militaire soutenue par les Américains.

Appliquant au Vietnam la «théorie des dominos» chère à Foster Dulles, la conversion d'un pays au communisme entraîne par contagion celle des États voisins, Washington apporte en effet son appui, dans le Sud-Est asiatique et ailleurs, aux régimes anticommunistes, aussi éloignés qu'ils soient des idéaux de la démocratie américaine. À partir de 1956, «conseillers militaires», armements et dollars affluent au Sud-Vietnam, tandis que s'organise dans les maquis la résistance à la dictature de Diem et de son clan (Ngo Dinh Nhu, chef de la police et son épouse; Ngo Dinh Thuc, archevêque de Hué, etc.).

Le Front national de libération (FNL) regroupe en 1960 tous les opposants au régime diémiste. Ceux-ci, baptisés *Vietcongs* (communistes vietnamiens) par les dirigeants de Saigon, sont majoritairement des marxistes ayant ou non combattu dans les rangs du Vietminh. Mais le FNL rassemble également des rescapés des cercles militaires hostiles à Diem et liquidés par lui après le putsch avorté de novembre 1960, ou encore des bouddhistes et des libéraux, victimes des méthodes expéditives du régime. Lorsque Kennedy prend ses fonctions à la Maison Blanche, au début de 1961, il ne peut que constater l'extension de la rébellion qui contrôle le tiers du pays et menace les principales villes. Les hommes du FNL sont à cette date sept ou huit fois moins nombreux que les troupes de Diem – encadrées et équipées par les Américains – mais disposent d'atouts importants : leur ardeur révolutionnaire et nationaliste, leur expérience de la guérilla, l'aide qu'ils trouvent auprès de la population des campagnes et l'appui du Nord qui fournit des armes et des combattants, acheminés à travers le Laos et le Cambodge voisins par la «piste Hô Chi Minh».

Aussi, tandis que l'opposition gagne du terrain dans les villes (où des bonzes bouddhistes se donnent la mort par le feu pour mobiliser l'opinion), le Président américain décide d'intervenir plus directement et quadruple le nombre des «conseillers militaires» engagés au Vietnam. Toutefois, il retire en même temps leur appui au clan des Ngo qui est éliminé par un coup d'État militaire en novembre 1963. Lorsque lui-même est assassiné à Dallas quelques jours plus tard, les États-Unis ont mis le doigt dans l'engrenage d'une guerre qui va durer douze ans et peser lourdement sur leur propre histoire.

À la suite d'une période d'agitation et de putschs, le pouvoir échoit en juin 1965 au général Ky, remplacé deux ans plus tard par son collègue, le général Thieu. L'un et l'autre sont partisans de méthodes de gouvernement peu différentes de celles de Diem. Devant les progrès des Vietcongs et les infiltrations de combattants venus du Nord, Américains et Sud-Vietnamiens organisent secrètement des raids amphibies au Nord du 17e parallèle. En août 1964 a lieu « l'incident du golfe du Tonkin ». Un navire de guerre américain, le Maddox, est mitraillé par des patrouilleurs nord-vietnamiens alors qu'il participe à une opération de ce type. Aussitôt, après avoir obtenu l'assentiment quasi unanime du Congrès, le successeur de Kennedy, Lyndon Johnson, renforce le corps expéditionnaire américain et fait bombarder le Nord-Vietnam par les B 52.

Aussi les années 1964-1968 sont-elles marquées par une intervention de plus en plus massive des États-Unis. Le 10 août 1965, le Congrès américain a officiellement choisi la guerre, précisant que *« les États-Unis considèrent que le maintien de la paix et de la sécurité internationales en Asie du Sud-Est sont essentiels pour leur intérêt national et pour la paix du monde »*. C'est ainsi que plus de 500 000 GI's combattent aux côtés de petits contingents alliés et de quelque 800 000 Sud-Vietnamiens. Des bombardements systématiques, opérés de part et d'autre du 17e parallèle avec des armes terrifiantes (napalm, défoliants, bombes « antipersonnelles », « bombes à aérosol », etc.), font des centaines de milliers de victimes sans parvenir à entamer la volonté de résistance de Hanoi. Au début de 1968, alors qu'une partie de l'opinion américaine manifeste avec éclat son hostilité à la guerre, une attaque générale est lancée par le FNL contre les villes et les bases américaines au Sud : c'est « l'offensive du Têt », jour de l'an vietnamien. Difficilement repoussée, elle démontre au gouvernement de Washington qu'une victoire au Vietnam impliquerait l'engagement des États-Unis dans une guerre totale, coûteuse en hommes, en argent et en prestige. Car si les Américains luttent avant tout contre le communisme, il n'en est pas moins vrai qu'une partie de l'opinion s'interroge sur la crédibilité du régime de Saigon.

L'arrivée au pouvoir de Richard Nixon (1969) coïncide avec un changement radical de la politique américaine en Asie du Sud-Est. Soucieux de lever l'un des principaux obstacles au rapprochement avec l'Est, plus sensible aux arguments de ceux qui jugent la poursuite de la guerre inutilement dangereuse pour l'économie américaine qu'aux protestations des «idéalistes» et des libéraux, pour qui l'Amérique est en train de «perdre son âme» au Vietnam, le nouveau Président annonce un retrait progressif des forces engagées en Indochine. En juillet 1969, au cours d'un voyage dans le Pacifique, il prononce à Guam un important discours dans lequel il résume ses idées sur la «vietnamisation» du conflit et la politique que les États-Unis entendaient désormais poursuivre en Asie : l'aide financière et le matériel seront accordés sans réserve «aux nations désireuses d'assumer la responsabilité de fournir les hommes pour se défendre elles-mêmes».

Un accord provisoire et précaire intervient au début de 1973 à la suite d'une longue et difficile négociation. Entamée sous la présidence de Johnson, celle-ci se poursuit sous Nixon par des conversations directes entre le conseiller du Président américain, Henry Kissinger, et le représentant de Hanoi, Lê Duc Tho. Elle ne met fin dans l'immédiat ni aux bombardements contre les forces communistes au Vietnam et au Laos, ni à l'action des troupes américaines encore engagées dans la région et qui interviennent au Cambodge en juin 1970, ni aux manifestations pacifistes aux États-Unis (4 morts à l'Université de Kent en mai 1970). Les accords de Paris, signés en janvier 1973, disposent que les Américains devront retirer leurs troupes dans les soixante jours et démanteler leurs bases, tandis que l'avenir du Vietnam sera préparé par un «conseil national de réconciliation» à trois composantes : gouvernement révolutionnaire provisoire (communiste), gouvernement de Saigon et «neutres». Mais le cessez-le-feu, constamment violé par les deux parties, ne met pas véritablement fin à la guerre qui va se poursuivre encore pendant deux ans, tant au Vietnam qu'au Cambodge et au Laos.

CHAPITRE 16

Les États-Unis à l'apogée de leur puissance

Les États-Unis forment une fédération de cinquante États. Le pouvoir fédéral est un régime présidentiel fondé sur le suffrage universel, et la vie politique s'organise autour des deux grands partis, démocrate et républicain. Les années 50 à 70 sont celles de l'apogée de la prospérité : les États-Unis sont le plus gros producteur mondial, leurs grandes firmes s'organisent sur le plan international. Mais ce succès a des ombres. La société américaine, très urbanisée, a le niveau de vie le plus élevé du monde. Fortement consommatrice, elle est aussi très endettée. L'action réformiste des Présidents Kennedy et Johnson en vue de résorber les déséquilibres sociaux et la pauvreté est rendue vaine par la crise de la fin des années 60 : la guerre du Vietnam, la ségrégation raciale provoquent révolte et contestation, tandis que le phénomène hippie signe le rejet de l'*American Way of Life.*

Le système politique américain

• Un État fédéral

Le texte de la Constitution américaine votée en 1789, est toujours en vigueur; certes il a été complété depuis par de nombreux amendements. Il repose sur le principe de la séparation des pouvoirs.

L'État est fédéral, c'est-à-dire qu'il y a un gouvernement, des assemblées, un pouvoir judiciaire à l'échelon national, appelé fédéral, et qu'on retrouve la même structure au niveau de chacun des États qui constituent l'Union.

Le gouvernement à l'échelon national ou fédéral s'exerce sur l'ensemble des cinquante États et d'un certain nombre de territoires qui ont un statut particulier et ne sont pas élevés au rang d'États, comme Porto Rico. Le pouvoir fédéral est chargé de régler les questions qui concernent la nation entière : relations extérieures, monnaie, armée, guerre et paix.

Chacun des États possède sa propre Constitution qui ne doit cependant pas être en contradiction avec la Constitution fédérale, et son gouvernement particulier dont les attributions sont importantes : elles concernent tous les domaines non expressément réservés par la Constitution au pouvoir fédéral (éducation, transports, commerce, police, finances...). Chaque État possède également sa loi électorale. À sa tête, se trouvent un gouverneur et une législature de deux chambres (seul le Nebraska n'en a qu'une). Par ailleurs, les États servent de circonscriptions électorales pour la désignation des élus à tous les niveaux, même fédéral. À l'intérieur de chaque État américain existent, en effet, un certain nombre de subdivisions administratives, mairies, comtés... formant un enchevêtrement de pouvoirs locaux, ce qui représenterait au total environ 78000 unités administratives.

• Les institutions fédérales

Le pouvoir fédéral comprend trois institutions principales.

– Le Président des États-Unis est chef du pouvoir exécutif. Il est élu pour quatre ans selon une procédure complexe : à l'intérieur de chaque parti se déroule une compétition pour la candidature; le choix revient à des délégués qui sont, soit désignés par la « machine du parti », soit, de plus en plus, élus lors de « primaires »; ces délégués se réunissent durant l'été qui précède les élections, à la Convention de leur parti qui désigne officiellement le candidat; l'élection proprement dite a

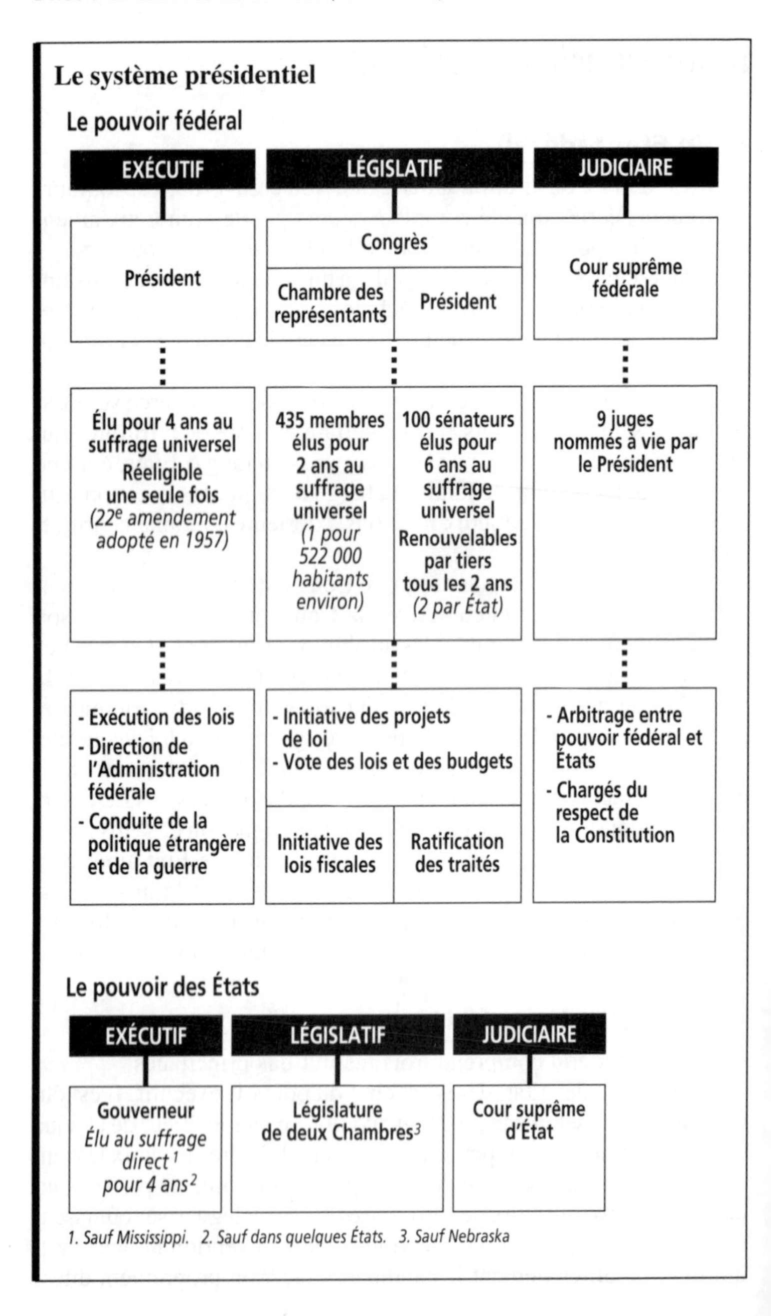
Le système présidentiel
Le pouvoir fédéral
EXÉCUTIF
LÉGISLATIF
JUDICIAIRE
Président
Congrès
Chambre des représentants
Président
Cour suprême fédérale
Élu pour 4 ans au suffrage universel
Rééligible une seule fois
(22e amendement adopté en 1957)
435 membres élus pour 2 ans au suffrage universel
(1 pour 522 000 habitants environ)
100 sénateurs élus pour 6 ans au suffrage universel
Renouvelables par tiers tous les 2 ans
(2 par État)
9 juges nommés à vie par le Président
- Exécution des lois
- Direction de l'Administration fédérale
- Conduite de la politique étrangère et de la guerre
- Initiative des projets de loi
- Vote des lois et des budgets
Initiative des lois fiscales
Ratification des traités
- Arbitrage entre pouvoir fédéral et États
- Chargés du respect de la Constitution
Le pouvoir des États
EXÉCUTIF
LÉGISLATIF
JUDICIAIRE
Gouverneur
Élu au suffrage direct 1 pour 4 ans 2
Législature de deux Chambres 3
Cour suprême d'État
1. Sauf Mississippi. 2. Sauf dans quelques États. 3. Sauf Nebraska

lieu début novembre, les électeurs votant, non pour le Président, mais pour de « grands électeurs » qui ont préalablement fait connaître le candidat pour lequel ils voteront.

L'élection se fait dans le cadre de chaque État qui possède un nombre de grands électeurs égal au nombre d'élus qu'il envoie au Congrès. Le scrutin est majoritaire, c'est-à-dire que tous les grands électeurs d'un État voteront pour le candidat qui a obtenu la majorité dans celui-ci, fût-ce d'une voix. Ainsi, le Président, élu par la majorité des grands électeurs, peut pourtant être minoritaire en voix dans le pays. Si aucun candidat n'obtient la majorité (dans le cas d'élection triangulaire par exemple), c'est la chambre des Représentants qui procède à l'élection (à raison d'une voix par État).

Chef du pouvoir exécutif, le Président est commandant en chef des armées ; il négocie les traités, nomme les diplomates et assure l'application des lois. Il nomme une « administration » formée de secrétaires (ministres), responsables devant lui seul, choisis en fonction de leur compétence, qu'il recrute généralement dans les milieux d'affaires ou l'Université, mais jamais dans les chambres. Ils doivent seulement être confirmés par le Sénat après audition *(hearing)* devant des membres compétents. Ils ne sont pas responsables devant le Congrès, ce qui explique l'absence de banc du gouvernement dans les deux chambres. Le Président ne se présente au Capitole (siège du Congrès) que pour y lire solennellement, le « message sur l'état de l'Union ». Il peut opposer son veto à une loi votée par le Congrès, mais celui-ci passe outre s'il rassemble sur le projet une majorité des deux tiers.

– Le Congrès, qui exerce le pouvoir législatif, siège au sommet de la colline du Capitole. Il est formé de deux chambres, la chambre des Représentants et le Sénat. Il faut l'accord des deux chambres pour l'adoption d'un projet de loi, sauf en ce qui concerne la ratification des traités qui est du ressort du seul Sénat. Par contre, l'initiative en matière budgétaire appartient à la chambre des Représentants.

La chambre des Représentants, élue pour deux ans au scrutin uninominal à un tour (les élections ont lieu en même temps que le scrutin présidentiel et à mi-course du mandat du Président) comprend 435 membres, répartis entre les États proportionnellement à leur population. Un réajustement a lieu tous les dix ans après le recensement. Tout candidat doit avoir au moins 25 ans et être citoyen américain depuis sept ans au moins. On constate une grande stabilité des représentants qui sont généralement réélus (durée moyenne de la carrière : 14 ans). Pour plus de la moitié, ce sont d'anciens hommes de loi et, en second lieu, des hommes d'affaires. Tous sont issus des classes sociales aisées.

Le Sénat comprend 100 membres, à raison de deux sénateurs par État, élus pour six ans. Il est renouvelable par tiers tous les deux ans. Il s'agit de fonctions prestigieuses auxquelles accèdent les plus doués politiquement. Les sénateurs se recrutent dans les classes les plus aisées de la société, et, souvent, dans de vieilles familles de notables.

Depuis 1930, en dehors de rares exceptions, les démocrates ont la majorité dans les deux chambres du Congrès. Toutefois, en 1980, les républicains obtiendrons la majorité au Sénat.

Les chambres ne peuvent renverser le Président, sauf cas de haute trahison ou de forfaiture : dans ce cas, elles procèdent au vote de l'*impeachment*.

– Le pouvoir judiciaire est exercé par la Cour suprême fédérale. Elle est constituée de 9 membres nommés à vie par le Président; tous anciens hommes de loi, ils appartiennent à la bourgeoisie aisée et à l'élite intellectuelle du pays. Par rapport aux chambres, les minorités religieuses y sont mieux représentées. Le pouvoir de la Cour suprême est considérable : elle juge les différends entre États, entre un État et l'Union, entre un citoyen et l'Union. Elle peut aussi annuler des lois votées par le Congrès et les législatures des États ainsi que les décrets présidentiels si elle les juge contraires à la Constitution. Ce faisant, ses décisions ont une immense portée juridique et un poids moral déterminant : en 1954, par exemple, son interprétation du 14e amendement de la Constitution déclare inconstitutionnelle la ségrégation scolaire.

• La vie politique et le bipartisme

Les États-Unis sont une démocratie dans laquelle le suffrage universel est la source des pouvoirs exécutif et législatif. Depuis 1920, le 19e amendement accorde le droit de vote aux femmes. L'âge électoral a été abaissé de 21 à 18 ans en 1971. Des dispositions successives ont permis aux minorités raciales d'exercer effectivement leur droit de vote.

Les citoyens américains sont appelés à pourvoir par élection de très nombreux postes, au niveau fédéral, au niveau des États et des municipalités : électeurs présidentiels (qui « nomment » le Président), gouverneurs des États, membres du Congrès, maires, conseillers municipaux, juges locaux, *sherifs,* médecins légistes… En revanche, le Président des États-Unis nomme les juges à la Cour suprême, les fonctionnaires fédéraux et les secrétaires (ministres).

Les Présidents des États-Unis de 1945 à 1974

Démocrates	Républicains
Truman (1945-1952)	
	Eisenhower (1952-1960)
Kennedy (1960-1963)	
Johnson (1963-1968)	
	Nixon (1968-1974)

Pour toutes ces élections, la plupart des candidats sont investis par les deux grands partis, le parti démocrate et le parti républicain, qui se présentent plutôt comme des coalitions d'intérêt que comme des formations ayant une idéologie et un programme précis. Ces partis n'ont de structure solide que sur le plan local et leur activité est surtout importante au moment de l'élection présidentielle. Le parti démocrate, dont le symbole est l'âne depuis 1870, s'appuie sur les électeurs du Sud qui constituent son aile conservatrice, sur les syndicats et sur les minorités (immigrants, catholiques, Juifs, Noirs) dans le Nord-Est et l'Ouest. Le parti républicain ou GOP *(Grand Old Party),* symbolisé depuis 1874 par l'éléphant, est le parti des WASP (*White*-Blancs, Anglo-Saxons, Protestants) puissant en Nouvelle-Angleterre et dans le Middle West, chez les grands industriels, les petits commerçants, les fermiers... De 1865 à 1932, le parti républicain a dominé de manière permanente la vie politique américaine; avec Roosevelt et Truman, les démocrates ont gouverné sans discontinuer de 1932 à 1952; puis, une alternance entre les deux grands partis s'est établie à la tête de l'État fédéral.

L'apogée du capitalisme américain

• Une puissance phare

Des années 50 aux années 70, les États-Unis connaissent une prospérité remarquable. À l'intérieur de cette période, les années 1961-1966 constituent un véritable âge d'or. C'est aussi la plus belle époque du dollar qui maintient son pouvoir d'achat et est utilisé comme monnaie internationale.

Cette prospérité se manifeste par la place qu'occupent les États-Unis dans la production mondiale. Ils demeurent les premiers producteurs des produits agricoles et industriels fondamentaux. En 1970, leur PNB équivaut à 1 000 milliards de dollars et, en chiffres absolus, la croissance annuelle est impressionnante, se situant autour de 40 milliards de dollars par an, ce qui représente le tiers du PNB français. L'agriculture est excédentaire et un grand nombre de pays du monde ne peuvent survivre que grâce aux ventes de produits agricoles américains.

La puissance de l'économie américaine réside non seulement dans sa production de masse, mais aussi dans sa capacité de création et d'innovation. Son immense avance dans ce domaine lui permet de vendre aux pays développés du monde des produits de technologie de pointe dont elle détient un véritable monopole : la valeur du parc d'ordinateurs a décuplé entre 1960 et 1968.

Indices comparés du PNB par actif aux États-Unis et en Europe

	1950	1964
États-Unis	100	100
RFA	44	58
France	47	61
Belgique	59	62
Pays-Bas	56	63
Royaume-Uni	56	56
Italie	29	44

Résultats de quelques produits fondamentaux (1970)
(en millions de tonnes)

	Production mondiale	Production américaine	Rang mondial
Houille	2128	550	1
Pétrole	2278	475	1
Acier brut	593	119	1
Fibres coton	11	2,2	2
Fibres synthétiques	3,4	0,7	1
Froment	318	36,7	2

• L'âge d'or de la grande entreprise

Le phénomène fondamental de cette période est la place gigantesque prise par les grandes entreprises appelées *corporations*. Ce sont des sociétés par actions cotées en bourse. Le mouvement de concentration, déjà engagé auparavant, s'accélère à cette époque et gagne tous les secteurs de l'économie, favorisé par un retournement de l'opinion publique qui considère désormais avec faveur la grande entreprise, synonyme d'efficacité en raison du rôle qu'elle a joué pendant la guerre. Les petites et moyennes entreprises, encore en majorité, sont souvent en difficulté et disparaissent au rythme de 10 % par an. Ce sont les grandes firmes et banques les plus puissantes qui connaissent le taux de croissance le plus rapide. Les 150 super géants du secteur tertiaire ont chacun un chiffre d'affaires d'un milliard de dollars au moins. Ce sont les maîtres de l'économie des États-Unis.

Les 500 firmes industrielles les plus importantes assument le tiers des activités et on constate que les profits des 10 premières est égal à celui des 490 suivantes. La concentration touche aussi les exploitations agricoles : les grandes fermes supérieures à 500 ares représentent un peu plus de 13 % du nombre total des fermes, mais sont responsables de 65 % de la production et les 1 200 fermes les plus importantes produisent en valeur autant que les 1 600 000 entreprises agricoles les moins efficaces. La *corporation* de 1970 est sans commune mesure par ses dimensions avec celle de la génération précédente.

Les grandes entreprises diversifient leur production pour disperser les risques. En 1960, 34 *corporations* sont engagées dans 10 domaines différents. On les appelle alors « conglomérats ». La diversification s'exerce surtout au profit des industries chimiques, électriques, alimentaires et électroniques. Elle entraîne aussi une transformation des structures dans la corporation. Auparavant, à la tête de l'organisation centrale, figurait un directeur responsable, le boss, tel Henry Ford qui dirigea ses usines jusqu'à sa mort en 1947. Mais dès 1956 l'entreprise Ford se transforme en société par actions cotée en bourse. L'organisation des *corporations* est devenue sectorielle, chaque secteur étant autonome et responsable de sa gestion. Chaque directeur de secteur est un gestionnaire, un *manager,* qui ne représente pas les actionnaires, mais dépend d'une direction qui coiffe tous les secteurs. Celle-ci n'appartient plus en fait aux détenteurs du capital, mais aux techniciens chargés de la gestion. Ces managers ne sont pas propriétaires des actions de leur entreprise ; ce sont des salariés, formés dans des écoles spécialisées, parvenus au sommet par leurs capacités et majoritairement issus, non de la haute bourgeoisie, mais des classes moyennes. Ce sont des techniciens du marché et de la prévision, spécialement entraînés en vue de l'efficacité et de la rentabilité.

À partir des années 50, les grandes firmes américaines organisent de façon systématique leurs opérations sur une base internationale. Les investissements à l'étranger se dirigent de plus en plus vers l'industrie de transformation : en 1967, les firmes américaines fabriquent à l'étranger environ les deux cinquièmes de leur production. Mais les investissements qui concernent l'extraction et la transformation du pétrole, l'acquisition de minerais et d'autres matières premières sont encore importants car les États-Unis importent en grande quantité ces produits afin de préserver leurs ressources stratégiques. Le reste des investissements (moins de 25 %) se porte sur le secteur tertiaire : transports, activités financières ou hôtelières.

Les difficultés rencontrées par le monde du travail dans les années d'après-guerre, l'impossibilité de lutter efficacement contre la loi Taft-Hartley qui limite le droit de grève ont facilité la réunion des deux grandes centrales syndicales, l'AFL *(American federation of labour)* et le CIO *(Committee for industrial organization)*. Là où il est le mieux implanté, le syndicat obtient des avantages importants pour les ouvriers grâce aux contrats collectifs négociés avec le patronat (salaires les plus élevés du monde, congés, assurance maladie, retraites, allocations...).

Le développement du syndicalisme est cependant gêné par la nouvelle composition du monde des travailleurs. Certes, les « cols bleus » ou travailleurs manuels se syndiquent à 84 %. Mais le secteur tertiaire l'emporte de plus en plus dans l'économie, et les employés ou « cols blancs » qui, désormais, l'emportent en nombre sont moins attirés par l'action revendicative et 15 % seulement d'entre eux se syndiquent. Néanmoins, avec 20 millions d'adhérents, le syndicalisme représente une force avec laquelle il faut compter. Par exemple, il joue un rôle croissant à l'intérieur du parti démocrate et la politique sociale menée dans ces années par les présidents démocrates est un témoignage de son influence.

• Les limites de cette puissance économique

La croissance économique américaine, impressionnante en chiffres absolus, connaît pourtant un taux moyen annuel inférieur à celui d'autres pays. Cette croissance qui n'excède pas 3 à 4 % par an est inférieure à celle du Japon, des Pays-Bas, de la France, de l'URSS. Du fait de la reprise économique de l'Europe et du Japon, la part des États-Unis dans la production mondiale recule nécessairement : en 1948, les États-Unis produisent 85 % des voitures de tourisme du monde, mais seulement 41 % à la fin des années 60 ; aux mêmes dates, la production des véhicules utilitaires tombe de 70 à 27 % de la part mondiale, alors que les États-Unis achètent 1 million de voitures étrangères. Leur monopole en matière de technologie de pointe se perd rapidement à mesure que leurs techniques sont utilisées par d'autres pays : en 1950, ils fournissent 90 % des fibres synthétiques (produit nouveau à l'époque) ; en 1968, 40 %. Il en est de même pour différents produits où les Américains dominaient le marché : machines-outils, machines comptables, etc.

La capacité de production de l'économie américaine est telle que le marché intérieur ne peut l'absorber que grâce à l'usage du crédit et de la publicité. La société de l'opulence est de ce fait une société endettée. De plus, même si la période est celle de la prospérité, elle est marquée par de courtes récessions (1953-1954 ; 1957-1958 ; 1960-1961), périodes durant lesquelles le chômage s'amplifie atteignant par exemple 7 % de la population active en 1958.

En 1958, on constate une reprise de l'inflation qui s'accentue avec la guerre du Vietnam. En 1971, le dollar subit sa première dévaluation depuis le New Deal. Cette dévaluation est aussi la conséquence d'une balance des comptes déficitaire. Les dollars accumulés au Japon et en Europe sont en effet convertibles en or et leur conversion risquerait d'épuiser les réserves d'or fédérales. Aussi, en août 1971, le gouvernement doit-il suspendre la convertibilité du dollar.

Quant à l'agriculture, elle connaît les mêmes maux qu'à la période précédente : la surproduction et un revenu mensuel moyen du fermier inférieur de moitié à celui des familles non agricoles.

Enfin, les États-Unis n'occupent pas dans le commerce mondial une place à la mesure de leur puissance (14 % des exportations mondiales, CEE 25 %).

La société américaine à l'heure de la prospérité

• L'évolution de la population

Jusqu'en 1958, la population américaine connaît une forte natalité. C'est la poursuite du *baby-boom* de l'après-guerre. Ce phénomène joint à l'immigration fait passer la population américaine de 140 millions en 1945 à 180 en 1960, 206 en 1970. En 1980, elle atteint 228 millions d'habitants. Toutes les régions ne bénéficient pas également de cet accroissement de population. Certaines sont plus favorisées. C'est le cas des États de la « ceinture du soleil » : Nouveau-Mexique (+ 80 %), Arizona et Floride (+ 160 %), Nevada (+ 170 %) ; la Californie double sa population entre 1940 et 1960.

Ce sont les villes qui profitent le plus de l'accroissement de la population. En 1960, les trois quarts des Américains sont des citadins. La structure des villes se transforme : le centre décline, abandonné par la population aisée qui préfère habiter dans des maisons individuelles en banlieue, loin du bruit et de la pollution. Sur 13 millions de logements urbains construits entre 1946 et 1958, 11 millions l'ont été en banlieue.

En 1970, la population active atteint 80 millions, soit un accroissement de 35 % en 20 ans. Pendant cette même période, le secteur primaire est passé de 15 à 5 % ; le secteur secondaire demeure à peu près stable (34 % environ), alors que le secteur tertiaire enregistre une forte poussée, atteignant plus de 60 % de la population active. La main-d'œuvre féminine représente 37 % de la force de travail en 1970.

• Apogée et fragilité de l'*American Way of Life*

Jusqu'aux années 60, l'optimisme prévaut aux États-Unis : la société de consommation, qui atteint le niveau le plus élevé du monde, est proposée comme modèle. Cet optimisme se nourrit d'un certain nombre de réussites : le brio des techniciens, l'envoi d'un homme sur la lune en 1969, l'octroi à des chercheurs américains de plus des trois quarts des prix Nobel depuis la guerre, la diffusion du confort ménager dans le monde à partir du modèle américain.

De fait, la société américaine est une société d'abondance. Le PNB a doublé depuis la fin de la guerre. Les revenus augmentent : alors que 4 familles sur 5 ont en 1947 des revenus inférieurs à 5000 dollars, en 1970 4 familles sur 5 ont des revenus supérieurs à ce niveau (en dollars constants). Cet enrichissement se manifeste par la croissance du nombre des actionnaires, par l'importance de la construction de nouvelles maisons, par un parc automobile en plein accroissement, par l'équipement des ménages en téléviseurs et en appareils électroménagers, par le désir des familles de donner une bonne instruction à leurs enfants (les États-Unis sont en tête pour le taux de scolarisation dans l'enseignement supérieur : on compte un étudiant sur deux adolescents).

Le personnage le plus représentatif de la société d'abondance est le « col blanc », l'employé aisé, qui bénéficie du confort et de toutes les facilités de l'*American Way of Life*. Les salaires et les conditions de travail s'améliorent, les congés payés tendent à se généraliser. La durée du travail se réduit et, en 1960, la semaine de 40 heures est instituée dans presque toutes les industries. Le monde entier admire l'opulence américaine : en 1960, 75 % des ouvriers se rendent à leur travail dans leur voiture particulière, presque toutes les familles disposent d'un téléviseur, les livres de poche se vendent au rythme d'un million par jour.

Mais, à partir des années 60, le doute succède à l'optimisme sur la valeur de l'*American Way of Life*. Une gigantesque panne d'électricité, le 9 novembre 1965, paralyse pendant treize heures tout le Nord-Est des États-Unis et le Canada méridional, mettant en danger la population (arrêt d'ascenseurs, ventilation, éclairage…). L'excessive concentration urbaine compromet la qualité de la vie : 75 % de la population se sont groupés sur environ 1 % du territoire national. Il en résulte de multiples nuisances : l'air et l'eau sont très pollués ; la faiblesse des investissements collectifs pose d'insolubles problèmes de voirie, d'hygiène publique, d'éclairage ; les écoles, les dispensaires, les hôpitaux publics n'ont pas de moyens suffisants. Les insuffisances et les problèmes sociaux compromettent la sécurité des citadins ; crime, vice et drogue prolifèrent (le « chiffre d'affaires » des entreprises criminelles aurait dépassé 40 milliards de dollars en 1971, chiffre très supérieur à celui de tout le secteur agricole !).

L'économiste américain Galbraith trouve dans la crise urbaine la manifestation la plus éclatante du déséquilibre social entre riches et pauvres. La faillite permanente des villes (comme New York) est le

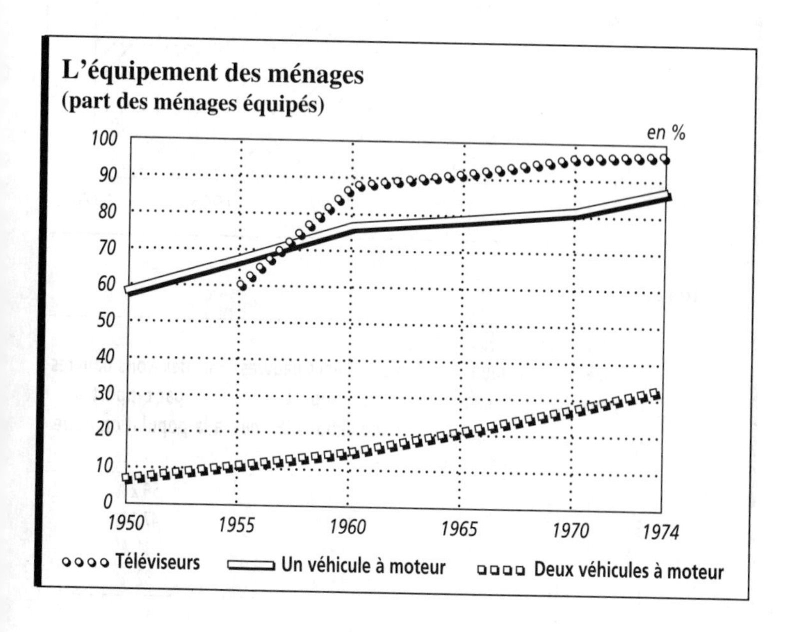

révélateur de la pauvreté des habitants du centre des villes, pour lesquels les riches (qui habitent désormais les banlieues) n'entendent pas financer les équipements sociaux.

En 1962, 40 millions d'Américains ne parviennent pas au seuil des 3000 dollars de revenu annuel considéré comme indispensable pour mener une vie décente. La pauvreté touche plus de la moitié des personnes âgées, soit 8 millions de personnes. Le risque est plus grand pour la femme chef de famille en raison de l'inégalité des salaires masculin et féminin (le salaire moyen d'une femme n'atteint, à travail égal, que 60 % de celui d'un homme). La crise des industries anciennes transforme certaines régions en poches de pauvreté : c'est le cas du « Vieux Sud » ou des Appalaches. Certaines catégories professionnelles sont défavorisées : 40 % des agriculteurs gagnent moins

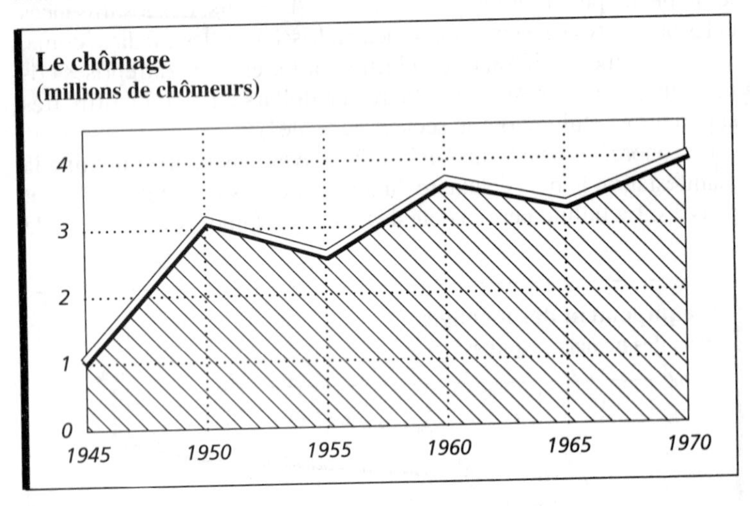

Le chômage
(millions de chômeurs)

La pauvreté

	Nombre d'individus au-dessous du seuil de pauvreté (en millions)			Part des Blancs pauvres par rapport à la population blanche	Part des Noirs pauvres par rapport à la population noire
	Total	Blancs	Gens de couleur		
1959	39,5	28,5	11	18,1 %	56,2 %
1965	33,2	22,5	10,7	13,3 %	47,1 %
1969	24,2	16,7	7,5	9,5 %	31 %
1970	25,4	17,5	7,9	9,9 %	32 %

de 3000 dollars. Les ouvriers qui travaillent dans les secteurs en déclin ou ceux dont le niveau de formation est faible sont dans le même cas. Il en va de même des cadres âgés licenciés en raison de l'automation de l'économie. Enfin, la pauvreté touche surtout les gens de couleur qui constituent près du quart (22 %) des effectifs des pauvres. Près de la moitié des familles noires n'accèdent pas à la barre des 3000 dollars et pour 5 millions de *Chicanos* (immigrés mexicains) et un million et demi de Portoricains, la faim est une obsession. Même durant la période de prospérité, le chômage n'est pas résorbé. La prise de conscience des déséquilibres sociaux aboutit dans les années 60 à une crise de confiance des Américains dans la vertu d'un système considéré jusqu'alors comme un modèle.

Conscients de cette détérioration du modèle américain, les Présidents démocrates Kennedy (1961-1963) et Johnson (1963-1968) tentent de porter remède aux maux de la société américaine. Le Président Kennedy est persuadé que le système se détruirait si on ne corrigeait pas les inégalités engendrées en matière sociale par la doctrine du « laissez-faire ». Convaincu de son droit à décider dans le domaine de l'économie et de la société, il va s'employer à promouvoir une législation pour effacer les injustices les plus criantes. L'heure est au combat contre la pauvreté.

La recherche d'un renouveau politique

Élu en novembre 1960, John Kennedy est à la fois le plus jeune Président de l'histoire des États-Unis (il a 43 ans) et le premier catholique qui accède à la Maison Blanche. Descendant d'une famille d'immigrés irlandais qui a fait fortune dans les affaires, ce riche et brillant intellectuel qui s'entoure d'universitaires symbolise une Amérique nouvelle, jeune, moderne, entreprenante. L'Amérique vient de vivre avec Eisenhower huit années d'administration républicaine considérées comme décevantes par l'opinion aussi bien sur le plan économique (faible taux de croissance, chômage, inflation, crise du dollar) que sur le plan extérieur où une baisse du prestige des États-Unis est ressentie principalement en raison du lancement du Spoutnik soviétique. Avec le jeune et dynamique Président démocrate John Fitzgerald Kennedy, « l'Amérique change de génération » et se lance à la conquête de ce qu'il appelle la « nouvelle frontière », c'est-à-dire de tous les obstacles qui empêchent les États-Unis d'affirmer leur supériorité économique et technique et d'être reconnus comme les leaders du monde occidental. Kennedy, pénétré de la supériorité absolue des valeurs défendues par son pays, liberté et démocratie, veut renforcer la puissance américaine à l'intérieur et à l'extérieur.

En effet, la nouvelle frontière est à l'intérieur des États-Unis. Il faut relancer l'économie pour lutter contre la pauvreté et intégrer à l'*American Way of Life* plus de 40 millions d'Américains empêchés par leurs revenus insuffisants de vivre décemment; il faut combattre la ségrégation raciale, opprobre pour le système américain qui prêche la liberté dans le monde entier et injustice qui pousse les Noirs au séparatisme. La nouvelle frontière, c'est aussi le progrès de la science et des techniques modernes qui doivent ouvrir à l'homme les frontières de l'espace. C'est enfin la recherche de la paix, la lutte contre la misère et la faim dans le reste du monde. En proposant ce programme qui est un mélange de générosité et d'interventionnisme, le Président espère être suivi par ses concitoyens lorsqu'il leur déclare : *« Ne vous demandez pas ce que votre pays peut faire pour vous ; demandez-vous plutôt ce que vous pouvez faire pour votre pays »*, et il leur demande d'être les pionniers de cette nouvelle frontière.

Mais le Congrès n'accepte qu'un petit nombre des réformes proposées par le Président. Comme à l'époque du Président Truman, les parlementaires s'opposent aux réformes sociales et aux droits des Noirs. Ils acceptent le relèvement du salaire minimum, l'extension à de nouveaux bénéficiaires de la sécurité sociale, l'assistance fédérale aux régions en difficulté, un programme de crédits à long terme à la construction, des subventions pour la rénovation urbaine. Un « programme de l'espace » doit permettre l'envoi d'un homme sur la lune. Mais le Congrès refuse même de discuter le projet de réforme fiscale, l'association des médecins mène une violente campagne contre un programme d'assurance médicale pour les personnes âgées (projet *Medicare*), la chambre repousse le projet d'aide fédérale à l'instruction, et, dans le domaine de l'économie, le Président n'obtient que des mesures partielles de relance. Enfin, le Congrès n'accepte pas sa proposition de supprimer la discrimination raciale dans les lieux publics, pour les emplois et sur les listes électorales.

Néanmoins le Président supprime la ségrégation dans les transports entre les États, nomme des Noirs à de hautes responsabilités et impose de force l'admission de quelques étudiants noirs dans les Universités du Mississippi et de l'Alabama (ces deux États refusant encore, avec la Caroline du Sud, de pratiquer l'intégration scolaire, même théorique).

Le Président Kennedy accorde la priorité aux relations avec l'étranger. Les progrès de la CEE menaçant les intérêts commerciaux des États-Unis, il négocie avec elle des réductions mutuelles de tarifs, espérant ainsi ouvrir le marché européen aux exportations américaines. Mais sa principale préoccupation porte sur les relations avec l'URSS et la Chine communiste qui, dit-il, « n'ont pas renoncé à leurs ambitions de domination mondiale ». Convaincu que le maintien de la paix ne peut être obtenu que par une force militaire de dissuasion, il renforce le budget de la défense et se montre ferme tant dans les divergences avec les Soviétiques à propos de l'Allemagne et de Berlin que dans l'affaire des fusées soviétiques à Cuba. Le problème de Cuba le convainc que la paupérisation facilite l'implantation du communisme et, pour éviter l'arrivée au pouvoir d'un nouveau Castro dans l'hémisphère occidental, il fonde l'Alliance pour le progrès, destinée à venir en aide aux pays d'Amérique latine.

De la même manière, pour faire obstacle aux progrès du communisme dans la péninsule indochinoise, il est amené à faire du Sud-Vietnam un semi-protectorat américain : mais l'envoi de conseillers militaires prélude à une intervention directe des États-Unis dans le conflit. C'est un échec de la stratégie de paix du Président Kennedy.

• Johnson et le projet de « grande société »

Le 22 novembre 1963, le Président Kennedy est assassiné à Dallas. C'est le vice-Président Lyndon Johnson qui, comme le prévoit la Constitution, lui succède. Ce texan a commencé très tôt une carrière politique au sein du parti démocrate où il apparaît, à la différence de Kennedy, comme lié à la « machine » partisane. Élu représentant dès 1937, sénateur en 1949, il devient en 1953 leader des démocrates au Sénat. Excellent connaisseur de la vie politique et parlementaire, habile à conclure des compromis avec les républicains libéraux, ce sudiste libéral est choisi sans grande conviction comme vice-Président par Kennedy pour rallier le Sud et l'appareil de son parti, assez méfiants à l'égard de l'intellectuel bostonien et milliardaire. Mais, une fois élu, Johnson est confiné par Kennedy dans un rôle totalement passif. Promu Président par la mort de ce dernier, Johnson affirme son intention de poursuivre le combat contre la pauvreté inauguré par son prédécesseur. Utilisant son habileté manœuvrière et son excellente connaissance du Congrès, il obtient en peu de temps de ce dernier le vote de lois refusées à Kennedy : les droits civiques, le projet *Medicare,* celui sur l'enseignement.

Puis il propose lui-même un programme d'action qu'il baptise la « grande société ». Il obtient que les fonctionnaires fédéraux aient le droit d'inscrire les Noirs sur les listes électorales (3 millions de Noirs sur 5 n'étaient pas parvenus à se faire inscrire dans le Sud et leur leader Martin Luther King avait organisé de grandes marches pour alerter l'opinion américaine).

L'ensemble des mesures sociales des Présidents Kennedy et Johnson ramène le nombre des pauvres à 24 millions en 1964. La « grande société » semble avancer à grands pas quand la guerre du Vietnam, par les problèmes qu'elle pose, passe au premier plan des préoccupations des Américains. De plus, elle se révèle très coûteuse et va démontrer que les États-Unis ne peuvent poursuivre à la fois la guerre à l'extérieur et le combat contre la pauvreté à l'intérieur. De sorte qu'on a pu dire que la « grande société » a été la première victime de la guerre du Vietnam.

La « maison divisée »

• Le piège vietnamien

En 1968, à la fin de son mandat, le Président Johnson reconnaît que son idéal de « grande société », sans pauvres ni injustice raciale, a échoué. La société américaine est malade. Le Président impute cet échec à la guerre du Vietnam : *« À cause du Vietnam, nous ne pouvons accomplir tout ce que nous devrions, ou ce que nous voudrions faire. »* Confiant dans la supériorité militaire de son pays, il ne doutait pas de la victoire lorsqu'il s'est résolu à l'engagement armé en 1965. Dès lors, pris dans l'engrenage, il doit envoyer de plus en plus d'hommes, sans pourtant obtenir le succès attendu. Quand, en 1968, les troupes nord-vietnamiennes lancent « l'offensive du Têt » sur les villes du Sud-Vietnam et des bases américaines, la crise atteint son paroxysme.

Cette guerre sans victoire se révèle désastreuse pour l'économie, les finances et l'unité même du peuple américain. En 1967, on dénombre 15000 morts et des dizaines de milliers de blessés dans les troupes américaines. L'image des États-Unis, champions de la paix et de la liberté, se trouve ternie par le conflit. Le coût de la guerre est estimé à 20 milliards de dollars par an. Pour la première fois aux États-Unis une guerre ne relance pas l'économie, mais au contraire, la perturbe davantage. Les dépenses militaires (cinq fois plus importantes que les dépenses sociales) mettent en déficit le budget fédéral. L'augmentation des importations, en particulier de produits stratégiques, aggrave le déficit de la balance commerciale et de celle des paiements. L'équilibre de la monnaie est rompu ; l'inflation prend un rythme rapide et, à partir de 1968, la dépréciation du dollar s'élève à 8 % en une seule année.

La guerre divise profondément les Américains. Le peuple s'interroge sur le bien-fondé de la poursuite du conflit. Sans doute la grande majorité des Américains reste-t-elle favorable à la politique présidentielle. Mais une faible minorité, non dépourvue d'influence toutefois, manifeste son opposition à la guerre, intellectuels libéraux, étudiants contestataires, mouvements noirs qui y voient un conflit « raciste ». Une autre minorité, deux fois plus nombreuse que la précédente, souhaite au contraire intensifier l'effort de guerre. Les États-Unis sont devenus une « maison divisée », d'autant qu'à la guerre du Vietnam s'ajoutent pour accentuer les clivages les questions raciales et la remise en cause des valeurs de la société américaine.

• Le problème racial

Divisé sur le problème de la guerre du Vietnam, le peuple américain l'est aussi sur le problème de l'intégration raciale. En 1968, malgré la législation fédérale et les efforts des présidents démocrates, la situation des minorités ethniques ne s'est guère améliorée. Le courant de migration des Noirs du Sud vers le Nord se poursuit et ne facilite pas cette intégration (en 1967, le pourcentage de la population noire atteint 17 % dans les États de l'Est, 20 % dans ceux du Nord et 8 % dans les États de l'Ouest). Les nouveaux arrivants, peu fortunés, s'entassent dans le centre des villes, dans les quartiers les plus dégradés. La séparation de fait n'en existe pas moins, bien qu'il ne s'agisse plus d'une ségrégation légale, car la majorité des Blancs américains ne veut pas vivre à côté des Noirs et l'arrivée de ceux-ci dans un quartier les fait fuir. En 1970, 27 % seulement des écoliers noirs fréquentent des écoles intégrées, malgré l'institution par Johnson du *busing* pour conduire les enfants noirs dans les écoles blanches des quartiers éloignés et vice versa. L'égalité sur le plan des salaires n'est pas davantage réalisée (le salaire d'un Noir n'équivaut pas à la moitié de celui d'un Blanc) et l'homme de couleur risque deux fois plus le chômage.

Les Noirs, déçus, ne croient plus dès lors à la possibilité d'une coopération. Ils se détournent de l'intégration qui avait été le but de leurs aînés et que symbolisait la réussite d'un Ralph Bunche, diplomate et secrétaire général-adjoint de l'ONU de 1955 à 1971. Désormais, ils adoptent le programme séparatiste et raciste des « Musulmans noirs » ou prônent l'action violente avec les « Panthères noires » dont les militants en uniforme et armés de mitraillettes défilent dans les rues. À partir de 1964, des révoltes éclatent et plus de 100 villes sont touchées. Après l'assassinat de Martin Luther King, apôtre de la non-violence, en avril 1968, les émeutes redoublent.

Les autres minorités raciales aux conditions de vie misérables se soulèvent aussi. Ainsi, la communauté indienne, une des plus opprimées, affirme son identité culturelle, sa volonté de reprendre en main son destin et se révolte, bloquant les routes et occupant pendant dix-neuf mois l'île d'Alcatraz (1969). Lors de cette occupation, elle est soutenue par des Noirs et par les Mexicains américains, les « chicanos », minorité en rapide expansion et particulièrement exploitée.

• La contestation de l'*American Way of Life*

Au moment même où Johnson tente de réaliser la « grande société » et où l'*American Way of Life* est proposée comme modèle, les étudiants en contestent la valeur. Ils s'insurgent contre l'achat et l'utilisation de la pensée, refusant l'Université, *« complexe industriel, machine à fabriquer des employés pour les administrations »*. Ils ne placent plus au premier rang de leurs préoccupations la réussite sociale, l'efficacité, les affaires comme leurs aînés, mais l'épanouissement individuel ; ils accusent l'Université d'avoir partie liée avec le monde des affaires, alors qu'elle prétend former l'esprit critique. La première révolte universitaire se produit à Berkeley en 1964 et s'étend ensuite aux autres universités.

Cette remise en cause des valeurs traditionnelles débouche sur le phénomène « hippie ». C'est le refuge d'une marginalité qui rejette les normes admises jusqu'alors et choisit le retour à la nature, le non-conformisme ostensible, l'aide aux défavorisés ou la fuite vers la drogue.

• Nixon et le retour au pragmatisme

C'est dans un climat de violence qu'ont lieu en 1968 les élections à la présidence. Le candidat démocrate Robert Kennedy, frère de l'ancien Président, est assassiné à son tour. Les divisions des Américains se révèlent par les clientèles des candidats : les ségrégationnistes et les conservateurs sont représentés par Wallace, gouverneur de l'Alabama, qui recueille 10 millions de voix, les minorités votent pour le candidat démocrate Humphrey, mais c'est le républicain Nixon qui l'emporte avec un demi-million de voix d'avance grâce aux « non-pauvres, aux non-jeunes et aux non-Noirs » : c'est la victoire de la classe moyenne.

Ainsi le gouvernement démocrate se trouve-t-il désavoué pour n'avoir su résoudre ni le problème racial ni la guerre au Vietnam. Ces échecs ont fait perdre aux Américains leurs dernières illusions sur leurs capacités à assurer seuls le leadership du monde libre. Ils attendent de la nouvelle administration une gestion moins « missionnariste » et plus préoccupée de leurs intérêts. Le nouveau Président a une carrière politique déjà importante. Homme de la « machine » républicaine et véritable politicien professionnel, il a été gouverneur de Californie en 1950. Trois ans plus tard, les républicains en font le vice-Président d'Eisenhower, dépourvu pour sa part d'expérience politique ; il n'a alors que 40 ans. Mais, en 1960, il échoue dans sa tentative présidentielle. Huit ans plus tard, il entre à la Maison Blanche. À l'« aventurisme » de Johnson va donc succéder le réalisme pragmatique de Nixon. Il s'agit avant tout d'ajuster les objectifs aux moyens. C'est dans cette optique que le nouveau Président va aborder les problèmes les plus importants : la guerre du Vietnam, la lutte contre l'inflation et la crise du dollar.

Le Président Nixon s'efforce en premier lieu de dégager son pays de la guerre du Vietnam. Il poursuit les négociations engagées par Johnson, qui aboutissent à la conclusion de la paix en janvier 1973. Avec l'aide de son conseiller, Henry Kissinger, il élabore une nouvelle stratégie destinée à assurer la défense des États-Unis, la « doctrine Nixon ».

Il essaie ensuite d'enrayer l'inflation. Il bloque les prix et les salaires, en stabilisant les dépenses militaires et en restreignant le crédit. Finalement, il doit dévaluer le dollar en 1971. L'inflation ayant eu pour effet d'annuler les augmentations de salaires, des grèves se produisent au début de 1970. L'accord syndicats-patronat se fait difficilement lors du renouvellement des conventions collectives, révélant ainsi que le monde du travail est lui aussi en crise. Ainsi, l'arrivée des républicains au pouvoir ne met pas fin aux tensions qui divisent la société américaine.

CHAPITRE 17

L'Europe occidentale au cœur des « Trente Glorieuses »

« Troisième Grand » de la conférence de Yalta, le Royaume-Uni, malgré une certaine prospérité dans les années 50, voit son rôle économique et politique décroître. Tour à tour, conservateurs et travaillistes cherchent à enrayer le déclin. En revanche, la République fédérale d'Allemagne connaît un véritable « miracle économique », fondé sur un néo-libéralisme contrôlé et sur l'« économie sociale de marché ». L'alternance entre chrétiens-démocrates et sociaux-démocrates s'y effectue sans trop de heurts. Quant à l'Europe méridionale, elle profite aussi d'un certain « décollage » économique, mais dans un contexte politique marqué par les dictatures. L'idée de construction européenne fait son chemin et, en 1957, le Marché commun est créé. Les « Six » s'élargissent pour la première fois en 1973, laissant place aux « Neuf ».

Le déclin britannique

• Vers la «société d'abondance» (1951-1964)

En marche vers la «société d'abondance» à partir des années 50, les Britanniques se trouvent pourtant confrontés à de nombreuses difficultés (crise financière, conflits sociaux, révolution des mœurs, problème irlandais...) qui, ajoutées à leur perte d'influence au plan extérieur (décolonisation, forte dépendance envers les États-Unis), ramènent le «Grand» de Yalta au rang de simple puissance européenne contrainte de lier son sort aux pays du Marché commun.

Les travaillistes avaient emporté de justesse les élections de février 1950. Mais leur faible majorité et leurs divisions internes conduisent Attlee à provoquer de nouvelles élections dès octobre 1951. Le scrutin majoritaire à un tour et l'inégalité des circonscriptions jouent un mauvais tour aux travaillistes qui, avec 200000 voix de plus que les conservateurs, obtiennent 26 députés de moins (295 contre 321). Les conservateurs reviennent donc au pouvoir et vont le garder pendant treize ans sous la direction de Winston Churchill (1951-1955), Anthony Eden (1955-1957), Harold Mac Millan (1957-1963) et Alex Douglas-Home (1963-1964).

Dans le domaine économique, les conservateurs ne remettent guère en question l'héritage travailliste, dénationalisant seulement la sidérurgie (1953) et les transports routiers (1956). Plus soucieux d'orthodoxie financière, ils n'hésitent pas à freiner par moments le développement économique par une politique déflationniste afin de maintenir l'équilibre précaire de la balance des paiements et la parité de la livre. Aussi le Royaume-Uni connaît-il une croissance en dents de scie *(Stop and Go)*, progressant moins vite que «l'Europe des Six», ce qui remet en question au début des années 1960 son refus initial d'entrer dans le Marché commun.

Dans le domaine social, les réformes travaillistes bénéficiant d'un large consensus, les conservateurs se contentent d'améliorer le fonctionnement et de mieux contrôler le coût des services mis en place par le gouvernement Attlee, ce qui s'avère électoralement payant : *«Les Britanniques,* note un journaliste américain, *tiennent à l'État-Providence que leur ont donné les travaillistes, mais ils préfèrent le voir administré par les conservateurs.»* Le niveau de vie général s'élève considérablement : l'Angleterre conservatrice semble en marche vers la société d'abondance *(affluent society)* malgré quelques points noirs :

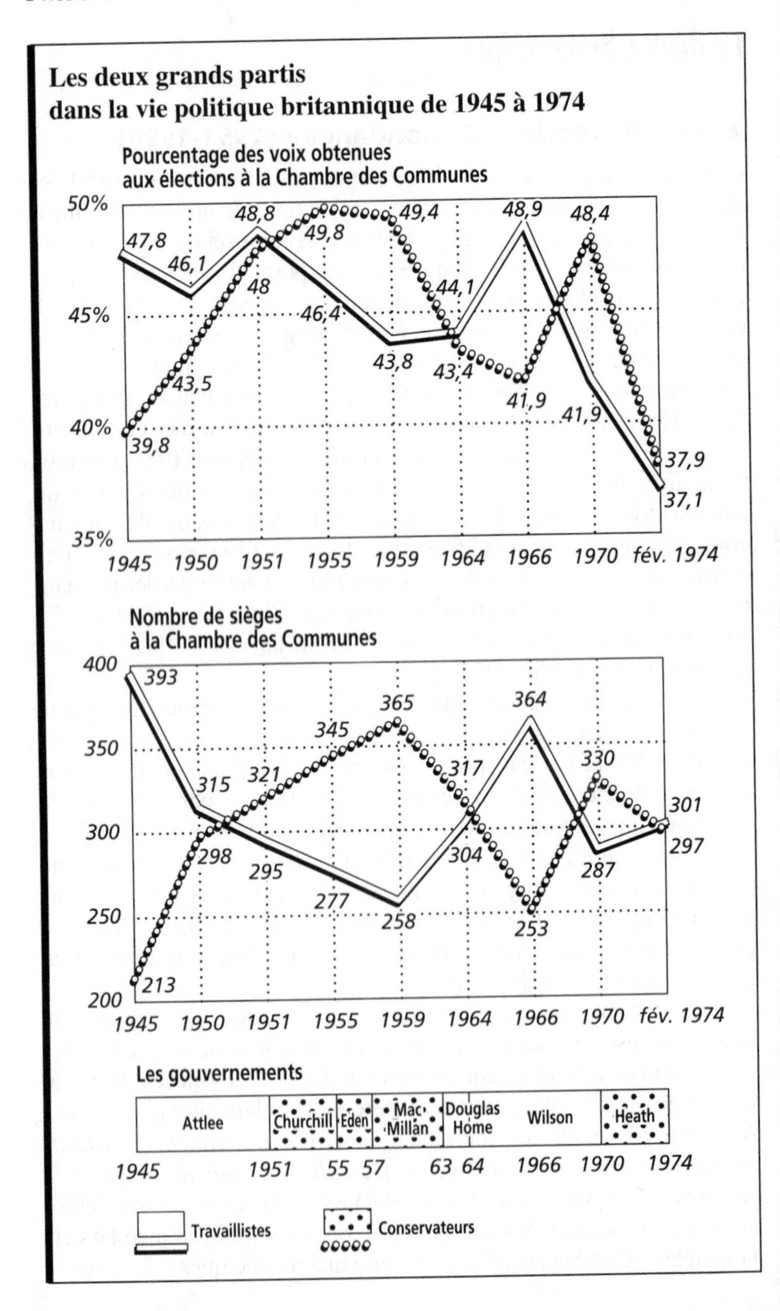
Les deux grands partis
dans la vie politique britannique de 1945 à 1974
Pourcentage des voix obtenues
aux élections à la Chambre des Communes
50%
45%
40%
35%
47,8
46,1
48,8
49,8
49,4
44,1
48,9
48,4
48
46,4
43,5
43,8
43,4
41,9
41,9
39,8
37,9
37,1
1945
1950
1951
1955
1959
1964
1966
1970
fév. 1974
Nombre de sièges
à la Chambre des Communes
400
350
300
250
200
393
365
364
345
321
315
317
330
301
298
295
277
258
304
253
287
297
213
1945
1950
1951
1955
1959
1964
1966
1970
fév. 1974
Les gouvernements
Attlee
Churchill
Eden
Mac Millan
Douglas Home
Wilson
Heath
1945
1951
55
57
63
64
1966
1970
1974
Travaillistes
Conservateurs

stagnation des industries traditionnelles (charbonnages, chantiers navals, textile), régions restant à l'écart de l'essor général, détérioration de la balance des paiements…

En politique extérieure, la crise de Suez en 1956 confirme la perte d'influence du Royaume-Uni dans le monde. Arrivé au pouvoir en janvier 1957 après la démission d'Anthony Eden, Mac Millan a la tâche difficile de faire accepter aux Britanniques une nouvelle étape dans le démantèlement de leur empire (discours sur le « vent du changement » en 1960) et une réorientation de leur politique extérieure en direction du continent. Après avoir refusé la CECA en 1951, puis le Marché commun en 1957, le Royaume-Uni est finalement contraint de se tourner vers l'Europe des Six. Mais la demande d'admission à la CEE présentée par Mac Millan en 1961 est rejetée deux ans plus tard par le général de Gaulle, en raison notamment de la trop grande dépendance britannique à l'égard des États-Unis, dépendance encore accentuée par les accords militaires de Nassau conclus en 1962.

• De nouvelles difficultés économiques (1964-1974)

L'usure du pouvoir (aux mains des conservateurs depuis treize ans) favorise le retour des travaillistes, vainqueurs des élections de 1964, dont la faible majorité sera confortée deux ans plus tard lors d'élections anticipées. Partisan d'un socialisme modéré et réaliste, le nouveau leader du *Labour Party,* Harold Wilson, va gouverner de façon très pragmatique dans le domaine économique comme en politique extérieure. Dès leur arrivée au pouvoir, les travaillistes se trouvent confrontés à une grave crise financière qui monopolise leurs efforts aux dépens de l'application de leur programme portant principalement sur la modernisation de l'industrie. L'énorme déficit de la balance des paiements laissé par les conservateurs conduit en effet le gouvernement d'Harold Wilson à prendre des mesures énergiques (surtaxe sur les importations, politique déflationniste…) qui mettent un frein à l'expansion économique et mécontentent les syndicats sans pour autant éviter une dévaluation de la livre, de 14,3 %, en novembre 1967. L'absence de grandes réformes structurelles (sauf la renationalisation de la sidérurgie en 1966-67), l'échec d'une nouvelle demande d'admission au Marché commun en décembre 1967 devant un nouveau veto français, la persistance des difficultés économiques et sociales (maintien d'une politique d'austérité après la dévaluation, montée du chômage…) entraînent une désaffection croissante à l'égard du gouvernement travailliste qui doit d'autre part faire face à de violents troubles en Irlande du Nord à partir de l'automne 1968.

Vainqueurs des élections de 1970, les conservateurs, sous la direction d'Edward Heath, s'efforcent par une politique néo-libérale de relancer l'expansion. Mais la gravité de la situation économique conduit le nouveau gouvernement à intervenir de façon souvent très dirigiste (nationalisation de la section aéronautique de Rolls-Royce en 1971) et à s'intégrer au Marché commun, après le «feu vert» de Georges Pompidou, le 1er janvier 1973. Ce choix européen survient en pleine crise politico-sociale, le gouvernement Heath se heurtant au puissant syndicalisme britannique qu'il a tenté de réglementer par voie législative en 1971. De nombreuses grèves agitent le pays jusqu'à la grande épreuve de force entre les *Trade-Unions* et le gouvernement (fin 1973-début 1974) où, devant la menace d'une grève

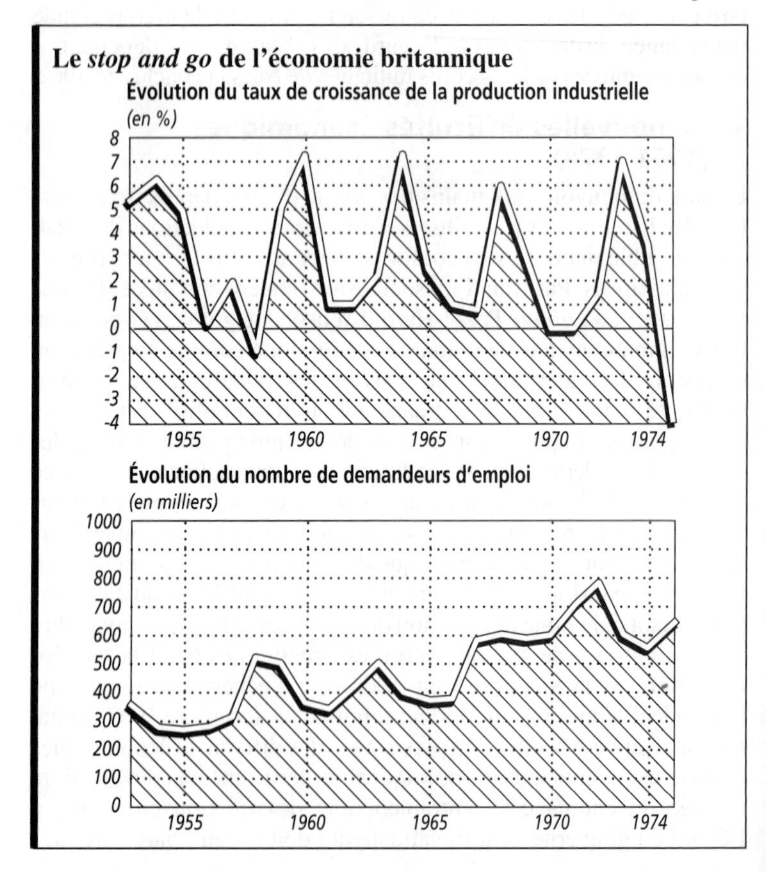

illimitée des mineurs, Heath finit par dissoudre la chambre des Communes. Les syndicats sont alors apparus comme le véritable contre-pouvoir politique, plus que l'opposition parlementaire travailliste qui va remporter de justesse les élections de février 1974.

• De la « société d'abondance » à la « société permissive » ?

À la fin des années 1950, l'abondance des biens matériels est devenue telle que Mac Millan croît pouvoir affirmer que les Britanniques n'ont « jamais si bien vécu ». La croissance de la consommation de masse et les réformes sociales de l'État-Providence donnent une apparence de nivellement de la richesse alors que la société britannique reste très inégalitaire : en 1973, 10 % de la population adulte possède encore 65 % de la fortune privée. Les clivages traditionnels fondés sur la naissance, l'éducation et un certain comportement social demeurent si forts que l'on désigne depuis 1954-55 sous le nom *d'Establishment* l'ensemble des milieux dirigeants qui Président continuellement aux destinées du pays (la Couronne, la haute aristocratie, la *City,* « Oxbridge », l'Église anglicane, les hauts fonctionnaires...).

Dans le même temps, une grande partie de la jeunesse commence à remettre en question les valeurs établies et les règles morales du conformisme victorien. La contestation littéraire du mouvement des *« angry young men »* (jeunes gens en colère) de 1954 à 1959, avec notamment Allan Sillitoe, John Osborne, Harold Pinter... et la révolte sociale des Teddy Boys, adolescents des quartiers populaires, annoncent les bouleversements des années 1960. C'est alors l'explosion de la pop music (les Beatles, le festival de l'Île de Wight en 1968), les hardiesses vestimentaires (blousons noirs et minijupes), les batailles rangées entre *Mods* et *Rockers,* puis le phénomène *hippy,* qui provoque peu après la réaction des *Skinheads* (crânes tondus), le mouvement de libération des femmes... Le gouvernement Wilson, par une série de mesures législatives (loi sur l'avortement en 1967, nouvelle loi sur le divorce en 1968, abolition de la peine de mort en 1969...), s'est efforcé de tenir compte de cette « révolution des mœurs ». Longtemps considéré comme symbole du traditionalisme, le Royaume-Uni devient le modèle envié d'une grande partie de la jeunesse internationale. Mais cette « société de tolérance » *(permissive society)* provoque aussi dans le pays une réaction des tenants de « la loi et l'ordre », inquiets de la montée de la délinquance et de la criminalité, ainsi que de l'afflux d'immigrants de couleur venus du Commonwealth (ce qui engendre plusieurs flambées de racisme dans les années 1960).

• Le drame de l'Irlande du Nord

La « question d'Irlande », qui a pesé si lourd dans l'histoire du Royaume-Uni au XIXe et au début du XXe siècle, rebondit à la fin des années 1960 dans le Nord de l'île, resté fidèle à la Couronne britannique lors de la partition de 1920. Dans le Sud, en revanche, l'Eire a aboli sans problème ses derniers liens avec le Commonwealth en se transformant en République d'Irlande en 1949.

Les six comtés de l'Ulster ayant refusé de rompre avec le Royaume-Uni en 1921 ont disposé jusqu'en 1972 d'une relative autonomie interne avec un parlement à Belfast (le *Stormont*), tout en conservant une représentation parlementaire à Westminster. Pendant une cinquantaine d'années, ce statut a en fait permis à la majorité protestante « unioniste » de pratiquer une véritable discrimination à l'égard de l'importante minorité catholique de l'Irlande du Nord : un ingénieux système électoral favorisait de façon éhontée les protestants. Sous-représentés au Parlement, les catholiques étaient en outre victimes de discrimination dans le domaine de l'emploi et du logement (le pouvoir économique étant aussi aux mains de la bourgeoisie protestante). Jusqu'à la fin des années 1960, cette domination sans partage des Unionistes n'avait guère été contestée que par quelques attentats de l'IRA *(Irish Republican Army),* composée de nationalistes irlandais luttant pour la réunification de l'île.

Mais à partir d'octobre 1968, sous l'impulsion d'une Association pour les droits civiques et des étudiants menés par Bernadette Devlin (jeune députée catholique à Westminster), d'importantes manifestations puis de violents affrontements éclatent en Irlande du Nord. Jusqu'en 1970-71, ces troubles ont principalement pour origine les revendications des catholiques concernant les droits civiques et la justice sociale. Mais ni les travaillistes ni les conservateurs ne veulent mécontenter la majorité protestante. L'absence de réformes sérieuses, la répression et l'intervention de plus en plus grande des forces britanniques (jusqu'à 18000 soldats) poussent de nombreux catholiques dans les bras de l'IRA et remettent au premier plan la question de la réunification de l'Irlande. La suppression du Stormont et la prise en main de l'administration de l'Irlande du Nord par Londres en 1972 ne désamorcent pas le conflit, le Royaume-Uni s'enlisant dans une guerre civile dont on voit mal l'issue.

Le « miracle » allemand

• L'essor économique

Face aux nombreuses difficultés des Îles Britanniques, l'Allemagne de l'Ouest apparaît en revanche en plein essor. La forte croissance de son économie au cours des années 1950 (croissance qui s'est poursuivie à un degré moindre jusqu'au milieu des années 1970) a provoqué un tel étonnement qu'elle a donné naissance à un cliché, celui du « miracle » allemand. Mais si le principe d'un miracle est de ne pouvoir s'expliquer, on peut en revanche analyser les raisons de cette spectaculaire réussite. La République fédérale d'Allemagne a en effet bâti sa prospérité par une habile politique économique en sachant tirer parti d'un certain nombre de facteurs favorables, internes ou externes, au lendemain d'une guerre qui l'avait apparemment ruinée :
– un énorme potentiel industriel peu touché par les bombardements (et par les démantèlements arrêtés dès 1948) ;
– une main-d'œuvre qualifiée excédentaire (en raison de l'afflux de réfugiés venus de l'Est) constituant jusqu'au début des années 1960 une réserve de chômeurs mobile et peu exigeante sur les salaires ;
– une monnaie longtemps sous-évaluée, favorisant les exportations et les investissements étrangers (réforme monétaire imposée par les Alliés en juin 1948) ;
– une aide américaine précoce et considérable dans le contexte de guerre froide ;
– une demande mondiale de produits industriels brusquement gonflée par le « boom coréen » à partir de l'été 1950 ;
– une absence de dépenses militaires (jusqu'en 1955) et de guerres coloniales ;
– une construction économique européenne (CECA puis CEE) qui lui ouvre un vaste marché et facilite la « recartellisation » de son industrie dès la fin des annés 1950…

Le redressement économique ouest-allemand est remarquable par son importance (la production quadruple entre 1950 et le début des années 1970) et sa durée (avant 1975, la RFA ne connaît qu'une véritable récession, en 1967). C'est principalement l'industrie, stimulée par une vigoureuse politique d'investissements, qui est à la base de l'expansion, en particulier la sidérurgie, la chimie et les industries de transformation (automobiles, constructions électriques…). Les produits allemands, très compétitifs par leur prix et leur qualité, partent rapidement à la conquête des marchés étrangers. L'excédent de la balance commerciale et les mouvements de capitaux étrangers entraînent bientôt une telle accumulation de réserves que la RFA doit réévaluer le mark à trois reprises (mars 1961, octobre 1969 et mai 1971) avant le passage aux taux de change flottants qui voient la monnaie ouest-allemande renforcer encore ses positions en 1973.

La réussite économique allemande des années 1950 repose sur une idéologie originale, fondée sur un libéralisme ordonné et organisé : *« L'économie sociale de marché* (Soziale Marktwirtschaft) *réprouve la planification et le dirigisme pour la production, la main-d'œuvre et la commercialisation. En revanche, elle approuve une action cohérente et concertée sur l'économie par les moyens organiques d'une politique à l'échelle mondiale se fondant sur l'adaptation souple aux conditions du marché... »* (brochure publiée en 1949 par la CDU).

Fidèle à ces théories néo-libérales, le gouvernement fédéral, sous l'impulsion du ministre de l'Économie Ludwig Erhard, est intervenu de façon très limitée et dans un sens généralement favorable aux groupes de pression industriels (législation fiscale en faveur des entrepreneurs) et agricoles (subventions aux producteurs). Quant au syndicalisme ouvrier, représenté par la puissante confédération des travailleurs allemands DGB *(Deutsche Gewerkschaftsbund)* fondée en 1949, il s'est progressivement rallié au système économico-social existant, se limitant à des revendications sur le contrôle et la répartition des bénéfices sans avoir pu obtenir en 1952 une véritable cogestion dans les entreprises.

• La « démocratie de Bonn » en action

Le miracle ouest-allemand est aussi politique : sauf pendant la République de Weimar, le pays n'avait jusqu'alors pas connu de véritable régime démocratique. Vainqueur des élections de 1949, le parti chrétien-démocrate CDU (et son aile bavaroise, le parti social-chrétien CSU) va gouverner le pays, seul ou avec l'appoint du petit parti libéral FDP jusqu'en 1966. Laissant son ministre de l'Économie L. Erhard s'occuper de l'œuvre de redressement, le chancelier Konrad Adenauer, au pouvoir jusqu'en 1963, consacre principalement ses efforts à la politique extérieure dans le but de rendre à son pays une souveraineté complète. Il y parvient dès 1955, dans le contexte international de guerre froide, par l'intégration économique, diplomatique et militaire de la RFA au bloc occidental, d'où son adhésion aux diverses organisations atlantiques et européennes.

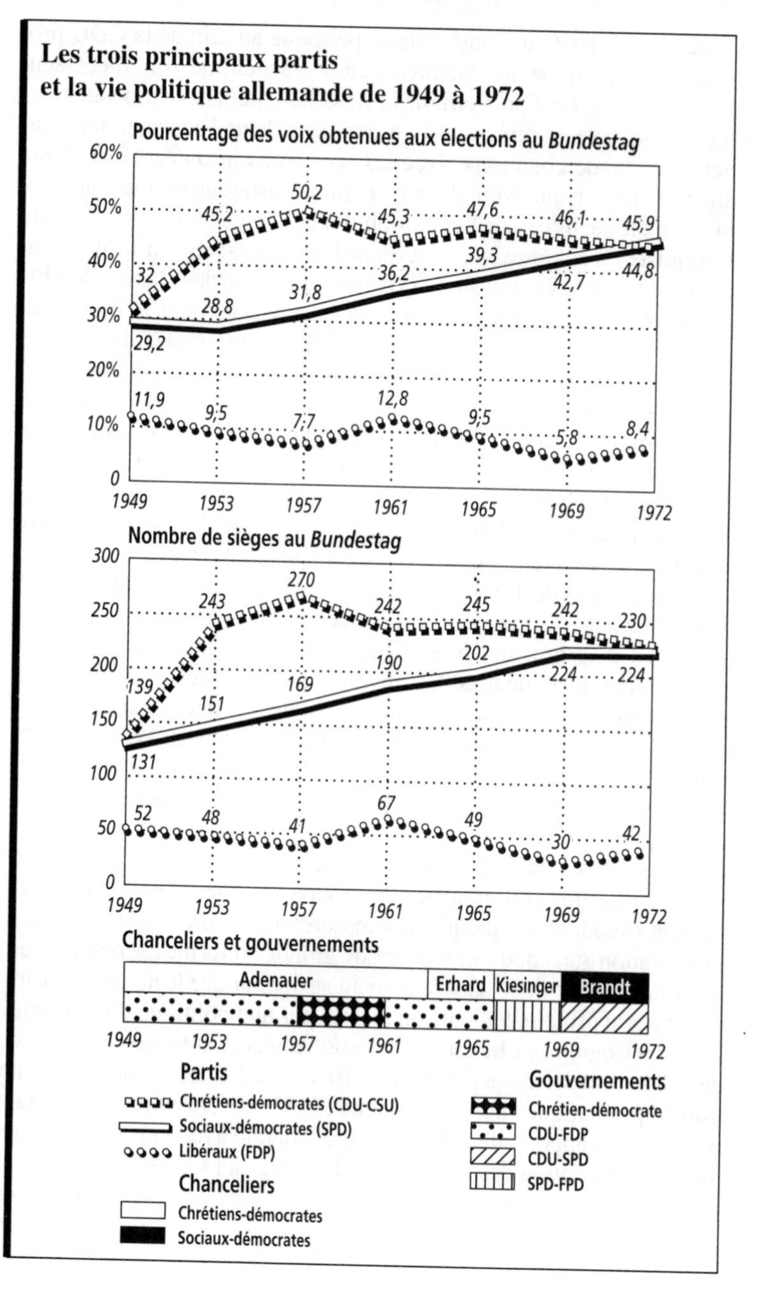
Les trois principaux partis
et la vie politique allemande de 1949 à 1972
Pourcentage des voix obtenues aux élections au Bundestag
60%
50%
40%
30%
20%
10%
0
50,2
45,2
45,3
47,6
46,1
45,9
32
39,3
36,2
44,8
42,7
31,8
28,8
29,2
11,9
9,5
7,7
12,8
9,5
5,8
8,4
1949
1953
1957
1961
1965
1969
1972
Nombre de sièges au Bundestag
300
250
200
150
100
50
0
270
243
242
245
242
230
202
190
224
224
139
169
151
131
52
48
41
67
49
30
42
Chanceliers et gouvernements
Adenauer
Erhard
Kiesinger
Brandt
Partis
Chrétiens-démocrates (CDU-CSU)
Sociaux-démocrates (SPD)
Libéraux (FDP)
Chanceliers
Chrétiens-démocrates
Sociaux-démocrates
Gouvernements
Chrétien-démocrate
CDU-FDP
CDU-SPD
SPD-FPD

De 1962 à 1966, un long malaise politique au sein de la CDU provoque le départ de K. Adenauer en 1963 puis de son successeur L. Erhard en 1966. Pour sortir de la crise, les chrétiens-démocrates forment alors sous la direction d'un des leurs, Kurt Kiesinger, un cabinet de «grande coalition» avec les socialistes jusqu'en 1969. Cette alliance surprenante entre deux formations jusque-là toujours antagonistes a été facilitée par l'évolution doctrinale du SPD où le courant réformiste l'a emporté : au congrès de Bad Godesberg, en 1959, abandonnant toute référence au marxisme et à la lutte des classes, le SPD se présente non plus comme le parti de la classe ouvrière, mais comme le «parti du peuple», espérant attirer à lui une partie des classes moyennes. L'absence d'une véritable opposition parlementaire à partir de 1966 et une récession économique passagère en 1967 favorisent alors la montée de nouvelles forces de contestation : à l'extrême droite, un parti néo-nazi (NDP) remporte un moment quelques succès locaux (franchissant la barre des 5 % pour être représenté dans plusieurs assemblées régionales), tandis qu'a l'extrême gauche se développe une vive agitation universitaire animée par l'étudiant Rudi Dutschke.

Aux élections de 1969, les chrétiens-démocrates, bien qu'en recul, restent le parti le plus fort au Bundestag mais les socialistes (qui gagnent 1,2 million de voix et 22 sièges) forment une nouvelle majorité gouvernementale avec les libéraux. Le SPD accède ainsi pour la première fois au pouvoir dans la République fédérale. Chancelier jusqu'en 1974, l'ancien maire socialiste de Berlin Ouest, Willy Brandt, doit tenir compte des positions très modérées de son allié libéral. D'autre part, l'agitation universitaire fait place au début des années 1970 à une vague de terrorisme urbain (attentats, de la «bande à Baader»), provoquant dans le pays une psychose de peur entretenue par la presse très conservatrice du groupe Springer. Aussi le gouvernement Brandt doit-il prendre des mesures autoritaires au sein de l'administration sans pouvoir réaliser de grandes réformes économiques et sociales. C'est donc dans le domaine extérieur que le nouveau chancelier porte principalement son action, par une politique d'ouverture à l'Est *(Ostpolitik)*. Elle est marquée notamment par la reconnaissance de la ligne Oder-Neisse par la RFA (1970), par l'établissement de relations diplomatiques avec la Pologne (1972) et surtout par la normalisation des rapports de la République fédérale avec la RDA (1972), qui permet l'entrée des deux États allemands à l'ONU en 1973.

Émergence économique et problèmes politiques de l'Europe méridionale

• Le « miracle » italien et ses limites

Les pays de l'Europe méridionale appartenant au bloc occidental vont, de la fin des années 1950 au début des années 1970, combler une partie de leur retard économique sur leurs voisins du Nord, plus industrialisés, dans des cadres politiques fort différents, allant de la démocratie parlementaire secouée par de nombreuses crises gouvernementales (Italie) à la dictature étouffant toute liberté d'expression (Espagne et Portugal).

À un degré moindre que la République fédérale allemande, l'Italie a connu dans les années 1950 et 1960 un remarquable essor économique que l'on a aussi parfois qualifié de « miracle ». Sans négliger le rôle important des facteurs externes (aide américaine, intégration européenne dans le cadre de la CECA puis du Marché commun), il s'explique en grande partie par l'action conjuguée de l'État qui, par des holdings géants comme l'IRI (Institut pour la reconstruction industrielle), contrôle une bonne part de l'activité économique, et de quelques hommes d'affaires particulièrement dynamiques comme Mattei (dans l'industrie pétrolière), Agnelli (automobile), Pirelli (pneumatique), Olivetti (matériel de bureau) … Le produit national brut de l'Italie triple en vingt ans. Mais le « miracle » est essentiellement industriel. Malgré les efforts des différents gouvernements italiens et quelques réussites spectaculaires, le secteur agricole d'une part, le Sud du pays (Mezzogiorno) d'autre part restent en retard. L'exode rural crée de gigantesques problèmes de logement et d'urbanisme (cf. le film de F. Rosi, *Main basse sur la ville,* 1963) tandis que la modernisation des entreprises suscite à la fin des années 1960 des revendications ouvrières portant non seulement sur les salaires mais aussi sur les conditions de travail : de 1969 à 1972, une vague importante de grèves (le « Mai rampant » italien) ralentit l'activité économique du pays dans un climat politique assez agité.

Faisant preuve d'une stabilité électorale, l'Italie connaît en revanche une instabilité ministérielle chronique (30 gouvernements de 1946 à 1974). Elle est due aux divisions internes du parti dominant, la démocratie chrétienne (entre 35 et 48,5 % des voix), ou à des dissensions dans la coalition au pouvoir. La démocratie chrétienne ne peut en effet gouverner qu'avec l'appoint de petites formations sur sa droite (libéraux, monarchistes) ou sur sa gauche (républicains, sociaux-démocrates). Jusqu'en 1962, se succèdent des coalitions de centre-droit, grâce notamment au soutien des monarchistes, voire des néo-fascistes du MSI (Mouvement social italien). «L'ouverture à gauche» en 1962, c'est-à-dire l'entrée au gouvernement du PSI (Parti socialiste italien) de Pietro Nenni, longtemps allié aux communistes, ne met pas fin à l'instabilité ministérielle, des coalitions de centre-gauche succédant à des coalitions de centre-droit.

Le malaise politique se double à la fin des années 1960 d'une crise sociale, marquée par une agitation universitaire, de nombreuses grèves dans l'industrie et de violents attentats à Rome et à Milan. L'extrême droite et l'extrême gauche (apparition des «Brigades Rouges» en 1972) n'hésitent pas à recourir à la violence et au terrorisme, menaçant le régime lui-même. Devant l'impuissance du pouvoir politique, de nombreux Italiens se tournent alors vers le parti communiste qui progresse à chaque élection. Très influent dans le monde ouvrier et chez les intellectuels, le PCI, sous l'impulsion de Togliatti, a pris dès 1956 ses distances vis-à-vis de l'URSS pour définir une «voie italienne» vers le socialisme. En 1973, renonçant à une «alternative de gauche», il propose même un «compromis historique» à la démocratie-chrétienne. Est-ce la solution à la crise politique italienne?

Évolution des suffrages des deux principaux partis de 1953 à 1972

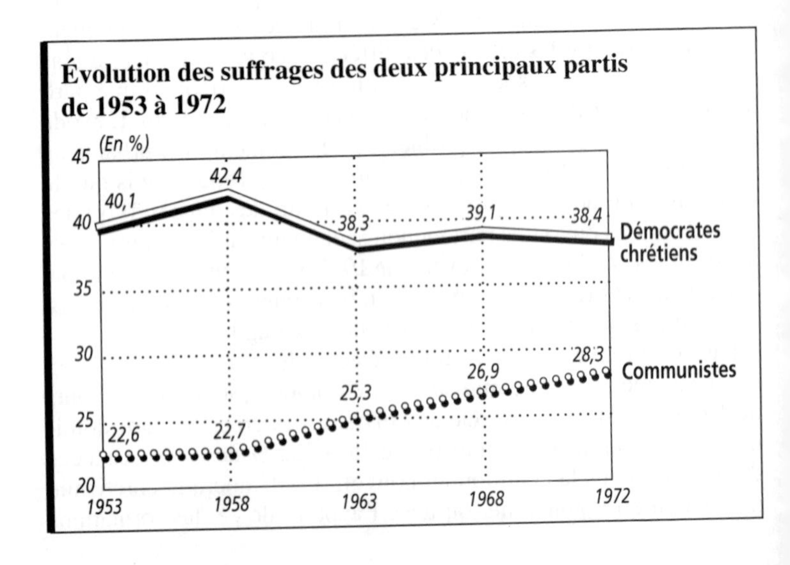

• Le crépuscule des dictatures ibériques

Diplomatiquement isolées au lendemain de la Seconde Guerre mondiale (la France ferme sa frontière avec l'Espagne de 1946 à 1948), les dictatures de Franco et de Salazar vont profiter de la guerre froide pour se faire accepter dans le bloc occidental sans même avoir à donner des gages de démocratie. Ainsi le Portugal est-il membre fondateur de l'OECE en 1948 et de l'OTAN en 1949. L'intégration de l'Espagne sera plus lente (adhésion à l'OECE en 1959 et à l'OTAN en… 1982). Mais elle a reçu une aide financière américaine dès 1949, doublée d'importants accords militaires en 1953, année où est signé un Concordat avec le Vatican. Les deux pays sont entrés à l'ONU en 1955. Seul le Conseil de l'Europe leur restera longtemps fermé, jusqu'au rétablissement de la démocratie…

Ce n'est qu'à la fin des années 1950 que s'amorce le « décollage économique » de la péninsule ibérique, plus net en Espagne qu'au Portugal qui doit supporter à partir de 1961 le coût de guerres coloniales. De 1960 au début des années 1970, l'Espagne connaît le taux d'expansion le plus élevé du monde avec le Japon. À l'origine de cet essor, une aide étrangère (américaine surtout), les fonds envoyés par les travailleurs émigrés et les revenus considérables tirés du tourisme. Mais, en Espagne comme au Portugal, le progrès économique (industriel surtout) est loin de profiter à l'ensemble de la population. Les campagnes notamment restent souvent des lieux de misère et d'analphabétisme.

Le régime dictatorial, appuyé par l'armée, la police et une Église très traditionnelle, se maintient sans trop de problèmes. L'immobilisme et la répression tiennent lieu de politique. En Espagne franquiste, le régime ne commence une lente évolution qu'à la fin des années 1960 (entrée de technocrates de l'*Opus Dei* au gouvernement, désignation du prince Juan Carlos à la succession de Franco…). Au Portugal, Caetano remplace Salazar en 1968 sans que le régime dictatorial évolue quelque peu. C'est finalement au sein de l'armée portugaise engagée dans des guerres coloniales en Afrique que naîtra le mouvement de contestation qui abattra le régime en 1974.

• Démocratie et dictature en Grèce

Seul pays balkanique resté dans le camp occidental après une longue guerre civile (1946-1949), la Grèce est avec la Turquie l'objet d'une attention particulière des États-Unis dès le début de la guerre froide. Une importante aide financière (doublée d'un soutien militaire) favorise un essor économique non négligeable qui repose également sur le tourisme et une flotte de commerce imposante (servant en partie de « pavillon de complaisance »). Monarchie parlementaire jusqu'en 1967, la Grèce, à la suite d'un coup d'État militaire, tombe entre les mains de colonels d'origine populaire qui, s'appuyant sur la paysannerie, instaurent une « dictature musclée » qui met le pays au ban des démocraties occidentales (retrait du Conseil de l'Europe en 1969). Le soutien américain (pour des raisons stratégiques) et la division de l'opposition permettent au « régime des colonels » de se maintenir au pouvoir jusqu'en juillet 1974 : l'échec d'un coup d'État fomenté à Chypre contre Mgr Makarios (qui entraîne une intervention militaire des Turcs dans l'île) provoquera le rétablissement de la démocratie en Grèce.

Naissance et développement du Marché commun (1957-1973)

• La relance européenne

Après le rejet de la CED par le gouvernement français le 30 août 1954, l'idée de construction européenne semblait au creux de la vague. La question du réarmement allemand est cependant réglée dès octobre 1954 par l'élargissement du traité de Bruxelles (signé entre la France, le Royaume-Uni et le Benelux en 1948) à la RFA et à l'Italie : ainsi est créée une Union de l'Europe occidentale (UEO), organisation de consultation et de coopération entre les six pays membres de la CECA et le Royaume-Uni, dont les forces militaires sont intégrées dans l'OTAN (ce qui permet l'entrée de la RFA en 1955).

L'UEO écartant toute idée de supranationalité, l'intégration européenne ne s'effectue guère que dans le cadre limité du « pool charbon-acier ». Paradoxalement, c'est la démission du Président de la Haute Autorité de la CECA, Jean Monnet, qui provoque en juin 1955 la relance européenne. Réunis à Messine pour lui désigner un successeur, les représentants des « Six » proposent alors de poursuivre la construction européenne *« par le développement d'institutions communes, la fusion progressive de leurs économies nationales, la création d'un Marché commun et l'harmonisation progressive de leurs politiques sociales »*. Les travaux préparatoires durent près de deux ans et aboutissent le 25 mars 1957 à la signature du traité de Rome instituant la Communauté économique européenne (CEE), ordinai-

CEE	AELE
Union douanière comportant le libre circulation des marchandises entre les États membres et la mise en place d'un tarif extérieur commun.	Simple zone de libre-échange se contentant de l'ouverture des frontières entre les États membres (pas de tarif extérieur commun).
Suppression des droits de douane portant sur tout les produits (y compris les produits agricoles à partir de 1962).	Suppression des droits de douane ne portant que sur les produits industriels.
Libre circulation des personnes et des capitaux. Mise en place d'une politique agricole commune. Projet d'union économique et monétaire.	Pas d'harmonisation des différentes politiques économiques.
Traités d'association avec des pays d'outre-mer dépendants (ou anciennement dépendants) des pays membres.	Pas de prise en compte des territoires d'outre-mer des pays membres.
Organisation communautaire bien structurée avec des organes permanents.	Pas d'organisme permanent sauf un secrétariat restreint à Genève; seul rouage à l'origine : le Conseil des ministres (et en 1964, un Comité économique de l'AELE).

rement appelée Marché commun, un second traité créant dans le même temps une Communauté européenne de l'énergie atomique, plus connue sous le nom d'Euratom.

La ratification est votée sans grand problème par les parlements nationaux (en France : 345 voix pour, 236 contre dont les communistes et les gaullistes), et les institutions communautaires se mettent en place dès le début de l'année 1958. Les Britanniques tentent alors de réaliser une vaste zone de libre-échange entre les pays membres de l'OECE (englobant donc le Marché commun), alors qu'un changement de régime en France porte au pouvoir une tendance jusque-là peu favorable à l'intégration européenne. Mais le nouveau gouvernement français du général de Gaulle respecte les engagements signés par ses prédécesseurs et prend une série de mesures financières pour le départ effectif du Marché commun qui a lieu comme prévu le 1er janvier 1959 (première diminution des droits de douane intracommunautaires). Le Royaume-Uni constitue alors une « Association européenne de libre-échange » (AELE) avec le Danemark, la Suède, la Norvège, le Portugal, la Suisse et l'Autriche (traité de Stockholm, 20 novembre 1959). Une « Europe des Sept » (qui commence ses réductions tarifaires en juillet 1960) tente donc de faire pendant à « l'Europe des Six ».

• L'évolution de la CEE (1957-1973)

Le traité de Rome avait prévu une période transitoire de 12 ans pour l'abolition progressive des barrières douanières entre les États membres de la CEE et la mise en place d'un tarif extérieur commun. Au cours de la première étape (1959-1962), la libération des échanges intracommunautaires portant sur les produits industriels se fait plus rapidement que prévu, mais le passage à la seconde étape (1962-1966) s'avère plus délicat en raison du démarrage du Marché commun agricole. Celui-ci porte en effet non seulement sur des questions douanières, mais aussi sur la mise en place d'une politique agricole commune comprenant l'organisation de plusieurs marchés importants (céréales, lait, viande...), la fixation de prix communs et la création d'un « Fonds européen d'organisation et de garantie agricole » (FEOGA) chargé du financement de cette politique. De longues négociations (les « marathons agricoles » de janvier 1962, décembre 1963 et décembre 1964) permettent finalement au Marché commun de poursuivre sa progression. La construction européenne semble en si bonne voie que l'on décide en avril 1965 de fusionner les exécutifs des trois communautés (CECA, CEE et Euratom).

C'est alors que survient la crise de juin 1965, la France refusant une extension du rôle du FEOGA et de l'Assemblée européenne ainsi que la règle majoritaire qui devait désormais remplacer l'unanimité dans les prises de décision. Le différend (en fait plus politique que technique) n'est que l'aboutissement de divergences déjà anciennes entre deux conceptions européennes, celle des partenaires de la France (une fédération à caractère supranational) et celle du général de Gaulle (« l'Europe des patries »), opposition déjà apparue dans le rejet des « plans Fouchet » de réorganisation politique européenne en 1961-1962. Pendant six mois, la France s'abstient de participer aux réunions du Conseil des ministres de la CEE. En janvier 1966, un compromis permet à la France de mettre fin à sa « politique de la chaise vide » et le redémarrage effectif du Marché commun au mois de mai fait s'achever l'union douanière le 1er juillet 1968 (un an et demi avant la date prévue). En revanche, l'union économique et monétaire de l'Europe, envisagée à la conférence de La Haye en décembre 1969 et définie à Bruxelles en février 1971 sur la base du « rapport Werner » va rapidement se trouver bloquée par les difficultés du système monétaire international dès l'été 1971 et par la crise économique mondiale qui commence en 1973.

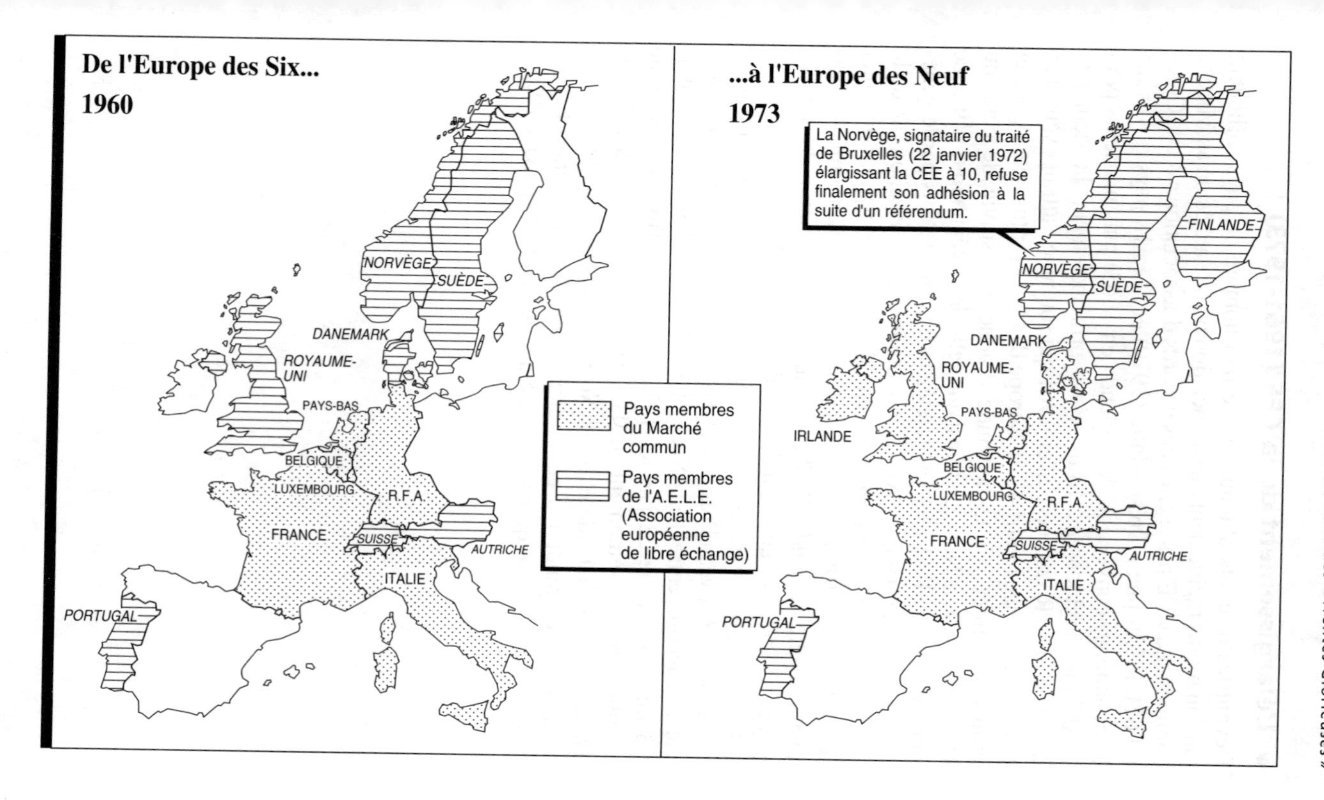
De l'Europe des Six...
1960
NORVÈGE
SUÈDE
DANEMARK
ROYAUME-UNI
PAYS-BAS
BELGIQUE
LUXEMBOURG
R.F.A.
FRANCE
SUISSE
AUTRICHE
ITALIE
PORTUGAL
Pays membres du Marché commun
Pays membres de l'A.E.L.E. (Association européenne de libre échange)
...à l'Europe des Neuf
1973
La Norvège, signataire du traité de Bruxelles (22 janvier 1972) élargissant la CEE à 10, refuse finalement son adhésion à la suite d'un référendum.
FINLANDE
NORVÈGE
SUÈDE
DANEMARK
ROYAUME-UNI
IRLANDE
PAYS-BAS
BELGIQUE
LUXEMBOURG
R.F.A.
FRANCE
SUISSE
AUTRICHE
ITALIE
PORTUGAL

• L'élargissement de la CEE (1961-1973)

Devant les résultats obtenus, un certain nombre de pays sollicitent plus ou moins rapidement une association ou une adhésion au Marché commun. La CEE passe ainsi des accords d'association avec la Grèce (1961), la Turquie (1963), Malte (1970) et avec 18 pays d'Afrique francophone (convention de Yaoundé en 1963) puis plusieurs pays d'Afrique anglophone. Mais c'est principalement la demande d'adhésion du Royaume-Uni en 1961 qui souligne l'attrait exercé par la CEE et l'échec relatif de « l'Europe des Sept », plus hétérogène et moins structurée. Cette demande d'adhésion, suivie de celle du Danemark et de la Norvège (ainsi que celle de la République d'Irlande non membre de l'AELE), est rejetée une première fois par le général de Gaulle en 1963. L'AELE, contrainte de survivre, profite de la crise de la CEE pour achever avant elle son désarmement douanier le 31 décembre 1966 (avec trois ans d'avance). Cela n'empêche pas une nouvelle demande d'adhésion au Marché commun des mêmes pays en 1967… et un second refus du général de Gaulle.

Ce n'est finalement qu'à la conférence de La Haye, en décembre 1969, que le nouveau Président, Georges Pompidou, lève le veto français. L'accord entre les « Six » et le Royaume-Uni est conclu le 23 juin 1971 et le 22 janvier 1972 est signé à Bruxelles le traité d'adhésion non seulement de la Grande-Bretagne mais aussi du Danemark, de l'Irlande et de la Norvège. Les Norvégiens refusant ensuite par référendum d'entrer dans le Marché commun, « l'Europe des Six » ne se mue qu'en « Europe des Neuf » le 1er janvier 1973.

L'échec de la IVe République en France (1952-1958)

De 1952 à 1954, une majorité de centre-droit conduit une politique de droite sur le plan économique et financier, pratique l'anticommunisme et la rigueur sociale et lutte contre les nationalismes coloniaux. Divisée par la question de la Communauté européenne de défense, elle s'effondre après la défaite indochinoise de Diên Biên Phû. Le gouvernement Mendès France, qui lui succède, tente un redressement dans tous les domaines par une politique moderniste, mais il tombe au bout de sept mois, victime d'une conjonction de mécontentements. Les élections de 1956 amènent au pouvoir le Front républicain, coalition de centre-gauche, dirigée par Guy Mollet. Il poursuit une rénovation de la vie politique mais se trouve confronté à la guerre d'Algérie qui a éclaté en novembre 1954. La France s'enfonce dans une crise grave. C'est dans ces conditions que l'émeute algéroise du 13 mai 1958 conduit à l'effondrement de la IVe République et au retour au pouvoir du général de Gaulle.

Le centre-droit au pouvoir (1952-1954)

• Une politique conservatrice

Avec l'arrivée au pouvoir d'Antoine Pinay en mars 1952, c'est une nouvelle majorité, orientée au centre droit, qui se substitue à la Troisième Force. Excluant les socialistes, rejetés dans l'opposition, elle se compose des radicaux et de l'UDSR, du MRP, des modérés, et de bataillons gaullistes de plus en plus nombreux. La défection des 27 députés qui, avec Frédéric-Dupont, ont voté en mars 1952 l'investiture d'Antoine Pinay n'est que la première étape de la décomposition du mouvement gaulliste. En 1953, les élus RPF votent l'investiture du radical René Mayer, successeur de Pinay, puis celle de l'indépendant Joseph Laniel. Cette intégration au régime, totalement contraire aux vues du général de Gaulle, pousse celui-ci à prendre en mai 1953 la décision de dissoudre le RPF. Les élus gaullistes abandonnent alors leur sigle pour constituer l'Union républicaine d'action sociale (URAS) : ils deviennent les «républicains-sociaux», membres à part entière de la nouvelle majorité de centre-droit. Durant plus de deux ans, celle-ci va gouverner le pays sans discontinuer avec les gouvernements Pinay (mars-décembre 1952), Mayer (janvier-juin 1953) et Laniel (juin 1953-juin 1954). Cette nouvelle majorité s'entend pour pratiquer une politique orientée autour de trois axes : le redressement économique et financier, la rigueur sociale et l'anticommunisme, la poursuite de la politique coloniale de maintien de la souveraineté française inaugurée auparavant.

C'est sur le terrain économique et social où il s'agissait de pratiquer une politique orthodoxe et traditionnelle, sans l'entrave des vues socialistes, que l'accord est le plus aisé à réaliser. Toutefois, il faut, dans ce domaine, établir une distinction entre l'action d'Antoine Pinay et celle de ses successeurs.

On attend d'Antoine Pinay, petit patron, homme de droite, une politique économique et financière qui prenne le contre-pied du dirigisme de la Libération et surtout une attitude de rigueur budgétaire capable de mettre fin à l'inflation. De fait, Antoine Pinay va, durant son gouvernement, remporter d'apparents succès qui font de lui aux yeux de l'opinion le nouveau Poincaré, le magicien des finances, réputation qu'il conservera durablement, au point qu'on a pu parler d'un «mythe Pinay». Ce résultat s'explique par trois types d'actions :

– Profitant d'une conjoncture mondiale qui, après le «boom» coréen, s'oriente à la baisse des prix, Antoine Pinay va tenter, et provisoi-

rement réussir, une opération de stabilisation des prix en France. La campagne psychologique lancée à cette occasion explique que l'opinion ait attribué au Président du Conseil le mérite d'une action dont la part principale réside dans la conjoncture.
– En second lieu, Antoine Pinay tente de consolider la monnaie en évitant la fuite des capitaux. Dans ce domaine, ses choix, caractéristiques des vues financières de la droite, consistent à rétablir la « confiance » par toute une série de mesures très favorables aux possesseurs de capitaux, mais qui apparaissent à terme coûteuses pour l'État. Une amnistie fiscale est prononcée pour les fraudeurs qui ont transféré leur argent à l'étranger et qui peuvent ainsi le rapatrier en toute impunité, après avoir touché les bénéfices de la dépréciation de la monnaie française qu'ils ont contribué à provoquer. Pour les encourager à laisser désormais leur argent en France, Antoine Pinay lance un emprunt qui porte son nom. « L'emprunt Pinay » porte 5 % d'intérêt (ce qui est peu en période d'inflation), mais il est indexé sur l'or, ce qui va permettre aux souscripteurs d'en obtenir le remboursement à terme dans des conditions prodigieusement avantageuses, et, surtout, il est exonéré de droits de succession (ce qui en fait un refuge pour les fortunes qui peuvent ainsi partiellement échapper au prélèvement fiscal). Extrêmement bien accueillie par les milieux d'affaires, la politique financière d'Antoine Pinay sera au total ruineuse pour la collectivité.
– Enfin, Antoine Pinay rétablit l'équilibre budgétaire par une importante réduction des dépenses de l'État, et en particulier des investissements (ceux-ci diminuent d'un tiers), ce qui évite de nouveaux impôts, mais compromet l'avenir du pays. Grâce à la prise en charge par les Américains d'une partie des frais de la guerre d'Indochine, l'équilibre budgétaire est cependant réalisé.

L'ensemble de cette politique, coûteuse pour l'État, qui compromet l'avenir, permet cependant de rétablir la plupart des grands équilibres. Sur les bases de cet assainissement, les gouvernements suivants, dans lesquels le secteur de l'économie et des finances est pris en main par Edgar Faure, vont pouvoir développer une politique de reprise des investissements et de retour à l'expansion, baptisée « l'expansion dans la stabilité » et qui va faire des années 1953-1955 les plus belles années économiques de la IVe République.

À côté des problèmes économiques, la volonté de lutter contre le communisme est, pour le centre-droit, une priorité identique à celle que la Troisième Force accordait à cette question. Les ministres de l'Intérieur successifs, les radicaux Charles Brune et Léon Martinaud-

Deplat, consacrent une grande partie de leur énergie à lutter contre les manifestations organisées par le parti communiste et la CGT, particulièrement en 1952. Les arrestations de députés communistes – en particulier de Jacques Duclos –, de responsables de la CGT marquent cette détermination. Mais il s'y ajoute, de manière beaucoup plus nette qu'à l'époque de la Troisième Force, la volonté de limiter les dépenses sociales et de répondre à la vague de grèves par le refus de négocier, voire la répression pure et simple. Si Antoine Pinay accepte imprudemment d'indexer le salaire minimum vital – le SMIG – sur la hausse des prix (il estime n'avoir rien à craindre puisqu'il a stabilisé ceux-ci), ses successeurs, en particulier Joseph Laniel, refusent toute négociation. Pour diminuer le déficit du secteur public nationalisé, le gouvernement Laniel envisage un recul de l'âge de la retraite à la SNCF. Il en résulte une vague de grèves spontanées dans le secteur public et nationalisé (PTT, SNCF, Charbonnages de France, EDF, GDF) qui, gagnant de proche en proche, aboutit durant l'été 1953 à la paralysie totale du pays qui compte 4 millions de grévistes. Le gouvernement doit reculer. Par la suite, la politique d'expansion dans la stabilité d'Edgar Faure permettra de ramener le calme social.

Enfin, dans le domaine colonial, le centre-droit montre une fermeté équivalante à celle de la Troisième Force. Pendant que la guerre d'Indochine tourne à la catastrophe, la politique conduite dans les deux protectorats d'Afrique du Nord débouche sur des crises très graves :
– en Tunisie, la brutalité du résident général de Hautecloque provoque une crise ouverte avec le parti nationaliste du Néo-Destour, conduit par Habib Bourguiba et avec le bey de Tunis. Malgré l'envoi d'un nouveau résident, plus libéral, la situation se détériore au point que des groupes armés de fellaghas commencent bientôt une guerre de guérilla contre les Français et que les attentats se multiplient ;
– au Maroc, l'appui de plus en plus ouvert donné par Mohammed V aux nationalistes de l'Istiqlâl provoque l'irritation des fonctionnaires français. En août 1953, le maréchal Juin, résident général, poussé par le vieil adversaire du souverain, le Glaoui, pacha de Marrakech, décide de déposer le sultan pour le remplacer par Sidi Moulay ben Arafa. Du coup, le souverain déchu devient le symbole du nationalisme marocain en lutte contre la France. Pendant que le ministre des Affaires étrangères, Georges Bidault, couvre cette action, François Mitterrand, ministre d'État, donne sa démission pour protester contre la politique française dans les protectorats d'Afrique du Nord et Edgar Faure écrit au Président de la République pour faire connaître son désaccord sur la déposition du sultan.

La nouvelle majorité de centre-droit, constituée en 1952, sort donc, en politique intérieure, de l'immobilisme de la Troisième Force, pour pratiquer une politique conservatrice sur le plan économique, financier, social et colonial. Cet accord a-t-il permis de rétablir la stabilité ? En aucune manière, car la nouvelle majorité connaît un autre ferment de discorde.

• La querelle de la CED

Acceptée dans son principe par le Parlement français en 1952, la CED va très vite susciter en France un violent débat. Il apparaît en effet que, derrière l'intégration militaire, c'est une intégration politique que visent les promoteurs du projet. Autrement dit, en acceptant de se dessaisir d'un élément essentiel de la souveraineté nationale, la libre décision sur l'utilisation des troupes, on atteindrait une sorte de point de non-retour, exigeant que les missions de l'armée lui soient assignées par une autorité politique supranationale. À terme, les nations ainsi intégrées se fondraient dans un ensemble unique. Cette perspective est acceptée avec enthousiasme par le MRP, champion de la construction européenne. En revanche, elle suscite l'opposition déterminée et sans appel des communistes, qui voient dans la CED l'instrument militaire de l'anticommunisme atlantique, et des gaullistes, qui ne peuvent accepter que la France abandonne son autorité dans un domaine essentiel et remette son sort aux mains d'une autorité supranationale. Enfin, les autres partis sont profondément divisés entre les partisans du projet et ses adversaires. La CED introduit ainsi un ferment de dissolution dans la majorité de centre-droit dont les éléments s'opposent sur ce problème fondamental.

Du même coup, le conflit de la CED entraîne l'instabilité politique et l'immobilisme, et paralyse les institutions. En décembre 1952, Antoine Pinay est renversé par le MRP qui ne lui pardonne pas de retarder la ratification définitive du traité devant le Parlement. Son successeur, René Mayer, est renversé par les gaullistes en mai 1953 parce qu'il songe à engager le débat de ratification. La CED devient ainsi le cauchemar des gouvernements qui s'efforcent de contourner le problème.

Rien n'illustre mieux le rôle paralysant de la CED que l'élection à la présidence de la République de décembre 1953, destinée à désigner le successeur du Président Auriol dont le mandat s'achève. Deux candidats principaux s'opposent, le Président du Conseil, Joseph Laniel, candidat du centre-droit, le socialiste Naegelen, soutenu par la gauche. Le premier est connu comme un partisan de la CED, le second comme son adversaire. Mais un jeu subtil d'abstentions des adversaires de droite de la CED qui refusent d'appuyer Laniel et des partisans de gauche du projet décidés à empêcher l'élection de Naegelen, interdit aux deux champions d'atteindre le nombre de voix requises. La situation ne sera dénouée qu'au treizième tour de scrutin par l'élection de l'indépendant René Coty dont le principal titre à cette désignation sera de ne s'être jamais prononcé sur la question (il était hospitalisé lors du débat de 1952). Son élection symbolise, en France comme à l'étranger, l'impuissance d'un régime qui semble à bout de souffle. Le désastre d'Indochine semble devoir lui porter le coup fatal.

• La catastrophe indochinoise

Jusqu'en 1952, le contexte de la guerre froide a permis à la France de bénéficier de l'aide financière et diplomatique des États-Unis dans la guerre d'Indochine. Mais après la mort de Staline (mars 1953) et l'armistice coréen qui la suit de près (juin 1953), les États-Unis s'efforcent de liquider les conflits avec l'URSS par la négociation. Ils songent en particulier à régler l'ensemble des conflits asiatiques dans une grande conférence internationale. Fin 1953, à la rencontre des Bermudes, ils imposent aux Français réticents (représentés par Georges Bidault) l'idée d'une rencontre à cinq (États-Unis, France, Grande-Bretagne, Chine, URSS) pour parvenir à une solution en Asie. La conférence ainsi projetée s'ouvre à Genève en avril 1954.

Dans la perspective de cette conférence, le gouvernement, résigné à trouver une solution par la négociation, entend du moins aborder celle-ci en position de force. Or, depuis la mort du général de Lattre de Tassigny (nommé maréchal à titre posthume) en 1952, la situation militaire sur le terrain n'a cessé de se détériorer, en particulier au Tonkin où le Vietminh menace Hanoi. L'état-major français tente alors de s'assurer un avantage décisif en s'efforçant d'attirer les forces du Vietminh autour de la cuvette de Diên Biên Phû où une partie du corps expéditionnaire se retranche, afin de pouvoir les détruire. Mais les Français sont pris à leur propre piège, encerclés et, le 7 mai 1954, le camp retranché tombe. L'opinion publique est violemment émue et, le 12 juin 1954, le gouvernement Laniel est renversé, après un débat où Pierre Mendès France, qui préconise depuis 1950 une négociation avec le Vietminh, prononce un implacable réquisitoire contre la politique à courte vue suivie dans l'empire colonial français. La catastrophe indochinoise entraîne avec elle la majorité de centre-droit qui ne survit guère à ses divisions sur la CED et à l'échec de sa politique coloniale.

L'expérience Mendès France (1954-1955)

• Une tentative de redressement de la IVe République

Porte-parole des opposants à la politique de force en Indochine, Pierre Mendès France est désigné par le Président Coty pour dénouer la crise après la chute du gouvernement Laniel. Cette désignation apparaît paradoxale puisque c'est un homme de gauche (il a été ministre de Léon Blum et partisan du Front populaire) qui est appelé à conduire le gouvernement, donc à obtenir la confiance d'une chambre dont la majorité est nettement de droite. En fait, Pierre Mendès France a, depuis la Libération, pris un visage tout à fait différent de celui de ses débuts politiques. Il apparaît d'abord comme un spécialiste rigoureux des problèmes financiers : n'a-t-il pas, en avril 1945, quitté le gouvernement sur le refus du général de Gaulle d'appliquer la politique de blocage provisoire des fortunes qu'il préconisait ? Depuis, il a représenté la France dans divers organismes financiers internationaux. Ensuite, Pierre Mendès France apparaît comme un homme seul, en marge du monde politique : membre du parti radical, il n'a en fait avec la direction de celui-ci que fort peu de rapports. Surtout, il est le seul homme politique qui ait osé préconiser la paix par la négociation en Indochine depuis 1950, position qui est celle du seul parti communiste sur le plan des partis.

L'expérience Mendès France va, à tous égards, trancher avec la pratique de la IVe République établie depuis la Libération, en proposant un style de gouvernement qui limite le rôle des partis et ôte à l'Assemblée nationale sa prépondérance sur le pouvoir exécutif. En premier lieu, il se fait investir sur son seul programme et en refusant de négocier la composition de son gouvernement avec les partis politiques. Il en résultera le refus réitéré de la direction du parti socialiste SFIO d'accepter que des ministres socialistes figurent dans le gouvernement. Mais Pierre Mendès France est véritablement le chef de l'équipe gouvernementale ; il n'hésite pas à changer les ministres de poste, pas plus qu'il ne songe à démissionner lorsque les uns ou les autres décident de quitter le gouvernement. Cette pratique nouvelle va profondément perturber le jeu des partis politiques. Rien de changé pour le parti communiste qui tente, sans succès, une expérience de sortie du ghetto politique ; il décide en effet de voter pour Mendès France, au motif que celui-ci propose la paix en Indochine.

Mais le Président du Conseil, pour rassurer les autres partis et éviter d'apparaître comme l'otage des communistes, décide de ne pas tenir compte de leurs votes et de ne se considérer comme investi que s'il obtient par ailleurs la majorité absolue de 314 voix. Le 17 juin, il est investi par 419 voix (dont 99 communistes). Sa majorité ne représente pas un bloc cohérent puisqu'elle va de la gauche à la droite (en «saute mouton»), sans englober tous les partis, ni la totalité de chacun d'eux. Ont voté pour Mendès France, outre la totalité des députés communistes et socialistes, une partie des radicaux, de l'UDSR, des républicains-sociaux, mais aussi des modérés et même quelques MRP, en violation de la décision prise par ce parti de s'abstenir (il s'estime désavoué sur l'Indochine).

Outre ces pratiques nouvelles qui minorent le rôle des partis politiques, le style Mendès France tranche encore avec la grisaille qui est de règle dans les gouvernements de la IVe République. Passant outre aux objections des parlementaires qui considèrent que le chef du gouvernement n'a de compte à rendre qu'aux Assemblées, il décide d'expliquer sa politique au pays dans des causeries hebdomadaires radiodiffusées qui obtiennent un grand succès et font beaucoup pour sa popularité dans le pays. De plus, son action est mise en valeur par l'habile propagande de l'hebdomadaire *L'Express* fondé en 1953 par Jean-Jacques Servan-Schreiber et Françoise Giroud et qui s'institue le porte-parole du Président du Conseil dès la formation du gouvernement. Cet hebdomadaire popularise les idées et les actes du Président du Conseil en utilisant des méthodes publicitaires efficaces et en mettant en relief le modernisme de ses conceptions. Cette tentative de rénovation d'une IVe République jusqu'alors décevante rencontre un très vif succès dans l'opinion publique, tout particulièrement dans la jeunesse (surtout universitaire), dans les milieux syndicalistes, chez les nouveaux cadres et chez les intellectuels. Mais la popularité de Pierre Mendès France résulte aussi du sentiment qu'a le pays d'être gouverné, pour la première fois depuis la Libération.

Alors que les gouvernements de la IVe République avaient sans cesse été à la remorque de l'événement, Mendès France va, dans tous les domaines, pendant son gouvernement, prendre des initiatives hardies. Il en va d'abord ainsi dans le domaine colonial :
– Pour ce qui est de l'Indochine, il se donne un mois pour aboutir à une solution négociée à Genève, s'engageant à remettre sa démission s'il ne parvient pas à tenir son «pari». De fait, les accords de Genève de juillet 1954 dégagent la France du conflit après qu'elle a accepté un partage de part et d'autre du 17e parallèle, le Nord reve-

nant au Vietminh, le Sud à un gouvernement protégé par les États-Unis, et des élections libres devant préluder à une réunification future. Le Laos et le Cambodge sont proclamés indépendants. Il s'agit là du prix à payer pour la défaite militaire qui aboutit au retrait de la France de la péninsule indochinoise.
– Mais surtout, Pierre Mendès France engage la France dans la voie d'une décolonisation consentie. Le gouvernement négocie la rétrocession à l'Inde des cinq comptoirs français qu'elle y détenait depuis le XVIIIe siècle. En Tunisie où germait une nouvelle guerre coloniale, un voyage surprise, en compagnie du maréchal Juin, débouche sur la déclaration de Carthage par laquelle la France s'engage à ouvrir des négociations qui aboutiront en 1956 à l'octroi au pays de son indépendance.
– Très différente est l'attitude du gouvernement face à l'insurrection algérienne qui éclate le 1er novembre 1954. Pierre Mendès France et son ministre de l'Intérieur, François Mitterrand, rejettent toute idée de négociations avec les organisateurs du soulèvement. Mais ils estiment que celui-ci témoigne d'un malaise réel qui exige une politique de réformes. Et à cette fin, ils envoient comme gouverneur général le gaulliste Jacques Soustelle, considéré comme un libéral, mais aussi comme un homme énergique qui saura imposer aux colons français les indispensables réformes. Le nouveau gouverneur général qui arrive à Alger fin janvier 1955 reçoit d'ailleurs un accueil hostile de la communauté européenne.

En matière de politique internationale, Mendès France va clarifier la situation de la France, sans toutefois remporter de succès spectaculaires. À son arrivée au pouvoir, certains le soupçonnent de vouloir pratiquer une politique neutraliste en rompant avec les Américains, voire de songer à un rapprochement avec l'URSS. En fait, ces craintes se révéleront vaines, le chef du gouvernement estimant qu'il n'est pas d'autre solution pour la France que l'alliance Atlantique.

Sa grande préoccupation est de se débarrasser de l'épineux problème de la CED qui divise son gouvernement (en opposant les radicaux et les modérés qui en sont partisans aux gaullistes qui en sont les adversaires, lui-même étant plutôt réservé sur le projet). Après avoir proposé à deux de ses ministres, le radical Bourgès-Maunoury et le gaulliste Kœnig, de trouver un compromis (qui se révèle impossible), il tente d'obtenir des partenaires européens de la France des aménagements au projet qui lui enlèveraient une grande partie de son caractère supranational. Convaincus que la majorité de l'Assemblée nationale est favorable à la CED et poussés par les Américains vers l'intransigeance, ceux-ci rejettent toute idée de renégociation. Dans ces conditions, Pierre Mendès France décide de soumettre le traité à la ratification de l'Assemblée nationale, mais en s'en désintéressant ostensiblement, le gouvernement n'engageant pas son existence sur la ratification. Le 30 août 1954, l'Assemblée nationale, en votant la question préalable, rejette sans débat le projet de CED, sonnant le glas des espoirs des partisans de l'Europe supranationale. Les «Européens» et surtout le MRP ne pardonneront jamais à Mendès France le «crime du 30 août».

Devant les pressions américaines, il faut trouver une solution de rechange permettant le réarmement allemand. Par les traités de Londres et de Paris (octobre 1954), trois décisions successives sont prises :
– reconnaissance de la souveraineté totale de l'Allemagne (y compris dans le domaine militaire);
– entrée de l'Allemagne dans l'OTAN (et par conséquent intégration de son armée dans les forces atlantiques);
– formation de l'Union de l'Europe occidentale, extension à l'Allemagne du traité de Bruxelles de 1948.

Le 30 décembre 1954, ce réarmement, opéré dans le cadre de l'alliance Atlantique et de celle des États de l'Europe occidentale, est ratifié de justesse par l'Assemblée nationale.

Enfin, dans le domaine économique et social, Pierre Mendès France exprime des vues novatrices que le temps ne lui permettra guère de mener à terme, en dépit de pouvoirs spéciaux d'ordre économique votés par l'Assemblée nationale peu après son arrivée au pouvoir. Cette politique ne diffère d'ailleurs pas fondamentalement de celle des gouvernements qui l'ont précédé et son ministre des Finances, Edgar Faure, est aussi celui de Laniel. Les objectifs sont identiques : poursuite de l'expansion économique et augmentation du revenu national, diminution des coûts de production, amélioration du pouvoir d'achat, équilibre de la balance des comptes. Les différences tiennent à la méthode et aux objectifs. Sur le premier point, Mendès France est franchement dirigiste et n'hésite pas à prendre des mesures qui heurtent les intérêts corporatistes (il a supprimé en novembre 1954 le privilège des bouilleurs de cru). Sur le second, il considère que l'expansion économique doit avoir pour fin l'amélioration du pouvoir d'achat et une distribution plus équitable des fruits de l'expansion. Tendances qui inquiètent la droite, mais celle-ci se rassure tant qu'Edgar Faure, qui a sa confiance, gère les finances et l'économie. Mais en janvier 1955, Pierre Mendès France décide de nommer Edgar Faure aux Affaires étrangères et de prendre lui-même en charge le portefeuille des finances et des affaires économiques avec l'aide du MRP Robert Buron; décision qui provoque les alarmes des modérés.

• L'échec de l'expérience Mendès France

L'expérience Mendès France, dans la mesure où elle se voulait novatrice, portait en elle-même les germes de son échec. En minorant le rôle des partis dans un système où ils sont tout-puissants, en limitant l'initiative de l'Assemblée alors que l'exécutif en procède, Pierre Mendès France heurtait de front toutes les habitudes instaurées depuis 1945. Tenus de le ménager en raison de sa popularité et du fait qu'il accepte d'assumer la liquidation de la catastrophe indochinoise, les dirigeants politiques sont décidés à se débarrasser de lui à la première occasion. Aucun ne supporte le renforcement du pouvoir exécutif qu'il met en œuvre, l'autorité dont il fait preuve, le contact direct avec le pays qu'il a établi.

En outre, sa politique multiplie mécontentements et inquiétudes. La droite et le MRP l'accusent de « brader l'empire » ; les Européens lui tiennent rigueur d'avoir laissé sans réagir s'effondrer la CED ; communistes et gaullistes ne lui pardonnent pas d'avoir accepté le réarmement allemand ; les colons français d'Algérie et le puissant « lobby » parlementaire qui les représente s'alarment des intentions réformatrices manifestées par la nomination de Jacques Soustelle ; enfin, l'ensemble du centre-droit s'inquiète des décisions qu'il s'apprête à prendre dans le domaine économique et financier. C'est la conjonction de tous ces mécontentements qui met fin à l'expérience : le 7 février 1955, le gouvernement est renversé, provoquant la très vive déception d'une opinion qui voit s'éloigner tout espoir de réforme de la IVe République.

• La IVe République dans l'impasse

Sur le plan gouvernemental, la succession de Pierre Mendès France est assurée par le radical Edgar Faure, qui a été son ministre. Si on considère le style de gouvernement et de majorité, le nouveau ministère paraît prendre le contre-pied du précédent. Le Président du Conseil en revient en effet à une pratique plus traditionnelle du pouvoir politique, reconstituant la majorité de centre-droit après la parenthèse Mendès France et renouant avec la pratique de la négociation avec les états-majors de partis et de la subordination devant l'Assemblée. C'est cet ensemble qui fait considérer le ministère comme plus traditionnel que le précédent, et également plus marqué à droite. Mais le contenu de la politique gouvernementale ne diffère guère de celle du gouvernement Mendès France et, à bien des égards, le gouvernement Edgar Faure prend l'allure d'un continuateur du gouvernement précédent. C'est évident sur le plan économique où le Président du Conseil poursuit son expérience d'expansion dans la stabilité. C'est vrai sur le plan des structures où, avec plus de souplesse, mais non moins de lucidité que son prédécesseur, Edgar Faure met l'accent sur les notions de modernisation, d'efficacité, de rentabilité.

C'est encore exact sur le plan colonial où le nouveau gouvernement mène à terme la négociation entamée en Tunisie et signe en juin 1955 les accords qui prévoient les modalités de l'indépendance, qu'il fait ratifier par le Parlement. Au Maroc, où le gouvernement Mendès France avait laissé les choses en l'état, Edgar Faure s'applique à dénouer la crise malgré les réticences de sa majorité et de nombre de ses ministres : sa souplesse et son sens du compromis permettent d'aboutir à la signature d'un accord d'« indépendance dans l'interdépendance » (la formule est d'Edgar Faure et n'est qu'une habileté de langage pour faire accepter la fin de la souveraineté française), après le retrait de Ben Arafa et le rétablissement sur son trône du Sultan Mohammed V. Enfin, en Algérie, le gouvernement qui doit faire face à une brusque aggravation de la situation demeure fidèle à la politique de refus de négociation et de rétablissement de l'ordre qui avait été le fait du ministère Mendès France, sans toutefois mettre sur le même plan le souci des réformes.

Enfin, sur le plan de la construction européenne, Edgar Faure propose une relance modérée de l'Europe, mais en abandonnant l'idée de la supranationalité politique et militaire pour proposer l'examen d'une reprise des négociations sur la base des solidarités économiques. Ce « mendésisme » sans Mendès se heurte toutefois à un obstacle majeur, la véritable crise de confiance dans le régime auquel s'identifie le Président du Conseil et qui se manifeste par un double mouvement qui agite la France et qui témoigne de la volonté des Français de modifier les règles du jeu politique, le poujadisme et le mendésisme.

• La crise de confiance : poujadisme et mendésisme

À l'origine, le poujadisme est né du malaise des petits commerçants et artisans. Avec la disparition de la situation de pénurie autour des années 50, de nombreuses petites entreprises commerciales, artisanales, et bientôt agricoles, se révèlent mal adaptées aux conditions du marché et de la concurrence. La disparition de la prospérité artificielle créée par la guerre et l'après-guerre au profit de tous ceux qui avaient quelque chose à vendre est ressentie durement par les classes moyennes indépendantes qui subissent alors une crise profonde. L'amertume qui en résulte se cristallise contre les contrôles fiscaux exercés par les «inspecteurs polyvalents» qui surveillent la comptabilité (souvent sommairement tenue) des petites entreprises, procédant à des redressements fiscaux, voire à des saisies. La multiplication de celles-ci à partir des années 50 donne naissance à un mouvement de protestation qui va se regrouper autour de Pierre Poujade, un papetier de Saint-Céré qui s'est rendu célèbre pour avoir empêché la tenue de contrôles fiscaux. Très vite, ce rassemblement corporatif des commerçants et artisans débouche sur une mise en accusation du régime, qui retrouve spontanément les thèmes de l'extrême droite des années 1900 ou des années 30 : refus de l'impôt qui pèse sur les «petits» et épargne les riches, dénonciation de l'impuissance parlementaire, appel à balayer les politiciens, et très vite nationalisme (contre les abandons coloniaux dont les gouvernements se rendraient coupables) et antisémitisme (nourri par le rôle politique de Pierre Mendès France, comme jadis par celui de Léon Blum). De mouvement corporatiste qu'il était à l'origine, le poujadisme devient l'expression politique d'un populisme d'extrême droite qui rassemble, aux côtés des vaincus de la modernisation économique – commerçants, artisans, agriculteurs –, des adversaires convaincus du régime, aux tendances autoritaires, et recrute chez de très nombreux mécontents. Le succès du poujadisme, malgré le caractère plus que sommaire de ses idées, est surtout révélateur du profond discrédit que connaît dans la classe moyenne traditionnelle la IVe République.

À l'autre extrémité de l'échiquier politique, l'émergence dans l'opinion d'un courant mendésiste est une preuve supplémentaire de la lassitude des Français. La chute de Pierre Mendès France a considérablement accru son audience et sa popularité dans l'opinion publique. Rejetant l'idée de créer un nouveau parti politique, mise en avant par certains de ses fidèles, il invite ses partisans à rejoindre le parti radical, auquel il appartient depuis sa jeunesse. Dans les grandes villes, et la France du Nord en particulier, le radicalisme reçoit l'appoint de forces neuves, très différentes de celles du radicalisme traditionnel. Avec l'aide de ces troupes fraîches, Pierre Mendès France arrache alors, en mai 1955, la direction du parti radical aux hommes du centre-droit qui le conduisent depuis 1946. L'année 1955 est celle de l'épanouissement, à l'intérieur comme à l'extérieur du parti radical, du courant mendésiste, rassemblant toute une gauche qui se sent mal à l'aise au sein des partis traditionnels, étudiants de l'UNEF, membres des Jeunesses socialistes, chrétiens de gauche, francs-maçons, adhérents des clubs de gauche (comme le club des Jacobins, fondé par Charles Hernu avec de jeunes radicaux), syndicalistes, hauts fonctionnaires, lecteurs de

L'Express, de *Témoignage Chrétien* et, avec des nuances, de *France-Observateur* (dont les principaux rédacteurs sont critiques envers une expérience qui leur apparaît trop «bourgeoise»).

En réalité, le mendésisme est un mouvement ambigu. Certains ont été attirés par les idées de Pierre Mendès France et sa pratique du pouvoir et constituent un groupe de fidèles inconditionnels. D'autres voient en lui l'homme de la modernisation des structures du pays, d'autres encore le rénovateur de la gauche. Parfois, le mendésisme a été conçu comme une tentative de pouvoir autoritaire personnalisé mettant à la raison les partis politiques, pratiquant le volontarisme, s'adressant au pays par-dessus la tête de l'Assemblée (c'est ainsi que les gaullistes qui suivent Mendès France voient dans son expérience gouvernementale une sorte de prégaullisme). Le mendésisme, débordant largement Pierre Mendès France, apparaît ainsi comme une sorte de catalyseur de toutes les oppositions au régime de la IVe République, venues des rangs d'une gauche marginale et des courants modernistes, de la technocratie et du gaullisme, chacun projetant sur ce courant ses propres aspirations sans que Mendès France (qui rejette le vocable mendésiste) accepte de parrainer l'ensemble.

La présence de ces deux mouvements qui recueillent l'un et l'autre une incontestable adhésion populaire a pour effet d'affaiblir le régime et de compromettre l'autorité du gouvernement. Or, affronté à la nécessité de décisions urgentes, le Président du conseil Edgar Faure considère qu'il n'est guère possible de les prendre dans un contexte politique où la majorité n'est pas assurée de survivre aux élections prévues à la fin du printemps 1956. Désireux de hâter les échéances et de consolider la majorité, il propose à l'Assemblée d'accepter des élections anticipées, avant que le poujadisme, et surtout le mendésisme, aient eu le temps de s'organiser dans le pays. L'Assemblée refuse de se saborder et, Edgar Faure ayant posé la question de confiance, elle le renverse en novembre 1955. Considérant que les conditions constitutionnelles sont réunies (deux gouvernements renversés en moins de 18 mois à la majorité absolue), Edgar Faure décide alors, le 2 décembre 1955, de dissoudre l'Assemblée nationale (c'est la première fois qu'une dissolution intervient depuis la crise du 16 mai 1877), provoquant ainsi de nouvelles élections en janvier 1956.

La tentative du Front républicain (1956-1957)

• La formation du gouvernement Guy Mollet

Les élections du 2 janvier 1956 se déroulent, comme en 1951, au scrutin proportionnel avec apparentements. Elles voient s'affronter quatre types de listes : celles du parti communiste avec qui les socialistes ont refusé tout apparentement, celles de l'extrême droite qui sont pour la plupart des listes poujadistes, et deux rassemblements qui réunissent les partis intégrés au régime, mais en entraînant la scission de trois d'entre eux.

Le premier de ces rassemblements qui prend le nom de « Front républicain » reconstitue, pour l'essentiel, la coalition mendésiste de 1954-1955. Il comprend le parti socialiste SFIO dans sa totalité et trois fractions de partis, le parti radical qui suit Pierre Mendès France, la gauche de l'UDSR derrière François Mitterrand, la gauche des républicains-sociaux conduite par Jacques Chaban-Delmas. Aux yeux de l'opinion, le Front républicain est l'alliance réunie autour de Mendès France ; elle est d'ailleurs défendue par *L'Express,* devenu quotidien pour l'occasion, et qui distribue le « bonnet phrygien », symbole de ce regroupement, aux listes orthodoxes. En fait, le seul groupe cohérent du Front républicain est le parti socialiste SFIO dont beaucoup de candidats sont loin d'être favorables à Mendès France et se sentent uniquement liés à leur parti. D'autre part, leader des radicaux, Mendès France conseille de voter pour eux ; or, nombre de candidats radicaux lui sont personnellement très hostiles.

Face au Front républicain, le Président du Conseil Edgar Faure a réuni la coalition de centre-droit qui domine l'Assemblée depuis 1952. Elle inclut les indépendants, le MRP, les radicaux qui suivent Edgar Faure (exclu du parti après la dissolution du 2 décembre 1955) et qui se rassemblent au sein du RGR, l'aile droite de l'UDSR avec René Pleven, l'aile droite des républicains-sociaux qui suit Roger Frey.

La campagne électorale se déroule essentiellement autour de l'adhésion au mendésisme ou du refus de celui-ci, et non pas autour de la guerre d'Algérie dont l'aggravation est le principal problème français de l'époque.

Les résultats des élections du 2 janvier 1956 sont ambigus ; la dispersion des listes, l'incertitude de l'appartenance de certaines d'entre elles donnant une Chambre à peu près dépourvue de majorité claire. Les communistes, qui se maintiennent en voix, gagnent des sièges en raison de l'inefficacité des apparentements. Abandonnés par le général de Gaulle, les républicains-sociaux s'effondrent et le MRP continue son déclin, ce double résultat profitant à la droite classique du Centre national des indépendants, mais aussi à l'extrême droite poujadiste qui effectue une véritable percée. À gauche, les socialistes gagnent des voix et se maintiennent en sièges, cependant que les groupes du centre-gauche qui se réclament du mendésisme (radicaux et UDSR) connaissent une poussée.

L'interprétation de ces résultats confus appartient au Président de la République René Coty. La gauche (communistes compris) ayant rassemblé 56 % des suffrages, il considère que le scrutin traduit une poussée à gauche. Dans ce contexte, c'est évidemment au Front républicain qu'il appartient de constituer une majorité. Mais alors que l'opinion attend un gouvernement Mendès France, le chef de l'État, constatant que le parti socialiste est le groupe le plus nombreux de la coalition du Front républicain, confie à son secrétaire général Guy Mollet la mission de former le gouvernement. Décision capitale, mais qui va peser lourd sur l'avenir du régime, dans la mesure où la mobilisation de l'opinion publique en faveur de Pierre Mendès France va se traduire par une profonde déception.

Le gouvernement formé par Guy Mollet comprend des ministres des quatre partis du Front républicain. Il va bénéficier d'une forte majorité à l'Assemblée, puisque, outre les 170 députés de cette coalition, il peut compter sur les 150 voix communistes et sur les 73 MRP, désireux de se débarrasser de l'image de droite associée à leur parti en raison de la participation à la majorité de centre-droit. Mais ce très large appui s'explique aussi par les distances que le gouvernement prend d'emblée avec le mendésisme. Guy Mollet refuse à Mendès France le portefeuille des Affaires étrangères car il le juge insuffisamment européen. Il doit se contenter d'un ministère d'État sans portefeuille qui lui laisse fort peu d'influence sur la politique gouvernementale, si bien qu'en mai 1956, en désaccord sur la politique algérienne, il quitte le gouvernement. Quant aux ministres radicaux, la plupart sont très réservés à l'égard des idées de Pierre Mendès France.

Cependant, les débuts du gouvernement Guy Mollet donnent le sentiment d'une politique nouvelle, bien différente de celle des gouvernements de centre-droit qui ont précédé.

Les forces politiques aux élections du 2 janvier 1956

	% des suffrages exprimés	Nombre de députés
Parti communiste	25,9	150
Socialistes SFIO	15,2	96
RGR (Radicaux + UDSR)	15,2	91
dont:		
- Front républicain	11,3	77
- Centre-droit	3,9	14
Républicains-Sociaux, dont:	3,9	22
- Front républicain	1,2	7
- Centre droit	2,7	15
MRP (et apparentés)	11,1	83
Indépendants	15,5	95
Poujadistes et extrême droite	12,8	60

• L'amorce d'une politique nouvelle

À ses débuts, le gouvernement Guy Mollet renoue avec la tradition sociale des gouvernements de gauche. Dans la ligne de la politique du Front populaire, il accorde une troisième semaine de congés payés aux salariés. Il décide l'attribution d'une retraite aux vieux travailleurs et, pour la financer, crée un Fonds national de solidarité alimenté par le produit de la vignette automobile, créée à cette occasion. Une réforme de la Sécurité sociale diminue les frais de santé à la charge des salariés par un contrôle plus strict des honoraires médicaux.

La politique étrangère, sans trancher ouvertement avec celle des gouvernements précédents, connaît un début d'adaptation à la nouvelle conjoncture marquée par la fin de la guerre froide. Christian Pineau, ministre des Affaires étrangères, esquisse un dégagement de la France de l'étroite sujétion dans laquelle elle se trouvait vis-à-vis de la politique américaine. Il fait un voyage en Union soviétique et surtout, fait caractéristique, tente une exploration vers les pays neutralistes du tiers-monde, se rendant en Inde et en Égypte, deux des pays chefs de file de cette tendance.

Au domaine des tentatives dynamiques de renouveau, il faut faire figurer la relance européenne opérée dans la voie ouverte par Edgar Faure. La plupart des ministres sont, comme le Président du Conseil, des Européens convaincus. Ils sont résolus à mettre sur pied une union douanière avec les partenaires de la France afin de faire jouer les solidarités économiques, avec l'espoir de consolider ainsi une union politique dont la CED a montré les difficultés. C'est le radical Maurice

Faure, secrétaire d'État aux Affaires étrangères, qui, dans ce domaine, joue le rôle essentiel. Il négocie et fait approuver par le Parlement français les projets d'Euratom (communauté nucléaire) et de Communauté économique européenne (Marché commun) qui concrétisent ces vues. Le 25 mars 1957, c'est lui qui signe, au nom de la France, le traité de Rome qui prévoit la mise en place, par étapes, de l'union douanière, préface à l'union économique du Marché commun.

Enfin, la tentative de novation par rapport à la Troisième Force et au centre-droit est encore sensible dans le domaine colonial. C'est le gouvernement Guy Mollet qui conduit à son terme les processus de négociation amorcés par Mendès France en Tunisie, par Edgar Faure au Maroc, en accordant l'indépendance aux deux protectorats d'Afrique du Nord. Le gouvernement ébauche la décolonisation de l'Afrique noire en faisant voter la loi-cadre Defferre, du nom du ministre de la France d'outre-mer, qui met en place l'autonomie politique progressive des colonies africaines. Dans chaque territoire est élue une Assemblée qui investit un gouvernement. Le Président de ce gouvernement est nécessairement le représentant de la France (haut-commissaire ou gouverneur), mais le vice-Président du Conseil est responsable devant l'Assemblée. C'est à ce poste que les futurs chefs d'État de l'Afrique noire feront leurs débuts politiques : Léopold Senghor au Sénégal, Félix Houphouët-Boigny en Côte d'Ivoire, Mokhtar Ould Daddah en Mauritanie, etc.

Au total, l'œuvre ainsi esquissée par le gouvernement du Front républicain est loin d'être négligeable. Elle représente dans le droit fil de l'action des gouvernements Mendès France et Edgar Faure un réel effort d'adaptation de la France au monde du XXe siècle. Mais ces aspects positifs sont passés inaperçus des contemporains, tant le gouvernement Guy Mollet se trouve hypothéqué par la guerre d'Algérie qui est son principal souci et qui prend, de fait, à ce moment son caractère le plus aigu.

La guerre d'Algérie de 1956 à 1958

• Origines et débuts de la guerre (1945-1954)

Les origines de la guerre d'Algérie sont à chercher dans l'aggravation depuis la fin de la Seconde Guerre mondiale d'une situation dont les racines sont beaucoup plus anciennes.

La première cause tient au statut politique de l'Algérie. Formée de trois départements (Alger, Oran, Constantine), elle est, comme tous les départements français, rattachée au ministère de l'Intérieur. Mais, en réalité, son statut en fait une entité totalement différente des départements de métropole. Elle est en effet soumise à l'autorité d'un gouverneur général nommé en Conseil des ministres et elle comprend deux catégories de citoyens de droits inégaux : les Français qui, seuls, possèdent les droits politiques, et les musulmans, de statut «coranique», qui en sont dépourvus. Le statut, voté en 1947 par l'Assemblée nationale, perpétue l'inégalité : il prévoit l'élection d'une Assemblée algérienne de 120 membres aux prérogatives restreintes (elle n'a réellement que des attributions financières), désignée au double collège : les 9 millions de musulmans désignent 60 députés, le même nombre que le million d'Européens. De surcroît, le gouverneur général Naegelen, nommé en janvier 1948, procède au truquage manifeste des élections d'avril à l'Assemblée algérienne, faisant élire quasi uniquement des candidats de l'administration dans le second collège (musulman) et ne laissant aux candidats des partis nationalistes musulmans, dont les élections municipales de 1947 ont révélé l'audience, qu'un nombre tout à fait ridicule d'élus.

Cette attitude intransigeante de l'administration française condamne à l'impasse le nationalisme musulman et, de ce fait, prive les autorités d'interlocuteurs représentatifs. Traditionnellement, le nationalisme algérien est constitué de trois courants :

– Le courant traditionaliste, celui des Ulémas, qui résiste à l'intégration française en s'appuyant sur l'Islam et sur la culture musulmane, est en pleine crise. La mort de son principal leader, Ben Badis, le prive de chef et de perspectives.

– Le courant réformiste est formé de bourgeois et d'intellectuels musulmans. Réformistes, attachés à la voie légale, ils ont comme chefs Ferhat Abbas et Ahmed Francis. Longtemps partisans de l'intégration à la France, ils se sont décidés tardivement (durant la guerre) en faveur d'une République algérienne. Rassemblés dans l'Union démocratique du manifeste algérien (UDMA), ils espèrent parvenir à ce résultat avec l'accord de la France. Mais toute l'évolution des Français depuis 1946 montre que cette perspective est irréaliste.

– Le courant révolutionnaire et activiste est mené par Messali Hadj. Les messalistes, rassemblés dans le Mouvement pour le triomphe des libertés démocratiques (MTLD) sont les artisans des émeutes de mai 1945 dans le Constantinois qui ont donné lieu à une vigoureuse répression. Leur victoire électorale aux municipales de 1947 n'a fait que renforcer celle-ci. Aussi, dès cette date songent-ils à passer à l'action directe contre les Français et créent-ils à cette fin l'OS

(Organisation spéciale) sous la direction d'Ahmed Ben Bella. Mais, pourchassé par la police et la gendarmerie, le MTLD connaît une crise permanente. Exilé en France, son chef Messali Hadj entre en conflit avec le Comité central de son parti (les «centralistes»). Les crises et les scissions se multiplient. Là aussi, l'impasse est totale.

Or, l'immobilisme qui résulte de cette absence d'interlocuteur est grave, compte tenu des problèmes que connaît l'Algérie de 1954.

Les problèmes économiques et sociaux constituent la troisième cause du déclenchement de la guerre d'Algérie. L'économie algérienne est en effet dualiste. On voit vivre côte à côte une agriculture moderne aux mains des Européens, disposant de crédits, de machines et tournée vers l'exportation du vin, des céréales, des agrumes, des primeurs, et une agriculture musulmane routinière et peu productive, mais qui concerne la plus grande partie de la population. De la même manière, on constate un début d'implantation de l'industrie du fait des groupes financiers français qui commencent à investir outre-Méditerranée, alors que les musulmans sont pour la plupart privés d'emplois industriels et tributaires de l'artisanat, condamnés au chômage ou à des emplois précaires lorsqu'ils sont citadins.

Cette économie dualiste est à l'origine d'une société inégalitaire. Les 984000 Européens (dont 80% sont nés en Algérie) sont en grande majorité des citadins, ouvriers ou membres de la classe moyenne (commerçants, cadres, employés). Leur niveau de vie est dans l'ensemble médiocre, comparé à celui de leurs homologues de métropole. Mais cette population refuse toute réforme qui donnerait l'égalité aux musulmans. Même modeste, elle se montre donc résolument conservatrice et attachée à son statut qui lui donne une supériorité sociale sur la masse de la population musulmane. Celle-ci, qui est numériquement majoritaire (on compte 8 400000 musulmans), connaît en outre une véritable explosion démographique (sa croissance est de 2,5% par an), ce qui aggrave les problèmes du pays. En effet, seuls deux millions de musulmans ont un niveau de vie comparable à celui des Européens. Les autres souffrent de la pauvreté, d'une scolarisation insuffisante (18% seulement des enfants musulmans sont scolarisés) et de sous-administration (l'arrêt du recrutement des administrateurs en 1947 livre la population à des auxiliaires indigènes qui l'exploitent).

L'ensemble de ces problèmes explique le déclenchement de l'insurrection de 1954, qui est, en outre, étroitement tributaire de la conjoncture de l'époque. Celle-ci est marquée par l'immense écho de la conférence de Genève qui conduit à l'indépendance du Vietnam en juillet 1954, première indépendance arrachée de force à la France et qui suscite dans les milieux nationalistes une volonté d'imitation du Vietminh, d'autant qu'au même moment la France entre en pourparlers avec la Tunisie voisine. Il s'y joint la volonté d'un certain nombre de jeunes nationalistes du MTLD, comme Ben Bella, las des querelles qui agitent le mouvement, de refaire son unité dans le combat contre les colonisateurs. C'est dans ces conditions qu'ils déclenchent l'insurrection de la Toussaint 1954 qui frappe surtout par la simultanéité des 70 actions lancées contre des bâtiments civils et militaires (attaques, lancement de bombes, attentats individuels). Militairement, les résultats sont quasi nuls, si bien que la proclamation d'un Front de libération nationale (FLN) et l'annonce de la création d'une Armée de libération nationale (ALN) apparaissent dérisoires, de même que semble exorbitante la prétention des organisateurs de l'insurrection de négocier l'indépendance de l'Algérie avec le gouvernement français.

Les réactions françaises sont d'ailleurs en rapport avec l'importance apparente du mouvement. Sur place, les colons réclament une vigoureuse répression et, de fait, l'armée et la gendarmerie démantèlent la plupart des réseaux du FLN, réduisant le mouvement à une activité sporadique dans les zones montagneuses des Aurès et de la Kabylie. À Paris, le Président du Conseil, Mendès France, et son ministre de l'Intérieur, François Mitterrand, multiplient les énergiques déclarations sur leur volonté de rétablir l'ordre et sur l'appartenance de l'Algérie à la France. Cependant, analysant l'insurrection comme la preuve d'un malaise, ils concluent à la nécessité de réformes profondes et, à cette fin, nomment Jacques Soustelle gouverneur général de l'Algérie. Mal accueilli par les colons, le nouveau gouverneur général décide la pacification des zones rebelles et l'intégration de l'Algérie à la France par l'application loyale du statut de 1947, la modernisation économique et sociale du pays et un large programme de scolarisation.

Ce n'est véritablement que durant l'été 1955 qu'est pris le tournant définitif vers la guerre. Décidé à empêcher une politique d'intégration qui apparaît inacceptable aux yeux du nationalisme algérien, le FLN prend une initiative destinée à affirmer son audience sur les masses musulmanes, à creuser le fossé entre les communautés et à intimider les Algériens partisans d'un dialogue avec les Français. Les 20 et 21 août, il provoque et encadre un soulèvement de musulmans du Constantinois qui s'attaquent aux quartiers européens des villes et aux fermes européennes isolées. Une centaine de morts sont dénombrés autour de Constantine. Il en résulte une répression d'abord spontanée qui prend la forme de «ratonnades», de chasse à l'Arabe et qui est le fait des civils européens. Lorsque les autorités reprennent les choses en main, on compte un millier de morts parmi les musulmans. Un fossé de sang sépare désormais les deux communautés.

Les conséquences des massacres du Constantinois sont incalculables et elles vont rendre irréversible le processus de guerre. Les Européens, horrifiés, se dressent désormais en bloc contre les musulmans. L'action du FLN devient pour eux synonyme de massacre, et ils attendent des autorités une action énergique de répression. De leur côté, les musulmans, indignés par la répression aveugle dont ils ont été l'objet, passent désormais massivement dans le camp du FLN, même les plus modérés, comme Ferhat Abbas (il est vrai que ces derniers, pris entre le rejet des Européens et l'intimidation du FLN qui les menace directement, sont contraints de choisir leur camp). Le FLN peut ainsi accroître son emprise à toute l'Algérie et étendre la guerre au pays entier. Enfin, bouleversé par les massacres, le gouverneur général Soustelle fait passer au second plan ses objectifs de réformes et considère que sa tâche prioritaire est désormais de rétablir l'ordre en luttant contre le FLN. La guerre passe ainsi au premier plan.

C'est cette situation que doit affronter en janvier 1956 le gouvernement de Front républicain conduit par Guy Mollet.

• L'enlisement dans la guerre

Durant la campagne électorale, le Front républicain avait annoncé son intention de « mettre fin à une guerre absurde ». Le projet de Guy Mollet est de donner une solution au conflit par des réformes. Dans cette optique, il décide de remplacer le gouverneur général Soustelle, maintenant gagné à une solution militaire, par un ministre résidant en Algérie, poste qu'il confie à un libéral, le général Catroux. Le 6 février 1956, il se rend lui-même à Alger pour installer le ministre résidant. Accueilli par des manifestations hostiles des colons qui veulent désormais conserver Soustelle, conspué, cible de jets de tomates, le chef du gouvernement fait machine arrière. Il remplace le général Catroux par un socialiste, Robert Lacoste, et définit une politique algérienne qui tient compte des angoisses des Européens, affolés par l'idée d'un abandon de la métropole. Cette politique se résume par le triptyque « Cessez-le-feu, élections, négociations » : la France accepte de négocier le sort de l'Algérie, mais avec des interlocuteurs désignés par des élections libres ; or celles-ci ne sont possibles qu'une fois instauré le cessez-le-feu, c'est-à-dire le FLN vaincu. Comme en Indochine en 1946, la recherche d'un « interlocuteur valable » conduit à donner la priorité à l'action militaire. En mars 1956, l'Assemblée nationale, communistes compris, vote massivement au gouvernement des pouvoirs spéciaux pour mettre en œuvre cette politique. Les dernières velléités de négociations disparaissent lorsque le gouvernement couvre, en octobre 1956, une initiative de l'armée qui détourne l'avion de plusieurs dirigeants du FLN (dont Ben Bella) avec lesquels la France était en contact depuis l'été et procède à leur arrestation. Un seul ministre, le socialiste Alain Savary, responsable des affaires tunisiennes et marocaines, donne alors sa démission (Mendès France, maintenant partisan d'une négociation en Algérie, a quitté le gouvernement en mai 1956), mais plusieurs membres du ministère manifestent leur malaise.

Désormais résolu à remporter un succès militaire décisif, le gouvernement s'engage dans une lutte à outrance en Algérie. Le rappel des réservistes et le maintien de plusieurs classes sous les drapeaux permettent de porter les troupes engagées de 200000 à 400000 hommes. Sur place, Robert Lacoste, inamovible ministre résidant jusqu'en 1958, laisse en fait l'armée conduire à sa guise le conflit et transformer l'Algérie en une véritable province militaire. Les frontières avec le Maroc et la Tunisie par où transitent les hommes et les armes à destination du FLN sont hermétiquement fermées par des lignes de barbelés électrifiés, appuyées sur des postes fortifiés dont les garnisons font la chasse aux commandos qui tentent de s'infiltrer. À l'intérieur du territoire algérien, l'armée française procède au quadrillage du pays, tout en pratiquant également une activité d'assistance sociale (alphabétisation, soins médicaux…) et d'action psychologique afin de tenter de gagner les populations à une solution française du conflit et d'isoler le FLN.

À Alger où cette action est peu efficace contre le terrorisme urbain, le ministre résidant confie au général Massu, chef de la 10e division parachutiste, la responsabilité de la sécurité. Ainsi débute en janvier 1957 la « bataille d'Alger » qui va durer 9 mois et au cours de laquelle, à la vague d'attentats du FLN répondent la multiplication des fouilles, des contrôles, des arrestations et, pour obtenir des renseignements, l'appel aux indicateurs et même l'utilisation de la torture. Militairement, l'efficacité est certaine : l'organisation du FLN à Alger est démantelée et, dans le pays, sa force militaire est très amoindrie. Mais, politiquement, l'armée ne peut empêcher la poursuite du terrorisme ni les harcèlements de la guérilla ; l'action psychologique est un échec, car les regroupements de la population destinés à priver le FLN de ses appuis, la multiplication des contrôles, l'intimidation et la torture provoquent l'hostilité des musulmans, tandis que la terreur que fait régner le FLN contre ceux qui collaboreraient avec les Français précipite les ralliements volontaires ou forcés. Enfin, les troupes du FLN trouvent un refuge au Maroc et surtout en Tunisie. Exaspérés, les militaires se trouvent condamnés à l'escalade : en février 1958, en vertu du «droit de suite», l'aviation française bombarde le village tunisien de Sakhiet Sidi Youssef qui servait de base au FLN, faisant 69 morts dont 21 enfants, et provoquant une vague d'indignation dans le monde.

Les conséquences de l'aggravation de la guerre d'Algérie sont considérables dans tous les domaines et compromettent à la fois la tentative du front Républicain et les chances de survie de la IVe République :

– La guerre d'Algérie détériore la position internationale de la France. En octobre 1956, le gouvernement décide de frapper l'Égypte qu'il tient pour la «base arrière» du FLN. D'accord avec les Britanniques et les Israéliens, une opération est montée contre le canal de Suez. L'opération est un succès militaire et un fiasco diplomatique. Suez est prise, de même que Port-Saïd, et le régime du colonel Nasser semble, durant quelques heures, au bord de l'effondrement. Mais la France et la Grande-Bretagne sont mises en accusation à l'ONU et, sous la pression conjointe des États-Unis et de l'URSS, sont contraintes d'évacuer précipitamment la zone du canal. Cette agression fait sombrer la timide ouverture neutraliste tentée par le gouvernement français. Suspect aux yeux du tiers-monde, il fait figure d'accusé devant l'organisation internationale et les représentants français en sont réduits à quitter l'Assemblée générale lorsque celle-ci discute de la question algérienne, en invoquant le fait qu'il s'agit d'une affaire spécifiquement française. Anglais et Américains ne le soutiennent pas. Après le bombardement de Sakhiet, ces deux États proposent leurs «bons offices» à la France et à la Tunisie, et cette démarche apparaît comme le début d'une internationalisation du problème algérien.

– La guerre d'Algérie détériore la situation financière de la France. Véritable gouffre financier, elle relance l'inflation par le gonflement de la demande, la raréfaction de la main-d'œuvre due au grand nombre de soldats maintenus sous les drapeaux, l'augmentation des coûts. Dès 1957, le déficit budgétaire se creuse, la balance commerciale redevient déficitaire, et les réserves de devises s'épuisent. Pour rééquilibrer les finances, il faut freiner l'expansion, renoncer aux dépenses sociales et procéder, en 1957, à une dévaluation déguisée du franc de 20%.

– La guerre provoque en France une profonde crise morale. Le conflit suscite un très vif malaise au sein de la jeunesse, du monde étudiant,

des Églises, des intellectuels, des syndicats qui admettent mal de voir le pays engagé dans un conflit contre les aspirations nationales d'un peuple, et l'armée utiliser pour parvenir à ses fins des armes comme la torture. Dans ces milieux, la paix est réclamée avec ardeur, et, parfois, certains petits groupes, très minoritaires, n'hésitent pas à prendre le parti du FLN et à l'aider dans son combat. Face à cette aspiration à une paix négociée, le gouvernement répond par des saisies de journaux, des poursuites judiciaires, des révocations. Il est vrai qu'une autre partie de l'opinion est hostile à toute négociation, soit par attachement au maintien de la souveraineté française, soit par crainte du sort réservé aux Français d'Algérie, soit par hostilité au FLN dont les méthodes de guerre ne sont pas moins cruelles que celles imputées à l'armée française (attentats aveugles, massacres, intimidation).
– Enfin, le conflit aboutit à l'éclatement rapide de la majorité de gauche et à la paralysie de la vie politique. Une grande partie de la gauche qui souhaite une solution négociée du conflit rejette la politique conduite par Guy Mollet et ses successeurs. Mendès France démissionne en mai 1956 ; en décembre, les communistes votent contre le gouvernement ; au sein même de celui-ci, certains ministres (Albert Gazier, François Mitterrand, Gaston Defferre) font connaître leur désapprobation ; plus grave encore aux yeux de Guy Mollet, à l'intérieur même du parti socialiste se constitue une opposition à la politique algérienne du gouvernement conduite par Édouard Depreux, Daniel Mayer, André Philip, Alain Savary. Très vite, Guy Mollet est conduit à s'appuyer sur le MRP et la droite pour conserver une majorité. Afin d'éviter une scission du parti socialiste, il choisit de se faire renverser en mai 1957.

Désormais, la vie politique est paralysée. Pour ne pas se couper de la gauche, ce qui entraînerait l'éclatement de leur parti, les socialistes souhaitent se tenir à l'écart. Conscients du scandale que constitue pour leurs militants l'action en Algérie de Robert Lacoste, ils décident même en mai 1958 de ne pas participer au gouvernement afin d'obtenir le départ d'Alger du ministre résidant. L'abstention du principal parti de la majorité ne permet la mise sur pied que de ministères faibles, dépourvus d'autorité réelle au moment même où des problèmes cruciaux se posent à la France. Les radicaux Bourgès-Maunoury et Félix Gaillard constituent des gouvernements fragiles qui ne peuvent compter vraiment que sur leur parti et le MRP.
– En fait, la principale préoccupation de tous les gouvernements est désormais de trouver une issue politique, par la négociation, à la crise algérienne, mais ils n'osent faire connaître ouvertement cet objectif, car ils manquent d'autorité pour imposer leurs vues au Parlement, aux

colons d'Algérie, à l'armée. Par ailleurs, la crainte d'une négociation pousse les partisans de l'Algérie française à s'organiser. Ainsi se constitue L'Union pour le salut et le renouveau de l'Algérie française autour du gaulliste Soustelle, du radical André Morice, du MRP Georges Bidault, de l'indépendant Roger Duchet, qui n'engagent nullement leurs partis respectifs. La guerre d'Algérie débouche ainsi sur une crise du régime et sur un véritable éclatement des forces politiques.

La chute de la IVe République

La paralysie des institutions, le désarroi des partis et de l'opinion laissent le champ libre à des forces qui entendent mettre à profit l'impasse algérienne pour se hisser au pouvoir. En fait, en 1958, deux forces très différentes vont prétendre à l'héritage d'une IVe République moribonde.

• Le renaissance de l'extrême droite

La première est l'extrême droite. Discréditée depuis 1945, elle renaît à la faveur de la guerre d'Algérie sous la forme d'un activisme très minoritaire mais très remuant, formé de composantes diverses.

En métropole, ce courant n'est représenté que par de petits groupes fascisants à l'audience très réduite, comme Jeune Nation. Ces groupes professent l'antiparlementarisme, la xénophobie, le racisme anti-arabe, l'antisémitisme. Ils se prononcent pour un pouvoir autoritaire qui ferait taire par la force les partisans de la négociation et conduirait une guerre à outrance jusqu'à la victoire.

En Algérie, les tendances d'extrême droite ont toujours connu un très grand succès dans la population européenne. La crainte de voir la République abandonner les départements algériens au FLN renforce encore leur poids. La quasi-unanimité de la tendance « Algérie française » dans cette population donne à des hommes qui rêvent insurrection et soulèvements comme le docteur Martel, l'avocat Lagaillarde, le cafetier Ortiz, un rôle de leaders improvisés. Autour d'eux, la masse des « pieds-noirs » et surtout la jeunesse adhèrent à un activisme d'allure très romantique, envisageant un putsch soutenu par l'armée qui, parti d'Alger, instaurerait en métropole un pouvoir fort décidé à tout subordonner au maintien de l'Algérie française.

Dans l'armée, en effet, un certain nombre d'officiers (surtout des capitaines et des colonels) considèrent que seul un pouvoir fort est susceptible de conduire à la victoire en Algérie. Traumatisés par la défaite d'Indochine qu'ils ont vécue comme un cauchemar, avec le sentiment d'être abandonnés par la métropole, ils envisagent d'appliquer en Algérie les méthodes de guerre psychologique avec leur mélange de terreur, d'intimidation, d'actions terroristes, mais aussi d'appui sur la population grâce à la présence permanente et à l'action sociale qui les ont vaincus au Vietnam. Mais cette tactique n'est possible que si le pouvoir leur laisse les mains libres. Partageant l'analyse des deux groupes précédents sur la nécessité d'un pouvoir fort, ils considèrent que c'est à Paris qu'il faut gagner la guerre d'Algérie. Dès 1957, des complots s'échafaudent dans les états-majors, tandis que sur le terrain une solidarité de fait s'établit entre l'activisme des «pieds-noirs» et celui des militaires.

• L'action des gaullistes

Très différent est le rôle du gaullisme qui constitue la seconde force pouvant prétendre à la succession de la IVe République. Depuis l'échec et la dissolution du RPF, le général de Gaulle s'est retiré de la vie publique, mais il en suit attentivement les développements. Il reste décidé à se présenter comme un recours au cas où une crise se produirait et, dans cette perspective, il soigne son personnage historique aux yeux de l'opinion publique. La parution de ses *Mémoires de guerre* connaît un succès considérable et contribue à rappeler son souvenir aux Français. La paralysie qui frappe le régime, l'impasse dans laquelle la France se trouve engagée en Algérie font que son nom est de plus en plus souvent prononcé comme celui de l'homme capable de résoudre une situation qui paraît, pour les autres, insoluble. Le Président Coty le fait même sonder sur les conditions de son éventuel retour au pouvoir.

À la différence de l'extrême droite, les gaullistes ne songent pas à un coup de force dirigé par eux contre le régime, mais à utiliser au profit du général de Gaulle la situation que pourrait créer un mouvement subversif déclenché par l'armée ou les activistes. C'est pourquoi ils suivent avec une extrême attention l'agitation de l'extrême droite en France et en Algérie. Par exemple, Léon Delbecque qui représente à Alger le ministre de la Défense nationale, le gaulliste Chaban-Delmas qui se tient soigneusement au courant des divers complots contre la IVe République, bien décidé à tenter de les canaliser en faveur d'une solution gaulliste. De même Jacques Soustelle, l'ancien gouverneur général, désormais fort populaire à Alger, est prêt à s'y rendre et à mettre son prestige dans la balance pour qu'un éventuel mouvement insurrectionnel débouche sur le retour au pouvoir du général de Gaulle. Mis au courant de ces préparatifs (en dépit de ses affirmations ultérieures qui déclarent le contraire), le général de Gaulle ne les encourage, ni ne les décourage. Il entend se tenir au-dessus des complots mais rester disponible pour les exploiter éventuellement.

• Le 13 mai et le retour au pouvoir du général de Gaulle

Le 13 mai 1958, une manifestation à Alger débouche sur l'instauration d'un pouvoir insurrectionnel. L'occasion de la manifestation est le débat d'investiture du dirigeant MRP Pierre Pflimlin, désigné comme Président du Conseil et qui a fait connaître son choix en faveur d'une solution négociée en Algérie. Avec la complicité de l'armée, cette manifestation dégénère en émeute et aboutit à la prise du Gouvernement général, siège des autorités. Dans la confusion, les activistes proclament la constitution d'un Comité de salut public, à la tête duquel ils placent le général Massu, qui cherche surtout à canaliser le mouvement. Respectueux de la hiérarchie militaire, ce dernier se place sous les ordres du général Salan, commandant en chef en Algérie. Pour éviter de perdre la face, le gouvernement nomme alors le général Salan délégué général en Algérie avec tous les pouvoirs civils et militaires. L'armée gouverne donc effectivement une Algérie en dissidence, mais on ne sait trop au nom de quel pouvoir. Le 15 mai, poussé par le général Massu et les gaullistes, le général Salan fait appel au général de Gaulle.

L'émeute du 13 mai révèle l'extrême faiblesse du régime. À Paris, le gouvernement Pflimlin, qui a été massivement investi par l'Assemblée nationale, est désemparé et profondément divisé. Certains ministres sont partisans d'une affirmation de l'autorité de la République, d'autres souhaitent négocier et ne rien rompre, certains songent à appeler le général de Gaulle. De surcroît, le gouvernement paraît totalement dépourvu de moyens d'action. L'armée n'est pas sûre et le ministre de la Défense nationale ne peut se rendre en Algérie ; le chef d'état-major général, le général Ely, démissionne lorsque le gouvernement veut prendre des sanctions contre les généraux d'Alger. Le ministre de l'Intérieur ne peut compter sur la police, noyautée par l'extrême droite et qui manifeste ouvertement sa sympathie à la cause de l'Algérie française et au retour au pouvoir du général de Gaulle. Le risque d'un débarquement des troupes d'Algérie en métropole paraît se rapprocher lorsque, le 20 mai, la Corse bascule dans le camp d'Alger. La guerre civile se profile à l'horizon.

Dans cette impasse politique, une série de discours du général de Gaulle va faire évoluer la situation vers la chute du régime et son propre retour au pouvoir. Il laisse se dérouler les événements et n'intervient que par la parole, mais celle-ci va se révéler une arme politique redoutable, précipiter la décomposition d'un régime à l'agonie et faire apparaître l'ancien chef de la France Libre comme l'ultime recours, le garant des libertés publiques, la seule chance d'éviter la guerre civile. Trois étapes marquent cette stratégie :

– Le 15 mai, analysant la situation, il déclare se tenir *« prêt à assumer les pouvoirs de la République »*. Cette déclaration qui répond à l'appel lancé à Alger par le général Salan est interprétée comme une manifestation de solidarité avec les émeutiers d'Alger et inquiète les républicains.

– Le 19 mai 1958 redresse cette image défavorable. Le général de Gaulle, dans une conférence de presse, rappelle son rôle durant la guerre, le rétablissement de la démocratie, affirme son attachement aux libertés publiques, rassurant ainsi ceux qui redoutaient de voir en lui l'homme des généraux d'Algérie. Des négociations s'ouvrent alors avec les dirigeants du régime.

– Le 27 mai, après une entrevue sans issue avec le Président Pflimlin, le général de Gaulle publie une déclaration annonçant qu'il a entamé le *« processus régulier nécessaire à l'établissement d'un gouvernement républicain »*. Bien que cette affirmation ne repose sur aucune réalité, elle a un impact décisif sur l'opinion publique, désormais persuadée du caractère inéluctable du retour au pouvoir du général de Gaulle, d'autant que celui-ci parle en maître à l'armée et au pays. Le gouvernement Pflimlin est bien trop faible pour renverser la tendance et il n'a plus qu'à démissionner.

Le coup de grâce au régime est porté par deux hommes qui semblaient l'incarner. Le chef du parti socialiste, Guy Mollet, après une entrevue avec le général, décide de se rallier à lui et de voter son investiture comme Président du Conseil. Le Président de la République, René Coty, gardien des institutions, fait savoir qu'il démissionnera si le général de Gaulle n'est pas investi. Cette double pression est décisive. Le 1er juin, l'Assemblée nationale vote l'investiture du gouvernement de Gaulle qui comprend les chefs des principaux partis politiques, des socialistes à la droite. Le lendemain, le général de Gaulle reçoit les pleins pouvoirs et le 3 juin le droit de réviser la Constitution.

La guerre d'Algérie a conduit au suicide la IVe République.

CHAPITRE 19

Le temps du gaullisme triomphant (1958-1974)

Appelé au pouvoir, le général de Gaulle, Président du Conseil de la IVᵉ République, fait adopter par référendum de nouvelles institutions. Il est élu Président de la Vᵉ République après la victoire des gaullistes aux élections de 1958. Sa tâche la plus urgente est de mettre fin à la guerre d'Algérie, ce qui lui donne l'occasion de renforcer son pouvoir, entraînant l'opposition des partis politiques, défaits par les gaullistes aux élections de 1962.
Parallèlement, de Gaulle accomplit une œuvre considérable, présidant à une expansion économique sans précédent, achevant la décolonisation et conduisant une politique extérieure d'indépendance nationale. Pourtant, dès 1965, les consultations électorales révèlent une certaine usure du pouvoir qui transforme en crise politique la crise sociale et morale de mai 1968, et débouche en avril 1969 sur la démission du général. Son successeur, Georges Pompidou, laisse place dès 1972, après une phase réformatrice, à un raidissement conservateur.

L'installation de la Ve république

• Le gouvernement de Gaulle

Entre juin 1958 et décembre de la même année, le général de Gaulle est Président du Conseil de la IVe République, René Coty restant chef de l'État. C'est pendant cette période de transition que sont mises en place les nouvelles institutions.

Le gouvernement constitué par le général de Gaulle après son investiture par l'Assemblée nationale, en juin, a tous les caractères d'un gouvernement d'union nationale. Toutes les grandes familles politiques (socialistes, radicaux et radicalisants de l'UDSR, MRP, indépendants, républicains-sociaux) y sont représentées par un nombre identique de ministres, et la plupart des dirigeants de la IVe République qui ont accepté le retour au pouvoir du général y siègent comme ministres d'État, le socialiste Guy Mollet, le MRP Pflimlin, l'indépendant Pinay. Non sans ironie le général de Gaulle souligne d'ailleurs ce trait de son gouvernement en déclarant lors du premier Conseil des ministres : *«Messieurs, nous sommes au grand complet, il ne manque que MM. Thorez, Poujade et Ferhat Abbas»*.

En fait, l'union nationale et la participation de tous les partis ne sont qu'une apparence. La réalité, c'est que le gouvernement de Gaulle est un ministère où les politiques ont un rôle essentiellement représentatif, les techniciens détenant les postes clés aux yeux du chef du gouvernement. En dehors du général de Gaulle, Président du Conseil, et l'écrivain André Malraux, ce sont des non-parlementaires qui sont aux Affaires étrangères (le diplomate Couve de Murville), à l'Intérieur (le préfet Pelletier), à la Défense nationale (le polytechnicien Guillaumat).

Outre l'affaire algérienne (que le général de Gaulle se réserve), le grand problème de ce gouvernement est la réforme des institutions. Rédigée par un groupe de juristes rassemblés autour de Michel Debré, ministre de la Justice et fidèle du général, discutée dans un comité ministériel où siègent les ministres chefs de partis, la Constitution est enfin soumise à un comité consultatif constitutionnel formé de parlementaires et placé sous la présidence de Paul Reynaud. Adoptée par le gouvernement le 3 septembre 1958, elle est symboliquement présentée à la nation le 4 septembre, date anniversaire de la proclamation de la IIIe République, à Paris, place de la République. Pour entrer effectivement en application, il lui faut être adoptée par le peuple, consulté par référendum à l'automne 1958.

• La mise en place des institutions de la Vᵉ République

Le référendum constitutionnel a lieu le 28 septembre 1958. Tous les grands partis politiques, sauf le parti communiste, préconisent une réponse positive : socialistes, radicaux, MRP, indépendants, républicains-sociaux. À droite, seul Pierre Poujade appelle à voter «non». Mais c'est pour l'essentiel de la gauche que viennent les oppositions. D'abord, du parti communiste qui fait une vigoureuse campagne pour le «non». Ensuite, de minorités des partis ou des groupes de gauche qui se rassemblent dans l'Union des forces démocratiques (UFD) : syndicalistes de la CGT ou de la CFTC, aile gauche de la SFIO conduite par Édouard Depreux, André Philip, Daniel Mayer, Alain Savary, Robert Verdier et qui fait scission pour constituer le Parti socialiste autonome (PSA), quelques radicaux qui suivent Pierre Mendès France, une partie de l'UDSR derrière François Mitterrand, les chrétiens de gauche de la «Jeune République» … Mais l'échec de cette coalition qui préconise un vote négatif est très net. Le 28 septembre, une écrasante majorité de votants – 80 % – approuve la Constitution qui fonde la Vᵉ République.

Dès lors, les mois de novembre et décembre voient la mise en place des nouvelles institutions que le peuple vient d'approuver. En novembre, ont lieu les élections à l'Assemblée nationale. Elles se déroulent non plus à la proportionnelle comme sous la IVᵉ République, mais au scrutin d'arrondissement majoritaire à deux tours. La campagne électorale voit toutes les formations (sauf le parti communiste et l'UFD) se réclamer du gaullisme, depuis les socialistes jusqu'au nouveau parti créé à l'occasion des élections, pour rassembler les diverses familles du gaullisme, l'Union pour la nouvelle République (UNR). Le scrutin de novembre, confirmant le référendum de septembre, constitue une lourde défaite pour les adversaires du gaullisme. Au premier tour, le parti communiste, avec 19 % des suffrages, perd un tiers de ses électeurs, l'UFD ne recueille que 1 % des voix, le poujadisme s'effondre. Les partis de la IVᵉ République qui s'étaient ralliés au gaullisme stagnent (socialistes, MRP) ou s'effondrent (radicaux). En revanche, les modérés (22 %) et l'UNR (20 %) remportent un succès remarquable qui témoigne d'une forte poussée à droite de l'électorat. Ces indications du premier tour se trouvent amplifiées au second par l'effet du scrutin majoritaire qui favorise les grandes formations : l'UNR et les modérés constituent une forte majorité de droite, tandis que les autres partis sont réduits à un rang secondaire.

Les forces politiques en novembre 1958

	% des suffrages exprimés au 1er tour	Nombre de députés
Parti communiste	19,2	10
Parti socialiste SFIO	15,7	44
Radicaux	7,3	23
MRP	11,1	57
Indépendants	22,1	133
UNR	20,4	198

Preuve du nouvel équilibre des forces : l'Assemblée nationale, réunie en décembre 1958, porte à sa présidence le gaulliste Jacques Chaban-Delmas contre Paul Reynaud, cependant soutenu par le général de Gaulle, mais considéré par l'UNR comme un parlementaire traditionnel.

En décembre 1958 a lieu l'élection du Président de la République. La nouvelle Constitution dispose que celui-ci sera désigné, non par le Parlement comme sous les IIIe et IVe Républiques, mais par un collège de 80000 notables où les parlementaires figurent certes, mais se trouvent noyés sous la masse des conseillers généraux et des représentants des conseils municipaux qui forment l'écrasante majorité du collège. Ces notables plébiscitent littéralement le général de Gaulle qui l'emporte par près de 80 % des suffrages sur ses rivaux, communiste (Georges Marrane) et UFD (le doyen Chatelet). Enfin, en janvier 1959, le nouveau chef de l'État nomme Premier ministre le gaulliste Michel Debré, principal rédacteur de la Constitution qu'il va avoir pour charge d'appliquer.

La fin de la guerre d'Algérie (1958-1962)

• Vers l'indépendence algérienne

De 1958 à 1962, la guerre d'Algérie est le principal problème politique que doit affronter la Ve République. Rappelé au pouvoir par l'armée et les Européens d'Algérie qui attendent de lui qu'il maintienne la souveraineté française, le général de Gaulle ne semble pas avoir d'avis arrêté sur la solution à apporter au conflit. Les interlocuteurs qu'il reçoit avant son arrivée au pouvoir retirent de leurs entretiens avec lui des impressions contradictoires, les libéraux revenant convaincus qu'il est disposé à négocier avec le FLN, les tenants de l'Algérie française affirmant de leur côté que lui seul saura trouver les moyens de maintenir la présence française.

En fait, le général va adopter une ligne pragmatique, s'efforçant de préserver au maximum la place de la France dans les trois départements d'outre-Méditerranée, mais s'adaptant sans cesse aux circonstances. Or celles-ci jouent nettement contre l'Algérie française. En premier lieu, le FLN, loin de saisir les propositions de négociation et les ouvertures du général de Gaulle, ne cesse d'affirmer sa détermination de ne discuter que de l'indépendance. Ainsi répond-il en 1958 à l'arrivée au pouvoir du général de Gaulle et aux scènes de fraternisation plus ou moins spontanées entre Européens et musulmans en Algérie par la création d'un Gouvernement provisoire de la République algérienne sous la présidence de Ferhat Abbas. En second lieu, l'opinion internationale désavoue de plus en plus nettement l'attitude de la France qu'elle considère comme attardée dans une attitude colonialiste dépassée, et ce facteur gêne les objectifs de politique étrangère du général de Gaulle. Enfin, en France même, l'opposition croissante au conflit prouve au général de Gaulle que la nation est lasse d'une guerre qui semble sans issue. Progressivement, le général se convainc que la poursuite de la guerre use sans profit les forces nationales et épuise le pays, le détournant des grands projets dans lesquels il souhaite l'engager.

Une série de discours permet de suivre l'évolution des convictions du chef de l'État, en même temps qu'elle constitue une véritable pédagogie politique à l'usage de l'opinion nationale et internationale et de l'armée. En septembre 1958, après son retour au pouvoir, le général propose au FLN, la « paix des braves », c'est-à-dire une reddition honorable. Cette offre, peu attrayante pour ses interlocuteurs, étant restée sans réponse, le Président de la République franchit en septembre 1959 une étape décisive en reconnaissant le droit de l'Algérie à l'autodétermination. Sous la pression des circonstances, il est conduit à définir progressivement le contenu de cette autodétermination et, de discours en conférences de presse, ne cesse de se rapprocher des conceptions du FLN. Ainsi évoque-t-il en 1960 « l'Algérie algérienne », puis la « République algérienne » pour aboutir en 1961 à l'idée d'un « État algérien souverain ». Des pourparlers, plusieurs fois rompus, s'ouvrent avec le FLN dès 1960. Ils aboutissent finalement en 1962 aux accords d'Évian qui reconnaissent l'indépendance de l'Algérie.

Cette évolution vers l'indépendance que jalonnent les prises de position du général de Gaulle provoque une vive tension entre le pouvoir d'une part, l'armée et les Européens d'Algérie de l'autre.

Considérant que c'est à leur action et en s'engageant tacitement à maintenir l'Algérie française que le général doit son retour au pouvoir, ces derniers ont le sentiment d'avoir été trompés. Dès 1959 et le discours sur l'autodétermination, ils rêvent d'un nouveau 13 mai qui se ferait cette fois contre le général de Gaulle et ferait naître un pouvoir militaire décidé à combattre sans merci le FLN. Mais si l'armée et les activistes d'Algérie ont la possibilité de déclencher des troubles, ils n'ont guère les moyens d'imposer un changement du solide pouvoir établi par le général de Gaulle. Trois épisodes vont montrer la faiblesse politique des activistes et donner à la fin de la guerre d'Algérie un tour dramatique, les Européens d'Algérie étant les principales victimes des événements.

– En janvier 1960, les activistes d'Alger déclenchent la « semaine des barricades » que l'armée laisse se développer. Le cafetier Ortiz dans le centre d'Alger, l'avocat Lagaillarde aux facultés créent des réduits retranchés que les forces de l'ordre entourent sans les prendre d'assaut. Il suffit d'un discours du général de Gaulle pour que le mouvement, privé de perspectives politiques et qui n'a pas réussi à entraîner l'armée, s'effondre de lui-même.

– En avril 1961, l'alerte est plus sérieuse. Quatre généraux de premier plan dont deux anciens commandants en chef en Algérie (Salan et Challe), l'ancien chef de l'aviation en Algérie (Jouhaud), l'ancien chef d'état-major de l'armée de terre (Zeller), provoquent un putsch à Alger, soutenus par une partie des unités, et se préparent à tenter une opération militaire en métropole. Le refus des soldats du contingent de suivre les rebelles, une série d'arrestations en métropole des partisans du putsch, une très ferme intervention télévisée du chef de l'État amènent en quelques jours la désintégration du mouvement qui apparaît comme privé d'assises solides.

– Désormais, les activistes de tous bords se retrouvent dans l'Organisation armée secrète (OAS) qui, par une série d'attentats en France et en Algérie, s'efforce d'abord d'empêcher tout accord avec le FLN. Une fois celui-ci acquis à Évian, l'OAS tente d'en rendre l'application impossible en pratiquant le terrorisme à grande échelle. Enfin, lorsqu'il s'avère que cette tactique est vaine, elle lance comme mot d'ordre de rendre l'Algérie au FLN dans l'état où la France l'avait trouvée 130 ans plus tôt et elle se lance dans une campagne de destructions systématiques. Bénéficiant de l'appui d'une grande partie de la population européenne qui voit en elle son dernier espoir, l'OAS entre en conflit avec les autorités et l'armée française en Algérie. Ses mots d'ordre vont conduire à de dramatiques affrontements au cours desquels l'armée, prise à partie par la population, fait usage de ses armes, provoquant des morts et des blessés. Le seul résultat de cette action sera d'interdire toute cohabitation entre Européens et musulmans : l'indépendance de l'Algérie s'accompagne du départ de la plus grande partie de la communauté européenne qui quitte avec déchirement et en abandonnant l'essentiel de ses biens une terre où elle était née, pour affronter un difficile reclassement en métropole. Quant à l'OAS, pourchassée par la police, elle ourdit de multiples complots pour assassiner le général de Gaulle. Celui-ci n'échappe à la mort que d'extrême justesse lors de l'attentat du Petit-Clamart le 22 août 1962.

• Des accords d'Évian à la crise de 1962

Marquant les quatre premières années du nouveau régime, la guerre d'Algérie va avoir pour conséquence un infléchissement sensible de la Ve République. L'opinion publique et les partis politiques partagent en effet la conviction que le général de Gaulle est le seul homme d'État capable de sortir la France de la guerre d'Algérie et d'imposer une solution négociée aux Français d'Algérie et à l'armée. Las de la guerre, inquiets des risques d'un coup d'État militaire de caractère fascisant, les Français font une totale confiance au Président de la République pour résoudre le problème et sa popularité est alors à son zénith. Les référendums proposés aux Français sur le principe d'autodétermination en Algérie en janvier 1961 ou sur l'approbation des accords d'Évian en avril 1962 sont de spectaculaires succès pour le chef de l'État (75 % de « oui » dans le premier cas, 90,6 % dans le second). Appuyé sur l'opinion publique, sûr que les partis n'oseront pas prendre l'initiative de provoquer une crise qui entraînerait sa démission, le général de Gaulle a pratiquement les mains libres. Il profite de cette situation pour imposer une interprétation des institutions de la Ve République fort éloignée de celle acceptée par les dirigeants des partis en 1958. Il fait du chef de l'État le seul pouvoir réel, toutes les grandes décisions étant prises à l'Élysée alors que le gouvernement se trouve réduit à un rôle d'exécution et le Parlement à celui de chambre d'enregistrement. Rongeant leur frein en raison du problème de la guerre d'Algérie, les partis politiques sont décidés à se débarrasser du général de Gaulle une fois le problème réglé.

La signature des accords d'Évian en mars 1962 donne le signal de l'ouverture des hostilités entre le général de Gaulle et les partis. On voit alors les formations politiques se coaliser contre le Président de la République, pour des raisons d'ailleurs différentes. Socialistes et radicaux passent à l'opposition en 1959, en désaccord avec la pratique autoritaire du pouvoir du général de Gaulle et avec la décision du gouvernement d'aider les écoles libres. Nombre de modérés et même quelques UNR, partisans de l'Algérie française, rompent avec le pouvoir lorsqu'il apparaît clairement que celui-ci choisit la voie de la négociation. De surcroît, les indépendants sont ulcérés par le renvoi d'Antoine Pinay du gouvernement en janvier 1960. Les ministres MRP, conduits par Pierre Pflimlin, démissionnent en avril 1962 lorsque le chef de l'État rejette toute idée d'Europe supranationale. Enfin, nombre de parlementaires s'indignent de voir les Chambres tenues à l'écart de toutes les grandes décisions. Conscient du caractère inévitable de la crise, le Premier ministre Michel Debré propose au général de Gaulle de prendre les devants et de dissoudre l'Assemblée nationale afin de ramener une majorité clairement gaulliste dans la foulée du triomphal référendum sur l'approbation des accords d'Évian. Rejetant cette suggestion, le général de Gaulle choisit de provoquer délibérément la crise en défiant les partis politiques. M. Debré ayant démissionné, le général de Gaulle le remplace par son collaborateur Georges Pompidou qui n'est ni parlementaire, ni homme politique. Cette nomination est considérée comme un défi marquant la volonté du chef de l'État, irresponsable, de diriger lui-même le gouvernement à travers un Premier ministre qui continuera à n'être que son chef de cabinet. L'Assemblée n'accorde sa confiance au gouvernement Pompidou qu'à une étroite majorité.

Devant le conflit qui s'amorce, le général de Gaulle franchit un pas de plus dans l'escalade : le 12 septembre 1962, profitant de l'émotion provoquée dans l'opinion par l'attentat manqué du Petit-Clamart, il annonce qu'une révision de la Constitution prévoyant l'élection du Président de la République au suffrage universel sera soumise à référendum (et non à l'approbation du Parlement comme le prévoit la Constitution). En octobre 1962, l'Assemblée nationale réplique en adoptant une motion de censure qui renverse le gouvernement Pompidou. Aussitôt le général de Gaulle dissout l'Assemblée nationale et annonce de nouvelles élections.

La crise de 1962 entre le général de Gaulle et les partis politiques se trouve dénouée à l'avantage du premier par le référendum du 28 octobre et les élections législatives des 18 et 25 novembre. Le référendum d'octobre sur l'élection du Président de la République au suffrage universel s'engage cependant dans des conditions difficiles pour le chef de l'État. La procédure référendaire qu'il a choisie de préférence à une révision votée par les deux assemblées est contestée par les juristes du Conseil d'État et du Conseil constitutionnel. Le Président du Sénat, Gaston Monnerville, prend vivement à partie le Premier ministre, n'hésitant pas à l'accuser de forfaiture. Plus grave encore, tous les partis politiques, sauf l'UNR, préconisent le «non» au référendum. Socialistes, radicaux, MRP, indépendants s'unissent même dans une coalition, le «cartel des non», qui invite les électeurs à rejeter la réforme. Mis à l'écart de ce rassemblement, le parti communiste se prononce, lui aussi, pour un vote négatif. Or, le 28 octobre, le général de Gaulle, isolé, remporte un éclatant triomphe sur la coalition de ses adversaires : 62% des votants approuvent la réforme constitutionnelle. À l'expiration du mandat du général de Gaulle, fin 1965, c'est donc le corps électoral tout entier qui choisira le nouveau Président.

Vainqueurs du référendum d'octobre, les gaullistes remportent d'un même élan les élections de novembre. En rassemblant 32% des suffrages exprimés, l'UNR enregistre un raz de marée, tandis que les partis du «cartel des non» perdent des voix. Au second tour, l'UNR frôle la majorité absolue des sièges avec 233 députés (sur 482). Elle l'obtient grâce à l'alliance du nouveau parti des républicains-indépendants, créé entre les deux tours par les modérés favorables au gaullisme qui se sont prononcés pour le «oui» au référendum à la suite de Valéry Giscard d'Estaing. Le général de Gaulle nomme à nouveau Georges Pompidou Premier ministre. Vainqueur des partis politiques qui ne supportaient qu'impatiemment son autorité depuis 1962, le général de Gaulle a désormais les mains libres pour pratiquer la politique de son choix, dans le cadre d'institutions qu'il a modelées à son intention.

Les forces politiques en novembre 1962

	% des suffrages exprimés au 1er tour	Nombre de députés
Parti communiste	21,7	41
Parti socialiste SFIO	12,6	66
Rassemblement démocratique (Radicaux et UDSR)	7,5	39
Centre démocratique (MRP, UDSR, Indépendants)	8,9	55
UNR	31,9	233
Républicains-Indépendants	4,4	36

Les institutions et leur pratique

• Le cadre institutionnel

La Constitution de 1958 est le résultat d'un compromis entre le général de Gaulle qui a exigé qu'elle s'inspire du principe de la séparation des pouvoirs, afin de renforcer l'autorité de l'État, et les dirigeants des partis politiques qui ont combattu pour le maintien du régime parlementaire. En fait, ces deux principes sont contradictoires ; selon celui des deux qui est privilégié, on peut aboutir dans la pratique à un régime dominé par le Président de la République ou bien placé sous le contrôle de l'Assemblée. Un examen attentif de la Constitution montre que c'est la première hypothèse qui a prévalu.

L'autorité du chef de l'État est en effet considérablement renforcée par le texte constitutionnel. La définition de son rôle est certes conforme à la tradition républicaine : il assure par son arbitrage le fonctionnement régulier des pouvoirs publics et la continuité de l'État. Il est le garant de l'indépendance nationale et de l'intégrité du territoire. Il signe les traités. Il nomme le Premier ministre. Ce qui est neuf, ce sont les pouvoirs dont il dispose pour jouer ce rôle : droit de dissoudre l'Assemblée nationale (sauf dans l'année qui suit son élection) ; possibilité de consulter le pays par référendum ; en cas de menace sur les institutions, l'indépendance nationale ou l'intégrité du territoire, octroi des pleins pouvoirs en vertu de l'article 16. Ce Président aux moyens considérables ne procède pas du Parlement. Élu par un collège de 80000 notables en vertu de la Constitution de 1958, il voit son autorité encore renforcée par la réforme constitutionnelle de 1962. Le « sacre » du suffrage universel en fait pour sept ans un véritable « monarque républicain ».

Face à ce Président tout-puissant, les prérogatives du Parlement, constitué de deux Chambres, sont étroitement limitées :
– L'Assemblée nationale est élue pour cinq ans au scrutin uninominal majoritaire à deux tours, réputé fournir des majorités solides en éliminant les partis charnières. Confinés dans un rôle législatif et budgétaire, les députés voient leurs initiatives limitées et leur contrôle sur le gouvernement strictement réglementé : les interpellations sont supprimées ; le gouvernement ne peut être renversé que par une motion de censure rassemblant la majorité absolue (les abstentions étant considérées comme des votes en faveur du gouvernement). Les dates des sessions de l'Assemblée sont fixées par la loi et elle n'est plus maîtresse de son ordre du jour, pratiquement fixé par le gouvernement.

– Le Sénat, désigné au suffrage indirect par un collège électoral surtout formé d'élus locaux, a un rôle limité de confirmation des lois. En cas de désaccord entre les deux assemblées, après deux «navettes», une Commission mixte paritaire tente de dégager un texte commun. Si elle échoue, le dernier mot appartient à l'Assemblée.

On peut se faire une idée du poids réel du chef de l'État par rapport au Parlement en examinant le statut du gouvernement. Nommé par le Président de la République, mais responsable devant l'Assemblée nationale, chargé de déterminer et de conduire la politique de la nation, il se trouve à la charnière des deux pouvoirs. En fait, les textes et plus encore la pratique en font une émanation du Président de la République. C'est ce dernier qui nomme le Premier ministre et les ministres (en théorie sur proposition du Premier ministre) et met fin à leurs fonctions. Le rôle de l'Assemblée se borne à approuver le programme du gouvernement (avec menace de dissolution si elle refuse). L'incompatibilité entre fonction ministérielle et mandat parlementaire et l'appel fréquent à des personnalités non-parlementaires au gouvernement accroissent encore l'indépendance de celui-ci par rapport au Parlement.

Enfin, la Ve République a créé, sur le modèle de la Cour suprême des États-Unis, un Conseil constitutionnel, chargé de veiller à la constitutionnalité des lois. Formé de neuf membres désignés pour neuf ans et renouvelables par tiers tous les trois ans (trois par le chef de l'État, trois par le Président de chacune des deux Assemblées), il est l'organisme suprême de contrôle des élections et des textes législatifs.

• La pratique du pouvoir

La pratique du pouvoir a encore renforcé les effets du texte constitutionnel pour consolider la prépondérance du Président de la République dans les institutions. C'est le résultat des circonstances exceptionnelles que constituent les événements d'Algérie mais aussi du tempérament politique du général de Gaulle qui voit depuis le discours de Bayeux de 1946 dans le chef de l'État la clé de voûte des institutions. Ce renforcement revêt deux aspects :

– La réduction du gouvernement à un rôle d'exécution : on voit s'affirmer l'idée d'un «domaine réservé» au chef de l'État qui comprend toutes les grandes questions nationales (défense nationale, Algérie, diplomatie…). En conséquence, se crée à l'Élysée un véritable supercabinet formé de comités spécialisés, d'experts qui dessaisissent largement les ministères correspondants. Les ministres voient leur rôle se limiter à la mise en œuvre des décisions prises par le chef de l'État. Celui-ci nomme et révoque d'ailleurs les ministres comme il l'entend, la proposition du Premier ministre étant de pure forme. Antoine Pinay et Jacques Soustelle, par exemple, en désaccord avec le Président, doivent se retirer en 1960.

– La mise à l'écart du Parlement : méfiant envers le Parlement, le général de Gaulle limite son champ d'action. En mars 1960, il refuse tout simplement la convocation de l'Assemblée demandée par la majorité de ses membres (elle est alors de droit, d'après la Constitution). À diverses reprises, il dessaisit le Parlement, soit en se faisant reconnaître le droit de légiférer par ordonnances, soit, au moment du putsch des généraux, en faisant jouer l'article 16 et en conservant six mois les pleins pouvoirs qu'il lui donne. Par-dessus la tête des parlementaires, le général de Gaulle préfère s'adresser directement au pays par des discours, des voyages, des conférences de presse, des allocutions radiotélévisées et surtout des référendums qui constituent à la fois des questions posées aux Français sur des sujets précis et un témoignage de confiance envers le chef de l'État qui renouvelle ainsi, périodiquement, dans le suffrage universel, sa propre légitimité.

Dans une conférence de presse, le 31 janvier 1964, le Président de la République précise d'ailleurs la manière dont il conçoit la lecture de la Constitution de la Ve République et le rôle fondamental que doit y jouer le Président :

« L'esprit de la Constitution nouvelle consiste, tout en gardant un Parlement législatif, à faire en sorte que le pouvoir ne soit plus la chose des partisans, mais qu'il procède directement du peuple, ce qui implique que le chef de l'État, élu par la nation, en soit la source et le détenteur (…). Le Président est évidemment seul à détenir et à déléguer l'autorité de l'État (…). Mais s'il doit être évidemment entendu que l'autorité indivisible de l'État est confiée tout entière au Président par le peuple qui l'a élu, qu'il n'en existe aucune autre, ni ministérielle, ni civile, ni militaire, ni judiciaire qui ne soit conférée et maintenue par lui, enfin qu'il lui appartient d'ajuster le domaine suprême qui lui est propre avec ceux dont il attribue la gestion à d'autres, tout commande, dans les temps ordinaires, de maintenir la distinction entre la fonction et le champ d'action du chef de l'État et ceux du Premier ministre (…). »

Cette évolution des institutions débouche sur une très grave crise des partis politiques. Ceux-ci, dont le rôle traditionnel est lié à l'activité parlementaire, sont en plein désarroi devant un régime qui ne leur laisse d'alternative qu'entre l'acquiescement à la politique du chef de l'État et une opposition stérile. Écrasés en 1962, ils sont à la recherche de stratégies nouvelles et esquissent des rapprochements, commandés par le système électoral majoritaire. On voit alors se constituer des rassemblements au Parlement et dans le pays. C'est ainsi que les dirigeants du MRP, Jean Lecanuet et Joseph Fontanet, prennent des contacts avec les indépendants de Bertrand Motte et les membres libéraux de l'UDSR qui suivent René Pleven et Eugène Claudius-Petit, pour former un centre-droit d'opposition, libéral et européen, auquel participent en outre quelques radicaux. De leur côté, les radicaux, conduits par Maurice Faure, se rapprochent de la gauche de l'UDSR dirigée par François Mitterrand pour former le Rassemblement démocratique qui prend des contacts avec les socialistes, mais aussi avec le MPR. Par ailleurs, hors des partis, des clubs, riches en personnalités, mais pauvres en effectifs, comme le club Jean Moulin s'efforcent de penser un nouveau programme d'opposition, adapté à l'époque et capable d'attirer une opinion publique qui s'écarte des partis vieillis et mal adaptés, aux doctrines sclérosées. Mais cet effort de renouvellement du système politique français est à peine engagé et l'opposition encore dispersée et mal remise de son échec de 1962 lorsque se présente l'échéance de 1965, la première élection du Président de la République au suffrage universel. Et la tâche apparaît d'autant plus difficile à l'opposition que le nouveau régime peut présenter un bilan largement favorable, à l'issue du premier septennat du général de Gaulle.

Les succès de la politique gaullienne (1958-1965)

• La stabilité et l'expansion

Le premier résultat que le gaullisme peut porter à son actif est d'avoir substitué la stabilité gouvernementale à l'instabilité chronique qui avait marqué la IVe République. Durant onze années, de 1958 à 1969, le général de Gaulle, Président de la République, donne l'impulsion d'ensemble de la politique française. Durant cette période, il n'a que trois Premiers ministres, Michel Debré (1958-1962), Georges Pompidou (1962-1968), Maurice Couve de Murville (1968-1969). Il en résulte une incontestable continuité de l'action gouvernementale, d'autant que certains ministres conservent longtemps leurs portefeuilles : M. Couve de Murville reste aux Affaires étrangères de 1958 à 1967, Pierre Messmer est ministre des Armées de 1960 à 1969. Toutefois, cette stabilité ne concerne que les postes clés et en particulier ceux qui déterminent la politique extérieure de la France. En revanche, des ministères comme l'Éducation nationale, l'Intérieur, l'Agriculture changent fréquemment de titulaires, si bien qu'on ne saurait considérer que, dans ces domaines, la continuité soit aussi attestée que dans ceux relevant des affaires extérieures.

Plus encore que la stabilité gouvernementale, le gaullisme peut porter à son actif la remarquable expansion économique qui coïncide avec la présidence du général de Gaulle. Sans doute cette expansion est-elle un phénomène mondial qui affecte au même moment tous les grands pays industriels du monde. Mais la France de la Ve République participe pleinement au mouvement dans la mesure où la stabilité politique rassure les investisseurs et les hommes d'affaires. Par ailleurs, le gouvernement s'efforce de contrôler et d'harmoniser la croissance en utilisant au maximum les possibilités de la planification (plan intérimaire 1960-1961 et IVe plan 1961-1964). Pendant la présidence du général de Gaulle, la France connaît ainsi une remarquable croissance industrielle, une augmentation de la production agricole, une balance commerciale équilibrée.

Toutefois, cette entrée de la France dans une ère de croissance spectaculaire ne va ni sans tensions, ni sans difficultés. Les plus graves concernent le monde rural, constitué de petites entreprises mal adaptées au marché et à la concurrence internationale et dont les difficultés donnent lieu en 1960-1962 à de violentes manifestations, comme la « prise » de la sous-préfecture de Morlaix en juin 1961. Le ministre de l'Agriculture Edgard Pisani fait voter par le Parlement des lois-cadres destinées à moderniser l'agriculture française par la constitution de grands domaines économiquement rentables. Autre source de tensions, le mécontentement des salariés qui considèrent que les « fruits de la croissance » sont inégalement répartis et déclenchent en 1963 des grèves très dures (par exemple dans les mines).

Surtout la croissance française se développe dans un climat d'inflation endémique. En 1958, le plan Pinay-Rueff avait conduit à un assainissement de la situation du pays par une dévaluation de 17,5 % du franc, la libération des échanges extérieurs, des économies sévères et des augmentations d'impôts qui permettent de limiter le déficit budgétaire. Enfin, pour frapper les esprits, un « nouveau franc » ou « franc lourd », valant 100 anciens francs, avait été mis en circulation. Jusqu'en 1962, ces mesures avaient permis que la croissance se développe dans un contexte d'équilibre du budget et de hausse modérée des salaires et des prix. Mais, à partir de cette date, la poussée des prix et des salaires fait reparaître l'inflation. Pour y mettre fin, Valéry Giscard d'Estaing, ministre de l'Économie et des Finances, lance en 1963 un «plan de stabilisation» : économies et impôts nouveaux, mais surtout blocage et contrôle des prix et restriction du crédit. Il en résulte un frein à l'expansion jusqu'en 1965 : la production stagne et il faut réviser en baisse les objectifs du plan.

• Achèvement de la décolonisation et politique d'indépendance nationale

Venu au pouvoir à l'occasion d'une crise coloniale, ayant dû affronter pendant quatre années les difficultés de tous ordres liées à la guerre d'Algérie, le général de Gaulle est désormais convaincu que la France a plus à perdre qu'à gagner au maintien de sa domination sur les territoires coloniaux. Il est résolu à dégager le pays «des astreintes... que lui imposait son empire». Outre l'Algérie, le problème concerne surtout en 1958 l'Afrique noire et Madagascar. Encore la loi-cadre Defferre a-t-elle préparé les voies d'un possible dégagement français. C'est dans la ligne de ce texte que le titre XII de la Constitution de 1958 donne le choix aux colonies entre l'indépendance assortie de la rupture avec la France (il leur suffit pour cela de voter «non» au référendum de 1958) et l'appartenance à une «Communauté» qui les associe à la France. Dans ce dernier cas, ils deviennent des États autonomes s'administrant eux-mêmes, mais acceptant de déléguer certaines affaires à des institutions communautaires et recevant l'aide française. Pratiquement toutes les colonies d'Afrique noire et Madagascar choisissent en 1958 l'appartenance à la Communauté; seule la Guinée, à l'appel du leader nationaliste Sékou Touré, choisit en 1958 l'indépendance et la rupture.

Mais la Communauté va très rapidement évoluer. La plupart des État-membres font connaître leur désir d'accéder à une indépendance totale, sans pour autant rompre les liens de tous ordres qui les rattachent à la France. En 1960, le général de Gaulle accepte la révision du titre XII de la Constitution. Douze anciennes colonies françaises d'Afrique noire et Madagascar deviennent indépendantes et entrent à l'ONU. Le général de Gaulle achève ainsi par une évolution réussie la décolonisation française marquée à ses origines par une série de conflits militaires. À la place de l'ancien empire d'Afrique et de la Communauté mort-née naît un ensemble francophone africain dans lequel les liens économiques, techniques, culturels, voire les accords militaires mis en œuvre par la politique de coopération remplacent les anciens rapports de dépendance politique.

Si l'opinion française dans sa grande majorité approuve l'achèvement de la décolonisation, elle se montre tout aussi favorable à la politique étrangère d'indépendance nationale du général de Gaulle. Celle-ci revêt deux aspects principaux :

– En premier lieu, soucieux de rendre à la France son rang de grande puissance, le général de Gaulle rejette avec énergie, et non sans une certaine ostentation, le « protectorat américain ». En 1958, il propose à la Grande-Bretagne et aux États-Unis un « directoire à trois » de l'alliance Atlantique. Devant l'absence de réponse de ses partenaires, il met résolument en œuvre une politique indépendante, non dénuée d'une pointe d'anti-américanisme. C'est ainsi qu'il décide de poursuivre les recherches commencées sous la IVe République afin de doter la France d'une force nucléaire nationale. La première bombe atomique française explose à Reggane, au Sahara, en février 1960. Par ailleurs, tout en demeurant dans l'alliance Atlantique, la France retire en 1963 sa flotte du commandement intégré de l'OTAN, prélude au retrait de toutes les forces françaises de l'organisation militaire de l'alliance en 1966. En même temps, il multiplie les critiques publiques à la politique américaine : reconnaissance de la Chine communiste en 1964, alors que Washington continue à l'ignorer ; violent désaveu de la guerre menée par les États-Unis au Vietnam et proposition de neutralisation de la péninsule indochinoise, lors du discours de Phnom-Penh en 1966 ; appui aux États du tiers-monde contre la prépondérance américaine ; recherche de la détente, puis de l'entente avec l'Est ; remise en cause du système monétaire international fondé sur la primauté du dollar et proposition de retour à l'étalon or. Toutefois, ces gestes d'indépendance, voire de réserve à l'égard d'une prépondérance américaine jugée insupportable n'impliquent nullement une remise en cause de l'alliance, à condition que la France y fasse figure de partenaire indépendant : en 1962, lors de la crise des fusées, la France fait connaître aux États-Unis son appui total dans le conflit qui l'oppose à l'URSS.

– Le second volet de la politique extérieure du général de Gaulle concerne l'Europe. En 1962, le général de Gaulle brocarde l'Europe supranationale et préconise une « Europe des patries », dans laquelle chaque nation conserverait son identité, mais dont les gouvernements s'entendraient pour mener une politique commune garantissant l'indépendance du continent et en faisant un troisième bloc face aux deux « Grands ». La clé de voûte de cette Europe serait l'entente franco-allemande, et celle-ci est mise en œuvre par une série de contacts chaleureux entre le Président de la République et le chancelier allemand Adenauer en 1960-1962. Mais ces velléités ne déboucheront sur aucun résultat concret. Successeur d'Adenauer, le chancelier Erhard manifeste peu d'enthousiasme pour le tête-à-tête avec la France. Par ailleurs, le plan Fouchet qui proposait la mise en œuvre du projet d'Europe politique du général de Gaulle est rejeté par les partenaires de la France. Déçu, le Président de la République prend conscience du fait que les États européens tiennent plus à l'entente avec les États-Unis qu'à la réalisation des vastes projets français. Il réagit à cette déception avec une certaine brutalité : en 1963 et 1967, il oppose son veto à l'adhésion au Marché commun de la Grande-Bretagne en qui il voit le cheval de Troie des États-Unis. Par ailleurs, pour obtenir la création d'un Marché commun agricole qui suscite peu d'intérêts chez ses partenaires, il provoque délibérément une série de crises de l'organisation européenne.

Largement approuvée par les Français, cette politique contribue à la popularité du général de Gaulle dans l'opinion publique. Vers 1965, il paraît à l'apogée de son pouvoir, et chacun s'attend à sa réélection triomphale. Or, c'est le moment où débute une série de crises qui vont s'achever en 1969 par sa démission. La première étape de ces difficultés se manifeste par les déconvenues électorales de 1965 et de 1967 qui témoignent d'une certaine usure du pouvoir gaulliste.

L'usure du pouvoir et les crises du gaullisme (1965-1969)

• Les déceptions électorales de 1965 et 1967

Les élections présidentielles de 1965, les premières à se dérouler au suffrage universel, semblent ne devoir être qu'une formalité pour le général de Gaulle, dont nul ne doute qu'il sera candidat, même s'il n'annonce son entrée en lice que très tardivement. En revanche, les forces politiques, vaincues en 1962, encore désorganisées, sont d'autant moins prêtes à affronter l'épreuve qu'elles ont fait campagne contre l'élection au suffrage universel. Ce n'est que quelques semaines avant le scrutin, après qu'a échoué une candidature de Gaston Defferre lancée de manière spectaculaire par l'hebdomadaire *L'Express*, sur la base d'une «grande fédération» allant des socialistes au MRP, que se dégage un nouveau paysage politique. Cinq candidats affrontent le général de Gaulle, dont deux ont une solide assise politique, François Mitterrand, soutenu par tous les partis de gauche, des communistes aux radicaux, et Jean Lecanuet, chef de file d'un « centre d'opposition » rassemblant MRP, indépendants, quelques radicaux et les membres de l'UDSR qui suivent René Pleven. Deux innovations vont bousculer toutes les prévisions. En premier lieu, l'apparition à la télévision des candidats de l'opposition (qui n'y étaient guère admis) provoque un choc dans l'opinion et accroît considérablement leur audience. En second lieu, pour la première fois, la publication de sondages permet à l'opinion de suivre la cote des principaux candidats. Or ces deux phénomènes conjoints révèlent l'effritement de la suprématie du général de Gaulle et la percée de ses principaux adversaires, en particulier de Jean Lecanuet qui, parti de 3 % environ dans les sondages, parvient aux environs de 15 % à la veille du premier tour. C'est cette progression du leader centriste mordant sur l'électorat modéré jusqu'alors fidèle au gaullisme qui rend compte des résultats du premier tour. Contre toute attente, le général de Gaulle, avec 47 % des suffrages exprimés, est mis en ballottage, et devra affronter au second tour François Mitterrand, candidat unique de la gauche qui a rassemblé 33 % des voix. Sans doute le général de Gaulle remporte-t-il au second tour une victoire attendue (54,5 % des voix contre 45,5 à François Mitterrand), mais son prestige est atteint, tandis que l'opposition, écrasée en 1962, apparaît à nouveau comme une force crédible.

Ce demi-succès va pousser la majorité et l'opposition à préparer avec grand soin les élections législatives de 1967, considérées comme le « troisième tour » de l'élection présidentielle. Georges Pompidou, renommé Premier ministre, remanie son gouvernement. Il en écarte Valéry Giscard d'Estaing, dont le plan de stabilisation est jugé responsable de la mise en ballottage du général de Gaulle, et y fait entrer des personnalités considérées comme ayant une image de gauche, l'économiste Jean-Marcel Jeanneney (fils de l'ancien Président du Sénat de la IIIe République) et l'ancien Président du Conseil de la IVe République Edgar Faure. Pour éviter les luttes internes à la majorité, il décide que celle-ci présentera, dans toutes les circonscriptions, une candidature unique. Enfin, il réorganise le parti gaulliste à la tête duquel il place des hommes nouveaux et dont il change le nom pour en faire l'« Union des démocrates Ve République » (UDV[e]). De leur côté, renforcés par les résultats du scrutin présidentiel, les concurrents du général de Gaulle s'efforcent d'organiser les forces qui les ont soutenus, afin d'aborder dans les conditions les plus favorables les élections de

1967. Jean Lecanuet regroupe ses partisans, MRP, modérés, libéraux, radicalisants dans le centre démocrate. De son côté François Mitterrand rassemble la gauche non communiste qui s'est rangée à ses côtés au sein d'une Fédération de la gauche démocrate et socialiste (FGDS). Y participent les socialistes, les radicaux, les membres des clubs regroupés au sein de la Convention des institutions républicaines que préside François Mitterrand lui-même. Toutefois, restent à l'écart de ce rassemblement le parti communiste et le Parti socialiste unifié (PSU), formé en 1960 par les adhérents du PSA et de divers groupes de gauche, rassemblement auquel adhère Pierre Mendès France et qui privilégie la réflexion sur le programme et les idées, rejetant la démarche, trop électoraliste à ses yeux, de la FGDS.

Le premier tour des élections de 1967 semble représenter un nouveau triomphe pour la majorité. Les gaullistes accentuent encore leur poussée de 1962 aux dépens du Centre démocrate qui stagne, cependant que la gauche progresse nettement. Mais, au second tour, la situation se retourne. Des accords de désistement sont presque systématiquement passés entre membres de la FGDS et du Centre démocrate, entre socialistes et communistes (lesquels sortent du ghetto politique où ils étaient confinés depuis 1947). Le résultat en est une forte perte de sièges pour l'UDVe et ses alliés républicains-indépendants. Seuls les résultats de l'outre-mer leur permettent de conserver, d'extrême justesse, la majorité (244 sièges sur 487).

La double déconvenue électorale de 1965 et de 1967 paraît témoigner de la fragilité du régime et multiplie les tensions. Pendant que les syndicats déclenchent des grèves violentes contre le freinage des salaires, les oppositions politiques prennent un tour aigu. Le caractère, jugé de plus en plus personnel, du régime exaspère ses adversaires et suscite un malaise jusqu'au sein de la majorité. En 1967, une série d'initiatives du général de Gaulle augmente encore ce sentiment d'une coupure entre le pouvoir et la classe politique. Ainsi,

Les forces politiques en mars 1967

<table>
<tr><th></th><th>% des suffrages exprimés au 1er tour</th><th>Nombre de députés</th></tr>
<tr><td>Parti communiste</td><td>22,4</td><td>73</td></tr>
<tr><td>FGDS</td><td>18,4</td><td>121</td></tr>
<tr><td>Centre démocrate</td><td>13,4</td><td>41</td></tr>
<tr><td>UDVe</td><td rowspan="2">37,7</td><td>200</td></tr>
<tr><td>Républicains-Indépendants</td><td>44</td></tr>
</table>

lors de la « Guerre des six jours » qui oppose Israël aux pays arabes, le chef de l'État hébreu condamne de manière unilatérale et impose un embargo sur les armes à destination de celui-ci, alors qu'une grande partie de l'opinion publique, dans la majorité comme dans l'opposition, se montre favorable à Israël (juin 1967). Un mois plus tard, lors d'un voyage au Québec, le Président de la République apporte un appui ouvert aux indépendantistes en s'écriant dans un discours public : « Vive le Québec libre ! » ouvrant ainsi une crise avec l'État canadien, sans que le problème ait fait l'objet du moindre débat du Parlement ou du gouvernement français. Chef de file des républicains-indépendants, Valéry Giscard d'Estaing, qui prend de plus en plus nettement ses distances vis-à-vis du général de Gaulle, dénonce alors en termes très vifs « l'exercice solitaire du pouvoir ». Ce climat de malaise et de difficultés d'un régime qui, par ailleurs, remporte d'incontestables succès, va culminer avec la crise de mai-juin 1968.

• La crise de mai-juin 1968

La crise de 1968 est fondamentalement une crise de société qui touche à peu près au même moment tous les grands pays industriels, États-Unis, Japon, République fédérale d'Allemagne. Ce n'est que tardivement, par raccroc, qu'elle se greffe sur la réalité politique française et semble devoir emporter un régime qui, depuis 1965, paraît à bout de souffle. Mais sa signification dépasse très largement le cadre du politique et plonge ses racines dans la psychologie collective des sociétés industrielles à l'âge de la croissance.

Ceci est particulièrement vrai de la première phase du mouvement, la phase étudiante. Elle prend naissance dans les Universités où la jeunesse intellectuelle conteste violemment la « société de consommation » qui écrase la personnalité de l'homme au nom du productivisme, et aboutit à la frénésie de consommation des uns pendant qu'une grande partie du monde croupit dans la misère et que, même dans les pays riches, nombreux sont ceux qui connaissent des difficultés considérables. On voit ainsi se mêler dans la jeunesse étudiante des thèmes généreux de justice sociale, des thèmes fondés sur la volonté de libérer l'homme de toutes les entraves qui pèsent sur lui, qu'elles soient sociales, administratives, religieuses, etc., et des thèmes plus nettement politiques qui consistent à lutter contre la société capitaliste, accusée d'être à la source de toutes les injustices et de toutes les contraintes. Cette dernière partie du programme est le fait des étudiants « gauchistes » qui rassemblent, à la fois contre la société capitaliste et contre le communisme bureaucratique de style soviétique, des anarchistes libertaires, des admirateurs du maoïsme chinois (ou de ce qu'on en connaît), des trotskistes, des marxistes non communistes, etc. La crise débute dans la nouvelle faculté de Nanterre, ensemble de bâtiments neufs bâtis au centre d'un bidonville, où apparaît de manière flagrante le contraste entre la richesse de la société privilégiée et la misère des plus pauvres. Le 22 mars 1968, les étudiants gauchistes occupent la salle du conseil de cette faculté. Dans les semaines qui suivent, le « mouvement du 22 mars » rassemblant les divers groupes gauchistes, sous la conduite de l'étudiant en sociologie Daniel Cohn-Bendit, multiplie les actions dont l'objet est de contraindre la société à « démasquer son vrai visage », celui de la répression, baptisé pour la circonstance « fascisme ». En fait, ces étudiants, s'ils mettent en cause le fonctionnement de l'Université afin d'entraîner avec eux la masse de leurs condisciples, rejettent toute attitude syndicaliste. L'Université n'est pour eux que la base d'où pourrait partir la révolution qui jettera bas la société capitaliste. Or ce projet va être servi par les maladresses du gouvernement. Le 2 mai 1968, la faculté de Nanterre est fermée. Les étudiants « gauchistes » se transportent alors au Quartier Latin où ils trouvent l'appui des étudiants de la Sorbonne. Le 3 mai, la police intervient pour faire évacuer la Sorbonne. Il s'ensuit des bagarres entre étudiants et forces de l'ordre au Quartier Latin, qui durent une partie de la nuit. L'engrenage manifestations-répression est dès lors mis en place. Jour après jour, les cortèges étudiants se heurtent à la police et les affrontements dégénèrent en émeutes. Le 10 mai, des barricades sont érigées et de véritables combats se déroulent dans la capitale ; des véhicules sont incendiés, il y a des blessés, mais en dépit de la violence des heurts, aucun mort. Les étudiants gauchistes reçoivent l'appui du syndicat étudiant, l'UNEF, et du Syndicat national de l'enseignement supérieur. Un climat révolutionnaire provoqué par les étudiants s'est installé en France, dont nul ne sait sur quoi il débouchera. Le gouvernement, pris au dépourvu, est débordé par cette situation inattendue (le Premier ministre Pompidou est d'ailleurs en voyage en Afghanistan.) De même, syndicats et partis politiques ne savent comment analyser le mouvement, qui n'entre pas dans leurs concepts classiques. Seul le parti communiste prend clairement parti ; il désavoue l'agitation gauchiste dans laquelle il voit « une alliée objective du pouvoir gaulliste et des grands monopoles capitalistes » pour diviser les forces démocratiques.

En fait, l'ampleur du mouvement ne peut permettre aux partis et syndicats de gauche de rester à l'écart, au risque de ne pouvoir bénéficier des retombées politiques de l'agitation. Peu désireux d'épouser les mots d'ordre de la « commune étudiante », ils trouvent cependant un terrain d'entente avec elle en organisant le 13 mai une grande manifestation contre la répression policière, assortie ce même jour d'une grève générale.

La grève générale du 13 mai fait débuter la seconde phase des événements de mai-juin 1968, qualifiée de « phase sociale ». Si l'agitation étudiante se poursuit, l'attention est désormais attirée sur la multiplication des grèves avec occupation de locaux qui, nées spontanément, gagnent progressivement tout le pays, s'étendant sans discontinuer jusqu'au 27 mai. Elles commencent à l'usine Sud-Aviation de Nantes dès le 14 mai et reçoivent le 16 mai un appoint décisif avec le débrayage de la forteresse ouvrière de Billancourt, Renault. En dépit des efforts des étudiants pour lier leur mouvement à celui des ouvriers, ceux-ci demeurent méfiants et s'en tiennent à leurs propres revendications. Or, celles-ci sont multiples, souvent confuses, allant de la solution de problèmes purement locaux à la modification des conditions de travail dans l'entreprise, voire à une contestation radicale du rôle de la maîtrise, du travail à la chaîne ou à l'exigence de la reconnaissance de la responsabilité du travailleur dans l'entreprise. C'est dire qu'à côté de revendications classiques se font jour un malaise et une insatisfaction dus aux modifications structurelles des conditions de travail. Souvent débordés par la base, les syndicats tentent de canaliser le mouvement en s'efforçant tant bien que mal d'articuler les désirs confus des grévistes. À cet égard, deux langages se font jour, celui de la CGT soutenue par le parti communiste, qui s'en tient aux demandes classiques d'augmentation des salaires, celui de la CFDT (née en 1964 de la « déconfessionnalisation » de la majorité de la CFTC) et du PSU, plus proches de « l'esprit de mai », qui réclame une profonde modification des structures de la société et de l'entreprise. Désireux de trouver un interlocuteur avec qui négocier afin de reprendre en main une situation fuyante, le Premier ministre Georges Pompidou, qui multiplie les initiatives et tient le premier rôle, alors que le général de Gaulle est découragé, décide d'ouvrir des discussions avec les syndicats et le patronat. Il choisit délibérément de donner satisfaction à la CGT, le plus puissant des syndicats français mais aussi celui dont les exigences apparaissent comme les moins fondamentales pour l'avenir. Le 27 mai, les accords de Grenelle concèdent aux ouvriers des augmentations de salaires, la diminution du temps de travail, le droit syndical dans l'entreprise. Mais ce succès du Premier ministre est sans lendemain. Les salariés de Renault rejettent les accords qui leur sont présentés par Georges

Séguy, secrétaire général de la CGT. Les grèves continuent donc, et le pouvoir n'a pas réussi à trouver une prise qui lui permettrait d'agir sur une situation imprévisible.

L'échec des négociations sociales transfère la crise sur le terrain politique. L'incapacité du pouvoir à agir sur les événements, le silence prolongé du général de Gaulle qui s'enferme dans le mutisme après la proposition d'un référendum sur la participation qui n'atteint pas l'opinion et ne joue aucun rôle sur les événements, donnent le sentiment que la succession est ouverte. Devant cette impression de vide politique, des solutions divergentes se présentent. Le 27 mai, au stade Charléty, en présence de Pierre Mendès France qui est acclamé, mais demeure silencieux, les étudiants, appuyés par des syndicalistes, exigent de profondes réformes. Le 28 mai, François Mitterrand demande la formation d'un gouvernement provisoire présidé par Pierre Mendès France (qui fait savoir qu'il accepterait ce mandat s'il lui était confié par la gauche unie), lui-même étant candidat à la présidence de la République. Quant au parti communiste, il réclame un « gouvernement populaire » dont nul ne comprend très bien ce qu'il signifie, sauf que les communistes sont prêts à y participer. Cette crise du pouvoir atteint son point culminant les 29 et 30 mai avec la « disparition » du général de Gaulle. Pendant que les spéculations vont bon train sur une éventuelle démission du chef de l'État qui se serait retiré à Colombey, serait parti pour l'étranger, etc., le général de Gaulle est à Baden-Baden où il confère avec le général Massu, commandant en chef des troupes françaises en Allemagne, qui semble l'avoir convaincu de reprendre les choses en main. De fait, le 30 mai, le général de Gaulle passe à la contre-offensive. Il annonce la dissolution de l'Assemblée nationale et lance un appel à l'action civique des Français pour soutenir le régime. Le soir même, sous la conduite des principaux chefs gaullistes, 500000 personnes répondent à cet appel en défilant aux Champs-Élysées. Pour le mouvement de mai, c'est le début du reflux. Grèves et occupations d'usines cessent progressivement durant le mois de juin. Quant aux partis politiques, abandonnant toute velléité d'assurer dans l'immédiat la succession du régime, ils préparent les élections prévues pour le remplacement de l'Assemblée nationale.

• Juin 1968-avril 1969 : un second souffle pour la République gaullienne ?

Si l'on s'en tient aux apparences, la contre-offensive du général de Gaulle aboutit à une victoire totale de celui-ci. Il consolide un régime qui semblait peu de temps auparavant au bord de l'effondrement. Les élections des 23 et 30 juin 1968 sont en effet des «élections de la peur». Les Français, dont beaucoup ont sympathisé avec les mots d'ordre du mouvement de mai, s'épouvantent lorsqu'ils se rendent compte des virtualités révolutionnaires qu'il contient ou lorsque la multiplication des grèves aboutit pour eux à des difficultés quotidiennes (absence de transports en commun, manque d'essence, bureaux fermés, poste non assurée, absence de relevés bancaires, etc.) Aussi votent-ils massivement dès le premier tour pour les candidats gaullistes rassemblés dans l'«Union pour la défense de la République» (UDR nouveau nom du parti gaulliste) en qui ils voient les candidats de l'ordre, alors qu'ils boudent la gauche considérée comme ayant partie liée avec les fauteurs de désordre, et les centristes d'opposition qui, sans accepter les perspectives révolutionnaires, ont montré une certaine compréhension envers les mots d'ordre du mouvement de mai. Au second tour, les gaullistes et leurs alliés s'assurent une écrasante victoire. L'UDR recueille la majorité absolue des sièges (294 sur 485), atteignant les trois quarts avec ses alliés républicains-indépendants (64 députés). En revanche, la gauche est taillée en pièces.

Le général de Gaulle peut donc considérer que la nouvelle assemblée est à sa dévotion. La situation, pour lui, est d'autant plus favorable que l'échec électoral de l'opposition entraîne une crise grave dans ses rangs. La Fédération de la gauche démocrate et socialiste est condamnée par son échec électoral. Les partis socialiste et radical se débarrassent du leadership de François Mitterrand en arrêtant le mouvement pour la fusion des diverses composantes qu'il s'efforçait de promouvoir. L'échec électoral entraîne la décomposition de la coalition de l'opposition de gauche. Il en est presque de même au sein du «centre d'opposition». Si Jean Lecanuet reste irréductiblement hostile au gaullisme, nombre de députés centristes, réunis au sein du groupe Progrès et Démocratie moderne, dirigé par Jacques

Les forces politiques en juin 1968

	% des suffrages exprimés au 1er tour	Nombre de députés
Parti communiste	20	34
FGDS	16,5	57
Centre Progrès et démocrate moderne	10,3	32
UDR	46 (avec Républicains-Indépendants)	294
Républicains-Indépendants		64

Duhamel, souhaitent une opposition plus constructive et se montrent en fait tentés par un ralliement au régime consolidé. Toutefois, cette victoire du général de Gaulle n'est pas sans ombre. La majorité issue du scrutin de 1968 est encore plus conservatrice que gaulliste et voit son chef naturel en Georges Pompidou, qui a été l'organisateur de la victoire électorale après avoir été le principal pôle de résistance au mouvement révolutionnaire en mai. Élue pour faire obstacle au bouleversement, elle n'est pas prête à accepter les changements que le général de Gaulle entend apporter en réponse aux revendications qui se sont manifestées durant la crise.

Renforcé par le vote des Français, le général de Gaulle entend relancer le régime en lui faisant adopter les réformes qui, à ses yeux, répondent à leur attente. Ces réformes ont pour thème commun la « participation » des Français. Pour inaugurer cette nouvelle phase de la Ve République, le général de Gaulle décide de changer les hommes. Au vif mécontentement de nombreux députés UDR, il décide de se séparer de Georges Pompidou et de nommer à sa place comme Premier ministre Maurice Couve de Murville, ministre des Finances. Deux réformes essentielles sont aussitôt préparées. Le ministre de l'Éducation nationale Edgar Faure fait voter en octobre 1968, par une majorité réticente, mais qui se résigne à donner satisfaction au chef de l'État, une loi d'orientation de l'enseignement supérieur qui établit le principe d'autonomie des universités et confie leur gestion aux représentants des personnels et des étudiants. Plus fondamentale encore est la réforme régionale préparée par Jean-Marcel Jeanneney. Elle est fondée sur le principe de décentralisation et de participation à la gestion des régions des forces économiques, sociales et culturelles. Toutefois, cette dernière réforme a pour corollaire une modification du recrutement du Sénat qui doit désormais représenter non seulement les élus locaux, mais aussi les « forces vives de la nation », patronat, syndicats, associations culturelles, etc. Il est donc nécessaire de demander au peuple une révision de la Constitution, et c'est pour mettre en œuvre cette révision que le général de Gaulle propose aux Français un référendum en avril 1969.

Le référendum d'avril 1969 va être l'occasion pour tous les mécontents de se coaliser contre le général de Gaulle. Celui-ci doit affronter d'abord l'opposition traditionnelle de la gauche politique et syndicale, exaspérée par le rejet de revendications salariales formulées en mars 1969. Mais, en plus de cette opposition qui n'a jamais réussi à rassembler une majorité, le chef de l'État voit se dresser contre lui, plus ou moins ouvertement, une partie de ses appuis habituels.

D'abord, les milieux d'affaires qui auraient souhaité une dévaluation permettant de rattraper les hausses de salaires consenties en juin 1968, mais que le général de Gaulle refuse. Ensuite, Valéry Giscard d'Estaing et une partie des républicains-indépendants qui accentuent leur prise de distance vis-à-vis des gaullistes et appellent à voter « non ». Figurent également parmi les opposants les centristes et une grande partie des notables hostiles à la réforme du Sénat qui, comme le Président de cette Assemblée, Alain Poher, conseillent aux Français une réponse négative. Enfin, il faudrait ajouter l'opposition plus feutrée d'une partie des députés UDR élus en 1968 qui se sont montrés hostiles à la politique de participation à l'Université et dans les régions et qui, sans se prononcer ouvertement contre le Président de la République, ne mènent qu'une campagne très molle et dépourvue de conviction pour le « oui » au référendum. La peur du vide politique, qui, pendant longtemps, a maintenu autour du général de Gaulle un électorat conservateur souvent désemparé par ses prises de position, n'existe plus. Georges Pompidou « mis en réserve de la République » par le chef de l'État a fait savoir en janvier 1969, lors d'un voyage à Rome, qu'il se porterait candidat à une éventuelle élection présidentielle future. Bien que sans rapport avec un référendum, décidé plus tard, cette décision a pour effet de rassurer les milieux conservateurs en leur montrant qu'un éventuel départ du général de Gaulle ne serait pas un saut dans l'inconnu, mais le moyen d'amener au pouvoir l'homme qui a montré son savoir-faire en mai et juin 1968. C'est cet appoint de voix conservatrices à l'habituelle opposition de gauche qui explique que, le 27 avril 1969, le référendum soit rejeté par 53,2 % des voix. Le lendemain, le général de Gaulle, s'estimant désavoué par le suffrage universel, donne sa démission. Il se retire de la vie politique, gardant le silence jusqu'à sa mort le 9 novembre 1970. Avec son départ de la scène politique, c'est la fin de la « République gaullienne ». Une page essentielle de l'histoire politique de la France vient d'être tournée.

La présidence de Georges Pompidou (1969-1974)

• Le néo-gaullisme de Geoges Pompidou

La démission du général de Gaulle paraît ouvrir la voie à Georges Pompidou. Premier ministre de 1962 à 1968, considéré jusqu'à cette date comme le « dauphin » officiel du général, réorganisateur et chef de l'UDR, tenu par la majorité comme le sauveur du régime durant la crise de mai, il semble avoir tous les atouts dans son jeu, d'autant qu'il a fait connaître par avance sa candidature. Une tentative de certains gaullistes pour lui opposer Maurice Couve de Murville, Premier ministre en exercice, fait long feu. Georges Pompidou reçoit l'appui de l'UDR, enregistre le ralliement de Valéry Giscard d'Estaing et des républicains-indépendants et celui d'une partie des centristes conduits par Jacques Duhamel, Joseph Fontanet et René Pleven.

À gauche, la division est telle qu'il n'a véritablement aucun adversaire sérieux puisqu'il y a quatre candidats, un communiste (Jacques Duclos), un socialiste (Gaston Defferre qui fait savoir qu'en cas de succès il prendra Pierre Mendès France comme Premier ministre), un PSU (Michel Rocard) et le trotskiste Alain Krivine. Le principal adversaire de Georges Pompidou est le Président du Sénat, Alain Poher, autour duquel se forme un véritable mouvement d'opinion qui dépasse très largement les rangs centristes auxquels il appartient. Toutefois, la déclaration de candidature d'Alain Poher et ses prises de position publiques entraînent un net recul des intentions de vote en sa faveur. Dès le premier tour, Georges Pompidou est largement en tête, devançant Alain Poher et Jacques Duclos, tandis que Gaston Defferre connaît un sérieux échec, rassemblant à peine 5 % des voix (guère plus que Michel Rocard), ce qui donne la mesure de la crise du parti socialiste. Au second tour, l'ancien Premier ministre l'emporte aisément sur le Président du Sénat avec 57,5 % des voix.

Au cours de sa campagne électorale, Georges Pompidou définit un «néo-gaullisme» qu'il baptise «ouverture dans la continuité». Succédant à la personnalité historique exceptionnelle du général de Gaulle, le nouveau chef de l'État a l'intelligence de ne pas vouloir imiter le style de son prédécesseur, mais il entend montrer qu'il demeure fidèle aux traits majeurs de sa politique. Aussi les éléments de continuité l'emportent-ils largement, et, à cet égard, la présidence de Georges Pompidou est celle de l'implantation en profondeur des institutions dans un contexte de vie démocratique normale et, par conséquent, de normalisation d'un régime dont on pouvait penser auparavant qu'il était lié à la stature particulière du général de Gaulle. En particulier, la pratique constitutionnelle qui fait du Président de la République le dépositaire, pratiquement sans partage, de l'autorité de l'État, est maintenue. De même, la politique extérieure d'indépendance nationale, fondée sur la possession de l'arme nucléaire, est poursuivie. Enfin, la recherche de l'expansion économique, en particulier par la modernisation industrielle, est encore renforcée.

Mais, tirant les leçons de l'échec du général de Gaulle en avril 1969, le nouveau chef de l'État entend aussi pratiquer l'ouverture, et c'est là son originalité. Cette ouverture est particulièrement marquée durant la première phase de la présidence, de 1969 à 1972, et elle doit beaucoup à la personnalité du Premier ministre, Jacques Chaban-Delmas.

• Jacques Chaban-Delmas : la phase réformatrice (1969-1972)

L'ouverture politique est d'abord le fait de Georges Pompidou. Elle est principalement tournée vers les centristes et les républicains-indépendants, c'est-à-dire les forces politiques dont l'appoint a manqué au général de Gaulle en avril 1969. Si le nouveau chef de l'État nomme Premier ministre le gaulliste historique Jacques Chaban-Delmas, tenu pour un homme de dialogue et de réformes, il fait rentrer au gouvernement comme ministre des Finances Valéry Giscard d'Estaing (qui a fait voter non au référendum) et les trois chefs de file du centrisme qui l'ont appuyé en juin, Duhamel, Fontanet, Pleven. Ceux-ci constituent alors un nouveau parti, le Centre Démocratie et Progrès, qui devient le troisième pilier de la majorité (alors que le Centre démocrate de Jean Lecanuet demeure dans l'opposition). À ces alliés, il donne des satisfactions qui tranchent avec la pratique du général de Gaulle et permettent de parler d'un « néo-gaullisme » : respect manifesté au Parlement (Jacques Chaban-Delmas présente son programme à l'Assemblée nationale et renoue de bonnes relations avec le Sénat, ignoré par le général de Gaulle depuis qu'en 1962 son Président, Monnerville, avait accusé le Premier ministre de « forfaiture ») ; appui à la politique économique orthodoxe de Valéry Giscard d'Estaing qui, après avoir dévalué le franc en août 1969 comme le souhaitaient les milieux d'affaires, se fixe comme règle l'équilibre du budget ; effort pour nouer des relations amicales avec les États-Unis et l'URSS sans remettre en cause la politique d'indépendance ; enfin, acceptation de l'ouverture de négociations pour l'entrée de la Grande-Bretagne dans le Marché commun et relance de « l'Europe verte ». Toutes ces mesures ont pour résultat de renforcer l'appui au régime de l'électorat modéré et des centristes, que le général de Gaulle n'avait pas ménagés.

Mais l'ouverture néo-gaulliste va bien au-delà de ces mesures, du fait de la politique de Jacques Chaban-Delmas qui, dépassant largement les intentions de Georges Pompidou, tente pour sa part une ouverture vers la gauche politique et syndicale. Entouré d'une équipe d'hommes de gauche, anciens collaborateurs de Mendès France (dont les principaux membres sont Jacques Delors et Simon Nora), le Premier ministre annonce à l'Assemblée nationale son intention d'établir en France une « nouvelle société ». Toute une série de mesures concrètes suivent : libéralisation de la radio-télévision dont le fonctionnement est décentralisé et qui jouit d'une grande autonomie; mise sur pied d'une réforme régionale, plus timide que celle de 1969, mais qui amorce la décentralisation, en 1972; modernisation de l'industrie française dont la concentration est encouragée, cependant que l'accent est mis sur l'innovation et que l'exportation est stimulée. Mais la partie la plus originale du programme de la « nouvelle société » est son volet social, destiné à éviter les tensions et les crises en favorisant le dialogue entre les partenaires sociaux et en répartissant plus équitablement les « fruits de la croissance ». Une grande partie des aspirations du monde des salariés se trouve ainsi comblée. Le Premier ministre met en place une « politique contractuelle » qui établit des contacts permanents entre l'État, le patronat et les syndicats. Les salariés participent aux bénéfices de l'expansion grâce à la conclusion de contrats de progrès dans les entreprises nationales et à l'institution du SMIC (Salaire minimum interprofessionnel de croissance) qui indexe le salaire minimum sur la croissance. Un nouveau régime de conventions collectives est fixé. Enfin, comme l'avait promis Georges Pompidou, la « mensualisation » des salaires rend moins précaire la situation de nombreux salariés, jusqu'alors payés à la journée.

Cette politique d'ouverture à gauche du Premier ministre provoque des remous dans la majorité. Nombre de députés s'indignent que le gouvernement paraisse plus préoccupé de satisfaire ses adversaires que la partie de l'opinion qui le soutient et dont les options sont nettement plus conservatrices, d'autant que ni les syndicats, ni les partis de gauche ne saisissent la perche qui leur est tendue. Georges Pompidou lui-même ne cache pas ses réticences envers la « nouvelle société » qu'il tient pour une formule creuse et redoute qu'elle ne conduise à un échec. De surcroît, il est choqué par le fait que le Premier ministre a présenté un vaste programme d'orientations, alors qu'à ses yeux c'est là le rôle du chef de l'État. Mais, jusqu'en 1971, cette politique reçoit un accueil très favorable de l'opinion publique, ce qui interdit aux réserves de se manifester trop ouvertement. Les sondages révèlent l'exceptionnelle popularité du chef de l'État et de son Premier ministre. Les élections sont des succès pour la majorité. En fait, les seules difficultés viennent d'une partie de celle-ci. D'abord des fidèles du général de Gaulle, inquiets de la politique d'ouverture et qui redoutent que la nouvelle équipe ne trahisse l'héritage. Certains quittent l'UDR, estimant qu'elle s'éloigne des vues du général de Gaulle. D'autres, sans aller jusqu'à la rupture, manifestent leur vigilance en se regroupant dans l'amicale « Présence et action du gaullisme » derrière Pierre Messmer, qui témoigne d'une certaine méfiance envers le chef de l'État. Plus nombreux sont, au sein de la majorité, ceux qui se méfient de la politique du Premier ministre et en appellent contre lui au Président de la République. C'est le cas de nombre de députés UDR, hostiles aux mesures libérales du Premier ministre ou des républicains-indépendants désireux de se démarquer du gaullisme. Mais tant que l'opinion manifeste son appui à la politique suivie, ces résistances apparaissent marginales. Elles prennent de l'importance à partir de 1971 lorsque se manifeste une certaine usure du gouvernement. Une série de scandales politico-financiers, révélés par des « fuites » dont l'origine semble se trouver au ministère des Finances, compromet plusieurs députés UDR et jette un jour peu favorable sur le parti gaulliste et son leader, Jacques Chaban-Delmas. La publication de la feuille d'impôts de celui-ci par l'hebdomadaire *Le Canard Enchaîné* qui révèle que, grâce aux dispositions, d'ailleurs légales, du « crédit d'impôt », le Premier ministre ne paie que fort peu d'impôts sur le revenu, affaiblit encore sa position. Enfin, la rivalité qui oppose le chef de l'État au Premier ministre s'exaspère en 1972. Au printemps, désireux de reprendre en main l'opinion, Georges Pompidou a l'idée de proposer aux Français un référendum sur l'élargissement à la Grande-Bretagne du Marché commun. Choix en apparence habile car tout l'électorat de la majorité devrait approuver, les gaullistes par fidélité au chef de l'État, les centristes et les républicains-indépendants par convictions européennes, alors que l'opposition de gauche se divisera nécessairement entre socialistes, partisans de l'Europe, et communistes qui y sont hostiles. En fait le référendum est un fiasco. Les socialistes déjouent les projets du chef de l'État en préconisant l'abstention ; or, si les « oui » l'emportent très légèrement, le mot d'ordre socialiste et l'indifférence des Français au problème font que près de 40 % des Français s'abstiennent. Ce demi-échec du chef de l'État coïncide avec un succès du Premier ministre. Désireux de renforcer sa position, il demande en juin un vote de confiance à l'Assemblée nationale et obtient une très large majorité. Début juillet, désavouant le vote de l'Assemblée, le Président renvoie le Premier ministre. Il est décidé à imposer sa propre marque au gouvernement et à ne plus tolérer un Premier ministre qui conduit une politique propre.

• Pierre Messmer : une phase conservatrice (1972-1974)

En donnant pour successeur à Jacques Chaban-Delmas Pierre Messmer, longtemps ministre des Armées du général de Gaulle, le Président Pompidou souligne un certain nombre d'intentions. En premier lieu, en appelant à la tête du gouvernement le fondateur de l'amicale « Présence et action du gaullisme », il manifeste sa volonté d'en revenir à la tradition du général de Gaulle en mettant fin aux spéculations sur la politique d'ouverture. En second lieu, en choisissant un homme connu pour être un gaulliste rigoureux, discipliné, peu populaire dans l'opinion, et ne recherchant d'ailleurs pas la popularité, il indique qu'il entend suivre de plus près les décisions du gouvernement. Enfin, en nommant Premier ministre un homme d'abord austère, peu porté aux concessions, il entend mettre fin à la phase libérale et reconquérir l'électorat majoritaire, au moment où la réorganisation de la gauche non communiste laisse peu d'espoir à l'ouverture tentée par Jacques Chaban-Delmas. En effet, au lendemain de l'écrasante défaite de l'élection présidentielle de 1969, le parti socialiste a entrepris sa réorganisation en se modernisant, en changeant ses vieux dirigeants (en 1970, Alain Savary remplace Guy Mollet au secrétariat général) et surtout en entreprenant un processus de fusion avec les clubs socialisants et les groupes qui ont fait scission depuis 1958. En 1971, au congrès d'Épinay-sur-Seine, ce processus débouche sur l'entrée au parti socialiste de la Convention des institutions républicaines dirigée par François Mitterrand. Grâce à l'appui de Pierre Mauroy et Gaston Defferre qui dirigent les deux puissantes fédérations du Nord et des Bouches-du-Rhône, ainsi que de l'aile gauche du parti socialiste, le CERES dirigé par Jean-Pierre Chevènement, François Mitterrand est élu premier secrétaire du nouveau parti sur un programme d'union des gauches et de « rééquilibrage » de la gauche au profit des socialistes, battant Alain Savary, soutenu par les dirigeants traditionnels de la SFIO. En mai 1972, communistes et socialistes signent en vue des élections de 1973 un programme commun de gouvernement. Face au danger de la gauche unie, le Président de la République entend reconquérir son électorat avant le scrutin législatif de 1973.

Le chef de l'État et le Premier ministre impriment une nouvelle ligne à la politique française. L'Assemblée nationale, déjà désavouée par la nomination de Pierre Messmer et qui se trouve alors en vacances, n'est pas convoquée pour prendre connaissance du programme du gouvernement, manière évidente de montrer qu'on ne la considère nullement comme la source de la souveraineté. La radio-télévision perd son autonomie ; on lui donne comme Président Arthur Conte, proche de Georges Pompidou, et les libéraux en sont éliminés. Sans toujours changer la politique de leurs prédécesseurs, les nouveaux ministres modifient au moins leur discours, donnant, parfois à tort, le sentiment que le nouveau gouvernement est un gouvernement de combat aux visées conservatrices. L'objet de l'opération est visiblement électoral : il s'agit de reprendre en main un électorat déconcerté par l'ouverture et les projets sociaux de Jacques Chaban-Delmas.

Les élections du printemps 1973 semblent prouver que l'opération a réussi. Georges Pompidou a lui-même organisé la majorité sur la base de la candidature unique, en faisant une place aux Républicains-Indépendants et aux centristes ralliés du CDP (Centre Démocratie et Progrès, dirigé par Jacques Duhamel). Si la majorité l'emporte de justesse en voix au premier tour, alors que le parti communiste progresse, de même que les socialistes qui ne font toutefois pas la percée attendue, et que les centristes d'opposition (qui s'appellent depuis 1971 les « Réformateurs » et rassemblent le Centre Démocrate et les Radicaux) stagnent à un niveau très bas, les résultats du second tour apparaissent assez incertains. En fait, tout semble devoir dépendre de la décision des réformateurs. Selon qu'ils se désisteront pour les gaullistes ou l'opposition de gauche, la majorité se maintiendra ou basculera. Entre les deux tours, Jean Lecanuet rencontre Pierre Messmer et décide de demander à ses électeurs de voter pour la majorité. Grâce à ce ralliement, les gaullistes l'emportent nettement en sièges. La tactique de Georges Pompidou semble donc avoir réussi. La majorité est consolidée, la gauche demeure nettement minoritaire. Le chef de l'État est maître du jeu et il semble vouloir le conduire personnellement puisque le gouvernement

Les forces politiques en mars 1973

	% des suffrages exprimés au 1er tour	Nombre de députés
Parti communiste	21,40	73
Socialistes et radicaux de gauche	20,71	102
Réformateurs	12,88	34
Union des Républicains de Progrès :	34,02	268
– UDR		183
– Républicains-Indépendants		55
– Union centriste		30

Messmer, remanié après les élections, comprend plusieurs ministres proches du chef de l'État, collaborateurs ou amis.

Or, contre toute attente, au lendemain des élections, on constate un certain flottement dans l'action du pouvoir. La France ne réagit pas à la guerre du Kippour qui représente cependant un événement majeur sur le plan de la politique mondiale. Elle paraît déconcertée par le choc pétrolier qui s'ensuit. De graves mouvements sociaux se produisent, comme l'occupation des usines Lip par leur personnel, sans que le gouvernement parvienne à arrêter une attitude claire sur le conflit. En fait, cette quasi-paralysie du pouvoir est reliée aux rumeurs qui circulent sur l'état de santé du Président de la République. Dès l'automne 1973, la course à la succession est pratiquement ouverte. Valéry Giscard d'Estaing qui soigne son image dans l'opinion se présente clairement en candidat potentiel. Par ailleurs, les Assises de Nantes de l'UDR prennent nettement leurs distances vis-à-vis de la politique gouvernementale et font un triomphe à Jacques Chaban-Delmas dont la popularité dans l'opinion est révélée par les sondages et que le parti gaulliste investit pratiquement comme successeur du chef de l'État, à la grande colère des collaborateurs et des fidèles de celui-ci comme Jacques Chirac qui ne pardonneront pas au maire de Bordeaux de s'être posé en dauphin du Président du vivant de celui-ci.

La mort du Président Pompidou, le 2 avril 1974, clôt une époque. Il disparaît au moment où s'achève la prodigieuse expansion économique qui a marqué la France de l'après-guerre. À sa mort, il ne laisse pas de successeur désigné mais au contraire une majorité où chacun des leaders peut espérer l'emporter et rassembler les composantes diverses qui ont soutenu le Président défunt, situation qui n'est pas sans danger car elle peut susciter des rivalités mortelles pour les gaullistes. Enfin, le gaullisme, jusque-là sans adversaire réel à sa taille, doit désormais compter avec le parti socialiste dirigé par François Mitterrand et qui a le vent en poupe. S'il laisse à ses successeurs un héritage difficile, le rôle de Georges Pompidou a été considérable : en normalisant les institutions, jusque-là considérées comme la chose du général de Gaulle, il a enraciné la Ve République dans la vie politique française et en a fait un régime accepté par l'ensemble des forces politiques. Avec lui, et pour la première fois depuis 1958, le régime cesse d'être l'objet du débat politique.

CHAPITRE 20

La France dans la croissance (1950-1974)

De 1950 à 1974, la France connaît une période d'expansion forte et régulière, bénéficiant d'un environnement international favorable, d'une ouverture sur les marchés extérieurs, d'une forte croissance démographique et de l'intervention de l'État. L'inflation, qui stimule la croissance, a cependant des conséquences financières, monétaires et sociales lourdes. D'autre part, l'expansion est sélective : elle intéresse avant tout l'industrie et les services, l'agriculture subissant un déclin relatif, le déséquilibre régional est aggravé malgré la mise en place d'une politique d'aménagement du territoire, et le commerce extérieur, essentiel pour la croissance, montre des signes de fragilité. On assiste au profond bouleversement des structures de la société aux dépens des paysans et des petits patrons, au bénéfice de la classe moyenne salariée. Et si la vie quotidienne se transforme et s'uniformise, la croissance ne met pas fin aux inégalités.

Les conditions de la croissance

• Un environnement international favorable

La spectaculaire croissance que connaît l'économie française de 1952 à 1974 s'explique tout d'abord par un environnement international particulièrement favorable. Ce sont en effet tous les grands pays industriels qui connaissent à ce moment une phase de croissance régulière et continue. Mais la France, malgré des difficultés propres qui tiennent en particulier aux guerres coloniales, participe très largement à cette croissance. Car à la différence de son attitude traditionnelle, elle est désormais beaucoup mieux intégrée qu'auparavant aux grands courants d'échanges internationaux.

Cette intégration est très directement liée aux conditions de la reconstruction. Celle-ci n'a été possible que grâce à l'aide financière des États-Unis qui, de 1945 à 1947, ont versé à la France environ deux milliards de dollars soit sous forme de dons en argent ou en marchandises soit sous forme de prêts à très faible intérêt. À partir de 1948, une somme équivalente lui est allouée dans le cadre du plan Marshall. C'est grâce à cette aide que la France peut financer les importations qui lui sont nécessaires pour rebâtir son économie. Mais en même temps qu'ils aident la France, les États-Unis la poussent à supprimer les diverses entraves opposées à la liberté du commerce, telles que les contingentements, les barrières douanières élevées, les subventions aux exportations… qui gênent le commerce américain. De même, c'est la volonté américaine qui pousse l'Europe à créer l'Organisation européenne de coopération économique (OECE) dont la France fait partie puisqu'elle reçoit une quote-part de l'aide Marshall que cet organisme a précisément pour charge de répartir.

Mais l'aspect fondamental de cette entrée de la France dans les échanges internationaux est la construction européenne. À partir de la création de la CECA en 1951 et à travers les diverses étapes de la construction de l'Europe économique, la France est progressivement conduite à abandonner son attitude traditionnelle de repli sur le marché intérieur. Elle accepte successivement la libre circulation des marchandises dans l'Europe des Six, l'élaboration d'une politique commerciale commune à l'égard des pays tiers, la mise en place d'un tarif extérieur commun, et finalement l'instauration d'une politique agricole commune. Elle renonce ainsi à tout nationalisme économique pour entrer dans un vaste marché de 200 millions d'habitants. Du même coup, elle se trouve directement intégrée à la remarquable croissance du monde industriel dont certains de ses partenaires comme l'Allemagne ou l'Italie sont les champions.

• Une forte croissance démographique

En dehors de ces conditions internationales, la croissance a aussi des causes nationales et, au premier rang, figure sans nul doute la croissance démographique. En effet, de 1946 à 1978, la population française s'est accrue de 13 millions d'habitants, autant que de 1800 à 1946. Elle passe durant ces années de 40 à 53 millions d'habitants. Cette très importante augmentation s'explique par deux phénomènes conjoints, l'excédent naturel des naissances sur les décès et une forte immigration.

L'accroissement naturel de la population s'explique avant tout par une forte remontée de la natalité. Celle-ci contraste avec la situation des années d'avant-guerre où les décès avaient tendance à dépasser le nombre des naissances.

Au contraire, après 1945, le taux de natalité s'accroît d'une manière spectaculaire (20 naissances par an pour 1 000 habitants entre 1946 et 1954) même s'il a tendance à connaître un certain freinage par la suite (18 ‰ entre 1955 et 1964, 17 ‰ entre 1965 et 1974). De son côté, le taux de mortalité se stabilise autour de 11 ‰.

En même temps, les besoins de main-d'œuvre liés à la faiblesse de la population active, qui demeure insuffisante jusqu'en 1965,

Évolution du nombre annuel des naissances de 1935 à 1980

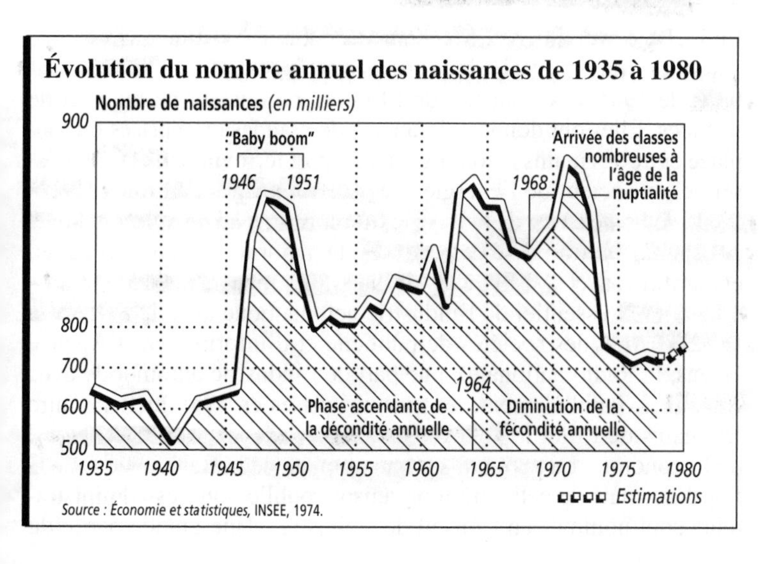

Source : *Économie et statistiques*, INSEE, 1974.

encouragent un fort mouvement d'immigration. En effet, la population française comprend un grand nombre de retraités (c'est la conséquence du recul de la mortalité) et de jeunes qui ne sont pas encore en âge de travailler (résultat de la poussée de la natalité). Aussi la France cherche-t-elle à attirer des travailleurs étrangers qui remplacent les Français dans les emplois où la main-d'œuvre manque, c'est-à-dire les emplois les plus pénibles et les moins bien payés. Vers 1974, la population étrangère en France avoisine les 4 millions, venus pour la plus grande partie de la région méditerranéenne (Maghrébins, Portugais, Espagnols, Italiens).

Ce dynamisme démographique constitue un facteur stimulant pour l'économie française. En effet, une population jeune a besoin de biens durables (logements, équipements divers), de produits de consommation courante (alimentation, vêtements, médicaments…), de services (transports, loisirs, éducation, soins…) dont la satisfaction exige un gros effort économique. Cette demande est d'autant plus forte qu'elle s'accompagne d'une urbanisation poussée de la population : les citadins représentent désormais près des trois quarts de la population française. Et la majorité de ces citadins habitent les grandes villes où s'acquièrent les habitudes nouvelles de consommation de masse, liées à la recherche du confort et à la volonté d'acquisition de biens pour des raisons de prestige social.

• Un rôle accru de l'État

Enfin, l'intervention de l'État dans l'économie constitue la troisième condition fondamentale de la croissance française. Les nationalisations de 1945-1946 ont fait de l'État un producteur de biens et de services. Elles ont donné naissance à de grandes entreprises qui ont placé entre ses mains la totalité du transport ferroviaire (SNCF), l'essentiel du secteur de l'énergie avec Charbonnages de France, Électricité de France, Gaz de France, le Commissariat à l'énergie atomique, la Compagnie française des pétroles, la majorité du transport aérien et maritime, avec Air France, Air Inter, la Compagnie générale transatlantique, l'essentiel de l'industrie aéronautique avec la SNIAS et la SNECMA, des sociétés de publicité et d'information (l'Agence Havas, la Radio nationale), une part de l'industrie automobile avec Renault… Parallèlement, les mesures prises en 1945 mettent entre les mains de l'État le contrôle du crédit et du financement général de l'économie. La nationalisation complète de la Banque de France fait désormais de celle-ci un organisme public dont les administrateurs sont nommés en Conseil des ministres. Une grande partie du crédit passe de même entre les mains de l'État avec la nationalisation des grandes compagnies d'assurance et celle des quatre grandes banques de dépôt : Crédit Lyonnais, Société Générale, Comptoir national d'escompte de Paris, Banque nationale pour le commerce et l'industrie. Enfin l'institution du Conseil national du Crédit permet à l'État d'exercer un contrôle sur les organismes bancaires privés. Il faut ajouter que, par l'intermédiaire des chèques postaux, des Caisses d'épargne et de la Caisse des dépôts et consignations (qui draine les dépôts de la sécurité sociale, des caisses de retraite, etc.), il a les moyens de s'assurer les sommes nécessaires à ses besoins de trésorerie. Une part très importante de ces disponibilités placées entre les mains de l'État a servi à financer les dépenses de reconstruction, puis la modernisation de vastes secteurs de l'économie. En 1949, 47 % des investissements proviennent des fonds publics. Cette part est encore de 30 % en 1958 et dans les années suivantes. La Caisse des dépôts est devenue la banque des collectivités locales, de l'aménagement du territoire, des entreprises publiques et du logement social.

Enfin, l'aspect le plus spectaculaire de l'intervention de l'État est sans doute la planification qui lui permet d'orienter et de stimuler le développement économique. À la suite du plan Monnet, toute une série de plans organisent les modalités de la croissance et s'efforcent de remédier aux déséquilibres constatés. Le second plan (ou plan Hirsch, 1954-1957) met l'accent sur les industries de consommation, l'amélioration de la productivité, le logement et l'aménagement du territoire ; le troisième plan (1958-1961) tente de mettre fin au déficit des finances extérieures et à l'inflation ; le quatrième plan (1962-1965) qui tient compte de la poussée démographique est celui des équipements collectifs, etc. Toutefois, à partir de 1963, ce rôle fondamental de l'État comme maître d'œuvre de l'économie tend à s'estomper au profit de l'initiative privée. Sous l'influence de Valéry Giscard d'Estaing, ministre des Finances presque sans discontinuer jusqu'en 1974, l'investissement privé est encouragé et se substitue partiellement aux interventions des organismes publics. Les cinquième et sixième plans (1965-1970 et 1971-1975) diminuent l'aide de l'État aux entreprises publiques pour les mettre en concurrence avec le privé et donnent la priorité au secteur industriel capable d'affronter la compétition internationale.

Croissance et inflation

• Une croissance longue, rapide et régulière

De 1946 à 1973, la France a connu la plus longue et la plus forte croissance de son histoire. Durant plus d'un quart de siècle, la production française de biens et de services enregistre chaque année un accroissement par rapport aux chiffres de l'année précédente. Cette expansion prolongée est, en outre, remarquablement forte si on la compare à celle des autres périodes historiques, puisque son taux moyen annuel est au moins égal et généralement supérieur à 5 %. Ce long

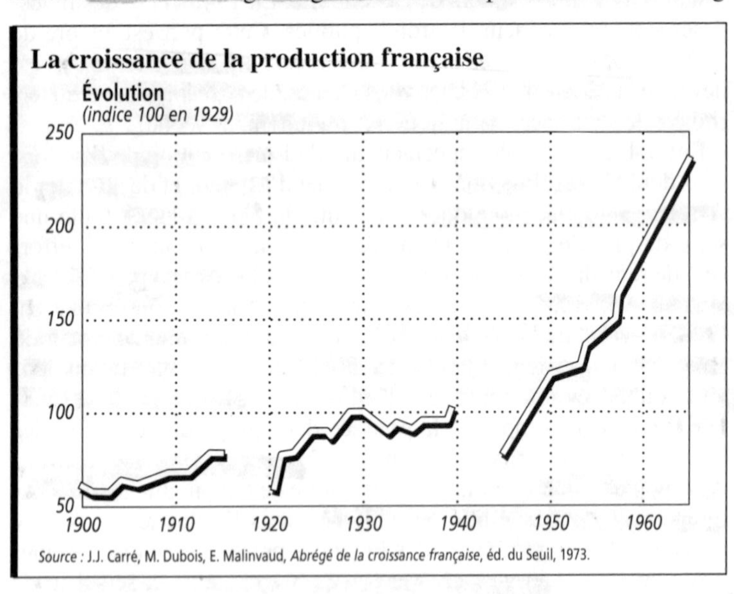

Source : J.J. Carré, M. Dubois, E. Malinvaud, *Abrégé de la croissance française*, éd. du Seuil, 1973.

Rythme de la croissance de la production (en % annuel)

	Industries	Ensemble des branches productives
1896-1913	2,4	1,9
1913-1929	2,6	1,7
1929-1938	– 1	– 0,2
1938-1949	0,8	0,9
1949-1963	5,3	5

et puissant essor constitue donc pour la France un record historique, mais il faut, pour le juger à sa mesure exacte, le comparer à celui des pays étrangers durant la même période. On s'aperçoit alors que la France fait mieux que la Grande-Bretagne et les États-Unis (dont les taux de croissance moyens annuels se situent respectivement à 2,7 et 3,6 %, mais qui sont partis d'un niveau plus élevé), mais moins bien que les champions des « miracles économiques », l'Italie (5,5 %), l'Allemagne fédérale (plus de 6 %), le Japon (près de 10 %).

Cette croissance française est relativement régulière. On constate en effet que si le taux de 5 % est une moyenne, celle-ci ne résulte pas d'une succession de périodes de crises et d'expansion brutale, comme c'était toujours le cas dans le passé. Non que toutes les années soient identiques : celles qui suivent la Libération enregistrent des taux spectaculairement élevés (10 % en 1947, 13 % en 1948), mais la France part de très bas au lendemain de l'occupation. À partir des années 1950, la progression de la production française est à peu près constante. Tout au plus se trouve-t-elle freinée par les politiques de lutte contre l'inflation qui diminuent les investissements ou renchérissent le crédit. C'est le cas, par exemple, en 1952-1953 avec la politique de stabilisation d'Antoine Pinay, en 1958-1959 avec la seconde expérience Pinay et l'effort d'assainissement de l'économie française qui suit le retour au pouvoir du général de Gaulle ou encore en 1965-1966 lorsque le « plan de stabilisation » de Valéry Giscard d'Estaing fait sentir ses effets. Toutefois, il ne s'agit pas là de crises, mais de simples ralentissements de la croissance. Celle-ci, pendant plus de vingt-cinq ans, est donc apparue comme un phénomène continu, au point de faire croire aux économistes que la maîtrise des facteurs économiques avait fait définitivement disparaître la possibilité d'une véritable crise.

Cependant, le phénomène incontestablement positif que constitue la croissance s'accompagne d'une inflation permanente, qui l'explique en partie, mais qui représente également une menace pour sa poursuite.

• La menace permanente de l'inflation

Depuis la Libération, la croissance française s'accompagne d'une spectaculaire hausse des prix (155 % de 1949 à 1968) due à l'inflation. Celle-ci a été des années durant un phénomène mondial, mais la France a été beaucoup plus touchée que les autres pays industriels. En dehors de quelques brèves périodes de stabilité (1953-1955) ou de hausses modérées (1956-1957), la France connaît en permanence une importante inflation dont les causes sont diverses. C'est d'abord la pénurie de biens de première nécessité liée à l'insuffisance de la production après la Libération qui provoque une forte demande et fait monter les prix ; c'est ensuite l'augmentation des coûts des matières premières, conséquence de la guerre de Corée en 1950. Puis viennent les effets de la guerre d'Algérie qui gonfle la demande de biens et diminue la main-d'œuvre ; enfin, le reflux des Européens d'Algérie en 1962, générateur de besoins considérables pour plusieurs centaines de milliers de rapatriés. À quoi il faut ajouter des phénomènes accidentels comme les mauvaises récoltes agricoles, des phénomènes sociaux comme les revendications salariales en réponse à la hausse des prix, des phénomènes psychologiques comme l'anticipation des achats (il faut acheter avant même que le besoin s'en fasse sentir, car plus tard les prix auront monté) ou l'anticipation des hausses (puisque tout augmente, pourquoi ne pas gagner davantage en augmentant les prix, sans attendre d'y être contraint par la hausse des fournitures ou des transports ?).

L'économie française vit dans un climat d'inflation où chacun peut penser que ses revenus, mais aussi ses dépenses seront plus importants demain qu'aujourd'hui et qu'il importe par conséquent de ne pas se laisser dépasser dans la course à la hausse des revenus. Mais si cette situation d'inflation s'installe ainsi, c'est aussi que la politique des gouvernements successifs s'accommode d'un phénomène qui permet de financer la croissance de manière indolore (puisque les prélèvements opérés sont en quelque sorte « invisibles », consistant non en diminution, mais en moindre augmentation des revenus nominaux).

Mais, au total, les effets de l'inflation sont considérables :

– L'inflation a un effet négatif sur les échanges extérieurs. En renchérissant les prix français, l'inflation gêne les exportations, alors que les produits étrangers apparaissent relativement bon marché, ce qui favorise les importations. Pour remédier au déficit de la balance commerciale qui en résulte, le gouvernement est conduit à dévaluer le franc (c'est-à-dire à en diminuer la valeur par rapport aux autres monnaies), ce qui contribue à baisser les prix des produits français pour les étrangers et à augmenter le prix des produits étrangers pour les Français : de 1944 à 1969, le franc subit ainsi 8 dévaluations successives.

– À l'intérieur, l'inflation a pour avantage de réduire la valeur des dettes et d'entretenir un climat d'aisance due à l'abondance de la monnaie. Parmi les bénéficiaires de l'inflation, on trouve l'État qui a pu rembourser à bon compte ses emprunts et les chefs d'entreprise qui se sont endettés pour investir : dans ces deux cas, l'inflation a financé la modernisation de l'économie française. Mais les bénéficiaires de l'inflation ont aussi été, surtout entre 1946 et 1953, la masse des petits commerçants,

Les dévaluations françaises de 1944 à 1969

Dates	Valeur du franc
Septembre 1939	1 F = 20,289 mg d'or fin
2 novembre 1944	1 F = 17,908 mg d'or fin
26 décembre 1945	1 F = 7,46 mg d'or fin
26 janvier 1948	1 dollar = 305 F
avril 1949	1 dollar = 330 F
20 septembre 1949	1 F = 2,539 mg d'or fin
août 1957	1 dollar = 420 F
décembre 1958	1 F = 1,8 mg d'or fin
1er août 1969	1 F = 1,6 mg d'or fin

artisans, agriculteurs dont les entreprises, mal adaptées au marché, ont pu subsister grâce à l'aisance financière entraînée par l'inflation, et qui versent dans l'agitation poujadiste, lorsque celle-ci se trouve provisoirement stoppée en 1953-1955, jetant tout à coup ces entreprises incapables de supporter la concurrence dans les pires difficultés.
– En revanche, les victimes de l'inflation, qui ont payé le prix de la modernisation ou de la survie des entreprises marginales par une amputation de leurs revenus, sont les détenteurs de revenus fixes, les rentiers souscripteurs des emprunts d'État, les détenteurs de comptes d'épargne et d'obligations à intérêt fixe, les propriétaires urbains ou ruraux touchant des loyers bloqués ou fixés par des baux à très long terme, les salariés, enfin, dont les traitements suivent avec retard la hausse des prix.

Ayant examiné les conditions de la croissance française, ses rythmes et le phénomène de l'inflation qui l'accompagne, il est temps de voir quels ont été les résultats de cette croissance sur les divers secteurs de l'économie française. Et force est de constater ici que cette croissance est sélective, c'est-à-dire qu'elle touche de manière inégale les grandes branches de l'économie.

Une croissance sélective

• Un déclin relatif de l'agriculture

Un tel jugement sur l'agriculture française peut surprendre dans la mesure où, de 1946 à 1974, la production agricole a pratiquement doublé, alors que la superficie cultivée a diminué de 10 % et que la population agricole a été réduite de sept millions de personnes à moins de trois millions. Il s'agit là de résultats remarquables qui témoignent de gains de productivité tout à fait spectaculaires. Ils sont dus à un intense effort de modernisation touchant la motorisation, l'utilisation d'engrais et d'aliments pour le bétail et entraînant une augmentation générale des rendements.

Toutefois, cette croissance spectaculaire ne doit pas faire illusion. Elle se conjugue avec un déclin de la place de l'agriculture dans l'économie française. En effet, de 1946 à 1974, la production agricole s'est accrue deux fois moins vite que la production industrielle ou les services. L'agriculture française, qui représentait encore en 1946 17 % de la production intérieure brute, n'en représente plus qu'environ 5 % en 1975. Cette diminution relative de la part de l'agriculture dans l'économie s'explique essentiellement par une moindre augmentation de la part des dépenses consacrée par les ménages à l'achat de produits alimentaires par rapport à celle qu'ils consacrent aux produits industriels et aux services. Il y a là un seuil structurel qu'il est difficile de franchir et dont le seul remède est l'accroissement des quantités exportées, ce qui implique une politique systématique de compression des coûts de production, pour permettre aux produits agricoles français d'être compétitifs.

Cette stagnation de la demande intérieure au moment où les quantités produites croissent de façon importante entraîne des surproductions et une tendance à la baisse (ou à la très faible augmentation) des prix agricoles. Il en résulte que le revenu des agriculteurs progresse moins rapidement que celui des autres catégories socio-professionnelles. À partir de 1972, ce revenu s'oriente d'ailleurs systématiquement à la baisse, provoquant des mouvements de protestation de la part des paysans. La situation leur apparaît d'autant plus insupportable que beaucoup d'entre eux se sont endettés pour se moderniser. La seule solution est le départ des ruraux de la terre. En 1975, la population agricole de la France ne représente plus que 10 % de la population active de la France contre plus de 30 % au lendemain de la guerre.

Pour faire face à cette difficile situation, l'État a conduit, à partir des années 1960-1962, une politique d'adaptation de l'agriculture aux conditions du marché mondial, dont l'objet consiste à transformer l'exploitation agricole en une entreprise de type industriel ayant à sa tête un véritable gestionnaire, soucieux du marché et de la rentabilité de son entreprise.

Cette politique a revêtu un double caractère :
– un soutien des prix et une organisation du marché pour permettre le maintien du revenu agricole ;

– une transformation de la structure des exploitations, de manière à constituer des entreprises assez grandes pour être rentables, par remembrement et encouragement au départ des agriculteurs âgés.

Depuis 1962, c'est le Marché commun qui, dans le cadre de la Politique agricole commune (PAC), fixe les prix des céréales, des produits laitiers et du bœuf, la protection douanière de l'agriculture étant opérée par le Tarif extérieur commun.

• L'impératif industriel et la croissance du secteur tertiaire

À partir des années 1960, avec l'ouverture des frontières résultant de la mise en œuvre du Marché commun, l'État met prioritairement l'accent sur la restructuration de l'industrie française afin de la rendre concurrentielle sur le plan international. Sous l'inspiration de Georges Pompidou, Premier ministre, puis Président de la République, pour qui cette politique industrielle est un impératif absolu si la France veut demeurer une grande puissance, cette politique est mise en œuvre par les Ve et VIe plans (1965-1970 et 1971-1975). Ces plans entreprennent la modernisation du secteur industriel d'État (pétrole, charbonnages, aéronautique…) et encouragent la réorganisation des branches pilotes de l'économie française. C'est ainsi que des conventions sont signées par l'État avec la sidérurgie (1966), ou avec les constructions navales (1968). Un «plan calcul» est mis au point pour les années 1968-1971 et un programme de l'espace pour 1969-1970. Des mesures fiscales encouragent l'investissement, l'achat d'actions et d'obligations, les fusions d'entreprises. Le but est d'aboutir à la constitution d'entreprises françaises de dimension internationale, face aux concurrents américains, dans les domaines clés de l'industrie moderne, comme l'informatique, l'aéronautique, l'espace. Mais il s'agit aussi de rendre viables, grâce à des fusions et des absorptions, les industries traditionnelles employant un grand nombre de salariés comme les industries agricoles et alimentaires, la mécanique, l'électronique, la chimie.

Cette politique de restructuration industrielle exige l'intervention massive de groupes financiers puissants, seuls capables de fournir aux industries les capitaux nécessaires aux rachats d'entreprises et aux investissements. Les plus importants de ces groupes financiers, Rothschild, Empain-Schneider, Suez, Paribas, Lazard… sont devenus les centres nerveux de l'industrie française qu'ils tiennent sous leur dépendance.

La part de l'industrie dans la formation du Produit intérieur brut qui était d'environ 20 % dans les années 50 atteint 28,3 % en 1973 (38,8 %

Croissance en volume des grands secteurs de production de l'économie (1952-1972)

	Indices en 1972 (base 100 en 1952)	Croissance moyenne annuelle en % (1952-1972)
Agriculture	164	2,5
Industries agricoles et alimentaires	229	4,25
Énergie	403	7,2
Industries intermédiaires	379	6,9
Industries d'équipement	416	7,4
Industries de consommation	248	4,7
Logement	258	4,85
Transports et télécommunications	276	5,2
Bâtiment et travaux publics	355	6,55
Services	281	5,3
Commerce	283	5,35
Ensemble de l'économie	295	5,55

en y ajoutant l'énergie et les industries agricoles et alimentaires). La part de la population active employée dans l'industrie croît rapidement de 1946 (29,6%) à 1962 (39,07%), mais stagne ensuite en raison des progrès de la productivité (40% vers 1973). Si les phénomènes de concentration ont abouti à une rapide diminution des petites entreprises au bénéfice des grandes et des moyennes, le poids international des entreprises françaises demeure limité. 1500 entreprises font 90% des exportations françaises alors que 45000 petites et moyennes industries sont exclues du marché international. Première entreprise française, Renault n'est qu'au 22e rang mondial. La France ne possède de grandes entreprises de rang mondial que dans un nombre limité de domaines, l'automobile (Renault et Peugeot-Citroën), les pneumatiques (Michelin), le verre et les matériaux de construction (Saint-Gobain, Pont-à-Mousson et BSN-Gervais-Danone, cette dernière étant surtout connue comme leader de l'agro-alimentaire), l'aluminium (Péchiney-Ugine-Kühlmann), l'aéronautique, mais presque aucune pour la chimie, la sidérurgie, le matériel électrique, la mécanique, l'informatique… Beaucoup de ces grands groupes français sont devenus des firmes multinationales possédant des filiales à l'étranger. En revanche, le marché français est largement pénétré par les entreprises étrangères, surtout dans les secteurs à forte croissance (pharmacie, informatique, télévision…) ou à technologie avancée (électronique, mécanique de précision…).

La croissance industrielle de la France est directement conditionnée par sa consommation d'énergie. Celle-ci n'a cessé de croître, passant entre 1960 et 1973 de 85,6 à 176,8 millions de tonnes d'équivalent-pétrole (TEP). Mais, durant ces mêmes années, la part du charbon n'a cessé de décroître au profit de celle du pétrole et du gaz naturel. Or ces hydrocarbures sont importés dans leur quasi-totalité. Il en résulte un accroissement de la dépendance énergétique de la France : en 1946, elle importait 41 % de son énergie ; en 1973, elle en importe 75 %. Il est vrai que, jusqu'à cette date, il s'agit d'une énergie peu coûteuse. Les conditions vont radicalement se transformer avec la crise de l'énergie qui débute à cette date.

Parallèlement à la croissance industrielle, le secteur tertiaire, celui des « services », a connu une très rapide expansion. Il employait, en 1946, 34 % de la population active. Cette part est passée à 53 % en 1977, soit au total 11 millions de personnes. 75 % des emplois y sont créés en France entre 1962 et 1975. À cette dernière date, il fournit 55 % de la production nationale. Bien que ce secteur n'enregistre que de faibles gains de productivité, il joue un très grand rôle dans l'équilibre des comptes extérieurs : en 1977, les exportations de « services », surtout marchands, représentaient 21 % des exportations de marchandises.

Cette rapide et spectaculaire croissance de l'économie française ne va pas cependant sans poser un certain nombre de problèmes importants. Les plus aigus concernent la répartition régionale de cette croissance et sa dépendance à l'égard de la compétition commerciale internationale.

Les problèmes de la croissance

• Le déséquilibre régional

Le déséquilibre régional en France est antérieur à la grande période de croissance de l'économie française. Dès 1947, avant que celle-ci ne commence, le livre de J.-F. Gravier, *Paris et le désert français,* mettait en relief les disparités régionales qui affectent la France d'après-guerre. Mais la croissance des années 1946-1973 n'a fait qu'accentuer les composantes de ce déséquilibre. Celui-ci revêt trois aspects principaux :

– À l'ouest d'une ligne Le Havre-Marseille, la population n'augmente que faiblement dans l'Ouest, le Sud-Ouest, le Massif central, alors que la Provence, l'Ile-de-France, la région Rhône-Alpes absorbent l'essentiel des augmentations.

– La population urbaine qui représentait 25 % de la population totale en 1870 atteint 75 % en 1980. Cette progression bénéficie surtout aux grandes agglomérations, en particulier aux « métropoles d'équilibre » et aux villes moyennes. Les efforts faits pour freiner la croissance de Paris et de sa région ont été couronnés de succès dans la mesure où la population de la capitale tend à régresser alors que se raniment les villes situées dans un rayon de 100 à 200 kilomètres autour de la capitale, mais ils ont aussi abouti à la croissance des banlieues dortoirs, de plus en plus éloignées du centre, dans lesquelles les emplois, les équipements collectifs et l'animation ne sont pas toujours suffisants.
– La désertification des zones rurales s'est poursuivie de manière dramatique par l'émigration des jeunes entraînant l'effondrement de la natalité et un recul de la population (en particulier dans le Centre et le Sud-Ouest), expliqué par la régression de l'emploi agricole.

La constatation de ces importants déséquilibres régionaux a entraîné des tentatives de correction. D'abord spontanées, provenant d'initiatives locales comme le CELIB (Centre d'étude et de liaison des intérêts bretons), elles sont reprises en compte par la politique d'aménagement du territoire qui se met en place à partir de 1954. Son but est de répondre aux déséquilibres en répartissant mieux la croissance sur l'ensemble du territoire national, et en particulier d'aider à la reconversion économique des régions dépourvues d'industries (Ouest) ou atteintes par la crise des industries traditionnelles, la sidérurgie, le textile, le charbon (Lorraine, Alsace, Nord), etc.

Cette « géographie volontaire du développement », mise en œuvre surtout à partir de 1963 par la Délégation à l'aménagement du territoire (DATAR), n'a obtenu que des résultats limités. Le développement régional équilibré demeure un but à atteindre et la politique d'aménagement du territoire un correctif indispensable pour remédier aux déséquilibres spontanés engendrés par la croissance.

• La fragilité du commerce extérieur

La France est devenue, depuis les années 50, une des grandes nations commerciales du monde. Elle est aujourd'hui la quatrième puissance exportatrice derrière les États-Unis, la République fédérale d'Allemagne et le Japon. De plus, sa position sur le marché international est devenue un facteur essentiel de sa situation économique puisque ses exportations en 1979 représentent 16,7 % de sa production intérieure (contre 9 % en 1952), plus que les États-Unis et le Japon, mais moins que l'Allemagne, l'Italie ou le Royaume-Uni.

La place de la France dans le commerce international

Pays et rangs parmi les pays exportateurs	Valeur des exportations en 1979 (millions de dollars)	% de la production intérieure brute représentée par les exportations
1. États-Unis	181800	6,4
2. RFA	171520	22,8
3. Japon	109900	11,6
4. France	97980	16,7
5. Royaume-Uni	91880	23,5
6. Italie	72070	23
7. Pays-Bas	64000	41,1
8. Canada	55310	20,8
9. Belgique/Lux.	55020	45,6

La balance commerciale de la France entre 1959 et 1972

(en millions de francs)

	1959	1972
Agriculture	– 2166	+ 5951
Industries agricoles et alimentaires	– 1116	– 496
Énergie	– 4185	– 14890
Industries intermédiaires	+ 1948	– 2702
Industries d'équipement	+ 5680	+ 10808
Industries de consommation	+ 2402	– 540
Transports et télécommunications	+ 3016	+ 8173
Bâtiment et travaux publics	+ 274	+ 1075
Services	+ 300	+ 1545
Commerce	+ 207	+ 81
Ensemble des produits	+ 6360	+ 8975

Traditionnellement protectionniste et tournée vers son marché intérieur, la France opère entre 1946 et 1972 une ouverture au marché international qui représente pour elle un très gros effort d'adaptation. De 1946 à 1962, grâce à l'aide extérieure et à l'abri de ses barrières douanières, l'économie française renouvelle ses structures industrielles en améliorant la productivité de branches comme la production de biens d'équipement, les machines ou le matériel de transport. Cette politique porte ses fruits dans la décennie 1962-1972 qui voit la France intensifier considérablement ses échanges commerciaux, en particulier en raison de son entrée dans le Marché commun : les pays de la CEE représentaient, en 1959, 27 % des échanges extérieurs de la France, la moitié en 1972, la République fédérale d'Allemagne étant son premier partenaire.

Cette place croissante du commerce extérieur rend d'autant plus préoccupantes les fragilités révélées par ces échanges. La France reste avant tout exportatrice de produits agricoles et alimentaires. Elle occupe une position importante dans la vente de biens d'équipement, de machines, de matériels de transport, mais sa balance commerciale tend sans cesse à se détériorer sous l'effet de sa forte dépendance à l'égard des importations d'énergie et du déficit permanent en matière d'échanges de produits manufacturés. C'est pourquoi, sauf en de brèves périodes (1959-1962 ou 1965), le commerce extérieur de la France tend à être déficitaire.

Afin de remédier à ce danger et de permettre à l'industrie française d'occuper une place importante sur le marché international, l'accent est mis durant la période 1969-1974 (présidence de Georges Pompidou) sur l'impératif industriel.

Les mutations sociales

• Des groupes sociaux en pleine évolution

La croissance économique en France a très profondément transformé la société en modifiant l'équilibre relatif des différents groupes sociaux. Trois phénomènes importants marquent à cet égard la période de l'après-guerre : la relative stagnation du nombre des ouvriers après une période de forte croissance après 1945 ; la diminution très importante des effectifs du patronat et de ceux de la paysannerie qui marquent la perte d'importance de la classe moyenne indépendante ; la croissance concomitante de la classe moyenne salariée.

Les ouvriers sont, depuis 1945, le groupe socio-professionnel le plus nombreux dans la population française. Les nécessités de la reconstruction, puis la volonté d'accroître la production industrielle expliquent leur croissance relativement rapide de 1945 à 1962. Mais, depuis 1962, leur proportion au sein de la population active tend à stagner. Vers 1975, elle s'établit à 37,7 %. Toutefois, il importe de distinguer l'évolution différente des diverses catégories d'ouvriers. Le groupe qui stagne est avant tout celui des manœuvres et des ouvriers spécialisés, au sein duquel les étrangers et les femmes sont en nombre croissant. En revanche, on voit parallèlement augmenter le nombre des contremaîtres et des ouvriers qualifiés. Le phénomène le plus spectaculaire est de fait l'importance numérique de plus en plus grande des ouvriers chargés des tâches d'encadrement, recevant des salaires relativement élevés et connaissant une augmentation régulière de leur niveau de vie. Il s'agit de groupes profondément intégrés dans la société de consommation et à propos desquels on a parlé de « nouvelle classe ouvrière ». Leur volonté de trouver leur place dans la société les conduit à des attitudes réformistes, fort éloignées des traditions et du vocabulaire révolutionnaire des grandes centrales syndicales ouvrières. Pour celles-ci, l'émergence de cette nouvelle classe ouvrière pose un sérieux problème, leur laissant le choix entre modifier leur mode d'action ou centrer leur recrutement sur les groupes en voie de diminution numérique.

La classe moyenne indépendante connaît pour sa part une diminution d'effectifs très rapide, mais qui concerne des groupes différents :
– en premier lieu, le patronat de l'industrie et du commerce. Sa part dans la population active est tombée de 12 % en 1954 à 7,9 % en 1975 sous l'effet du processus de concentration qui accompagne la modernisation de l'économie française. Ce mouvement résulte en fait d'un double phénomène : la disparition de nombreuses petites et moyennes entreprises mal adaptées au marché, qui réduit l'importance de la classe moyenne indépendante, assise sociale de la IIIe République ; la très forte concentration des grandes entreprises, sous le contrôle des groupes financiers, qui porte au pouvoir, à l'intérieur des grandes firmes, une nouvelle catégorie de dirigeants salariés, les « managers », techniciens de la gestion. Réduite en nombre et ainsi transformée, la grande bourgeoisie d'affaires apparaît plus puissante que jamais ;
– en second lieu, la paysannerie qui ne représente plus en 1975 que 9,2 % de la population active contre 26,7 % en 1954, soit guère plus de 2 millions d'actifs. Parmi ceux-ci, il faut distinguer les salariés agricoles (400 000), le plus souvent immigrés et dont la situation reste très précaire, et les exploitants dont le statut est très différent selon qu'ils appartiennent au monde des grands domaines de plus de 50 hectares, celui de l'agriculture capitaliste, ou au secteur des exploitations familiales, dont beaucoup connaissent de grandes difficultés de survie.

En revanche, la période d'après-guerre a vu la croissance extrêmement rapide d'une classe moyenne salariée. Formée de groupes socio-professionnels aux activités et au niveau de revenu très divers, employés, cadres moyens ou supérieurs appartenant au secteur privé ou à la fonction publique, elle rassemble aujourd'hui plus de la moitié de la population active. Regroupement de catégories intermédiaires, elle est difficile à classer au sein des cadres traditionnels de l'analyse sociale marxiste, bourgeoisie et prolétariat. Mais son originalité et son homogénéité sont ailleurs que dans la position de ses membres par rapport à la possession des moyens de production. Elles résident dans la conscience d'appartenir à des catégories moyennes, dans des modes de vie qui les font participer fortement à la société de consommation, dans l'aspiration à la promotion sociale, dans la crainte aussi de difficultés économiques ou de politiques sociales qui menaceraient leur emploi ou remettraient en question leur niveau de vie.

La croissance numérique de la classe moyenne salariée en période de forte expansion économique peut donner l'impression (et elle l'a effectivement donnée aux contemporains) d'une uniformisation du niveau de vie par la participation d'un nombre de plus en plus important d'individus aux principaux types de consommation. Mais cette constatation qui correspond à une augmentation du revenu du plus grand nombre ne doit pas faire illusion. La société française à l'époque de la croissance reste marquée par une très grande inégalité sociale.

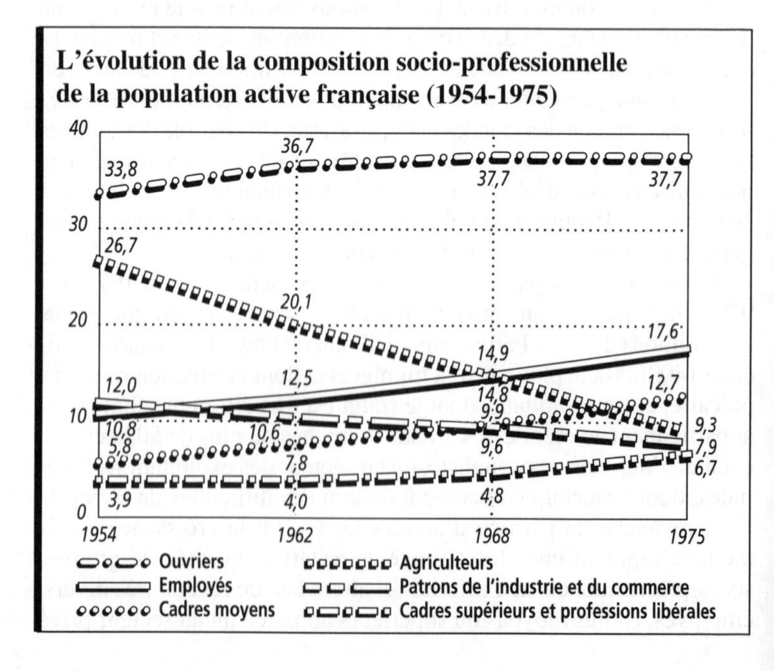

L'évolution de la composition socio-professionnelle de la population active française (1954-1975)

• La transformation des mœurs et de la vie quotidienne

Depuis la fin de la guerre, l'augmentation du revenu réel par tête est considérable. Exprimé en monnaie constante, ce revenu s'est accru de 24 % entre 1949 et 1954, de 18 % entre 1954 et 1959 et a doublé entre 1960 et 1978. Même s'il est très inégalement réparti, comme nous le verrons plus loin, cet accroissement considérable du revenu des Français a littéralement bouleversé leurs conditions de vie quotidienne. Pendant cette période, baptisée par Jean Fourastié « Les trente glorieuses », les Français ont bénéficié du progrès matériel le plus important et le plus rapide de leur histoire. La percée spectaculaire du pouvoir d'achat leur a permis d'acheter des biens et des services d'une manière qui n'appartenait naguère qu'aux catégories privilégiées de la société. De ce fait, pendant trente ans, la préoccupation principale des Français va être leur accès à tous les types de consommation. La France entre dans une ère nouvelle, celle de la société de consommation, qui modifie radicalement les conditions de vie séculaires de la société.

La société de consommation représente d'abord une alimentation fortement améliorée. Alors que, pendant des siècles, le souci de ne pas mourir de faim, de se procurer le « pain quotidien », avait été la préoccupation essentielle de générations d'hommes, l'alimentation s'améliore désormais de façon spectaculaire. La consommation de produits alimentaires de luxe, viande, légumes, fruits, s'accroît, y compris dans les classes les plus modestes. Et surtout, pour la majorité de la population, l'alimentation quotidienne cesse d'être un souci obsessionnel. À preuve, la forte diminution de la part des dépenses d'alimentation et d'habillement dans le budget des Français.

Cette diminution accroît la part des divers postes réservés à des dépenses jusqu'alors tenues pour secondaires dans le cadre d'une économie de survie. Ainsi voit-on augmenter la part du logement et de son équipement. La France construit en vingt ans plus de logements qu'elle n'en avait construits depuis la fin du Second Empire, et de bien meilleure qualité. Mais, pour l'essentiel, cet habitat moderne est collectif : croissance dans les villes des grands immeubles aux nombreux appartements, mais surtout (et c'est là le phénomène le plus frappant) prolifération des banlieues, éloignées des vieux centres urbains. Mais en banlieue comme en ville, l'habitat collectif l'emporte : de grands ensembles érigés dans les banlieues dortoirs où naissent des milliers d'appartements, mais sans que suivent les possibilités d'emplois et les services collectifs, ou la construction de « villages » de maisons individuelles selon le principe de l'habitat collectif par le développement de maisons accolées avec quelques mètres carrés d'herbe figurant un jardin et les inconvénients signalés plus haut. Il reste que, dans ses grandes lignes, le besoin de logements est à peu près satisfait par cet effort. Ces maisons en nombre croissant sont de mieux en mieux équipées et rares sont désormais les foyers sans téléviseur, machine à laver, lave-vaisselle.

À ces consommations liées à la maison, il faudrait ajouter la diffusion spectaculaire de l'automobile qui, comme jadis le carrosse, était encore dans les premières années du siècle l'apanage de rares privilégiés. Devenue une nécessité en raison de la prolifération des banlieues mal desservies par les moyens de transport en commun et de la séparation entre lieu de travail et lieu d'habitat, elle ouvre vers la diffusion des voyages que la croissance des congés payés (deux semaines depuis 1936, trois semaines en 1956, quatre semaines au début de la Ve République, cinq semaines depuis 1981) autorise désormais.

Avec la diffusion de l'automobile et des voyages, on atteint le stade des consommations plus sophistiquées qu'autorise la croissance. Développement des dépenses d'hygiène et de santé (dont les progrès ont été rendus possibles par l'institution de la Sécurité sociale) qui

Les Français et la consommation

Part des divers types de dépenses dans le budget des Français (en % des dépenses totales)

	1959	1975
Alimentation	37,7 %	24,9 %
Habillement	12 %	10,1 %
Habitation	16,4 %	20,3 %
Hygiène et santé	9,5 %	14 %
Transports et télécommunications	7,6 %	11,5 %
Culture, loisirs, distractions	6,9 %	9,9 %
Hôtels, cafés, restaurants, divers	9,9 %	9,3 %

Taux d'équipement des foyers (en % de foyers équipés)

	1957	1976
Téléviseurs	6,1	85,7
– dont couleur		19,1
Réfrigérateurs	17,4	90,8
Automobiles	21	65,3
Lave-vaisselle	–	9,5

ont permis un allongement de plus de dix ans de la durée moyenne de vie, accès très large aux diverses formes de loisirs et de culture, croissance du nombre des bénéficiaires de l'instruction, l'enseignement secondaire étant étendu à toutes les couches sociales, tandis que l'enseignement supérieur se démocratise à son tour. Entre 1950 et 1971, les effectifs de l'enseignement du second degré passent de 1,1 à 4,646 millions et ceux du supérieur de 134000 à 777000. Bien entendu, la croissance démographique constitue un élément d'explication de cette augmentation des effectifs de lycéens et d'étudiants, mais les chiffres cités sont hors de proportion avec la démographie et la débordent très largement, preuve de la réalité de l'ouverture de l'accès à l'instruction.

Ces transformations profondes de la vie des Français ne vont pas sans une profonde influence sur les mœurs de la société et sans la naissance de problèmes. La croissance de la consommation, le développement d'un habitat collectif, le rôle de plus en plus important de la diffusion des moyens de connaissance nouveaux, ont eu pour effet de jouer un rôle dissolvant sur la structure de la société traditionnelle, société fondée sur la cohésion des familles dominées par l'homme adulte. La famille, qui reste une valeur fondamentale de la société française, s'est en partie modifiée par un accès de ses divers membres à un statut de partenaires associés et responsables, remplaçant les liens hiérarchiques établis au bénéfice du père de famille. On a vu ainsi se distinguer des groupes nouveaux qui revendiquent leur place dans la société. C'est le cas des jeunes qui deviennent un élément actif de la société beaucoup plus tôt qu'auparavant (ce que le législateur a enregistré en établissant en 1974 la majorité à 18 ans au lieu de 21 ans auparavant) et constituent un facteur important au niveau de la consommation, des loisirs, de l'éducation. C'est aussi le cas des femmes, dont certaines, organisées en associations, réclament un rôle actif dans la société, qui ne soit pas seulement celui d'épouse et de mère de famille. Elles exigent la reconnaissance de leur personnalité propre et ont fait triompher une partie de leurs demandes par la création d'un secrétariat d'État à la condition féminine, par la légalisation de l'avortement, la procédure plus aisée de divorce, la mise en place d'une législation établissant progressivement l'égalité des femmes et des hommes devant le travail. Ces problèmes neufs, propres à la société de consommation, s'accompagnent d'une réflexion très critique sur la consommation elle-même, considérée comme aliénant l'homme au détriment de valeurs plus authentiques. Caractéristique de la fin des années 60, cette réflexion va connaître une véritable explosion avec la crise de 1968. Devant la satisfaction quantitative des consommations pour la majorité de la population naissent des exigences qualitatives. On réclame moins souvent désormais davantage d'argent pour acheter plus, mais une amélioration de la «qualité de la vie».

Est-ce à dire que la France est entrée d'un seul bloc dans la voie de la société de consommation et qu'il ne subsiste plus de pauvres dans le pays ? Une telle affirmation serait inexacte. Si la majorité de la population est effectivement entrée dans l'ère de la consommation de masse, les inégalités demeurent considérables, et c'est même un souci permanent de l'État que de tenter de les corriger.

• Les inégalités sociales

En fait, les informations dont nous disposons permettent au contraire de dire que la croissance a vu s'accroître l'inégalité entre riches et pauvres. Il est difficile de dire exactement ce qu'est un riche dans la société française. L'évaluation des revenus déclarés aux impôts constitue probablement une donnée insuffisante : selon celle-ci, en 1977, 1 % des Français auraient un revenu supérieur à 230000 F. Mais seuls les revenus salariaux qui font l'objet de déclarations par des tiers sont vraiment fiables, les autres catégories de revenus faisant l'objet d'une sous-évaluation systématique et ne permettant pas d'obtenir des renseignements valables. Pour pouvoir véritablement évaluer la richesse des Français, il faudrait prendre en compte la possession d'un patrimoine : immeubles, terres, actions, or, tableaux, épargne... Cette donnée permet de savoir que 5 % des Français (c'est-à-dire environ 2,5 millions de personnes) posséderaient 45 % du patrimoine national. À l'autre extrémité de l'échelle sociale, parmi les pauvres qui ne possèdent aucun patrimoine, 5 millions de personnes percevraient des sommes égales ou inférieures au SMIC.

Entre ces deux catégories extrêmes, la croissance a tendance à creuser l'écart, entre 1950 et 1973. La prise en considération de l'éventail des salaires, par exemple, montre que celui-ci tend à s'ouvrir, les conditions économiques tirant vers le haut les salaires les plus élevés qui correspondent aux qualifications les plus recherchées dans la compétition économique, alors que le salaire minimum est difficilement réajusté, et avec retard, car il ne correspond qu'à une attitude politique, la volonté de justice sociale, qui s'est toujours avérée seconde par rapport aux exigences économiques.

Cette inégalité des conditions sociales subit cependant des correctifs. L'État pratique systématiquement durant les années de la croissance une politique de redistribution des revenus dont l'objet est de tenter de compenser les effets naturels de l'évolution économique. Il prélève au titre de l'impôt ou des cotisations sociales (Sécurité sociale, allocations familiales…) des sommes importantes qu'il redistribue ensuite à la population sous des formes diverses, soit sous forme d'équipements collectifs mis à la disposition de la population (crèches, hôpitaux, stades, écoles, bibliothèques, etc.), soit sous forme de sommes d'argent, les « transferts sociaux » : prestations de Sécurité sociale, allocations familiales, retraite vieillesse, bourses d'études, etc. Cette redistribution s'opère des riches vers les pauvres, des bien-portants vers les malades, des célibataires vers les familles nombreuses, des actifs vers les non-actifs, etc. Bien que les catégories les plus défavorisées en soient les grandes bénéficiaires, cette redistribution ne corrige que très imparfaitement les inégalités sociales.

Comment se manifestent concrètement ces inégalités de consommation ? Entre les plus riches et les plus pauvres, la différence est assez faible en ce qui concerne la consommation alimentaire. Elle s'est réduite pour l'achat de biens durables : 75 % des ouvriers ont une voiture (8 % en 1953) contre 93 % des cadres supérieurs. Enfin, l'équipement des ménages en téléviseurs ou appareils électroménagers est comparable quelle que soit la catégorie sociale, même si l'effort d'acquisition est plus grand pour les budgets modestes.

Mais la grande différence se manifeste au niveau de la culture ou des loisirs. En 1976, 52 % des ouvriers sont partis en vacances contre 84 % des cadres supérieurs et professions libérales ; la fréquentation des musées, monuments, théâtres, maisons de la culture, est l'apanage des plus aisés ; et surtout, l'accès aux études les plus poussées, ouvrant les postes supérieurs d'encadrement, demeure limité pour les enfants des milieux modestes en dépit des efforts entrepris pour démocratiser l'enseignement. La rigidité sociale française reste donc importante.

CHAPITRE 21

Le Japon, « troisième Grand »

Le remarquable essor économique japonais des années 50 au début des années 70 a pu être qualifié de « miracle ». À côté de secteurs en pleine expansion, la persistance d'une masse de petites entreprises artisanales et agricoles fait de l'économie japonaise une « structure à deux étages ». La société reste marquée par le poids de la tradition, surtout vivace dans le monde rural. Les comportements traditionnels, dans les villes, doivent en effet cohabiter de plus en plus avec de nouvelles mentalités issues d'un mode de consommation décalqué sur le modèle occidental. Dominé par un parti conservateur tout-puissant, lié aux milieux d'affaires, la vie politique nippone ne suscite guère de passions. Au plan extérieur, le Japon doit concilier sa dépendance militaire à l'égard des États-Unis et ses intérêts économiques qui le poussent à regarder vers l'URSS et la Chine.

Le « miracle économique »

Vaincu et ruiné en 1945, surpeuplé au début des années 1950, pauvre en ressources naturelles (16 % seulement de terres cultivables, peu de charbon à coke, pratiquement pas de pétrole et de minerai de fer...), le Japon s'est hissé dès 1968 au rang de « troisième Grand » de l'économie mondiale. Au cours des années 1950 et 1960, son taux d'expansion a été tel qu'il sert désormais de référence : « une croissance à la japonaise » !... Ce rapide et extraordinaire développement n'a pas été sans bouleverser considérablement la société japonaise.

• Les facteurs de l'expansion

À l'origine de ce remarquable essor économique, on peut trouver de nombreux facteurs, certains communs aux « miracles » allemand et italien, d'autres spécifiques au Japon :
– une aide financière et technique des États-Unis (particulièrement au moment de la guerre froide) ;
– l'absence puis, à partir de 1950, l'extrême faiblesse des dépenses militaires (1 % du revenu national) ainsi que l'absence de coûteuses guerres de décolonisation ;
– une population abondante à faible niveau de vie constituant un réservoir de main-d'œuvre (surtout dans les campagnes surpeuplées) et un vaste marché intérieur ;
– une discrète mais très efficace intervention de l'État, notamment du ministère du Commerce international et de l'Industrie (MITI), au moyen d'une planification souple, d'un contrôle des investissements et du commerce extérieur (sur l'entrée des marchandises, des capitaux et des brevets étrangers) ;
– un état d'esprit particulier au Japon, fondé en grande partie sur la permanence de traits ancestraux (conscience nationale élevée, sens des hiérarchies, solidarité des clans...) que l'on rencontre en particulier au niveau de l'entreprise, avec des patrons plus soucieux de progrès et de prestige que de profit, et des ouvriers dociles, peu revendicatifs et entièrement dévoués à leur firme ;
– des choix économiques efficaces : priorité donnée à l'industrie moderne, à la recherche de marchés extérieurs, adoption de techniques nouvelles, système de financement audacieux (endettement très lourd des entreprises), faibles dépenses publiques... ;
– enfin, une structure économique particulière, le « dualisme ».

• Le « dualisme » de l'économie

L'économie japonaise des années 1950 et 1960 repose en effet sur une « structure à deux étages », l'une très moderne, composée de grandes entreprises de dimension internationale, l'autre traditionnelle, formée d'une masse de petites et moyennes entreprises ainsi que du secteur artisanal et agricole :

– Le Japon moderne est représenté notamment par de véritables empires industriels et financiers : les anciens *zaïbatsui* Mitsubishi (46 sociétés à la fin des années 1960), Mitsui, Sumitomo…, reconstitués après l'arrêt de la décartellisation en 1949-50, mais sous une forme différente. La cohésion de ces nouveaux groupes financiers ou *zaïkaï* n'est plus assurée par un holding familial mais par un système de participation croisée entre les firmes, par la présence des mêmes administrateurs dans les conseils des diverses sociétés (avec réunions régulières de comités de coordination) et par le rôle prépondérant de la banque du groupe. Ce secteur moderne axé sur les industries de pointe a atteint rapidement un haut niveau de productivité grâce à une vigoureuse politique d'investissements assurés essentiellement par des crédits bancaires (les grandes entreprises japonaises ne pratiquent guère l'autofinancement) et grâce à des progrès technologiques spectaculaires (perfectionnement de techniques étrangères, importées, imitées, voire « espionnées »).

– À côté de ces grandes entreprises modernes à forte rentabilité (et aux salaires de plus en plus décents) subsistent de nombreuses petites et moyennes entreprises à l'équipement insuffisant, à la technique parfois dépassée, utilisant une main-d'œuvre abondante et mal payée, souvent d'origine rurale (95 % des petits exploitants agricoles ont un travail d'appoint dans l'industrie). Ce secteur emploie alors les deux tiers de la main-d'œuvre et fournit la moitié de la production. En 1970 encore, 93 % des entreprises japonaises sont des PME (moins de 300 employés), les quatre cinquièmes d'entre elles étant en sous-traitance pour les grandes firmes : ce sont naturellement elles les plus menacées en cas de récession ou de difficultés économiques, la grosse entreprise pouvant couper les liens avec ses sous-traitants pour s'alléger pendant une mauvaise période. Ce cloisonnement du marché du travail entre deux secteurs en partie complémentaires a beaucoup contribué à l'essor économique global du Japon. Mais il pose à terme le problème de la disparition progressive de cette véritable « enclave de sous-développement » dans un pays qui sur d'autres points semble plutôt tourné vers le XXIe siècle.

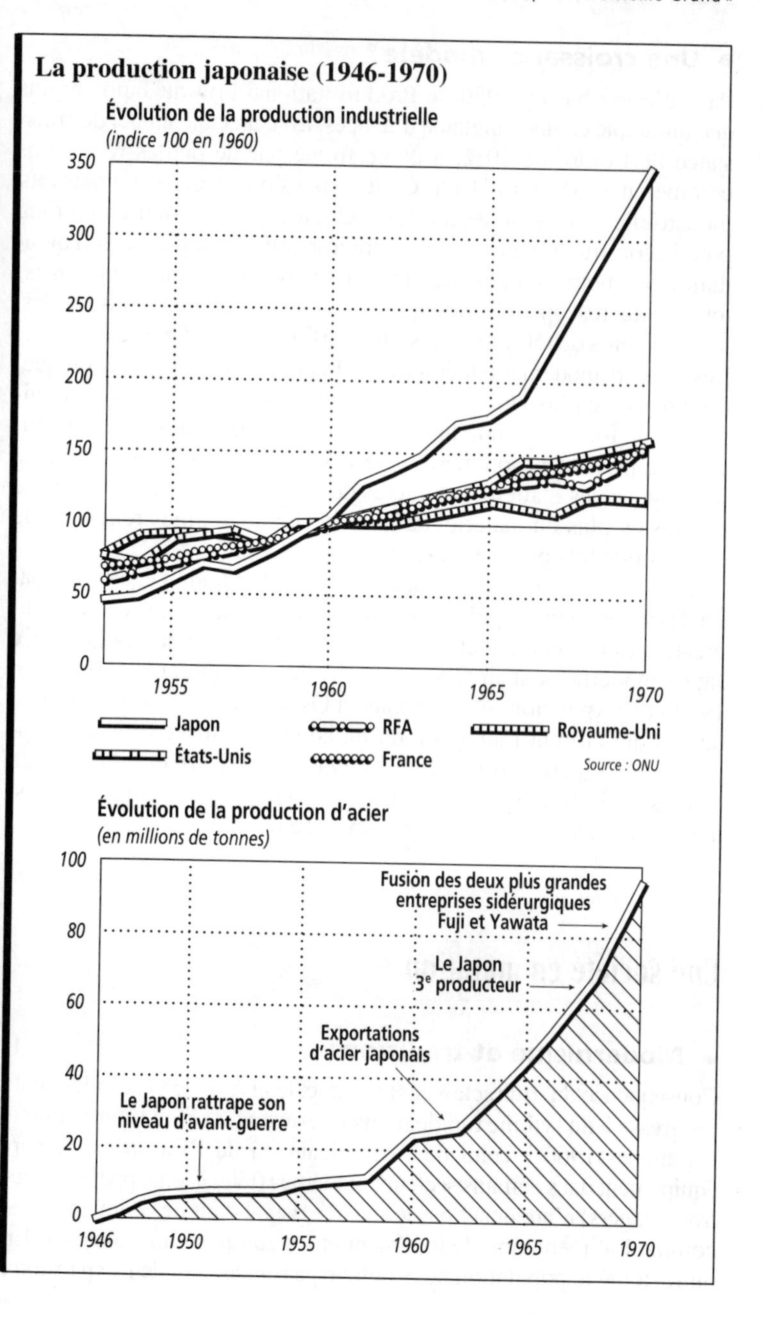
La production japonaise (1946-1970)
Évolution de la production industrielle
(indice 100 en 1960)
350
300
250
200
150
100
50
0
1955
1960
1965
1970
Japon
RFA
Royaume-Uni
États-Unis
France
Source : ONU
Évolution de la production d'acier
(en millions de tonnes)
100
80
60
40
20
0
1946
1950
1955
1960
1965
1970
Fusion des deux plus grandes entreprises sidérurgiques Fuji et Yawata
Le Japon 3e producteur
Exportations d'acier japonais
Le Japon rattrape son niveau d'avant-guerre

• Une croissance modèle ?

Parti d'assez bas en 1950, le Produit national brut du Japon a plus que quintuplé en une vingtaine d'années, avec un taux annuel de croissance de l'ordre de 10 %, à peine freiné par de petites récessions comme en 1954 et 1964-65. Cette expansion record est avant tout industrielle : au début des années 1970, le Japon est au premier rang pour la construction navale (avec environ 50 % de la production mondiale), les motocyclettes, les appareils photographiques, les transistors, les microscopes électroniques..., au second pour les automobiles, les récepteurs de télévision, les fibres artificielles, les filés de coton... Les secteurs modernes (sidérurgie sur l'eau, pétrochimie, électronique) ont progressé plus vite que les secteurs traditionnels (textile) en raison d'une forte demande intérieure (un vaste marché en expansion) et des impératifs du commerce extérieur : pour se procurer les sources d'énergie et les matières premières dont il a besoin, le Japon exporte de plus en plus du matériel de haute technologie, plus rentable que les traditionnels produits textiles.

L'essor économique des années 1950-1970 se traduit également par un développement rapide de l'urbanisation et des voies de communication (autoroutes, chemin de fer à grande vitesse du Tôkaido). Ce Japon moderne peut ainsi accueillir les Jeux olympiques à Tokyo en 1964 et l'Exposition internationale à Osaka en 1970, deux manifestations qui attirent l'attention du monde entier sur le « miracle nippon ». Mais cette croissance « sauvage » de l'urbanisation et de l'industrialisation ne va pas sans poser de gros problèmes au pays, notamment en matière de pollution et de dégradation des sites.

Une société en mutation

• Modernisme et traditions

Conséquence du « miracle » économique, le niveau de vie des Japonais progresse à un rythme rapide, mais il reste encore bien inférieur dans les années 1960 à celui de l'Américain ou de l'Européen, le suréquipement dans certains secteurs modernes (télévision, appareils électroménagers) n'atténuant pas le retard existant dans des domaines clés comme l'alimentation, le logement et les équipements collectifs. En outre, toute la population ne bénéficie pas également de l'expansion :

les revenus des nombreux exploitants agricoles et celui des travailleurs (et plus encore des travailleuses) des petites entreprises restent très inférieurs à la moyenne. Et le paternalisme du patronat japonais ne suffit pas toujours à suppléer la carence des services sociaux.

Mais, tout autant que le niveau de vie, c'est le genre de vie qui connaît de profondes mutations au Japon. Certes, le poids de la tradition reste vivace, notamment au niveau de l'entreprise. Les relations entre patrons et ouvriers y sont définies par l'expression *oyabun kobun* (père-enfant), survivance de l'ancien lien vassalique comportant pour l'*oyabun* un devoir de protection paternelle et pour le *kobun* une obligation de dévouement filial.

Ce paternalisme patronal va de pair avec un patriotisme d'entreprise chez les salariés qui répugnent à faire grève pour ne pas défavoriser leur firme face à la concurrence. Cas extrême mais significatif du conditionnement des travailleurs japonais : les 70000 employés de Matsushita (compagnie d'appareillage électrique) chantant chaque matin au garde-à-vous un hymne à la gloire de leur entreprise…

• De nouvelles mentalités ?

L'industrialisation et l'urbanisation accélérées des années 1950 et 1960, en bouleversant les modes de vie, entraînent cependant une érosion des anciennes valeurs, délaissées, voire rejetées par une partie grandissante de la population, ce qui provoque parfois certains troubles dans la société japonaise. Le respect des gestes et des rites (la cérémonie du bain, du thé, l'art floral…) marque encore profondément la vie quotidienne. Mais on ne met plus guère le kimono qu'à l'occasion des fêtes et la forte fréquentation des temples est au moins autant touristique que religieuse (sauf dans certaines sectes bouddhistes comme le *Zen* ou la *Soka Gakkai*). Les contraintes familiales, notamment les mariages arrangés, ont beaucoup diminué et, sauf en matière d'égalité des salaires, la condition de la femme japonaise s'est améliorée.

Conséquence de l'urbanisation, la maison traditionnelle en bois entourée d'un petit jardin fait de plus en plus place aux immeubles de luxe pour les classes aisées ou aux nombreux *danchi,* alignements interminables dans des banlieues plus ou moins lointaines d'immeubles de 4 à 6 étages où les travailleurs possèdent de minuscules appartements : extérieurement, rien ne les distingue des « grands ensembles » des villes occidentales, mais à l'intérieur, on y a conservé des habitudes nippones (nattes sur le sol, portes coulissantes…) qui coexistent avec les derniers gadgets électroménagers.

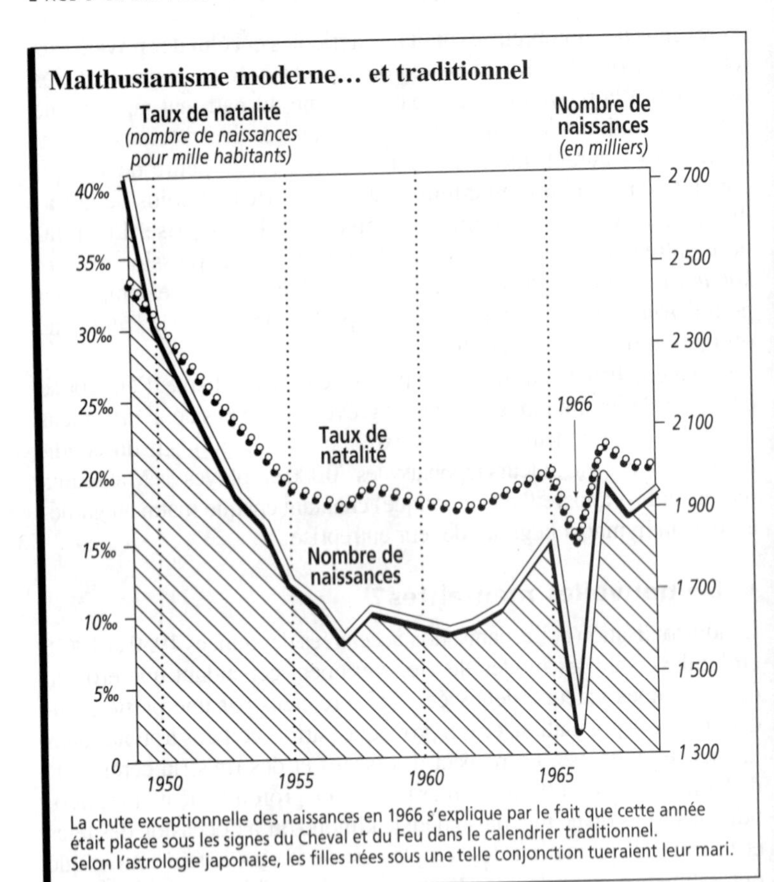

Malthusianisme moderne… et traditionnel

La chute exceptionnelle des naissances en 1966 s'explique par le fait que cette année était placée sous les signes du Cheval et du Feu dans le calendrier traditionnel. Selon l'astrologie japonaise, les filles nées sous une telle conjonction tueraient leur mari.

En matière de sports et de loisirs, la tradition est aussi fortement battue en brèche par les apports américains : bien que toujours très populaires, le *sumô* (lutte japonaise, véritable sport national) et les arts martiaux (karaté, tir à l'arc…) sont de plus en plus concurrencés par le base-ball (qui attire des foules considérables) et le golf (dix millions de pratiquants !). Le théâtre *kabuki* rencontre beaucoup moins de succès chez les jeunes que les groupes rock japonais ou étrangers. Le cinéma nippon, pourtant remarquable (*Les contes de la lune vague après la pluie* de Mizoguchi de 1952, *Les Sept Samouraï* de Kurosawa en 1954, *L'île nue* de Kaneto Shindo en 1961…), a beaucoup moins d'audience que les feuilletons télévisés américains. Et, si l'on continue à célébrer les fêtes traditionnelles, on se distrait davantage dans les grandes villes en jouant au bowling ou aux innombrables machines à sous. Même respectueux de leur passé, les Japonais sont entrés de plain-pied dans la société de consommation à l'occidentale.

Un système politique particulier

• Un parti conservateur largement dominant

La vie politique japonaise reste dominée par le courant conservateur, constamment au pouvoir depuis la guerre (sauf à une courte période en 1947-48). Divisés à l'époque de Yoshida en démocrates et libéraux, tous les éléments conservateurs se regroupent en 1955 dans une seule formation, désormais largement majoritaire à chaque élection, autour de 60% des voix. Émanation des milieux d'affaires, ce parti libéral-démocrate est partagé en un grand nombre de « factions » rivales qui se disputent le pouvoir : au Japon, les changements de gouvernement sont généralement dus à ces luttes internes, où la corruption et le clientélisme sont rois, et non le résultat des attaques d'une opposition impuis-

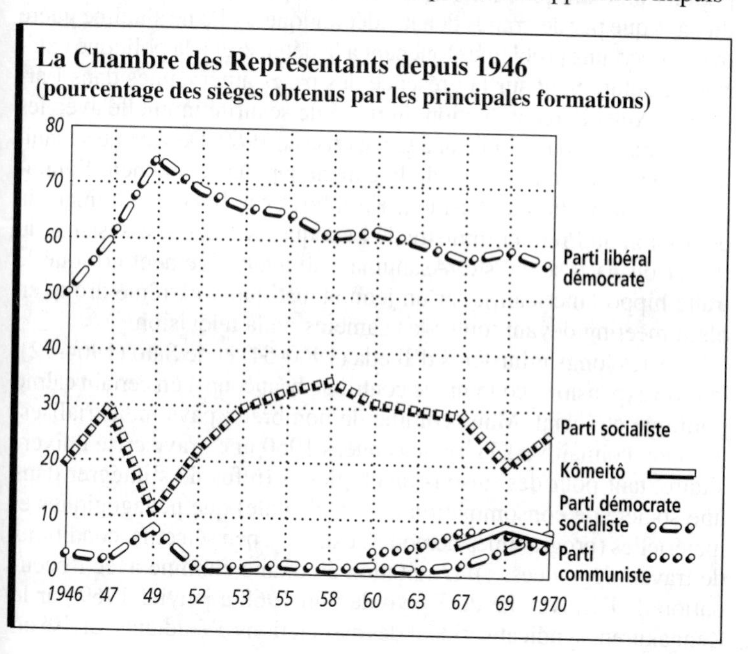

sante.

Celle-ci se compose principalement du parti socialiste, influent dans les milieux intellectuels et soutenu par la principale centrale syndicale, Sohyo. Mais il est affaibli par des querelles doctrinales et une scission en 1960 a détaché son aile droite, formant un petit parti social-démocrate soutenu par le syndicat modéré Domei. Le parti communiste japonais, victime de la guerre froide (2,6 % des voix et aucun siège en 1952) ne recueille qu'un faible nombre de suffrages, malgré une nette progression dans les années 1960. S'appuyant sur un potentiel important de militants actifs, il se tient à l'écart de la querelle Moscou-Pékin alors que les socialistes sont dans l'ensemble favorables à la Chine communiste. Quant au Kômeitô (« parti pour un gouvernement propre ») créé en 1964, il n'est que l'expression politique d'une secte bouddhiste, la Soka Gakkai ; il recrute principalement dans les couches pauvres et peu politisées de la population sur des thèmes moraux et patriotiques avec un succès non négligeable.

• Une vie politique morne

La vie politique nippone suscite peu de passions, la majorité de la population étant plus intéressée par le développement économique du pays que par de grands débats idéologiques. Elle ne s'anime guère que sur certains problèmes touchant à la défense et à la politique extérieure, notamment sur la présence des bases américaines dans l'archipel. Ainsi la reconduction du traité de sécurité mutuelle avec les États-Unis provoque-t-elle une grave crise en 1960. De violentes manifestations anti-américaines de la gauche japonaise amènent l'annulation de la visite du Président Eisenhower à Tokyo, entraînant la démission du Premier ministre de l'époque, Kishi, et l'assassinat du leader du parti socialiste, Asanuma (qui avait vivement critiqué le traité nippo-américain), par un jeune fanatique d'extrême droite en plein meeting devant toutes les caméras de la télévision.

Sous les longs ministères d'Ikeda (1960-64) et de Sato (1964-72), la forte expansion économique contribue beaucoup à un certain calme politique et social. Mais, comme de nombreux pays industrialisés, le Japon connaît vers la fin des années 1960 une grave crise universitaire, tant pour des raisons idéologiques (refus de s'intégrer dans une société de consommation à l'occidentale) que pédagogiques et matérielles (programmes démodés, examens peu sélectifs, conditions de travail dégradées…). L'agitation étudiante culmine avec l'occupation de l'Université de Tokyo de juin 1968 à janvier 1969 par le Zengakuren, syndicat national des associations d'étudiants, divisé en plusieurs factions d'extrême gauche. La reconduction du traité nippo-américain en 1970 entraîne à nouveau de grandes manifestations syndicales et étudiantes contre les États-Unis alors que le hara-kiri d'un écrivain très connu, Mishima, après l'échec d'un soulèvement militaire, révèle à une opinion en grande partie gagnée au pacifisme que l'ultranationalisme a encore quelques adeptes.

• Une diplomatie très « économique »

Libéré de la tutelle américaine en 1952 au prix d'une solide alliance militaire, le Japon cherche dans un premier temps à retrouver sa pleine souveraineté dans la communauté internationale. Il lui faut pour cela conclure un accord avec l'URSS qui a refusé de signer le traité de San Francisco. Malgré le litige non résolu concernant les îles Kouriles, qui empêche la conclusion d'un traité de paix, les deux pays finissent par « normaliser » leurs rapports en octobre 1956, ce qui permet au Japon d'entrer deux mois plus tard à l'ONU. Dans le même temps, le gouvernement nippon réussit à rétablir des relations diplomatiques avec la plupart de ses voisins excepté la Chine de Pékin avec qui s'effectuent cependant (sauf de 1958 à 1962) de nombreux échanges commerciaux.

Dans les années 1960, la diplomatie nippone est de plus en plus conditionnée par les questions économiques. Sans remettre en cause l'alliance américaine qui lui assure un certain nombre d'avantages (de faibles dépenses militaires, des échanges commerciaux considérables), le Japon cherche peu à peu à s'affranchir des États-Unis afin de pouvoir développer ses relations aussi bien avec l'URSS (projet de mise en valeur de la Sibérie orientale) qu'avec la Chine communiste au vaste marché potentiel. La guerre du Vietnam (où l'intervention américaine n'est guère approuvée par l'opinion japonaise), la question d'Okinawa (finalement restituée au Japon en 1972) et des mesures protectionnistes américaines devant l'invasion des produits nippons tendent les rapports entre les deux pays. Mais le yen n'hésite cependant pas à venir au secours du dollar lors de la crise monétaire de 1971 : tant pour des raisons économiques (les États-Unis restent de loin le premier partenaire commercial du Japon) que politiques et militaires, le gouvernement nippon ne peut se permettre d'aller trop loin dans son « indépendance » vis-à-vis des Américains.

Mais le Japon regarde cependant de plus en plus vers la « sphère Asie-Pacifique » (formule lancée en 1966 par le ministre des Affaires étrangères Miki) qui est en quelque sorte la réplique pacifiste et économique à la « sphère de coprospérité asiatique » que voulaient bâtir par les armes les militaires nippons avant 1945. Une vigoureuse action diplomatique et commerciale est entreprise vers les pays sous-développés d'Asie du Sud-Est comme auprès des riches pays riverains du Pacifique (Australie, Nouvelle-Zélande et Canada). Vis-à-vis de Pékin, le Japon, qui doit tenir compte du veto américain, utilise à fond la formule « séparation du politique de l'économique ». Dès 1966, il devient le principal partenaire commercial de la Chine communiste. Le rapprochement sino-américain de 1971-1972 permet de lever l'hypothèque : en septembre 1972, le nouveau Premier ministre, Tanaka, au cours d'un « voyage de retrouvailles » à Pékin, rétablit officiellement les relations diplomatiques entre la Chine et le Japon. Une ère nouvelle s'ouvre-t-elle entre les deux « Grands » de l'Asie du Sud-Est ?

CHAPITRE 22

Le monde socialiste après Staline

En URSS, les successeurs de Staline forment une direction collégiale qui met fin à l'arbitraire stalinien et fait régner une certaine détente économique, sociale et internationale. Les crimes et les erreurs de Staline sont dénoncés, mais le modèle communiste n'est pas remis en cause; cependant, la déstalinisation suscite des résistances. Devenu le principal dirigeant, Khrouchtchev veut combattre la sclérose du système par une démocratisation économique et politique fondée sur la décentralisation puis l'affaiblissement du rôle du parti. Aussi, les hommes d'appareil, qu'il lèse, provoquent sa chute en octobre 1964. La nouvelle équipe dirigeante, conduite par Brejnev et Kossyguine, procède alors à une restauration du pouvoir et des pratiques de la Nomenklatura. En Europe orientale, par contre, la mort de Staline entraîne une remise en cause du modèle soviétique avec la recherche de voies nationales vers le socialisme. Mais l'Armée rouge y met fin en réprimant les soulèvements en Allemagne de l'Est, en Hongrie, en Pologne puis en Tchécoslovaquie.

La succession de Staline

• La nouvelle équipe dirigeante

La mort de Staline, le 5 mars 1953, provoque une immense inquiétude en URSS. Ses collègues ne l'annoncent pas immédiatement car ils craignent des révoltes populaires. Ils entourent le Kremlin de troupes. Précaution inutile, car ce n'est pas de la colère que le peuple ressent, mais de l'angoisse. Le poète Evtouchenko raconte dans son autobiographie que *« Les hommes s'étaient faits à l'idée que Staline pensait pour eux. Sans lui, ils se sentaient perdus. Toute la Russie pleurait. C'étaient des larmes sincères »*. Les dirigeants qui ont eu la chance d'échapper aux purges successives ont pour préoccupation essentielle d'éviter le retour d'une dictature personnelle. Pour cela, ils reviennent au système préconisé par Lénine, une direction collégiale au profit des membres du Présidium du Comité central (nouvelle dénomination du Politburo) dont le nombre est ramené de 25 à 10 titulaires par la mise à l'écart d'hommes récemment promus par Staline, comme Brejnev.

En tête de la nouvelle équipe dirigeante vient Malenkov qui dirige le secrétariat du Comité central et préside le Conseil des ministres. Mais, dès le 14 mars, il doit renoncer au cumul, afin d'éviter une trop grande concentration des pouvoirs entre ses mains : obligé de choisir, il abandonne le secrétariat du Comité central, dont la direction passe à Khrouchtchev, et reste président du Conseil. Il est assisté par quatre vice-présidents : Béria, très puissant, parce qu'il est l'homme des services de sécurité, Molotov, ministre des Affaires étrangères (un des rares compagnons de Lénine à avoir survécu), Boulganine, chef politique de l'armée, et Kaganovitch, chef du secteur économique. À ce groupe s'ajoutent Vorochilov, chef de l'État, Mikoyan, qui accédera ensuite à la vice-présidence du Conseil et deux économistes, Sabourov et Pervoukhine.

Des divergences et des rivalités apparaissent très vite au sein de l'équipe. Béria, trop puissant, inquiète ses collègues qui s'unissent dans un complot et l'éliminent avec l'aide de l'armée dès juin 1953. C'est la dernière liquidation physique. Ceux qui, par la suite, sont désavoués et condamnés ne perdent pas la vie. Ainsi, Malenkov, contraint de démissionner en 1955, dirige une usine dans une région éloignée ; Molotov, condamné en 1957, ne connaîtra pas la prison…

• Une volonté de détente

Dès les premiers jours, les nouveaux dirigeants mettent fin à l'arbitraire stalinien et se proposent de rétablir la «légalité socialiste» afin de rassurer la société. Le secrétariat particulier de Staline est dissous. Des dizaines de milliers de fonctionnaires de l'administration et du parti sont révoqués ou déplacés pour abus de pouvoir. Une amnistie partielle est décrétée qui ouvre la porte des camps à ceux dont les peines sont inférieures à cinq ans de prison, aux femmes avec enfants, aux adolescents, aux prisonniers âgés ou malades. Le Goulag (administration des camps) est désormais rattaché au ministère de la Justice. Les médecins, accusés de complot par Staline, sont réhabilités. Après la mort de Béria, la police politique est retirée au ministère de l'Intérieur et constituée en organisme autonome, le KGB (Comité de la sécurité d'État). En 1955, l'amnistie est étendue aux anciens prisonniers ou collaborateurs des occupants. En 1957, parmi les 900000 détenus des camps, on ne compte plus que 2% de «politiques». Pour le peuple soviétique, c'est la «sortie de la peur».

La détente économique et sociale accompagne la détente politique. Elle se propose, en améliorant la situation matérielle des citoyens, d'obtenir leur adhésion. Désormais, les ouvriers peuvent changer d'usine sans l'autorisation de leur employeur. Les horaires de travail des fonctionnaires redeviennent normaux et fixes, alors que Staline qui avait l'habitude de travailler la nuit les avait bousculés. Pour relever le niveau de vie de la population, le prix des denrées alimentaires et des objets manufacturés est abaissé, les salaires sont augmentés. On cherche à tenir compte des besoins des consommateurs ; on donne la priorité aux logements sur les constructions de prestige. Malenkov va jusqu'à réviser le plan en cours d'exécution pour avantager le secteur des biens de consommation. La situation des paysans, particulièrement maltraités par Staline, s'améliore : les quotas de livraisons obligatoires sont réduits, les prix à la production augmentés, les dettes des kolkhozes supprimées, les taxes sur les parcelles individuelles diminuées. La détente se constate aussi dans la vie littéraire où les écrivains peuvent critiquer les abus de la bureaucratie et défendre leur liberté créatrice. En 1954 paraît *Le Dégel* d'Ehrenbourg. En 1956, la revue *Novy Mir* publie un roman de Doudintsev, *L'homme ne vit pas seulement de pain,* où il met en cause la bureaucratie soviétique. Lyssenko qui avait longtemps régné en maître sur la biologie perd son poste de président de l'Académie agricole.

En politique extérieure, les objectifs demeurent inchangés, mais les successeurs de Staline rompent avec la stratégie de la guerre froide.

La consolidation des gains acquis depuis la Seconde Guerre mondiale demeure le but principal. Mais la politique extérieure soviétique s'assouplit : fin de la guerre de Corée et de la première guerre d'Indochine, traité avec l'Autriche, ouverture au tiers-monde. Dans ses rapports avec les autres pays socialistes, Staline exigeait une obéissance absolue, excluant de la communauté socialiste ceux qui s'y refusaient, comme la Yougoslavie de Tito. Ses successeurs, pour retrouver la cohésion du monde socialiste et renouer avec Tito, acceptent en juin 1955 de reconnaître les erreurs passées, les imputant d'ailleurs à Béria.

La déstalinisation à partir de 1956

• Le rapport Khrouchtchev et ses conséquences

En février 1956 se tient le XXe congrès du parti communiste de l'Union soviétique, le premier depuis la mort de Staline. L'idéologie qui s'en dégage est, dans tous les domaines, en rupture complète avec les choix précédents.

– En politique extérieure, Khrouchtchev souligne l'importance de la détente internationale qui succède à la guerre froide. Il en expose les trois principes essentiels : la coexistence pacifique, le caractère évitable des guerres entre États de systèmes différents, la pluralité des voies vers le socialisme (chaque peuple pouvant construire le socialisme selon sa vocation propre.)

– En matière économique, Khrouchtchev expose les grandes lignes du sixième plan (1956-1960) et met l'accent sur la volonté d'accroître la richesse sociale pour progresser vers l'édification d'une société communiste.

– Le désaveu du stalinisme est encore plus marqué dans la partie politique du rapport. Y sont dénoncés le culte de la personnalité et ses méfaits et les violations de la légalité socialiste.

Le texte de ce rapport, réservé aux seuls membres du parti, n'a jamais été publié en URSS jusqu'à la fin des années 80. Khrouchtchev explique dans ses *Souvenirs* que les Soviétiques en avaient fait parvenir des copies aux partis communistes frères et que ce sont des communistes polonais hostiles à l'Union soviétique qui l'ont fait reproduire, de sorte que des agents des services de renseignements de tous les pays du monde purent l'acheter. C'est ainsi que ce document en vint à être diffusé.

Le rapport ouvre le procès de Staline dont il dénonce les erreurs commises depuis 1934 et certains de ses crimes *« contre d'honnêtes communistes et des chefs militaires traités en ennemis du peuple »*, son incapacité dans les préparatifs de la guerre, les déportations massives de peuples entiers, son intransigeance dans ses rapports avec les autres États, même socialistes comme la Yougoslavie. La principale accusation est celle du culte de la personnalité développé par Staline. Il est fait mention de la biographie abrégée de celui-ci où le dictateur est considéré comme un sage infaillible, *« le plus grand stratège de tous les temps »* ... *« Or,* affirme le rapport, *la glorification d'un individu, son élévation au rang de surhomme doté de qualités surnaturelles comparables à celles d'un Dieu, sont contraires aux principes du marxisme-léninisme »*. Et Khrouchtchev conclut sur la nécessité de *« remettre complètement en vigueur les principes léninistes de la démocratie socialiste »*.

Quelles sont les causes de la déstalinisation ? Est-ce pour Khrouchtchev un moyen d'écarter des rivaux politiques très proches de Staline, comme Molotov ? Désire-t-il sincèrement démocratiser les institutions ? N'agit-il que comme délégué d'un parti qui entend se démarquer des excès du stalinisme pour se concilier une population lasse des rigueurs du temps de Staline et dont le niveau culturel plus élevé a aiguisé l'esprit critique ? Le rapport fournit certains éléments de réponse : la date de 1934 choisie comme début de la « dégradation du caractère de Staline » est significative ; elle permet de ne remettre en cause ni l'essentiel de la politique économique (planification et collectivisation), ni la répression exercée par Staline contre les compagnons de Lénine. On note qu'il n'est jamais question des millions de citoyens victimes de la répression ; il ne s'agit que des souffrances du parti terrorisé par Staline et qui, dépossédé de tout pouvoir, ne peut donc être considéré comme complice. *La Pravda,* journal du parti, écrit : *« Le culte de la personnalité est un abcès superficiel sur un organisme parfaitement sain. »* Ce qui semble bien montrer que l'équipe dirigeante veut éviter la mise en cause du système politique. C'est le procès de Staline qui est fait et non celui du stalinisme. Mais il est difficile de s'en tenir au seul procès du dictateur.

En effet, le rapport secret fait l'effet d'une bombe et ses conséquences immédiates dépassent les intentions de son auteur. En dévoilant les crimes de Staline, il a détruit le dogme de l'infaillibilité du parti, coupable de l'avoir laissé si longtemps à sa tête. Les intellectuels vont dépasser la critique du culte de la personnalité et dénoncer le système stalinien lui-même, qui enlève à l'homme toute liberté sociale, politique et religieuse. Dans les pays de l'Est, le choc provoqué par la déstalinisation est particulièrement brutal. Les Polonais veulent écarter les partisans de l'entente à tout prix avec l'URSS et réclament le retour de Gomulka pour défendre la «voie polonaise vers le socialisme». Les Hongrois se soulèvent aussi contre la tutelle de Moscou et obtiennent la destitution du stalinien Rakosi. Mais si, à Varsovie, Gomulka parvient à une solution de compromis, il faut l'intervention des chars russes à Budapest pour venir à bout de l'insurrection hongroise. Les dirigeants des partis communistes des démocraties populaires installés par Staline, mais aussi les Chinois et les Albanais manifestent un vif mécontentement, ainsi que nombre de dirigeants soviétiques, inquiets des conséquences de cette remise en cause.

Aussi Khrouchtchev s'efforce-t-il de minimiser les effets de la déstalinisation. Il n'y a pas de publication officielle du rapport, ni de recherche des coupables. Les réhabilitations se poursuivent, mais avec discrétion. Toutefois, les nationalités déportées par Staline en Asie sont autorisées à rentrer chez elles, sauf les Allemands de la Volga et les Tatars de Crimée. Le droit pénal est corrigé dans un sens plus favorable aux accusés. Mais il n'est pas question de laisser les intellectuels s'attaquer au régime. Lorsqu'ils le tentent, ils sont taxés de connivence avec l'Occident dépravé et d'indifférence à l'égard de l'action et des efforts des Soviétiques. C'est ainsi que l'écrivain Boris Pasternak, s'étant vu discerner le prix Nobel en 1958 après la publication du *Docteur Jivago,* roman très critique à l'égard de la révolution d'Octobre et de ses suites, est l'objet de toute une série de persécutions et se voit contraint de refuser le prix. La déstalinisation est donc strictement circonscrite dans son objet à la dénonciation des crimes du dictateur. Comme telle, et dans ces limites, elle est mollement poursuivie jusqu'en 1964.

• Le XXIIe congrès et la reprise de la déstalinisation

Au XXIIe congrès du parti communiste (octobre 1961), Khrouchtchev relance la déstalinisation en rendant publique la dénonciation des méfaits de Staline. On décide le retrait du corps du dictateur du mausolée de Lénine sur la Place rouge. Toutes les localités qui portent son nom sont débaptisées. Ensuite, on laisse les écrivains dénoncer le culte de la personnalité et la répression. Soljénitsyne fait éditer sa nouvelle sur la vie dans les camps, *Une journée d'Ivan Denissovitch,* et de nombreux auteurs écrivent les biographies des victimes de Staline. Déjà le cinéma s'était engagé dans la même voie avec le film de Tchoukhraï, *Ciel pur.* L'histoire officielle du parti communiste est réécrite en tenant compte des révélations de Khrouchtchev.

Mais la déstalinisation est superficielle. Elle a fait naître l'espoir d'une plus grande liberté et cet espoir est vite déçu, car il importait plus aux dirigeants soviétiques de garder le pouvoir en justifiant le parti que de changer l'idéologie. Le parti continue à détenir seul le pouvoir et le droit de décider du destin de la société à laquelle il se substitue. La déstalinisation est aussi de courte durée, car après la démission forcée de Khrouchtchev en 1964, elle est mise en sommeil par les nouveaux dirigeants.

La tentative de réformes et son échec

• L'ascension de Nikita Khrouchtchev

Dans l'équipe collégiale formée pour succéder à Staline, Khrouchtchev s'impose de plus en plus. Cet Ukrainien né en 1894 dans une famille très pauvre a dû quitter son village à 15 ans pour aller dans le Donbass travailler dans les mines et les usines. En 1918, il adhère au parti bolchevik et commence une carrière politique, en même temps qu'il suit des cours d'enseignement technique. Secrétaire du district de Stalino en 1925, il est, dix ans plus tard, secrétaire de la ville et de la région de Moscou. Membre suppléant, puis titulaire du Politburo en 1939, il est chargé par Staline de missions délicates comme la collectivisation de l'Ukraine en 1936-1939, la soviétisation de la Pologne orientale conquise en 1939. Il participe pendant la guerre à la défense du territoire soviétique à Stalingrad. En 1952, il est membre du Politburo et secrétaire du parti.

Sa formation technique, ses expériences politiques, sa position exceptionnelle expliquent en grande partie son ascension. Il élimine successivement ses collègues dès que des divergences de vues apparaissent. Malenkov, considéré au début comme le numéro un, est amené en février 1955 à faire son autocritique, perdant alors son poste de président du Conseil au profit de Boulganine. Premier secrétaire du parti, il renforce son influence en plaçant des hommes qui lui sont dévoués aux postes de responsabilité (en 1956, plus de la moitié de ceux qui siègent de plein droit au Congrès du parti lui doivent leur promotion) ; il peut aussi compter sur l'armée, qui se souvient des grandes batailles auxquelles il a participé, comme celle de Stalingrad.

Mais au sein du Présidium, il ne manque pas d'opposants, heurtés par la déstalinisation. Molotov, ministre des Affaires étrangères, critique par exemple la politique extérieure de Khrouchtchev, car il reste convaincu que la lutte entre le bloc socialiste et le bloc capitaliste est inévitable. Un moment écarté, il revient après les événements de Pologne et de Hongrie et se joint aux adversaires de Khrouchtchev qui se coalisent pour l'évincer. Ils convoquent le Présidium le 18 juin 1957 et sept des membres titulaires réclament la démission du premier secrétaire (Molotov, Kaganovitch, Malenkov, Pervoukhine, Sabourov, Vorochilov et Boulganine). Khrouchtchev convoque alors une réunion plénière du Comité central où la majorité lui est fidèle, et ce sont les opposants, les « anti-parti », qui sont exclus ; parmi eux, Molotov, Kaganovitch, Malenkov et Sabourov. Quelques mois plus tard, le maréchal Joukov (bien qu'il ait appuyé Khrouchtchev en 1957) est chassé à son tour. En mars 1958, Boulganine doit céder la présidence du Conseil à Khrouchtchev, qui cumule ainsi les deux postes les plus importants.

Pendant près de sept ans, Khrouchtchev domine la vie de l'URSS. Cependant, il ne parviendra jamais à faire accepter par tous ses choix, tant politiques qu'économiques. La vieille garde stalinienne ne désarme pas, et les privilégiés qui n'ont plus à trembler pour leur vie sont hostiles aux réformes démocratiques de Khrouchtchev. Celui-ci, conscient de ses limites, aurait dit : *« Staline était un dieu, il pouvait faire et défaire les hommes et les choses. Nous, nous ne le pouvons pas. »*

• Décentralisation et démocratisation économiques

La déstalinisation ne remet nullement en cause les principes de collectivisation et de planification de l'économie. Le septième plan, qui est un plan septennal (1959-1965), traduit un effort de modernisation de l'économie. Il met l'accent sur le progrès des régions orientales qui reçoivent 40 % des investissements, le développement de l'industrie chimique, de la puissance énergétique, et de l'électrification des transports. Il prévoit aussi un accroissement important des industries de consommation et de la production agricole car le mot d'ordre est lancé : *« L'Union soviétique doit rattraper et dépasser les pays capitalistes les plus évolués »*, la société d'abondance devant permettre l'édification du communisme. Pour cela, il faut augmenter la productivité du travail et Khrouchtchev estime que la centralisation la freine : *« La direction centralisée de 10000 usines et 200000 chantiers est impraticable. »*

Aussi lance-t-il dès 1957 de grandes réformes de décentralisation accompagnées de mesures de démocratisation qui doivent permettre de redonner le goût du travail aux ouvriers et aux paysans soviétiques.

Les ministères industriels sont remplacés par une centaine de conseils, ou sovnarkhozes, qui doivent contrôler l'exécution du plan à l'échelon régional. Les entreprises doivent équilibrer leur gestion, à laquelle les ouvriers sont appelés à participer car, pour passer au communisme, la démocratisation est nécessaire. Les conditions de travail des ouvriers s'améliorent : la durée du travail hebdomadaire diminue, l'ouvrier peut à nouveau changer d'emploi ou d'employeur. Mais, très vite, les résultats de cette politique s'avèrent décevants. En effet, les sovnarkhozes privilégient les investissements d'intérêt local au détriment de la cohésion de l'ensemble de l'économie et les technocrates, hostiles à une politique de décentralisation qui les exile en province, ne font rien pour qu'elle réussisse. Devant l'échec, Khrouchtchev doit faire machine arrière. On revient à la centralisation : les sovnarkhozes sont regroupés en 17 grandes régions économiques placées sous l'autorité d'un Conseil suprême de l'économie nationale.

Même déception dans le domaine agricole. Khrouchtchev laisse plus de liberté de gestion aux kolkhozes, fait supprimer les MTS (Stations de machines et tracteurs) qui exerçaient une tutelle sur eux. Mais les kolkhozes n'ont pas toujours les ressources suffisantes pour racheter l'équipement, ni les capacités pour l'entretenir et le réparer. Alors que Khrouchtchev avait promis de rattraper la consommation américaine en viande et en produits laitiers, le cheptel bovin régresse d'une bonne moitié en 5 ans. La situation n'est pas meilleure en ce qui concerne les céréales. Pourtant, Khrouchtchev avait dès 1954 lancé, plein de confiance, l'opération « terres vierges » en Asie centrale, vaste campagne de défrichements effectués surtout au Kazakhstan, mais malheureusement, la monoculture du blé qui y est introduite épuise vite les sols et il faut reconnaître dès 1961 qu'il y a là une erreur. Khrouchtchev encourage la production d'autres plantes comme la betterave à sucre et surtout le maïs qui est devenu un symbole de la lutte entre l'URSS et les États-Unis, persuadé qu'il est que les États-Unis peuvent offrir beaucoup de viande à leurs habitants grâce à cette plante. Aussi fait-il tout pour rendre cette culture populaire dans son pays et l'y implanter même au point de mériter le surnom de « M. Maïs ». Mais, en 1963, il faut constater que tous les efforts entrepris dans le domaine agricole n'ont pas amélioré la situation et que, loin de progresser, la production agricole diminue. Cette année-là, l'URSS doit importer 18 millions de tonnes de blé et la culture du maïs, souvent inadaptée aux sols, ne répond pas aux espoirs que Khrouchtchev avait mis en elle. La crise agricole provoque une diminution du revenu des agriculteurs et un mécontentement dont Khrouchtchev sera rendu responsable.

• Une démocratisation sociale et politique critiquée

Khrouchtchev tient à ce que les citoyens participent davantage à la vie politique. Pour cela, il s'efforce de décentraliser le système du pouvoir comme il avait tenté de décentraliser l'économie et, ce faisant, il est conduit à réduire les privilèges du groupe des dirigeants, la Nomenklatura.

La décentralisation comporte à ses yeux plusieurs avantages : elle tient davantage compte des besoins réels des citoyens d'un cadre territorial donné et, en prenant en considération les aspirations de la population, Khrouchtchev espère l'intéresser au régime ; c'est aussi un moyen d'améliorer les relations avec les diverses nations qui composent l'Union soviétique ; enfin, c'est l'occasion pour ce chef contesté de briser les fiefs politiques qui gênent son action. C'est dans cette optique qu'en 1961, au XXIIe congrès, il fait adopter de nouveaux statuts du parti. Il impose une rotation périodique des cadres (pas de renouvellement au-delà de trois mandats successifs sauf cas exceptionnel). Cette nouvelle règle mécontente les privilégiés du parti, intéressés par la sécurité de l'emploi. Il diminue le rôle du Comité central en y adjoignant pour les débats des techniciens compétents dans les domaines abordés, ce qui accroît la participation, mais mécontente la majorité du Comité central qui ne tient pas à perdre ses privilèges et lutte contre l'égalitarisme de Khrouchtchev.

Ce dernier entreprend enfin une réforme de l'enseignement. Sous Staline et jusqu'alors, les enfants des couches privilégiées avaient plus de possibilités que les autres d'accéder à l'enseignement supérieur. Khrouchtchev tente d'introduire plus d'égalité dans l'enseignement : gratuité de l'enseignement supérieur, système de bourses pour les moins fortunés, cours du soir, places réservées pour les candidats qui viennent de la production… Mais cette réforme est contournée par les privilégiés et les mesures de démocratisation ne servent qu'à accroître le nombre de places d'université pour les enfants des milieux dirigeants.

Khrouchtchev, qui comptait sur l'appui du parti dans son action de démocratisation, constate qu'au contraire, ce dernier tourne les réformes pour conserver ses privilèges dans tous les domaines (emploi, éducation, fonctions politiques et sociales...). Il va alors tenter de réduire le parti au rang d'exécutant politique. Par la réforme de novembre 1962, il l'organise conformément à la production : il est coupé en deux branches, l'une industrielle et l'autre agricole, et tous ses cadres, de la base au Comité central, sont répartis dans ces deux organisations parallèles. Les doctrinaires accusent alors Khrouchtchev de rompre « l'alliance de la classe ouvrière et de la paysannerie ». Désormais, il est confronté à l'hostilité générale du parti. Dans sa lutte pour accroître la démocratisation, il lèse les intérêts de la caste des privilégiés, la Nomenklatura, qui prend vraiment son essor. Dans un ouvrage intitulé *La Nomenklatura, la vie quotidienne des privilégiés en URSS,* M. Voslensky la définit comme la nouvelle classe dominante de l'Union soviétique. *« C'est la classe des administrateurs. Administrer et exercer le pouvoir sont les deux fonctions essentielles de la Nomenklatura. »* Aussi fait-elle barrage à Khrouchtchev et la destitution de celui-ci va consacrer sa victoire.

La victoire des hommes d'appareil après 1964

• La chute de Khrouchtchev et la nouvelle collégialité

En octobre 1964, Khrouchtchev est contraint à la démission par ses collègues du Présidium. Ils ont dressé la liste de ses fautes : ses expérimentations insensées, mais aussi, comme l'écrit *La Pravda* du 17 octobre : *« son subjectivisme, son infantilisme, sa précipitation, sa vantardise, sa phraséologie, son autoritarisme, son ignorance des réalités, son mépris des masses... »*. En fait, ils ne lui pardonnent pas d'avoir lutté contre les privilèges de la Nomenklatura, d'avoir instauré des mesures de décentralisation, d'avoir perdu la face dans l'affaire de Cuba. Ils proposent donc sa destitution. Khrouchtchev fait alors appel au Comité central comme en 1957, mais ses adversaires ne lui laissent pas le temps de rétablir la situation et le Comité central ratifie la décision du Présidium ; il libère Khrouchtchev de ses fonctions *« en raison de son âge avancé et de l'aggravation de son état de santé »* et il désigne Brejnev comme Premier secrétaire du parti : les hommes d'appareil l'ont emporté. Le peuple russe, déçu par les promesses non tenues de Khrouchtchev, reçoit la nouvelle avec indifférence. Le dirigeant destitué termine sa vie dans une datcha des environs de Moscou. À sa mort, il n'aura pas de funérailles nationales. Comme Staline, il doit désormais tomber dans l'oubli et son nom disparaît de l'histoire soviétique.

Khrouchtchev est remplacé par une direction collégiale dont les membres appartiennent au Présidium du Comité central qui reprend le nom de Politburo en 1966. À sa tête, une « troïka » de dirigeants : Brejnev, Premier secrétaire (il reprend en 1966 le titre de Secrétaire général), Kossyguine, chef du gouvernement, et Podgorny qui remplace Mikoyan comme chef de l'État fin 1965.

La nouvelle équipe dirigeante n'a pas de programme commun, sauf celui d'abolir les réformes de Khrouchtchev concernant la division du parti en deux branches économiques et de mettre fin à ce qui reste des mesures de décentralisation. Pour les autres décisions à prendre, les tenants des traditions s'opposent aux novateurs sans que les uns et les autres constituent des groupes homogènes, car tel novateur dans un domaine peut se montrer traditionaliste dans un autre. Aussi, pour éviter tout conflit, l'équipe refuse-t-elle d'aborder les problèmes où un compromis serait difficile, et chaque décision n'est-elle prise qu'après une discussion qui permet d'atteindre le consensus.

• La remise en ordre

Dès les premiers mois, la nouvelle direction reconstitue le parti sur le modèle ancien. Les organisations uniques sont rétablies à chaque échelon et c'est l'occasion de faire revenir dans leurs postes ceux que Khrouchtchev avait écartés.

Le problème de l'agriculture et du ravitaillement étant urgent, le plénum de mars 1965 s'y consacre. Pour inciter les paysans à produire davantage, les règlements sont assouplis : par exemple, seuls les quantités globales et les types de denrées à obtenir seront notifiés aux kolkhozes. Des avantages nouveaux sont accordés : relèvement de 50 % du prix des livraisons, prime de 50 % pour les livraisons excédentaires, diminution de moitié des impôts, crédits plus avantageux et matériel agricole cédé au prix de gros. La vente des produits des parcelles individuelles fait l'objet d'une plus grande tolérance.

La réforme de la gestion des entreprises industrielles préconisée par Kossyguine est plus délicate. Autour de lui se groupent ceux qui recherchent avant tout l'efficacité de la gestion économique, les réformistes ou gestionnaires qui se heurtent aux traditionalistes attachés à la planification centralisée et au contrôle du parti sur l'économie. Pour assurer la rentabilité des capitaux investis, les réformistes proposent de décentraliser le plan d'État, de développer l'initiative des directeurs et d'évaluer les normes réelles (qui tiennent compte de la mévente et plus seulement de la quantité produite). Ils obtiennent difficilement une approbation de principe.

La réforme, appliquée d'abord dans un certain nombre d'établissements pour y être testée, est étendue par la suite. Chaque entreprise peut fixer ses prix de revient, le nombre des ouvriers… dispose d'une partie des bénéfices (jusqu'au tiers pour son autofinancement, ses équipements sociaux… ; 10 % peuvent servir à accorder des primes pour intéresser ouvriers et directeurs à la rentabilité de l'entreprise).

Les intellectuels libéraux espèrent beaucoup dans la nouvelle équipe dirigeante. Khrouchtchev, après leur avoir été favorable, s'était en effet retourné contre eux depuis la fin 1962. Après quelques mois de détente où ils ont la satisfaction de voir la disgrâce complète de Lyssenko et de ses disciples, ils sont vite déçus par l'arrestation d'écrivains et d'universitaires accusés d'avoir fait publier à l'étranger des écrits contraires au « réalisme socialiste ». Plus tard, certains événements comme l'installation de la fille de Staline aux États-Unis et la publication de ses souvenirs, la crise tchécoslovaque de 1968 (des manifestants protestent sur la Place rouge contre l'intervention soviétique), le retentissement à l'étranger des œuvres de Soljénitsyne interdites en URSS *(Le Premier Cercle, Le Pavillon des cancéreux)* mènent au renforcement de la surveillance des intellectuels et au développement de l'action répressive : exclusion de Soljénitsyne de l'Union des Écrivains, internement des opposants comme le biologiste Medvedev dans des hôpitaux psychiatriques. Lorsque l'Occident attribue en 1970 le prix Nobel de littérature à Soljénitsyne, l'écrivain n'est pas autorisé à aller le recevoir. Pour lutter contre le manque de liberté, le physicien Sakharov crée en novembre 1970 un Comité pour la défense des droits de l'Homme.

La nouvelle équipe révise les jugements portés sur Staline. Alors que Khrouchtchev avait été l'homme de la déstalinisation, pour éviter le discrédit du parti qui en résultait, elle reconnaît que Staline a commis des excès et des illégalités, mais elle se garde de les préciser. Elle souligne au contraire ses mérites dans l'édification du socialisme qui, dit-elle, a nécessité la tension de toutes les énergies et la punition de toutes les négligences. Ses qualités politiques et militaires sont remises en valeur. Un buste est dressé sur sa tombe. Parallèlement, la réhabilitation des victimes du stalinisme est freinée. L'histoire de l'URSS et du parti qui avait été récrite en tenant compte du rapport Khrouchtchev est à nouveau révisée.

En même temps, le contrôle moral et politique de la population est renforcé. De nouveaux dirigeants sont placés à la tête du KGB, des syndicats, du Komsomol (organisation de jeunesse). Un ministère du maintien de l'ordre public est créé, et une plus grande rigueur est réintroduite dans le code pénal.

Le socialisme, un «modèle» unique

• La crise du monde socialiste (1953-1957)

Staline disparu, des tensions apparaissent dans le camp socialiste. À Moscou, la direction collégiale a remplacé la dictature personnelle. Les nouveaux dirigeants, pour lesquels ce qui se passe en URSS constitue toujours le modèle à suivre, expriment le vœu de voir les partis frères suivre l'exemple du PCUS. En Tchécoslovaquie, où Gottwald est mort quelques jours après les funérailles de Staline (où il a contracté une pneumonie), la direction collective peut s'installer sans heurt : Antonin Zapotocky devient président de la République et Antonin Novotny dirige le secrétariat du Comité central. Mais dans tous les autres pays de démocratie populaire, les dirigeants ont été installés par Staline et ne peuvent faire la critique des pratiques staliniennes sans faire leur propre autocritique. Ils résistent donc aux nouvelles consignes de Moscou, encouragés par la résistance des staliniens soviétiques (Molotov, Kaganovitch, Souslov…).

Mais les populations des démocraties populaires désirent, quant à elles, plus de liberté que ne leur en laissent leurs dirigeants, une amélioration de leur niveau de vie et plus d'indépendance nationale. C'est ce dont témoignent par exemple les émeutes de Berlin-Est en juin 1953. En République démocratique allemande, le dirigeant stalinien Ulbricht avait décidé en 1952 d'instaurer très rapidement le socialisme en supprimant l'artisanat, le petit commerce et en collectivisant l'agriculture. Ces mesures provoquent aussitôt la fuite de nombreux Allemands de l'Est vers Berlin-Ouest, et le départ des paysans notamment s'accompagne d'une grave crise de ravitaillement. Le mécontentement gronde, même dans les usines. Sollicités d'accorder une aide urgente, les dirigeants soviétiques répondent par la négative et conseillent à Ulbricht de ralentir la socialisation et de faire des concessions à la population. Négligeant ces conseils, Ulbricht décide au contraire de renforcer les contraintes qui pèsent sur les ouvriers en augmentant les normes de travail d'au moins 10 %. Les ouvriers de

Berlin d'abord, des autres villes allemandes ensuite, se mettent en grève et les manifestations dégénèrent en émeutes, la population tentant de s'emparer des bâtiments officiels et arrachant les drapeaux rouges. C'est alors que les Soviétiques interviennent avec deux divisions blindées et rétablissent l'ordre au prix d'une sanglante répression.

Contrastant avec l'immobilisme des dirigeants staliniens des démocraties populaires, les successeurs soviétiques de Staline assouplissent au contraire leur position vis-à-vis du camp socialiste afin de préserver son unité. Les relations avec la Yougoslavie ayant été renouées dès 1953, Khrouchtchev reconnaît qu'il peut y avoir des formes différentes de développement socialiste et que les États socialistes sont souverains et égaux. Molotov désavoue totalement cette politique dont il perçoit le danger pour le rôle dirigeant de l'URSS : c'était à la Yougoslavie d'oublier la condamnation de 1948 et non aux Soviétiques de s'humilier. De plus, accepter la non-intervention dans les affaires intérieures des États comme les Russes venaient de le faire, c'était reconnaître la pluralité des voies dans le développement du socialisme et admettre le polycentrisme dans le bloc socialiste. Au demeurant, les concessions de Khrouchtchev paraissent inutiles. La Yougoslavie refuse d'adhérer au pacte militaire de Varsovie, signé par les Soviétiques le 14 mai 1955 avec sept démocraties populaires en réponse à l'entrée de la République fédérale d'Allemagne dans l'OTAN, et Tito préfère rester neutre.

En dépit de cet échec, le rapport secret de Khrouchtchev et la déstalinisation vont renforcer les tendances au polycentrisme, d'autant plus qu'en avril 1956, le Kominform est dissous.

Le désaccord entre les dirigeants staliniens des démocraties populaires et les partisans de la libéralisation du régime souhaitée par les populations provoque en 1956 de graves troubles en Pologne et en Hongrie. Dans les deux cas, des soulèvements populaires aboutissent à la chute des dirigeants staliniens. Les Polonais obtiennent le retour à la tête du parti du leader communiste national Gomulka avec l'espoir qu'il va s'appliquer à rechercher « la voie polonaise vers le socialisme ». Mission délicate et rendue particulièrement difficile par la surexcitation des esprits. Adresse et chance vont servir Gomulka ; adresse de comprendre qu'il faut accorder des réformes, celles que les Soviétiques sont prêts à accepter (et que l'équipe de Khrouchtchev a d'ailleurs recommandées), mais qu'il faut se montrer ferme et refuser tout ce qui entraînerait l'intervention armée des Soviétiques comme le retrait de l'alliance militaire ; chance parce qu'il a pu inspirer assez de confiance et obtenir qu'aucun incident irrémédiable ne se produise entre Polonais et Russes qui aurait eu pour résultat immédiat l'intervention armée soviétique. Ce faisant, il a montré aux Russes ses dispositions d'allégeance envers l'URSS et sa capacité à diriger son peuple. Il arrive alors à négocier et moyennant le maintien des troupes soviétiques en Pologne, il obtient des avantages économiques et financiers et une certaine marge d'autonomie pour son pays.

En Hongrie où, encouragés par l'affaire polonaise, éclatent des soulèvements populaires contre le dirigeant stalinien Rakosi, les événements vont vite prendre un tour dramatique (octobre 1956). Les Russes sacrifient Rakosi ; ils le remplacent par son second, Gerö, tout aussi honni que lui, puis par Janos Kadar qui prend la tête du parti. Ils permettent qu'Imre Nagy dirige le gouvernement en raison de sa grande popularité, en espérant qu'il s'en servira pour rétablir l'ordre. Mais il n'a pour lui ni la chance, ni l'habileté de Gomulka. Il est très vite débordé par les manifestants ; son autorité n'étant pas aussi grande, il laisse se reconstituer des partis hostiles au socialisme et il a la faiblesse de leur accorder ce qui ne peut être toléré par les Russes, la dénonciation du pacte de Varsovie et la neutralité de la Hongrie. Alors Kadar se désolidarise de Nagy ; tous les chefs restés staliniens des démocraties populaires de même que les Chinois demandent l'intervention de l'armée soviétique pour rétablir l'ordre. Pendant que les chars soviétiques écrasent le soulèvement de Budapest, Nagy se réfugie à l'ambassade yougoslave. Il en sort plus tard avec la promesse de rester libre, mais il est enlevé, emprisonné en Roumanie où un tribunal soviétique le condamne à mort en juin 1958.

Ces événements semblent donner un coup d'arrêt à la recherche des voies nationales vers le socialisme. La répression du « socialisme national » devient la tendance prédominante en République démocratique allemande avec Ulbricht, en Tchécoslovaquie avec Novotny, en Bulgarie avec Jivkov et même en Pologne avec Gomulka. D'autant que les Chinois, hostiles à la déstalinisation et désireux de se substituer aux Soviétiques dans la direction du monde communiste, profitent des difficultés de Khrouchtchev à s'imposer en URSS pour intervenir activement en Europe de l'Est où ils soutiennent les gouvernements staliniens. Preuve de ces ambitions, Mao Zedong obtient en novembre 1957, lors de la célébration à Moscou du 40e anniversaire de la révolution d'Octobre, que soit rédigée une déclaration commune élaborée par tous les partis au pouvoir (et non par le parti soviétique seul comme auparavant) et affirmant l'unité du camp socialiste, c'est-à-dire le monolithisme. Tito, contre lequel est principalement dirigée cette déclaration, refuse de la signer et rédige un projet de programme de la «voie yougoslave» où il insiste sur l'égalité, l'indépendance des partis, la non-ingérence dans les affaires intérieures. Son projet condamne le monolithisme et le stalinisme. Il apparaît comme un «manifeste polycentriste» et suscite l'accusation de «communisme national» et de «révisionnisme».

• À la recherche de voies nationales vers le socialisme (1957-1964)

En dépit de ce coup d'arrêt et de la méfiance renouvelée envers Tito, les tendances centrifuges qui se sont manifestées en Yougoslavie, en Pologne et en Hongrie et qui sont condamnées par la déclaration commune peuvent-elles vraiment être contenues ? Il n'y a pas accord de ce point de vue entre les dirigeants du Kremlin. Khrouchtchev n'est pas totalement libre de faire accepter ses principes de détente, car les staliniens sont puissants et les Chinois qui ont augmenté leur influence en Europe renforcent leur camp. Mais, très vite, les relations sino-soviétiques vont se dégrader et Mao doit renoncer à jouer le rôle dirigeant dans le camp socialiste.

Les désaccords entre Chinois et Soviétiques portent sur différents points. Les Soviétiques critiquent les Communes populaires et le «Grand Bond en avant», considérés comme non orthodoxes par rapport au modèle soviétique. Les Chinois, partisans de la lutte anti-impérialiste à outrance, s'opposent à la coexistence pacifique. La mésentente est telle que les experts soviétiques qui aident la Chine à s'industrialiser sont rappelés en URSS et les crédits coupés en 1960. À cette rupture sino-soviétique qui prive Mao de tout espoir de succéder à Staline dans la direction du camp socialiste va s'ajouter la dissidence albanaise. L'Albanie, qui critique la déstalinisation (et le rapprochement avec Tito), comme les nouvelles tendances de la politique extérieure de l'URSS, est exclue à son tour du bloc communiste européen et se range dans le camp de la Chine. Au XXIIe congrès du parti communiste soviétique en 1961, la rupture avec la Chine est rendue publique. C'en est fait de l'unité idéologique du camp socialiste : il existe désormais une «voie chinoise vers le socialisme».

Le cas roumain illustre aussi le besoin d'indépendance des nations qui composent le bloc communiste. Jusqu'alors un des plus fidèles alliés de l'URSS, la Roumanie de Gheorghiu Dej affirme son indépendance en 1961 en s'opposant aux projets de Khrouchtchev qui voulait instaurer une spécialisation des tâches au sein du COMECON. Ce plan aurait maintenu la Roumanie dans une situation d'infériorité par rapport aux pays plus développés du bloc comme la RDA et la

Tchécoslovaquie. Devant le veto roumain, Khrouchtchev doit renoncer à ses projets d'intégration économique. Pour éviter une nouvelle crise, et surtout parce que la Roumanie ne s'écarte pas de la ligne politique et idéologique de Moscou (elle reste neutre dans le conflit sino-soviétique), il n'intervient pas militairement. Les Roumains élargissent alors le champ de leur indépendance en nouant des contacts diplomatiques avec des nations en mauvais termes avec l'URSS, en récrivant l'histoire de leur pays qui exalte la résistance nationale à l'oppresseur, en abolissant l'obligation de l'enseignement du russe. Le successeur de Dej, Ceaucescu, continuera dans la voie du développement national.

• La crise tchécoslovaque de 1968

Après Khrouchtchev, certains gouvernements des démocraties populaires tentent de prendre en compte les intérêts nationaux. Il en résulte une diversification à propos des grands problèmes de politique extérieure ou d'économie, que l'URSS tolère tant que ne sont pas remises en cause l'appartenance au pacte de Varsovie et l'idéologie politique.

Sous la direction de Dubcek, successeur de Novotny, le parti communiste tchécoslovaque tente en 1968 une expérience de « socialisme à visage humain » qui consiste à concilier socialisme et liberté, à autoriser la libre discussion et l'expression des tendances politiques sans réserver un monopole au parti communiste. Les éléments intransigeants d'URSS, de Pologne, de la République démocratique allemande, craignant la contagion du « printemps de Prague », décident l'intervention militaire des troupes du pacte de Varsovie en août 1968. Les dirigeants communistes libéraux sont évincés, voire arrêtés. En avril 1969, le nouveau dirigeant du parti communiste tchécoslovaque, Gustav Husak, fait épurer le parti et approuve l'intervention. À l'occasion de l'affaire tchécoslovaque est proclamée la « doctrine Brejnev » qui ne reconnaît aux pays socialistes qu'une souveraineté limitée par la priorité de l'internationalisme des pays socialistes, c'est-à-dire en fait par la tutelle soviétique.

L'émergence du tiers-monde

Les pays du tiers-monde sont pour la plupart issus de la décolonisation. Au Maghreb, l'indépendance est acquise dans des conditions « normales » par la Tunisie et le Maroc, mais c'est au prix d'une guerre longue et sanglante que l'Algérie devient indépendante en 1962. Les empires français et anglais d'Afrique noire disparaissent sans heurts. La reconstruction postcoloniale est difficile : les jeunes États doivent faire face aux conflits interethniques et religieux, cherchant leur voie entre les modèles capitaliste et communiste, sans vraiment parvenir à sortir de l'économie de plantation et de l'inégalité villes-campagnes. Progressivement, le tiers-monde s'intègre aux relations internationales : à la conférence de Bandoung en 1955, le mouvement des non-alignés s'affirme pour la première fois, propulsant sur le devant de la scène la Chine, l'Inde et l'Égypte. De leur côté, les grandes organisations internationales cherchent à promouvoir le développement économique et social dans les pays marqués par la pauvreté.

Les grandes étapes de la décolonisation après 1954

• Le Maghreb

Dans les pays du Maghreb, les Français sont établis de longue date et détiennent les branches essentielles de la vie économique. À une période d'immobilité relative (jusqu'en 1950) succèdent des années de crise au cours desquelles les mouvements nationalistes entrent en conflit avec la métropole et les groupements français locaux qui la représentent. C'est en Tunisie que s'amorcent les processus décisifs : les premières bandes de fellaghas attaquent les fermes françaises du cap Bon, tandis que se déroulent les premiers «ratissages» (1952). Cette situation de fait conduit Pierre Mendès France à reconnaître, lors de la rencontre de Carthage (31 juillet 1954), *«l'autonomie interne de l'État tunisien»*. Deux ans plus tard, l'action de Bourguiba et du Néo-Destour aboutit au protocole du 20 mars 1956, qui donne à la Tunisie *«l'indépendance dans l'interdépendance librement consentie»*. Bourguiba devient président de la République en juillet 1957. Au Maroc, les tensions entre les deux communautés aboutissent à l'exil du sultan Mohammed V en août 1953. Mais les troubles de l'été 1955 contraignent le gouvernement français à traiter avec lui. Aussi le sultan forme-t-il un gouvernement chargé de conduire le protectorat à l'indépendance. Celle-ci est proclamée le 20 mars 1959.

Le recul français en Tunisie encourage les nationalistes algériens. D'autant que le statut de 1947 assure en fait la domination de la minorité européenne. Dirigé en particulier par Ben Bella, un Front de libération nationale (FLN) se constitue, qui combat le Mouvement nationaliste algérien (MNA). La tension entre la métropole et sa colonie culmine le 1er novembre 1954, lors de l'insurrection qui marque le début de la guerre d'Algérie. Jusqu'en 1958, la France opte pour une politique d'intransigeance : arrestation de Ben Bella en octobre 1956, «bataille d'Alger» menée par le général Massu en janvier 1957. Mais à cette date, le contexte international apparaît plus favorable aux mouvements de libération (conférence de Bandoung, pressions de l'ONU…). Aussi le général de Gaulle, sentant que seule une politique d'association peut désamorcer la crise, reconnaît-il le 16 septembre 1959, le droit des Algériens à l'autodétermination. Malgré l'acharnement de la communauté française (« semaine des barricades» de janvier 1960), l'Algérie accède à l'indépendance selon les termes des accords d'Évian du 18 mars 1962 (voir les chapitres 18 et 19).

• L'Afrique noire

Entre-temps, l'empire français d'Afrique noire disparaît. En 1945, à l'exception du Libéria et de l'Éthiopie, l'Afrique noire restait en effet le domaine colonial par excellence. Mais la révolution égyptienne (1952-1956), les événements d'Afrique du Nord et l'émergence du tiers-monde sur la scène internationale (Bandoung) amènent les jeunes nationalismes africains à remettre en cause, de façon radicale, la tutelle coloniale. Leur lutte peut prendre une forme modérée, à travers la revendication d'une identité culturelle incarnée dans la notion de « négritude », élaborée dans les années 1960 à l'instigation d'intellectuels africains groupés derrière Léopold Sédar Senghor.

Ce qui est tenté ici, c'est la difficile conciliation entre la culture africaine et la conservation de certains modèles occidentaux, utiles au développement des jeunes États. Au contraire, un « socialisme africain », inspiré des modèles marxistes, cherche à rompre avec les influences métropolitaines. Fondé en 1947, le RDA (Rassemblement démocratique africain) cherche, pour sa part, une voie politique typiquement africaine. Mais il éclate en multiples tendances à partir de 1958, opposant le Parti démocratique de Guinée (PDG) de Sékou Touré et le Parti du regroupement africain (PRA), soutenu par la France.

Malgré les discours et les déclarations de principe de l'immédiat après-guerre, la France semble vouloir maintenir sa présence en Afrique. La Constitution de 1946, en permettant l'accueil au Parlement français de représentants africains, élimine au fond toute possibilité d'indépendance véritable. En juin 1956, la « loi-cadre des territoires d'outre-mer », votée sous les auspices d'un gouvernement socialiste qui y attache le nom de Gaston Defferre, accélère le processus d'indépendance. Mais aucune précision n'est donnée quant aux liens futurs devant unir ces territoires à la métropole. En juin 1958, le général de Gaulle met fin aux incertitudes. Conscient de la nécessité de mener à son terme une évolution inéluctable vers l'indépendance, il n'en désire pas moins maintenir en place l'ensemble colonial français. La Constitution française de 1958 établit donc que les territoires pourront opter soit pour le maintien du statu quo (ce sera le cas pour la Côte française des Somalis et les Comores), soit devenir des États autonomes au sein de la Communauté française, soit encore faire sécession. Seule la Guinée de Sékou Touré répondra « non » au référendum de septembre 1958 et se proclamera indépendante dès octobre de la même année. Dans les premiers mois de 1960, tous les territoires d'obédience française optent pour la seconde solution et deviennent indépendants : Mauritanie (Mokhtar Ould

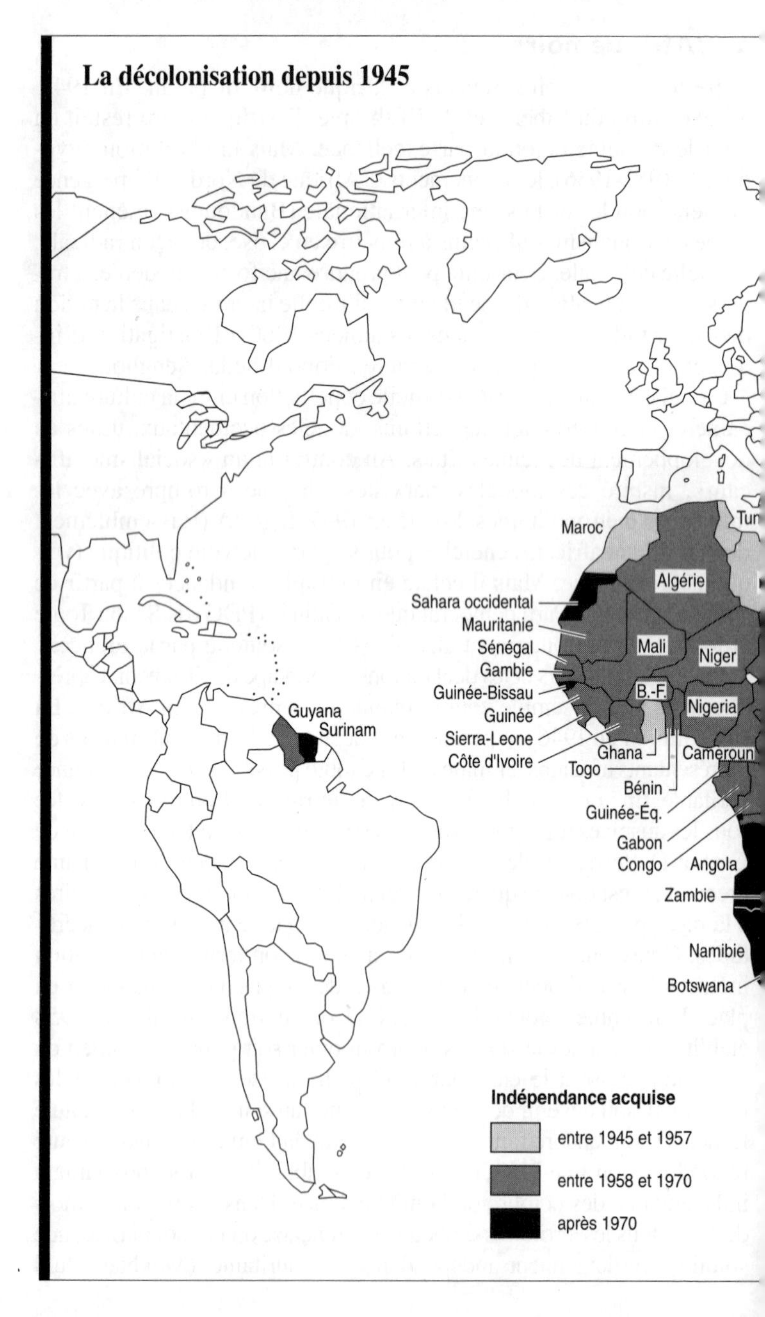
La décolonisation depuis 1945
Maroc
Algérie
Sahara occidental
Mauritanie
Sénégal
Gambie
Guinée-Bissau
Guinée
Sierra-Leone
Côte d'Ivoire
Mali
Niger
B.-F.
Nigeria
Ghana
Togo
Bénin
Cameroun
Guinée-Éq.
Gabon
Congo
Angola
Zambie
Namibie
Botswana
Guyana
Surinam
Indépendance acquise
entre 1945 et 1957
entre 1958 et 1970
après 1970

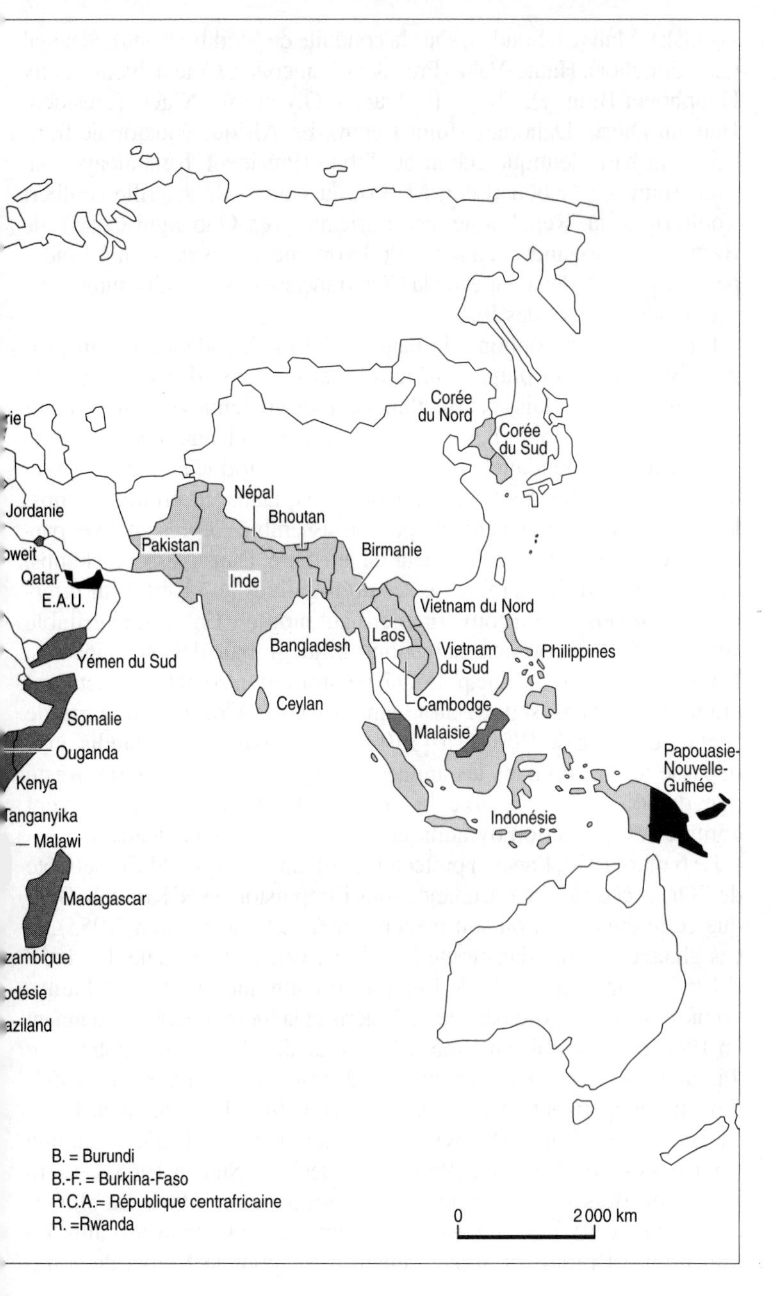
Corée du Nord
Corée du Sud
Népal
Bhoutan
Jordanie
Pakistan
Birmanie
Qatar
Inde
E.A.U.
Vietnam du Nord
Laos
Bangladesh
Yémen du Sud
Vietnam du Sud
Philippines
Ceylan
Cambodge
Somalie
Malaisie
Ouganda
Papouasie-Nouvelle-Guinée
Kenya
Tanganyika
Indonésie
Malawi
Madagascar
B. = Burundi
B.-F. = Burkina-Faso
R.C.A.= République centrafricaine
R. =Rwanda
0
2 000 km

Daddah), Mali (ex-Soudan, sous la conduite de Modibo Keita), Sénégal (L.S. Senghor), Haute-Volta (Président Yameogo), Côte d'Ivoire (Félix Houphouët-Boigny), Togo (Sylvanus Olympio), Niger (Président Hamani Diori), Dahomey (futur Bénin). En Afrique équatoriale française, un sort identique échoit au Tchad (Président Tombalbaye), au Cameroun, au Gabon (Léon M'Ba), au Congo-Brazzaville (Fulbert Youlou), à la République centrafricaine (ex-Oubangui-Chari) de Barthelemy Boganda. L'année 1960 voit encore l'accession à l'indépendance de Madagascar et de la Côte française des Somalis, futur « territoire des Afars et des Issas ».

En Afrique anglophone, le passage à l'indépendance se fait progressivement et la plupart du temps sans heurts. Il est vrai que la Grande-Bretagne laisse carte blanche à ses anciennes colonies quant aux institutions dont elles entendent se doter, et juge nécessaire de donner à l'indépendance une « épaisseur » politique et sociale qui la distingue de celle des États francophones. Dans un premier temps, le *responsable government,* élu par une assemblée représentative, partage le pouvoir avec le gouverneur du territoire. Dans un second temps, ce dernier perd l'ensemble de ses prérogatives au profit d'un *internal self-government* (gouvernement autonome). Enfin, un véritable *self-government* consacre la responsabilité globale des élites locales. Dans le même temps, une politique de promotion sociale permet l'ancrage du nouveau statut : au Ghana, ex-Gold Coast, le nombre de scolarisés passe de 185 000 à 456 000 entre 1946 et 1957, tandis qu'il dépasse le million dans les années 1950 pour le seul Nigéria. Reste que, du côté anglais comme du côté français, les métropoles doivent compter avec l'action dynamique de quelques grands leaders.

Le 6 mars 1957, l'ancien protectorat britannique de Gold Coast (Côte de l'Or) accède à l'indépendance sous l'impulsion de N'Krumah. Bien que cette émancipation soit postérieure à celle du Soudan (1955), le cas ghanéen prend, dans toute l'Afrique, valeur de modèle. De 1957 à 1965, c'est l'ensemble de l'empire britannique qui obtient l'autonomie : en Afrique occidentale, le Nigéria et la Sierra Leone l'obtiennent en 1960 et la Gambie en 1965 ; en Afrique de l'Est et du Zambèze, le Tanganyika (future Tanzanie après fédération avec Zanzibar en 1964) devient indépendant en 1961, le Kenya en 1963, l'Ouganda en 1962. Le Nyassaland (futur Malawi) devient autonome en 1963, la Zambie (ex-Rhodésie du Nord) en 1964, la Rhodésie du Sud en 1965. Ce sera le tour du Botswana, du Sotho et du Swaziland en 1966. La plupart de ces nouveaux États deviendront membres du Commonwealth. La transition est rapide et apparemment aisée pour le Kenya de Jomo

Kenyatta et la Tanzanie de Julius Nyerere, disciple de N'Krumah. Dans le premier cas, la personnalité du leader parvient à transcender la multiplicité des tribus; en Tanzanie, l'usage d'une langue commune (le swahili), le rôle dynamique joué par une élite cultivée issue des missions, un front social des petits agriculteurs cimentent l'expérience d'autonomie. Il n'en est pas de même au Nigeria, écartelé entre un Nord musulman et un Sud où dominent Yorubas et Ibos. L'indépendance n'est ici qu'une victoire éphémère : en janvier 1966 éclatent les troubles qui aboutissent à la guerre du Biafra. Fragilité identique en Ouganda, tandis qu'en Afrique méridionale, des minorités blanches refusent d'abandonner leurs privilèges et s'opposent à la mise en place de gouvernements à majorité noire. En 1965, Ian Smith proclame ainsi l'indépendance de la Rhodésie, ouvrant une crise profonde et durable qui ne sera résolue qu'à la suite d'élections générales au début de 1980. Celles-ci donnent le pouvoir à la majorité noire et le pays prend alors le nom de Zimbabwe.

La difficile naissance des États issus de la décolonisation

• Les problèmes politiques de la reconstruction postcoloniale

Les jeunes États indépendants se heurtent en premier lieu à des difficultés politiques liées au poids des structures traditionnelles. En Indonésie, Soekarno cherche à éviter l'éclatement de la République, tiraillée par des forces centrifuges hostiles à la domination des éléments javanais sur les autres populations de l'archipel. En 1956, le parti musulman lui retire son appui, tandis que des éléments intégristes remettent en cause son expérience de «démocratie dirigée» appuyée sur une large coalition politique. En Birmanie comme au Vietnam se pose le problème de la cohésion ethnique des nouveaux États, renforcé encore par la diversité des choix religieux, née de la colonisation. Si, dans le premier cas, le bouddhisme contribue à atténuer les divisions politiques, dans le second, l'émigration de près d'un million de Vietnamiens du Nord catholiques vers le Sud n'a pu que renforcer l'opposition traditionnelle entre les deux parties du pays. Un problème du même ordre se pose en Inde, tiraillée entre le respect des particularismes (religieux et linguistiques) et le risque de voir se rompre l'unité nationale. En Afrique, les gouvernements se heurtent aux anciennes structures de parenté (clans, lignages, ethnies) : bien souvent, les sièges ministériels sont davantage répartis en fonction de critères ethniques, ne serait-ce que pour assurer la représentativité du gouvernement. Dans tous les cas, les pays décolonisés doivent faire face aux conséquences durables et multiples de l'époque coloniale.

En matière politique, ces pays, longtemps dominés, ne peuvent opter la plupart du temps que pour des idéologies importées. Au Vietnam comme en Corée, les retombées de la bipolarisation du monde et de la guerre froide se juxtaposent aux divisions antérieures. Contre l'opposition musulmane, celle des grands propriétaires hostiles à la réforme agraire, le projet britannique de «Grande Malaisie» – moyen détourné de l'impérialisme pour se maintenir dans l'archipel de la Sonde –, Soekarno accentue son rapprochement avec la Chine. Des maoïstes indonésiens supervisent le putsch de septembre 1965 : son échec aboutit à une sanglante répression militaire et à la disparition de Soekarno. Dans l'Asie soudain laissée au jeu des grandes puissances, l'Inde fait figure d'exception : une élite indienne, formée «à l'occidentale», hérite d'une administration efficace fondée sur des finances solides. Pour leur part, les États africains doivent choisir entre deux voies : l'opinion capitaliste, en donnant la priorité au développement économique, suppose le recours accru aux techniques et aux capitaux des anciennes métropoles. De son côté, le choix du socialisme, dans son acception marxiste, conduit à privilégier les liens avec les pays de l'Est. Au plan intérieur, il aboutit à la reconnaissance du rôle moteur d'un parti unique chargé de promouvoir la politique économique.

• L'économie et la société

Pour mettre en place les nouveaux États, il faut tenir compte du poids des habitudes en matière économique et sociale. Dans ces domaines en effet, les difficultés ne sont pas moindres. En Afrique, les anciens territoires coloniaux sont profondément marqués par le système du troc, avec les considérations psychologiques ou magico-religieuses qui imprègnent la conception africaine du commerce et du marchandage. Ainsi, des interdits frappent la production de certains produits utiles. Situation d'autant plus dramatique que les administrations coloniales ont privilégié les cultures rentables, produits tropicaux, sur les productions vivrières. Après l'indépendance, les impératifs nouveaux de la production bouleversent les univers villageois dont l'organisation du travail reposait largement sur la division héréditaire et sexuelle du travail. Au total, pour intégrer les nouveaux États dans une économie de marché (*a fortiori* dans le cadre des relations économiques internationales), il faut imposer une nouvelle culture, une nouvelle vision du monde.

Il semble plus difficile encore de remédier aux insuffisances financières. Les capitaux disponibles, l'appoint des épargnes nationales sont insuffisants pour opérer le démarrage économique. Or, l'aide étrangère, patronnée par de nombreux organismes internationaux (ONU, UNICEF, Fonds monétaire international, Banque internationale pour la reconstruction et le développement…), dissimule souvent des pratiques néocoloniales. Elle favorise dans bien des cas les inégalités régionales, l'extension des villes au détriment des campagnes, l'accroissement des privilèges d'un petit nombre, les bénéfices souvent énormes des sociétés étrangères et ceux des bourgeoisies nationales. Les paysanneries s'appauvrissent, l'économie rurale s'étiole. Autant d'éléments qui rendent tragiques certaines crises de conjoncture : en Afrique, dans la zone sahélienne, les grandes sécheresses de 1973-1974 déciment 50 % du bétail mauritanien, 20 % du cheptel sénégalais, 80 % de celui de la Haute-Volta.

En Asie, la reconstruction économique passe le plus souvent par le démantèlement des grands domaines, la mise en valeur de terres nouvelles destinées à nourrir une population galopante, le soutien aux industries traditionnelles, notamment textiles.

• Les séquelles du fait colonial

C'est en Afrique que l'on mesure avec le plus d'acuité les séquelles du fait colonial. À cet égard, la question congolaise résume à elle seule les difficultés du passage à l'indépendance. Celle du Congo belge à peine proclamée le 1er juillet 1960, des troubles se produisent à Léopoldville, l'ancienne capitale administrative (aujourd'hui Kinshasa, capitale du Zaïre), tandis que la riche région minière du Katanga fait sécession. Il s'agit d'abord d'une question tribale : la confédération des associations du Katanga (Conakat) défend un particularisme ethnique. Mais c'est aussi une question d'intérêts économiques européens : les Belges, liés aux entreprises minières, nient la nationalité congolaise et désirent, en garantie des capitaux investis, un « État autonome et fédéré ». Contre leur « allié » katangais, Tshombé, se lève le jeune chef du gouvernement, Patrice Lumumba, sous l'égide duquel la province orientale entre en dissidence. Mais il est assassiné le 17 janvier 1961, après avoir été livré aux Katangais par les soins du chef de l'armée, le général Mobutu. Sa mort en fait le héros de la libération du continent africain, tandis que l'intervention de l'ONU au Katanga en 1962, destinée à mettre fin à la sécession, place le continent au centre de la scène internationale et aide à la cristallisation de nouveaux groupements de solidarité.

L'intervention des grandes puissances dans les affaires intérieures des pays du « tiers-monde » est une conséquence de l'ère coloniale. Les États-Unis sont intervenus au Congo entre 1960 et 1965 ; par ailleurs, ils soutiennent longtemps la République d'Afrique du Sud, « rempart » contre le communisme, et leurs intérêts sont représentés dans de nombreux pays d'Afrique, comme ils le sont en Asie ou en Amérique latine. De leur côté, les Soviétiques agissent militairement, aux côtés des Cubains, dans la guerre de libération de l'Angola en 1975. À cette date, en effet, l'Angola est le dernier territoire sous dépendance coloniale, celle du Portugal (le Mozambique ayant accédé à l'indépendance en 1969, la Guinée-Bissau en février 1973). Les anciennes métropoles ne sont pas en reste : la France intervient trois fois en Afrique au cours des années 1970. Au Tchad, entre 1970 et 1975, pour soutenir le gouvernement contre les rebelles du Tibesti dirigés par Hissène Habré (à noter qu'en 1983, le gouvernement Pierre Mauroy interviendra pour soutenir le même Hissène Habré contre Goukouni Oueddeï, prétendant au pouvoir, lui-même soutenu par la Libye du colonel Khadafi), au Zaïre en 1977 et 1978 (guerre du Shaba) pour repousser des troupes étrangères (Angolais, Cubains, ex-» gendarmes katangais ») qui menacent les villes minières (raid de Kolwesi).

L'intégration internationale du tiers-monde

• L'émergence politique : l'afro-asiatisme

À partir de la guerre froide, le terme de tiers-monde désigne un ensemble de pays qui se démarquent des « blocs » occidental et soviétique. L'entrée de cette nouvelle composante sur la scène mondiale prend la forme de l'afro-asiatisme. Soucieux de passer de l'indépendance juridique au développement autonome, les États récemment décolonisés se rassemblent en groupes de solidarité, et ce au lendemain même de la guerre. Dès le printemps de 1947, à l'instigation de l'Inde, une conférence des nations asiatiques rassemble à New Delhi plus de 150 délégués venus de 25 pays d'Asie pour traiter de la décolonisation et du sous-développement. De nombreux orateurs vitupèrent contre l'Occident et dénoncent les dangers d'une aide économique qui risque de remplacer les anciennes dominations par l'« impérialisme du dollar ». Une nouvelle conférence réunit dans la capitale indienne, en janvier 1949, les représentants des gouvernements d'Asie et d'Australie, auxquels se joignent ceux de l'Égypte et de l'Éthiopie. Il s'agit de mettre un terme à l'intervention néerlandaise en Indonésie. Plus largement, elle symbolise pour Nehru « l'esprit de liberté face à l'agression occidentale ».

À la même époque, à l'ONU, une douzaine de délégations, d'abord qualifiées d'« arabo-asiatiques », tentent de promouvoir une politique indépendante des deux blocs. Après l'adhésion de l'Éthiopie et du Libéria, elles forment un groupe « afro-asiatique ». Ces pays, récemment libérés de la tutelle occidentale, adoptent une attitude presque constamment hostile à l'Occident, tant dans l'affaire de Corée que dans celles du Vietnam ou du Maghreb. Ainsi, aussi bien dans les grandes conférences indiennes qu'à l'ONU, se dégagent les deux thèmes principaux de l'afro-asiatisme : l'anticolonialisme et la recherche de la paix. À certains égards, la victoire de Mao Zedong en Chine, à partir de 1949, contribue à cimenter le nouveau groupe de solidarité. La politique d'endiguement du communisme, entamée par les Américains au lendemain de la proclamation de la République populaire de Chine, amène Nehru à se rapprocher d'un pays dont l'expérience économique se situe précisément en marge des modèles capitaliste ou soviétique. Après le règlement du contentieux sino-indien sur le Tibet, Nehru accepte de patronner une conférence des pays libres d'Asie et d'Afrique où la Chine serait représentée. Le Pakistan, Ceylan, la Birmanie et l'Indonésie en acceptent l'idée en décembre 1954.

• La conférence de Bandoung (1955)

À la conférence des peuples afro-asiatiques de Bandoung (18-25 avril 1955), en Indonésie, les pays du tiers-monde sont brusquement placés au premier plan de l'actualité. Vingt-neuf nations, représentant plus de la moitié de l'humanité mais seulement 8 % de ses richesses, y sont représentées : Afghanistan, Arabie saoudite, Birmanie, Cambodge, Ceylan, Chine populaire, Côte-de-l'Or (futur Ghana), Égypte, Éthiopie, Inde, Indonésie, Irak, Iran, Japon, Jordanie, Laos, Liban, Liberia, Libye, Népal, Nord-Vietnam, Pakistan, Philippines, Soudan, Sud-Vietnam, Syrie, Thaïlande, Turquie, Yémen.

La conférence, présidée par Soekarno, est divisée en trois commissions : politique, coopération culturelle, coopération économique. La résolution finale affirme le droit des peuples à disposer d'eux-mêmes, la souveraineté et l'égalité entre toutes les nations, le refus de toute pression de la part des grandes puissances et de toute ingérence dans les affaires intérieures des États. Elle réclame le règlement, par voie pacifique, de tous les différends, le désarmement, l'interdiction des armes atomiques. Le communiqué final de la conférence établit que les pays représentés se sont mis d'accord pour *« déclarer que le colonialisme, dans toutes ses manifestations, est un mal auquel il doit être mis fin rapidement »* et pour affirmer que *« la question des peuples soumis à l'assujettissement à l'étranger, à sa domination et à son exploitation, constitue une négation des droits fondamentaux de l'homme, est contraire à la charte des Nations unies et empêche de favoriser la paix et la coopération mondiales »*.

Enfin, la conférence propose la création d'un fonds des Nations unies pour le développement économique, la mise au point de projets communs aux pays représentés et, au plan culturel, le *« droit fondamental des peuples à étudier leur propre langue et leur propre culture »*.

Véritable triomphe pour Soekarno, à l'époque Président de l'Indonésie, la conférence est aussi un grand succès pour la Chine. Son représentant, Zhou Enlai, très écouté, se pose, ainsi que Nehru, en défenseur convaincu de la coexistence pacifique. Dans un discours « raisonnable », il se montre en effet partisan de la tolérance, rejette toutes les accusations de subversion lancées contre son pays, ce qui lui vaut un succès qu'il sait habilement exploiter. Le débat sur le colonialisme prend néanmoins un tour passionné quand, sur l'initiative du Premier ministre de Ceylan, qui vise l'URSS, les pro-Occidentaux présentent un projet de résolution condamnant *« tous les types de colonialisme, y compris les doctrines internationales recourant aux méthodes de force, d'infiltration et de subversion »*. D'ailleurs, les puissances « blanches » (Israël et l'URSS) ou trop fortement inféodées à un bloc (Mongolie) n'ont pas été invitées. Au total, cette conférence, sans grand effet immédiat, vaut surtout pour son vaste retentissement. Elle fait naître l'espoir que dans les grandes décisions internationales, les peuples du tiers-monde auront leur mot à dire et seront en mesure de faire prévaloir une « troisième voie », neutraliste, dans la confrontation entre les deux « superpuissances ».

• Le non-alignement

La conférence de Bandoung inaugure une nouvelle attitude collective des pays du tiers-monde : le non-alignement. Une ligne politique, fondée sur la volonté d'opposer l'indépendance et la souveraineté nationales aux ingérences ou à la domination des plus grands, s'est développée en Yougoslavie après la rupture avec l'Union soviétique et dans les pays récemment affranchis du joug colonial. Tito, Nehru et bientôt l'Égyptien Nasser en deviennent les principaux animateurs et s'appliquent à lui donner, sinon des formes vraiment institutionnelles, du moins des éléments de constance et d'efficacité. Une première rencontre, en juillet 1956, leur permet de définir quelques positions communes concernant la sécurité internationale et les conditions du maintien de la paix. Désormais, des conférences quasi régulières réunissent les pays non alignés : à Belgrade en septembre 1961, au Caire en 1964, à la Havane en janvier 1966, à Alger en 1967, à Lusaka en septembre 1970, se tiennent successivement de grandes assemblées du tiers-monde, souvent présentées comme les états généraux des peuples non alignés.

Des querelles internes et l'influence grandissante des «tuteurs» communistes du tiers-monde ébranlent le mouvement des non-alignés. Tous réaffirment, au fil de leurs rencontres, l'attachement à la coexistence pacifique, le droit à l'émancipation et à la libération économique, surtout à un partage équitable des richesses du globe. Mais des divisions apparaissent entre les tenants d'un strict neutralisme (l'Inde) et les partisans d'une action résolue contre le néo-colonialisme et l'impérialisme (en particulier les États africains). Bien plus, chez les grands leaders, l'unanimité est plus apparente que réelle. Pas plus que Nehru n'apprécie l'empressement de Nasser à le supplanter, N'Krumah ne reconnaît le leader égyptien pour guide de l'Afrique, et Nasser lui-même n'entend pas laisser aux Soviétiques les mains libres sur le continent noir. Les tensions internationales de l'automne 1962 (conflit sino-indien, crise cubaine) étalent au grand jour les divergences idéologiques entre les «tuteurs communistes» du tiers-monde. Les afro-asiatiques doivent choisir non seulement entre le non-alignement et un neutralisme procommuniste, mais entre deux conceptions de la coexistence, notamment celle des Chinois qui font de la lutte pour l'indépendance nationale la condition de la paix, et celle des Soviétiques. À Colombo, en décembre 1962, les non-alignés abandonnent en fait leur doctrine en refusant de prendre parti pour l'Inde contre la Chine.

• Le poids du tiers-monde dans les relations internationales

Dans un monde bipolaire, le destin des non-alignés apparaît de plus en plus complexe.

De fait, depuis 1979 (conférence de La Havane), le fossé n'a cessé de se creuser chez les «non-alignés», entre les partisans d'un non-alignement stricto sensu (derrière Tito) et les tenants d'une politique plus proche de l'option soviétique (Fidel Castro). Enfin, André Malraux rappelle, dans ses *Antimémoires,* que Nehru a longtemps cherché, pour son pays, une synthèse des données orientales et occidentales :

« Pour l'Occident, l'Union soviétique symbolisait une révolution passée, et parfois une révolution future ; pour Nehru, elle symbolisait d'abord une planification. À l'occasion, il fallait utiliser des méthodes russes et des capitaux américains. »

De fait, pour faire pression sur les grandes puissances, les peuples du tiers-monde ont élaboré un certain nombre d'idéologies continentales. Au lendemain de la Seconde Guerre mondiale, l'Inde prend la tête d'un panasiatisme qui marque l'entrée du Sud et du Sud-Est asiatique sur la scène internationale. Il aboutit plus largement, sous l'impulsion de Nehru, à la constitution d'un groupe afro-asiatique. Au début du siècle, un Noir américain, W.E. Burghardt du Bois (1883-1963), et un Jamaïcain, Marcus Garvey, ont, de leur côté, posé les bases du « panafricanisme ». Soutenu, en Afrique, par des hommes comme Azikiwe, Président du Nigéria et L. Senghor, ce mouvement s'efforce de réhabiliter les civilisations africaines et milite en faveur d'une unité économique et politique du continent noir. La charte de l'OUA (Organisation de l'unité africaine), en 1963, donnera partiellement satisfaction aux « fédéralistes » africains : elle décide de renforcer l'unité et la solidarité des peuples africains contre toutes les formes de colonialisme. Dans le même temps, un panarabisme a vu le jour : au début des années 1950, il tend à se confondre avec l'action de l'Égyptien Nasser et prend tout son relief lors de la crise de Suez en 1956.

Depuis 1948 (création de l'OEA, Organisation des États américains), le panaméricanisme oscille quant à lui entre une voie légale et un processus révolutionnaire. La charte de l'OEA consacre le principe de la « non-intervention » dans les affaires d'un État membre et se fixe trois objectifs : paix entre les États, action conjointe en cas d'agression et bien-être des peuples. Mais les interventions directes ou indirectes de États-Unis dans les Antilles (à Saint-Domingue en 1965) et en Amérique centrale conduisent les pays latino-américains à chercher une voie nouvelle. Or, en 1959, la révolution cubaine semble offrir un modèle. Partisan d'une stratégie de rupture fondée sur la guerre révolutionnaire, Ernesto « Che » Guevara, représentant de Cuba au séminaire économique de solidarité afro-asiatique (février 1965), s'attache à faire entendre « la voix des peuples d'Amérique ». Ses idées inspireront la déclaration générale de la première conférence latino-américaine de solidarité (1967). En janvier 1966, à La

Havane, la première conférence de solidarité des peuples d'Asie, d'Afrique et d'Amérique latine réunit 82 pays des trois continents qui proclament leurs droits à l'émancipation économique et politique.

• Les grandes organisations internationales

Les États du tiers-monde ont su se doter d'organisations régionales souvent dynamiques. Au vide relatif de l'Asie s'oppose ici le foisonnement institutionnel de l'Afrique. Dans le domaine asiatique travaille la CEAEO (Commission économique pour l'Asie et l'Extrême-Orient), œuvrant dans le cadre de l'ONU, mais qui n'est pas une organisation propre au continent asiatique, dans la mesure où des États ayant administré ou administrant encore des pays d'Extrême-Orient (France, Pays-Bas, Royaume-Uni, États-Unis) figurent parmi ses membres. Seule l'ASEAN (Association des nations d'Asie du Sud-Est), fondée en 1967 à l'instigation de la Malaisie, des Philippines et de la Thaïlande, peut faire figure d'organisation indépendante des «blocs». Son but affiché est de «promouvoir», par un effort commun, le bien-être et le progrès économique, social et culturel de la région. En Afrique coexistent des organisations à vocation continentale ou régionale, dans le but d'établir une solidarité économique et politique des États africains. Fondée à Tananarive en juin 1966, l'OCAM (Organisation commune africaine et malgache) groupe, à sa naissance, dix pays d'Afrique centrale et occidentale, ainsi que Madagascar. Mais elle entend ne travailler que dans le cadre, plus large, de l'OUA. La charte de l'Organisation de l'unité africaine, texte fondamental pour ce continent, est signée le 25 mai 1963, à Addis-Abeda. L'OUA est dotée d'une conférence des chefs d'État et de gouvernement qui se réunit au moins une fois par an, d'un Conseil des ministres des Affaires étrangères, d'un secrétariat général et d'une Commission de médiation et d'arbitrage. Parmi les organisations régionales de type économique, on peut noter l'existence de l'UDEAC (Union douanière de l'Afrique centrale), la CEAO (Communauté économique de l'Afrique de l'Ouest) et la CAO (Communauté d'Afrique orientale).

Du côté panaméricain, la première grande organisation est l'OEA (Organisation des États américains). Sa charte est adoptée en 1948, lors de la 9e conférence interaméricaine de Bogota. Vingt-huit pays en sont membres aujourd'hui, dont les États-Unis et Cuba. Dotée d'une Assemblée générale et d'un Conseil permanent siégeant à Washington, elle cherche à promouvoir une action de type social et culturel. Elle subit toutefois, depuis 1967, les attaques de l'OLAS (Organisation latino-américaine de solidarité) qui lui reproche de n'être qu'un «instrument de l'impérialisme nord-américain». Les associations régionales ont une vocation essentiellement économique : c'est le cas de l'ALALC (Association latino-américaine de libre commerce), fondée en 1960, et qui réunit aujourd'hui l'Argentine, le Brésil, le Chili, le Mexique, le Paraguay, le Pérou, l'Uruguay, la Colombie, l'Équateur, le Venezuela et la Bolivie. Vocation identique pour le MCCA (Marché commun centre-américain), qui regroupe depuis 1958, le Costa-Rica, le Salvador, le Guatemala, le Honduras et le Nicaragua, ou pour le SELA (Système économique latino-américain) où coexistent, depuis 1975, 23 pays d'Amérique latine et des Caraïbes.

HAPITRE 24

Le tiers-monde, en marge des « Trente Glorieuses »

Tiers-monde et sous-développement désignent les pays pauvres de la planète, dont le nombre s'est gonflé avec la décolonisation de l'après-guerre. Si ces nouveaux États indépendants n'ont guère réussi à former, sur la base du non-alignement, un front politique unifié à égale distance des deux blocs de la guerre froide, ils se sont rapprochés à partir des années 60 dans une commune revendication du droit au développement.
En parallèle, le vif contraste entre le retard du tiers-monde et la prospérité des pays capitalistes développés au temps des « Trente Glorieuses », suscite analyses et interprétations du sous-développement, le constat central de pauvreté renvoyant à la mise en cause des déséquilibres internes mais aussi des effets de la dépendance des pays sous-développés vis-à-vis de l'extérieur. L'Assemblée générale de l'ONU pose en 1974 les principes d'un « nouvel ordre économique international » (NOEI). L'arrivée de la crise économique mondiale en contrarie la mise en application.

Tiers-monde et sous-développement

• Deux notions ambiguës

Parmi les dénominations aussi nombreuses qu'imprécises qui ont été utilisées pour désigner les pays pauvres de la planète (jusqu'à la simple référence géographique au «Sud»), a prévalu l'expression de «pays sous-développés», employée dès 1949 par le Président Truman, bientôt remplacée par la formule plus positive, de «pays en voie de développement» (PVD), et celle de «tiers-monde» imaginée par Alfred Sauvy au début des années 50. Si l'association de ces appellations principales est légitime, elle n'en présente pas moins un double inconvénient. D'une part, chacune d'elles tend à considérer comme formant un ensemble uniforme des pays dont les situations sont nettement différenciées, et qui revendiquent d'ailleurs hautement la reconnaissance de leur identité nationale; d'autre part, le fait de les considérer comme interchangeables aboutit à amalgamer deux approches qu'il convient de distinguer puisque l'une «tiers-monde» renvoie à une conception géopolitique du monde, alors que l'autre repose sur le constat d'une situation économique et sociale désavantageuse.

• Tiers-monde et non-alignement : l'échec d'un front politique commun

Inspiré par la situation du tiers-état dans la France d'Ancien Régime, le concept de tiers-monde désigne l'ensemble des États pauvres qui ont accédé plus ou moins récemment à l'indépendance, qui dénoncent le colonialisme et qui refusent d'entrer dans l'un des deux camps antagonistes de la guerre froide. C'est précisément pour proclamer leur existence d'États souverains et appeler à la libération des territoires encore non autonomes que 29 pays d'Afrique et d'Asie se réunissent en avril 1955 à Bandoung, à l'invitation du Président indonésien Soekarno. Le thème du non-engagement, qui rejette la logique dangereuse de la guerre froide, y est défendu.

Cette première et retentissante affirmation d'un tiers-monde en révolte contre les impérialismes trouve un prolongement dans le mouvement des non-alignés qui prend véritablement forme sous l'égide du Maréchal Tito à la conférence de Belgrade en 1961.

Cependant, l'élargissement constant du groupe des non-alignés, alimenté par l'accession à l'indépendance de nombreuses colonies à partir de l'année 1960, rend pratiquement impossible le respect des règles politico-militaires posées à Belgrade (non appartenance à un système d'alliance, absence de bases militaires étrangères sur le territoire national). D'autre part, l'anti-impérialisme idéologique du mouvement s'est cristallisé dans la dénonciation de la politique internationale des États-Unis, provoquant en réaction une adhésion aux thèses soviétiques et un rapprochement avec le camp socialiste. Dès lors inévitable, la crise du mouvement éclate à la quatrième conférence des non-alignés, à Alger en septembre 1973, illustrée par la joute oratoire entre Fidel Castro et le colonel Khadafi. C'est pour sortir de cette impasse politique que le Président algérien Houari Boumediene tente de redonner une unité au tiers-monde en dénonçant l'injustice de l'ordre économique mondial et en appelant les pays pauvres à promouvoir leur développement au moyen de la nationalisation et de la valorisation de leurs ressources nationales.

• Une revendication commune du droit au développement

Le sous-développement économique et social constitue en effet, bien qu'à des degrés différents, le lot commun des pays du tiers-monde. Ce n'est pas que la croissance de leur production ait été négligeable entre 1955 et 1973. Toutefois, compte tenu du dynamisme démographique du tiers-monde, ces performances n'ont pas permis d'augmenter suffisamment le revenu individuel pour provoquer un véritable « développement », mesuré par la modernisation des structures et les progrès de l'éducation ou de l'environnement sanitaire. D'autre part, le faible écart des rythmes de croissance en faveur des PVD n'a pas non plus suffi, et de loin, à opérer un rattrapage du « Nord » par le « Sud ». En 1955, les 29 États réunis à Bandoung regroupaient plus de la moitié de la population de la planète mais ne représentaient que 8 % de sa production ; au milieu des années 70, le tiers-monde rassemblait les deux tiers de la population mondiale mais ne fournissait que 12,5 % du produit mondial.

Le phénomène du sous-développement a imposé sa réalité dramatique à l'opinion internationale, frappée par le contraste troublant entre la pauvreté du tiers-monde et la prospérité des pays capitalistes industrialisés au temps des « Trente Glorieuses ». Publié en 1961, l'ouvrage de Frantz Fanon, *Les damnés de la terre,* s'impose comme le manifeste du tiers-mondisme.

La prise de conscience du sous-développement a poussé les pays du tiers-monde devenus indépendants à se regrouper autour d'une commune revendication du droit au développement. Au sein même de l'ONU, le « groupe des 77 », qui rassemble les pays du tiers-monde, mène une action déterminée en faveur du développement. L'Amérique latine indépendante depuis le début du XXe siècle et l'Afrique, largement décolonisée depuis 1960, y participent aux côtés des pays asiatiques libérés pour la plupart après 1945. Ce groupe majoritaire à l'Assemblée générale de l'ONU obtient, à partir de 1964, la tenue régulière de CNUCED (Conférences des Nations unies pour le commerce et le développement). Visant à combler les lacunes du GATT, les sessions des CNUCED recherchent les moyens de favoriser l'expansion du commerce international dans une perspective de développement, ce qui implique la réduction des inégalités de traitement et l'élimination des dépendances paralysantes que dénoncent les pays du tiers-monde. Les premières CNUCED ont également arrêté le principe d'un transfert de richesse en faveur des pays sous-développés, à hauteur de 1 % du PNB des pays nantis (dont 0,7 % à partir de financements publics).

Cette générosité organisée traduit implicitement la reconnaissance par les anciennes puissances coloniales d'une responsabilité au moins partielle dans le processus de sous-développement ; elle exprime aussi plus ouvertement une crainte devant les conséquences possibles du creusement des inégalités entre les continents et les pays ; elle repose enfin sur la croyance en l'efficacité de l'aide extérieure pour promouvoir le développement.

La complexité des mécanismes liés au sous-développement devait très largement démentir ces espérances. En 1973, à la conférence d'Alger, le tiers-monde manifeste clairement sa volonté de se libérer d'une aide internationale toujours insuffisante et souvent inadaptée : c'est la définition d'un « nouvel ordre économique international » (NOEI) que les pays sous-développés exigent désormais.

Croissance comparée des pays capitalistes industrialisés et des PVD
(en pourcentage annuel moyen)

	1955-1960	1960-1970	1970-1973
Pays développés capitalistes	4,3	4,9	5,1
Pays en voie de développement	4,7	5,3	6,3
dont:			
– Amérique latine	5	5,6	7,4
– Afrique	–	4,1	5
– Proche-Orient	–	7,1	10
– Asie	4,1	4,7	4,2

Source : Nations unies, *Manuel de statistiques du commerce international et du développe-*

Les critères du sous-développement

• Les symptômes communs

Les caractères spécifiques du sous-développement ont été analysés dès les années 50, et la dénonciation des causes du phénomène de paupérisation d'une partie largement majoritaire de l'humanité fait l'objet d'un débat d'autant plus vif qu'il soulève la question de la responsabilité des métropoles coloniales et des puissances dominantes au lendemain de la Seconde Guerre mondiale.

Vers la fin des années 60, l'analyse d'une multiplicité d'enquêtes et de rapports, émanant en particulier de l'ONU, a permis de dégager cinq critères caractéristiques du sous-développement : la faiblesse du revenu individuel, la malnutrition, l'analphabétisme, une démographie galopante et une excessive concentration de la population active dans l'agriculture. Au-delà du constat de carences affectant à un moment donné les besoins essentiels de l'homme, ce diagnostic met donc en lumière des déséquilibres qui constituent autant d'obstacles au développement, qu'il s'agisse du manque d'épargne résultant de la pauvreté, du manque d'efficacité d'une population active sous-alimentée et sous-éduquée, de la difficulté à améliorer le sort de chaque individu du fait de l'excessive croissance démographique, ou encore du blocage des activités industrielles par le maintien de la majorité des producteurs dans un travail agricole nécessairement peu productif. L'analphabétisme constitue sans doute le principal obstacle au développement proprement dit dans la mesure où il freine l'évolution des mentalités, retardant par exemple la maîtrise de la natalité et empêchant l'apparition du débat d'opinion qui est à la base du processus de démocratisation de la vie politique.

La pauvreté reste une réalité si pesante dans le tiers-monde entre 1950 et 1980 que les organismes officiels (ONU, Banque mondiale...)

Les écarts de richesse

	Produit national brut (milliards de dollars 1977)			PNB par habitant (dollars de 1977)		
	1955	1970	1977	1955	1970	1977
Pays développés						
– capitalistes	2040	4080	5014	3400	5365	6995
– socialistes	290	840	1265	965	2295	3235
PVD	540	1130	1604	300	445	535

n'ont aucune peine à en accumuler les expressions statistiques. Il convient néanmoins d'interpréter avec prudence l'indicateur de PNB qui ignore les productions ne donnant pas lieu à des transactions monétaires, ce qui est beaucoup plus fréquent dans le tiers-monde que dans les pays développés ; en revanche, un PNB élevé n'indique pas nécessairement une évolution des structures dans le sens du développement qui est par définition de nature plus qualitative que quantitative.

Il n'en subsiste pas moins un écart considérable de richesse entre pays pauvres et pays nantis (en moyenne 415 dollars par habitant et par an dans les pays du tiers-monde et 8 540 dollars par habitant dans les pays capitalistes industrialisés, soit un rapport de 1 à 20 en 1979) et l'absence de rattrapage suffisant durant les « Trente Glorieuses » pour combler le fossé initial. Les situations extrêmes produisent même un phénomène de paupérisation relative. Ainsi, selon Denis Clerc (*Déchiffrer l'économie,* Syros), le produit par tête et par habitant a connu en trente ans une augmentation réelle de 5843 dollars dans les pays capitalistes industrialisés alors qu'il n'augmentait que de 81 dollars dans les pays sous-développés à faible revenu.

La sous-alimentation constitue sans doute la manifestation la plus visible et la plus choquante de la pauvreté du tiers-monde ; en 1970, 940 millions de personnes (soit 36 % de la population mondiale) étaient considérées comme sous-alimentées en permanence, la géographie de la faim se répartissant de la manière suivante : l'Asie est le continent le plus touché par la famine, mais le continent africain, qui n'est pas encore entré dans la phase explosive de sa transition démographique, apparaît déjà très menacé par la faim. Si la malnutrition continue à sévir dans les poches de pauvreté de l'Amérique latine, sa situation n'est plus aussi catastrophique que celle décrite par Josué de Castro dans sa *Géographie de la faim* en 1956.

• Des niveaux de développement très différents

L'hétérogénéité du tiers-monde a conduit la Banque mondiale à distinguer trois niveaux de revenu par habitant qui recoupent généralement les autres critères du sous-développement ; ils s'étagent de la manière suivante à la fin des années 1970 :

– Les pays à faible revenu ont en moyenne 240 dollars par habitant, entre 90 dollars pour le Bangladesh et 370 dollars pour l'Indonésie, l'Inde et la Chine ne dépassant pas 230 dollars. Ces pays appartiennent pour la plupart à la trentaine de pays définis par la CNUCED comme les moins avancés (PMA) dans la mesure où s'ajoutent à leur

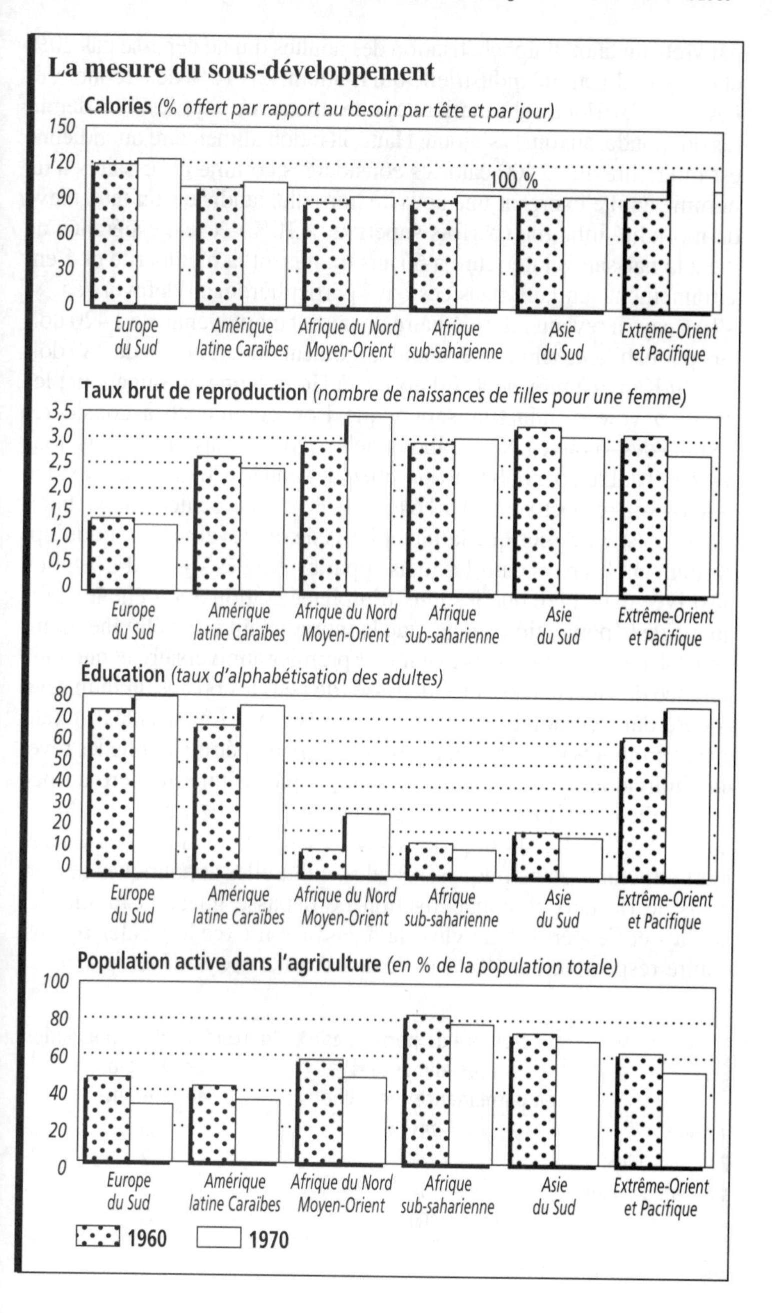
La mesure du sous-développement
Calories (% offert par rapport au besoin par tête et par jour)
150
120
90
60
30
0
100 %
Europe du Sud
Amérique latine Caraïbes
Afrique du Nord Moyen-Orient
Afrique sub-saharienne
Asie du Sud
Extrême-Orient et Pacifique
Taux brut de reproduction (nombre de naissances de filles pour une femme)
3,5
3,0
2,5
2,0
1,5
1,0
0,5
0
Éducation (taux d'alphabétisation des adultes)
80
70
60
50
40
30
20
10
0
Population active dans l'agriculture (en % de la population totale)
100
80
60
40
20
0
1960
1970

pauvreté un taux d'alphabétisation des adultes qui ne dépasse pas 20 % et une part d'activité industrielle qui n'atteint pas 10 % de l'économie; l'Asie et l'Afrique subsaharienne regroupent ces pays les plus démunis du monde, auxquels s'ajoute Haïti; la ration alimentaire quotidienne est inférieure aux 2400 calories considérées comme nécessaires à un homme adulte exerçant une activité normale, tandis qu'un taux élevé de mortalité infantile (parfois supérieur à 10 %) et une espérance de vie à la naissance inférieure à 60 ans traduisent la médiocrité de l'environnement sanitaire dans ces pays particulièrement défavorisés.

– Les pays à revenu intermédiaire disposent en moyenne de 1420 dollars par habitant, selon un éventail largement ouvert qui va de 380 dollars au Kenya à près de 4000 dollars à Hong Kong et Singapour; les pays en voie d'industrialisation que l'on commence à considérer comme des « nouveaux pays industriels » (NPI) dépassent presque tous les 2000 dollars par habitant au milieu des années 70 (sauf le Mexique et le Brésil, respectivement à 1640 et 1780 dollars seulement par habitant). C'est à l'Amérique latine et à l'Asie en développement qu'appartiennent les pays dans lesquels apparaissent des signes d'évolution positive; mais bien que les taux d'alphabétisation approche les trois quarts de la population adulte, que la mortalité infantile élimine moins de 10 % des nouveaux-nés avant leur premier anniversaire et que l'espérance de vie à la naissance dépasse (de peu) les 60 ans, la faim sévit encore dans de nombreuses zones de ces pays. Les « rentes » financières produites par la revalorisation du prix du pétrole gonfle les revenus individuels des exportateurs peu peuplés d'une manière un peu artificielle et conjoncturelle (7 280 dollars pour l'Arabie saoudite et même 17 100 dollars pour le Koweit) sans que cette richesse sorte leurs structures économiques, sociales, culturelles et politiques de l'archaïsme (le taux d'alphabétisation ne dépasse guère la moitié des adultes et l'espérance de vie à la naissance n'excède pas les 60 ans, contre respectivement 99 % et 75 ans dans les pays développés).

	Nombre de personnes sous-alimentées en permanence (en millions)	**Pourcentage de la population de la région de référence**
Asie	751	40
Proche-Orient	35	22
Amérique latine	54	19
Afrique	100	35

Source: FAO, rapport de 1992.

Les facteurs internes du sous-développement

Dans le recensement des facteurs du sous-développement, qui soulève l'épineuse question des responsabilités, il faut se garder de tout manichéisme et tenter de faire la part des conditions internes et des pressions exercées de l'extérieur sur les pays du tiers-monde. Encore doit-on reconnaître qu'il n'est pas toujours aisé de distinguer nettement les unes des autres.

• Les données géographiques

Les données géographiques de la zone intertropicale, dans laquelle se regroupent la plupart des pays sous-développés, ne sont pas à négliger. À proximité de l'Équateur, la surabondance des précipitations fait croître une forêt dense difficilement pénétrable par l'homme, ravine ou lessive les sols qui deviennent latéritiques, ou pose dans l'Asie des moussons de redoutables problèmes de maîtrise des fleuves, qui sont susceptibles de déclencher de terribles inondations (comme au Pakistan oriental en 1970) ; aux abords des Tropiques c'est au contraire la sécheresse qui sévit, parfois durablement, comme au Sahel à partir de 1972.

En contrepartie, les fleuves apportent des alluvions fertiles (c'est par exemple depuis l'Antiquité, le « don du Nil », tandis que la chaleur et l'absence d'hiver favorisent la maturation des plantes. La maîtrise des conditions naturelles relève aussi de techniques appropriées et de politiques adéquates.

• L'explosion démographique

L'explosion démographique qui caractérise le tiers-monde est à l'origine de déséquilibres qui entravent le développement.

Malgré la ponction de l'émigration, la population globale du tiers-monde (Chine comprise) a augmenté de 58 % entre 1960 et 1980, quand la population mondiale ne s'accroissait que de 46 % et celle des pays développés d'à peine 20 %. Le rythme de croissance démographique des PVD entraîne un doublement en moins de trente ans alors qu'il avait fallu précédemment quatre siècles pour réaliser un tel accroissement ! C'est que le tiers-monde est entré à partir des années 50 dans un mécanisme de transition démographique dont la phase centrale se caractérise par le maintien d'une forte natalité alors que la mortalité décline rapidement, ce qui dégage un important excédent naturel.

Le taux de mortalité générale s'abaisse fortement (parfois jusqu'au dessous de 10 ‰) parce que la population est très jeune (la moitié a moins de 20 ans, et aussi parce que les crises de surmortalité sont enrayées par des interventions extérieures (les vaccinations de masse pratiquées depuis la période coloniale ont fait reculer les grandes épidémies, et l'apport d'une aide alimentaire exceptionnelle en cas de mauvaise récolte amortit les effets destructeurs des grandes famines).

En revanche, la natalité continue à obéir aux mentalités et aux pratiques ancestrales : les croyances religieuses interdisent la contraception, et l'organisation de la solidarité sociale dans le cadre de la famille implique un nombre d'enfants suffisant, pour assurer les vieux jours puis les rites funéraires des parents. L'importance de la mortalité infantile a également provoqué une fécondité de compensation, qui se situe généralement à 6 ou 7 enfants par femme quand un peu plus de deux suffirait à assurer la reproduction des générations successives. Il en résulte des taux de natalité de 35 à 40 ‰ et un accroissement naturel de l'ordre de 3 % par an. Enclenché dès les années 50 en Amérique latine et en Asie, ce processus de transition démographique a ensuite gagné l'Afrique qui connaît une véritable explosion de sa population dans les années 80.

Les effets de la croissance démographique sur le développement ont été au cœur d'un débat contradictoire dans les années 70, spécialement lors de la conférence mondiale de Bucarest en 1974. Les experts des pays développés considéraient qu'un rythme excessif d'accroissement étouffait les possibilités de développement car, compte tenu de la médiocre efficacité des économies sous-développées, l'amélioration du revenu individuel impliquait un taux de croissance du produit national et un effort d'investissement hors de portée des pays du tiers-monde. En parallèle, l'augmentation de la population pérennisait les tensions alimentaires et les carences éducatives, du fait de l'impossibilité de nourrir et de scolariser des séries de générations pléthoriques. La solution semblait résider dans l'aide au développement et dans l'adoption concomitante de politiques de maîtrise démographique par les gouvernements des pays sous-développés.

Ceux-ci défendaient au contraire, pour la plupart, leur richesse humaine, la seule qu'ils possèdent en l'absence de capitaux et de techniques modernes. La Chine maoïste insistait en particulier sur la force du nombre, tant dans le rapport de force politique que dans le soutien de la production. C'est seulement à la fin des années 70 que les pays du tiers-monde ont progressivement admis la nécessité de ralentir la croissance démographique, soit par des méthodes radicales (campagnes de stérilisation des hommes en Inde, obligation de l'enfant unique en Chine à partir de 1979), soit par des politiques plus incitatives de planning familial (solution généralement adoptée en Amérique latine). Cette attitude nouvelle, qui concerne encore fort peu le continent africain, a été entérinée lors de la conférence mondiale de Mexico en 1984.

Il semble bien que l'amorce du développement économique et social soit encore le meilleur moyen de provoquer un réflexe spontané de contrôle des naissances. À partir du moment où la scolarité obligatoire augmente les frais d'éducation de l'enfant (qui commence alors à « coûter plus cher qu'il ne peut rapporter par son travail »), mais où cette formation onéreuse ouvre des perspectives de promotion sociale de génération en génération, des comportements malthusiens apparaissent dans les familles, favorisés par le fait que la réduction de la mortalité infantile ne justifie plus une fécondité exubérante. Ces mécanismes d'ajustement démographique ont fait leur apparition dans les pays en développement, mais la population du tiers-monde est appelée à continuer à accroître fortement ses effectifs par inertie, au moins durant le premier quart du XXIe siècle.

• Les insuffisances politiques

Les insuffisances politiques jouent à l'évidence un rôle important dans les échecs des stratégies de développement. Souvent privés de tradition politique par de longues périodes de sujétion coloniale, devenus indépendants dans des frontières arbitraires inadaptées aux conditions naturelles et aux réalités ethniques, les pays du tiers-monde ont éprouvé les plus grandes difficultés à construire des États viables et à mettre en place des régimes politiques efficaces. Démarquant, en les falsifiant, les modèles empruntés aux puissances dominantes, de nombreux pays ont mis en pratique un présidentialisme plus ou moins coloré de nationalisme, mais souvent plus autocratique que soucieux de garantir les libertés des citoyens.

Le régime du parti unique est de règle quand ce n'est pas l'armée qui s'arroge le droit de contrôler la vie politique, sous la forme de *pronunciamentos* dans les pays de tradition hispanique ou plus sommairement de coups d'État à répétition en Afrique. La personnalité des dictateurs joue un rôle déterminant, assurément plus efficace en Amérique latine ou en Asie qu'en Afrique. Des administrations souvent pléthoriques assurent des rentes de situation à des clientèles ou des parentèles, sans vraiment chercher à faire œuvre de modernisation, tandis que les oligarchies qui soutiennent les pouvoirs en place font le plus souvent preuve d'un conservatisme qui préserve leurs acquis mais négligent les chances du développement.

Les politiques adoptées traduisent les faiblesses et les incohérences de ces régimes fragiles. On peut contester les politiques bellicistes ou de prestige qui ont gonflé le poids des charges militaires : celles-ci dépassent la somme des dépenses d'éducation et de santé dans les budgets de nombreux pays du tiers-monde, lequel est devenu le principal importateur d'armements dans un marché international en forte expansion.

On peut aussi critiquer la pertinence des stratégies de développement adoptées. Dans de nombreux cas, la priorité accordée à l'industrialisation a nui aux agricultures, brimées par la pratique de bas prix des denrées au profit de la compétitivité des produits industriels. Les agriculteurs qui constituent la majorité de la population ont délaissé les cultures vivrières peu rémunératrices, obligeant les pays sous-développés à importer une part croissante de leur alimentation (c'est en 1976 que la balance agro-alimentaire du tiers-monde devient globalement déficitaire). Ne disposant que de maigres revenus et manquant de terres compte tenu de la croissance démographique, en l'absence de véritables réformes agraires (sauf en Asie), ils n'ont pu constituer un marché intérieur suffisant; ils ont migré vers des villes qui n'étaient pas prêtes à les accueillir, provoquant une urbanisation anarchique qui ne fait qu'accroître la pauvreté.

• Les déséquilibres structurels : dualisme et désarticulation

Les données du tableau ci-contre révèlent les déséquilibres structurels des économies du tiers-monde au milieu des années 60 : des agricultures peu productives (écart significatif entre le pourcentage des actifs et celui de la contribution à la richesse nationale) retiennent un nombre considérable de travailleurs, entravant le développement des activités industrielles et des services; un écart important sépare les pays à faible revenu et ceux qui appartiennent à la tranche supérieure des pays intermédiaires, dont les structures se rapprochent de celles des pays développés.

Souvent hérités, au moins partiellement, de la période coloniale, ces déséquilibres se traduisent par des phénomènes de « dualisme » et de « désarticulation » qui en aggravent les effets. Le dualisme évoque la coexistence de structures modernes et de formes archaïques :
– à la campagne, où s'opposent des domaines gérés selon des techniques performantes et des petites exploitations paysannes cultivées selon des pratiques ancestrales;
– dans l'industrie, qui englobe des usines bien équipées et de l'artisanat traditionnel;
– dans les services, qui comprennent beaucoup de petits métiers parasitaires à côté de centres administratifs ou financiers plus efficaces.

Structures de la production et de la population active en 1965

	en % du PIB			en % de la population active		
	Agriculture	Industrie	Services	Agriculture	Industrie	Services
Pays à faible revenu[1]	42	28	30	77	9	13
Pays à revenu intermédiaire:						
– tranche inférieure[2]	22	33	45	65	12	23
– tranche supérieure[3]	18	37	46	45	23	32

1. Par exemple, Chine, Inde, Pakistan, Kenya.
2. Par exemple, Nigéria, Égypte, Turquie, Thaïlande.
3. Par exemple, Argentine, Brésil, Mexique, Corée du Sud.

Les villes du tiers-monde manifestent ce clivage en juxtaposant des quartiers modernes, où brillent des buildings de verre et de métal, et l'habitat spontané des bidonvilles, où règne la misère.

La désarticulation exprime l'insuffisance des relations dynamiques entre les différents secteurs d'activité qui ont peu d'effets d'entraînement réciproques : les progrès réalisés dans un domaine ont peu de retombées ailleurs, au point que les villes qui concentrent les activités motrices ont peu d'influence sur les campagnes environnantes, qui restent souvent plongées dans l'archaïsme; l'insuffisance des moyens de communication contribue à entretenir cette absence d'une synergie qui favoriserait le développement.

Les pays qui ont commencé à s'extraire du sous-développement sont ceux où une planification volontariste a réussi à établir des connections efficaces entre les différents secteurs de l'économie et de la société.

Les facteurs exogènes : les effets de la dépendance du tiers-monde

• Les effets controversés de l'ouverture

Pour les tenants des idéologies tiers-mondistes, le sous-développement serait essentiellement le résultat d'une insertion défavorable des économies du tiers-monde dans un réseau planétaire d'échanges fondé sur l'inégalité, et générateur de dépendances contradictoires avec les exigences du développement. Pour d'autres, au contraire, seule une participation active aux relations commerciales et financières internationales permet d'accéder au développement, comme semblent le démontrer les réussites des pays asiatiques (Corée du Sud, Taïwan, Hong Kong, Singapour) qui ont fait résolument le choix de l'ouverture sur le monde extérieur.

Les pays du tiers-monde sont souvent plus ouverts sur l'extérieur que les pays industrialisés. Pour les pays récemment décolonisés, cela est d'abord dû à l'héritage de relations privilégiées avec l'ancienne métropole, entretenues par des accords de coopération comme dans le cas exemplaire de la France avec son ancien empire. C'est plus généralement le résultat de contraintes qui obligent les pays pauvres à se procurer à l'extérieur les biens de consommation (notamment alimentaires), les équipements productifs et les capitaux qui leur font cruellement défaut. En contrepartie, la pression démographique qui s'exerce dans le tiers-monde nourrit des flux migratoires qui tissent des réseaux de relations humaines parfois à longue distance. L'insertion internationale prend donc des formes multiples, parmi lesquelles dominent cependant les relations commerciales et financières.

• Les faiblesses de l'insertion dans le commerce international

Du début des années 50 aux années 70, le poids du tiers-monde s'est allégé du tiers au cinquième des échanges mondiaux en grande partie du fait de la réduction dans le commerce international de la part des produits primaires (agricoles et minéraux) qui représentent alors une fraction majoritaire des exportations des pays sous-développés. Ce constat débouche sur l'épineuse question de l'évolution des termes de l'échange, c'est-à-dire pour un pays ou un groupe de pays donnés, de la modification du rapport de la valeur unitaire des exportations à la valeur unitaire des importations. L'observation du phénomène est difficile et aboutit à des conclusions différentes selon les périodes de référence, les pays concernés et les produits considérés.

Les études de l'ONU conduisent à conclure à une détérioration des termes de l'échange de l'ordre de 13 % pour l'ensemble des PVD entre 1950 et 1970, quinze pays seulement sur une centaine ayant amélioré leur position, en attendant le puissant rattrapage du prix du pétrole brut à partir de 1973. Cette évolution défavorable engendre un creusement des déficits commerciaux (4,5 milliards de dollars en 1963 pour l'ensemble des PVD hors OPEP, 8 milliards de dollars en 1970 et 37 milliards de dollars en 1974, au lendemain du premier choc pétrolier), mais cela n'empêche naturellement pas un certain nombre d'exportateurs asiatiques de réaliser des excédents qui traduisent l'essor de leur industrialisation.

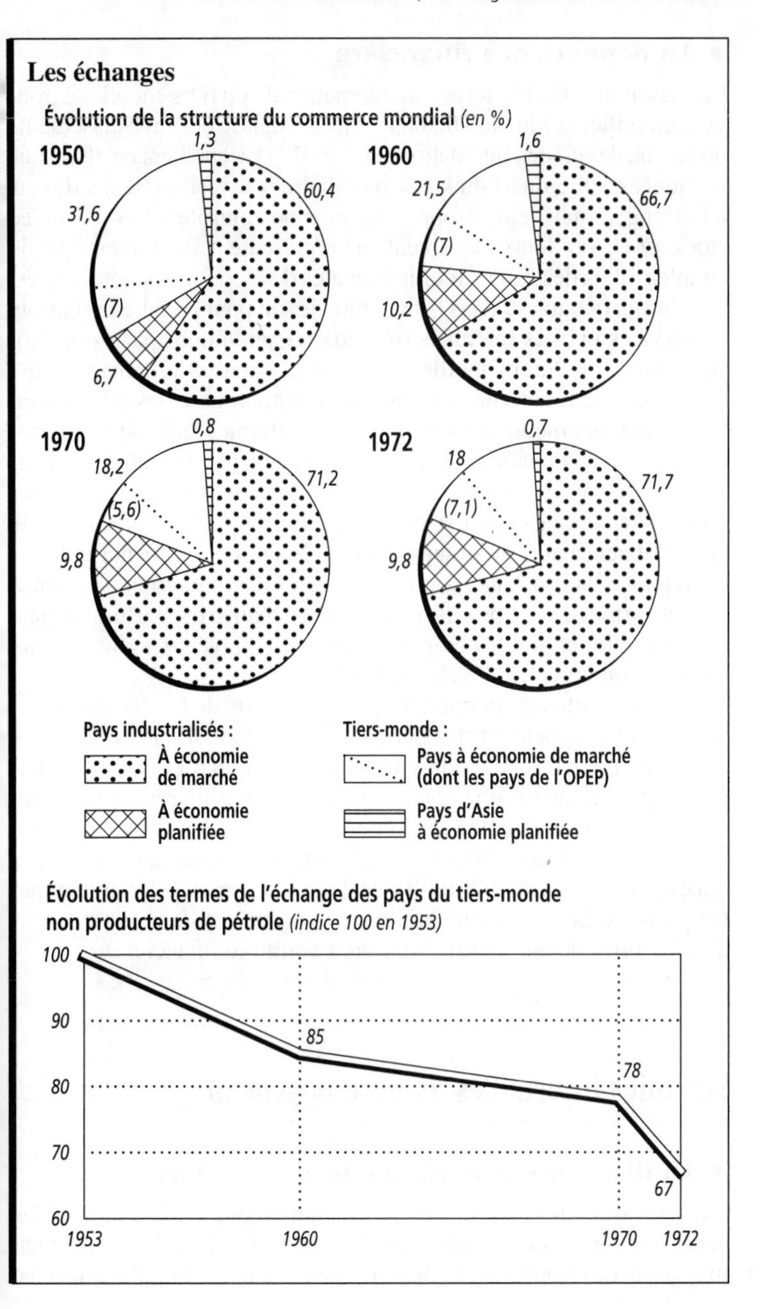
Les échanges
Évolution de la structure du commerce mondial (en %)
1950
1,3
60,4
31,6
(7)
6,7
1960
1,6
21,5
66,7
(7)
10,2
1970
0,8
18,2
71,2
(5,6)
9,8
1972
0,7
18
71,7
(7,1)
9,8
Pays industrialisés :
À économie de marché
À économie planifiée
Tiers-monde :
Pays à économie de marché (dont les pays de l'OPEP)
Pays d'Asie à économie planifiée
Évolution des termes de l'échange des pays du tiers-monde non producteurs de pétrole (indice 100 en 1953)
100
90
80
70
60
85
78
67
1953
1960
1970
1972

• La dépendance financière

Les déséquilibres de l'insertion internationale du tiers-monde se trouvent amplifiés sur le plan financier, qu'il s'agisse des investissements directs ou des crédits internationaux. Les PVD accueillent en effet dans les années 70 le quart du stock mondial des investissements directs à l'étranger, mais leurs propres capitaux ne contrôlent pas 5 % de ce stock, et encore leurs placements ne représentent-ils souvent que de simples relais des firmes multinationales des économies dominantes.

Celles-ci ont investi dans le tiers-monde soit pour prendre le contrôle de services publics rentables (réseaux téléphoniques par exemple), soit pour se procurer à meilleur compte les matières premières indispensables à leur activité, soit encore pour approcher des marchés en expansion ou améliorer la compétitivité internationale de leurs produits en tirant bénéfice des bas salaires locaux. Ces firmes répondent, certes, à des besoins des pays d'accueil, dans la mesure où elles apportent des techniques et un savoir-faire modernes, créent des emplois et contribuent à approvisionner des marchés frappés de pénurie. Mais, cherchant d'abord leur propre avantage, elles rapatrient souvent à moyen terme plus de profits qu'elles n'ont réalisé d'investissements, ce qui aboutit en fin de compte à exercer de nouveaux prélèvements sur les économies en développement.

Très incomplètement comblés par les apports de l'aide internationale au développement, les déficits du tiers-monde ont conduit ses membres à recourir au crédit international, aucun d'entre eux ne disposant par ailleurs d'une épargne suffisante et d'un réseau bancaire efficace. D'où la montée de l'endettement des PVD qui demeure cependant dans des proportions raisonnables jusqu'au milieu des années 70 (moins de 100 milliards de dollars en 1973) d'autant que les prêts publics représentent alors une partie substantielle des crédits. La crise devait détruire ce relatif équilibre financier.

Les voies incertaines du développement

• La difficile rénovation des agricultures

La rénovation des activités agricoles, qui emploient la majorité des actifs dans les pays sous-développés, constitue à l'évidence un enjeu majeur du développement : de sa réussite dépendent l'autosuffisance

alimentaire de la population et la maîtrise des flux de l'exode rural ; mais les progrès techniques et les réformes de structures qui doivent y concourir se révèlent d'application délicate.
– La « révolution verte », c'est-à-dire l'utilisation de variétés céréalières à haut rendement, a fait naître beaucoup d'espoirs dans les pays qui s'y sont engagés, le Mexique pour la culture du maïs dès 1951, quelques pays d'Asie pour celle du riz dans les années 60 (Philippines, Inde, Pakistan, Malaisie). Les récoltes ont effectivement augmenté sensiblement, mais les inconvénients de ces semences productives sont apparus en même temps : fragilité, grande exigence en engrais et pesticides, nécessité d'une maîtrise très fine de l'irrigation pour le riz, une mise en œuvre complexe et coûteuse, accessible seulement aux exploitations les plus modernes. La révolution verte n'a donc pu recevoir que des applications limitées, accentuant souvent le dualisme des activités rurales et creusant des écarts sociaux dangereux dans les campagnes du tiers-monde.
– La réforme agraire, c'est-à-dire la redistribution des terres et de leur mode d'exploitation paraît seule capable d'apaiser les tensions sociales et de permettre un progrès moins spectaculaire mais plus massif des agricultures du tiers-monde. Dans la plupart des cas, elle se heurte pourtant à des obstacles économiques et sociaux quasiment insurmontables : il s'agit en effet de saisir les grands domaines et de les partager entre les petits paysans, tout en évitant un morcellement excessif des terres, qui aboutirait à une prolétarisation générale des campagnes en interdisant pratiquement tout progrès technique du travail agricole. Or les grands domaines, qui sont souvent d'un bon rapport économique, appartiennent à une oligarchie de grands propriétaires fonciers dont l'influence sociale et politique freine la réforme, tandis qu'il se révèle aussi difficile de créer de nouvelles structures efficaces, par exemple sous la forme de coopératives agricoles bien encadrées.

En Asie, des réformes agraires ont été réalisées soit sous la forme relativement libérale initiée au Japon, soit sous la forme contraignante pratiquée en Chine à partir de 1950, ou encore sous la forme intermédiaire expérimentée par le socialisme indien. Dans tous les cas, le principe directeur de la réforme a été de donner la terre à ceux qui la travaillaient effectivement. La tradition de travail communautaire liée à la pratique ancestrale de la riziculture a souvent favorisé une réelle rénovation des agricultures asiatiques, permettant de relever le défi démographique. Il reste que l'expérience chinoise des « communes populaires » a dû être remise en question à la fin des années 70, et qu'en Inde la création d'une classe de moyens propriétaires n'a pas suffi à faire disparaître un prolétariat rural pléthorique.

En Amérique latine, les réformes agraires sont restées au contraire trop prudentes et inachevées. Au Mexique, où le mouvement a été engagé dès 1915 sous la pression de la révolte paysanne, il n'a pas réussi à entamer sérieusement la domination des *latifundios* exploités de façon extensive, c'est-à-dire en gaspillant du sol souvent fertile. Quant aux réformes décrétées par les différents gouvernements latino-américains dans les années 60, elles ont été maintenues dans des limites étroites par les oligarchies locales : il s'agissait en fait, pour recevoir l'aide de L'Alliance pour le progrès, de satisfaire aux exigences des États-Unis dans le but de détourner au moindre prix les paysanneries du modèle socialiste adopté par la révolution cubaine.

En Afrique noire, les façons traditionnelles (séparation des productions végétales et de l'élevage, pratique de l'écobuage et de la jachère longue) se prêtaient mal aux réformes. En Algérie, le gouvernement a transformé les grands domaines coloniaux en fermes d'État sans réussir à impulser un mouvement coopératif efficace.

En réalité, les pays sous-développés n'ont consacré en moyenne que moins de 10 % de leurs ressources à la rénovation de l'agriculture ; sans doute trop influencés par le mirage de la « révolution industrielle », c'est en déployant des stratégies d'industrialisation que les gouvernements ont cherché les voies du développement.

• Les politiques d'industrialisation du tiers-monde

Les politiques d'industrialisation ont exploré, séparément ou successivement, les trois stratégies suivantes.

– Une stratégie d'industrialisation intégrée et autocentrée, imitée du modèle défini par l'URSS après 1928, a été adoptée plus ou moins fidèlement par certains pays sous-développés se réclamant du socialisme. Ce choix, qui implique la mise en place initiale de secteurs de base de l'industrie (énergie, métallurgie et chimie lourdes), suppose la possession de matières premières abondantes et exige des investissements considérables. Repoussant à plus tard le développement des industries légères, cette voie conduit à comprimer la consommation de populations pauvres et en forte croissance démographique. C'est sans doute l'Algérie qui a le plus systématiquement développé ce modèle à partir de 1965, mais, en dépit des ressources financières tirées de l'exportation des hydrocarbures, l'industrialisation y a rencontré beaucoup d'obstacles (environnement technologique insuffisant, manque d'industries d'aval pour utiliser l'acier du complexe d'El Hadjar), et a aggravé bien des déséquilibres.

– La stratégie de « substitution aux importations », qui consiste à remplacer des importations de biens manufacturés par une production locale, paraît *a priori* la voie d'industrialisation la plus commode pour les pays en voie de développement. Elle a été, de ce fait, explorée par nombre d'entre eux, surtout par ceux qui disposaient comme le Mexique, le Brésil, l'Argentine, ou les pays peuplés d'Asie, de vastes marchés nationaux.

La création d'industries légères prolongeait l'artisanat traditionnel et avait au demeurant souvent commencé pendant la Seconde Guerre mondiale, voire dès les années 30 en Amérique latine. Elle offrait beaucoup d'avantages : peu exigeantes en capital technique ou financier, ces activités étaient susceptibles de créer des emplois en grand nombre tout en fournissant à la population locale les biens de consommation (textiles, appareillage mécanique et électrique) auparavant achetés à l'extérieur, d'autant que des tarifs douaniers dissuasifs limitaient simultanément les importations.

Les pays d'Amérique latine ont maintenu avec profit ce choix jusqu'à ce qu'apparaissent, au début des années 60, un certain nombre d'inconvénients propres à cette politique industrielle : le coût des importations d'équipement nécessaires à l'essor des industries de transformation a vite dépassé les recettes d'exportation, tandis que les marchés nationaux ou régionaux (comme celui créé dès 1960 par l'Association latino-américaine de libre-échange) se révélaient, du fait de la pauvreté générale de leurs consommateurs, incapables d'assurer l'écoulement de produits par ailleurs trop peu compétitifs pour être exportés vers les pays développés. Les recettes d'exportation devenant insuffisantes, il a fallu financer les investissements industriels par des dépenses publiques. Aux déficits de la balance commerciale se sont alors ajoutés ceux du budget, et le comblement de ces derniers par la création monétaire a amorcé une inflation chronique. Les difficultés sociales provoquées par ces déséquilibres ont favorisé l'avènement de régimes militaires qui, vers le milieu des années 60, ont choisi de miser davantage sur les exportations, selon une stratégie qui avait alors déjà commencé à faire ses preuves en Asie.

– L'industrialisation orientée vers le soutien des exportations a effectivement fait la prospérité des pays-ateliers d'Extrême-Orient. Inauguré à Hong Kong dès le début des années 50, le système consiste à attirer les capitaux étrangers, y compris par la création de zones industrielles franches de toute taxation douanière ou fiscale, pour faire démarrer des industries à partir des normes techniques qui sont celles des pays développés. D'actifs réseaux commerciaux écoulent ensuite dans le monde entier des produits de qualité convenable et d'autant plus compétitifs que la main-d'œuvre locale coûte dix à vingt fois moins cher que dans les pays industrialisés. Les exportations procurent alors les devises nécessaires au financement continu du développement industriel, des compléments de ressources pouvant être obtenus par l'emprunt sur le marché international des capitaux. Adoptée à Taïwan puis en Corée du Sud et à Singapour, l'expérience obtient des résultats brillants au début des années 70 : le volume des exportations grossit de 20 à 50 % chaque année, entraînant une croissance annuelle de 10 % du produit national.

Dans les pays d'Amérique latine qui ont développé ce processus en relais de la substitution aux importations, la croissance économique a été stimulée sans toutefois atteindre les performances des exportations asiatiques.

• Bilan et prémices d'un nouvel ordre économique international

Malgré ces performances remarquables, l'industrialisation du tiers-monde reste très embryonnaire au milieu des années 70 : en 1975, la participation du tiers-monde à la production industrielle mondiale n'atteint pas 10 %, et l'essor d'industries fondées sur de bas salaires et non accompagnées d'améliorations dans le secteur agricole ne permet guère d'entraîner un véritable développement, au moins à court terme.

En Amérique latine, le Brésil, le Mexique et l'Argentine regroupent ensemble les deux tiers de la production manufacturière d'un continent par ailleurs à peu près complètement dépourvu de bases industrielles ; très inégalement répartie, l'industrie a aggravé le dualisme économique et social de la région.

L'Asie des réussites industrielles reste aussi le continent de tous les contrastes, qui compte encore, dans les années 70, 14 des 37 États les plus pauvres du monde.

L'Afrique n'a pas pris part à l'essor industriel, handicapée par le manque de capitaux et de main-d'œuvre qualifiée, comme par un réseau de communication incommode, hérité de la période coloniale. Le continent africain ne fournit que 7 % de la production industrielle du tiers-monde, essentiellement par des industries extractives tournées vers l'exportation, et l'Afrique subsaharienne regroupe en 1973 les deux tiers des pays les plus pauvres de la planète. Longtemps négligées par les grandes puissances, les immenses ressources du continent africain suscitent un intérêt nouveau à partir de 1975 lorsque la très maladroite décolonisation portugaise offre à l'URSS l'occasion d'intervenir en Angola et au Mozambique, avancées qui ne peuvent laisser le monde occidental indifférent ; mais, en devenant un enjeu dans la rivalité des puissances mondiales, l'Afrique se couvre aussi de champs de bataille qui vont durablement contrarier ses maigres chances de développement.

Cette situation nourrit les revendications du tiers-monde qui s'expriment, depuis les années 60, dans le cadre privilégié de l'Assemblée générale des Nations unies. Relayée par la pression du premier choc pétrolier en 1973, cette contestation obtient quelques engagements qui, au moins au niveau des principes, tracent les grandes lignes d'un ordre international plus équitable :

– Dans le domaine du commerce international, le GATT a adopté en 1971 un système de préférences généralisées (SPG) invitant les pays industrialisés à admettre en franchise les produits manufacturés en provenance du tiers-monde tout en permettant à ces partenaires commerciaux de continuer à protéger par des mesures tarifaires leurs industries naissantes. Ce n'est cependant pas avant 1976 qu'est arrêté le principe de la création d'un fonds international destiné à amortir les fluctuations des cours des produits de base.

– C'est dans le même esprit qu'est signée la première convention de Lomé en 1975 : la CEE assure à 46 pays d'Afrique, des Caraïbes et du Pacifique (ACP) une garantie de leurs recettes d'exportation (système STABEX).

Ces mesures destinées à favoriser l'industrialisation des pays en voie de développement et à améliorer leur intégration dans le commerce mondial risquent, cependant, d'aggraver l'extraversion de leurs relations commerciales alors qu'ils ne font déjà qu'un quart de leurs échanges au sein du tiers-monde contre près des trois quarts avec les pays capitalistes industrialisés, asymétrie qui souligne la dépendance économique du « Sud » à l'égard du « Nord ».

Plus fondamentalement, l'Assemblée générale des Nations unies a reconnu la validité des revendications du tiers-monde en adoptant en 1974 une déclaration et un programme d'action qui constituent une véritable charte des droits et des devoirs des États : le droit de tout État à nationaliser ses ressources naturelles ainsi que toute activité se déroulant sur son territoire y est solennellement reconnu, le rééquilibrage de la répartition mondiale des activités industrielles, de la technologie, des transferts financiers y est souhaité, ainsi qu'un contrôle de l'activité des firmes multinationales (code de bonne conduite). En 1976, la deuxième conférence de l'ONUDI (Organisation des Nations unies pour le développement industriel) qui se tient à Lima au Pérou, pose l'objectif d'un quart de la production manufacturière mondiale assuré par le tiers-monde en l'an 2000.

Cependant, la conférence dite « Nord-Sud », qui s'est tenue à Paris en 1976-1977, n'a débouché sur aucune décision de nature à améliorer de façon significative la situation du tiers-monde. Cet échec traduit les réticences des pays industrialisés à réviser l'ordre international existant à un moment où la crise économique vient interrompre la prospérité des « Trente Glorieuses ». Cette nouvelle conjoncture n'allait guère favoriser l'amélioration de la situation des pays sous-développés : dès 1974, les premiers arrangements multifibres (AMF) négociés dans le cadre du GATT entreprennent de réguler les importations de produits textiles en provenance des pays en voie de développement…

HAPITRE 25

La Chine de Mao Zedong

La Chine s'inspire largement du modèle soviétique jusqu'en 1957 : elle adopte un plan quinquennal, nationalise les entreprises, collectivise les terres. Le parti communiste y joue un rôle dominant. Mais le processus révolutionnaire est renforcé par des campagnes de masse, parfois accompagnées ou suivies de répression. La Chine répudie le modèle soviétique en 1958 et trace sa propre voie vers le communisme. Mais l'échec du « Grand bond en avant » ouvre une période de difficultés économiques et de tensions politiques. À partir de 1966-1967, le pays est bouleversé par un grand courant de contestation fort complexe, la « Révolution culturelle », qui ne s'achèvera qu'au milieu des années 70. En politique extérieure, la Chine rompt avec l'URSS à la fin des années 50 pour se tourner vers les pays du tiers-monde, avant de s'isoler de la scène internationale pendant la Révolution culturelle. Dès 1970, elle s'ouvre à nouveau vers l'extérieur, entre à l'ONU et entreprend un spectaculaire rapprochement avec les États-Unis.

Le temps du « modèle soviétique » (1953-1958)

• Le premier plan quinquennal (1953-1957)

Estimant l'œuvre de reconstruction suffisamment avancée, les dirigeants chinois décident en 1953 de passer à une seconde étape dans le développement du pays. Aussi adoptent-ils un « programme général de transition vers le socialisme » dont la base est constituée par un « plan quinquennal » inspiré du modèle soviétique tant dans sa conception que dans son exécution. Il donne en effet une grande priorité à l'industrie qui absorbe 58,2 % des investissements contre 19,2 % aux transports et seulement 7,6 % à l'agriculture. Selon la tradition stalinienne, l'accent est mis tout particulièrement sur l'industrie lourde et sur de « grands projets » (construction de barrages, de complexes sidérurgiques, de vastes usines modernes…) qui vont nécessiter la coopération financière et surtout technique de l'URSS. Adopté dans sa forme définitive en 1955 seulement, après deux ans de tâtonnements dus en partie au manque de données statistiques et à l'inexpérience, le plan couvre cependant la période 1953-1957 en englobant les programmes provisoires des années 1953-1954.

Les résultats officiels publiés au terme du quinquennat font état de progrès spectaculaires dépassant le plus souvent les prévisions du plan. La croissance est très forte dans l'industrie lourde (la production d'acier passe de 1,35 million de tonnes en 1952 à 5,4 millions de tonnes en 1957) et la Chine diversifie sa production dans des domaines où elle dépendait jusque-là de l'étranger (matériel ferroviaire et électrique, machines-outils…). La Mandchourie reste la principale région industrielle, mais le grand développement des voies de communication permet de désenclaver de riches provinces dont on commence la mise en valeur. Les progrès de l'agriculture sont en revanche beaucoup plus faibles : la production de céréales passe seulement de 164 millions de tonnes en 1952 à 170 millions en 1957, alors que la population ne cesse d'augmenter : 583 millions d'habitants au recensement de 1953 (le premier recensement sérieux de la Chine) et un taux d'accroissement annuel de l'ordre de 2,3 %. Aussi continue-t-on à rationner trois produits de consommation courante : les céréales, les huiles alimentaires et les tissus de coton.

• La socialisation des structures économiques

C'est également le précédent soviétique (la NEP) qui conduit les responsables chinois à mettre fin au système économique de transition adopté dans le cadre de la « nouvelle démocratie » en 1949 pour arriver à un système entièrement socialiste. Cette transformation, commencée très lentement, s'est brusquement accélérée dans les années 1955 et 1956, avec l'étatisation des industries et la collectivisation de l'agriculture, provoquant des discussions assez vives au sein même du parti communiste chinois.

Dans le domaine industriel, les entreprises des « capitalistes nationaux » sont transformées en entreprises mixtes, puis en entreprises d'État. Les propriétaires, qui restent parfois comme directeurs ou techniciens dans leurs anciennes usines, sont indemnisés en touchant pendant plusieurs années un certain pourcentage du capital transféré. Le secteur privé, qui représentait encore en 1952 environ 40 % de la production industrielle, a pratiquement disparu dès la fin de l'année 1956. Le commerce passe également à 85 % sous le contrôle de l'État et les nombreux ateliers des artisans urbains (près de 8 millions de personnes) sont regroupés dans des centaines de milliers de petites coopératives.

Dans le domaine agricole, les paysans libérés des fermages par la réforme agraire de 1950 répugnent à se grouper en coopératives (on n'en compte que 14000 en 1953) et se contentent de pratiquer l'aide mutuelle saisonnière ou à long terme. En décembre 1953, le Comité central décide de développer « l'agriculture organisée » mais les 400000 coopératives de production mises en place à la fin de l'année 1954 ne regroupent encore que 7 % des familles et 8 % des terres. Sous l'impulsion de Mao Zedong, une brutale « campagne de masse » est lancée dans l'été 1955 pour accélérer le mouvement. Dès la fin de l'année, on compte 1,9 million de coopératives groupant 70 millions de familles. Par résignation ou par intérêt (garantie de l'État contre les famines) plus que par enthousiasme, la quasi-totalité des 120 millions de familles paysannes se retrouvent organisées en coopératives à la fin de l'année 1956. Dans l'ensemble, cette rapide collectivisation des terres a rencontré peu d'opposition et n'a jamais donné lieu à des affrontements aussi graves que ceux de l'Union soviétique en 1928-1929.

• La Chine, une nouvelle démocratie populaire ?

La même fidélité au modèle soviétique se retrouve dans le domaine politique avec l'adoption, le 20 septembre 1954, de la nouvelle

Constitution chinoise en remplacement du régime provisoire mis en place en 1949. Comme en URSS, le système repose sur la dualité du parti communiste et de l'État, même si en Chine il existe une façade de multipartisme. L'élection au suffrage universel (indirect) et l'«Assemblée populaire nationale» se fait sur une liste unique élaborée ou cautionnée par le PCC; la demi-douzaine de petites formations politiques qui subsistent (le Comité révolutionnaire du Guomindang, la Ligue démocratique...) se contentent de la portion congrue qu'on veut bien leur laisser sur la liste (elles sont aussi représentées à la Conférence politique consultative, survivance de la «nouvelle démocratie», qui n'a aucun pouvoir réel).

Réorganisé en 1956, le parti communiste chinois dirige en fait toute l'activité du pays, soit directement, à tous les échelons de l'appareil d'État, soit par l'intermédiaire des organismes qu'il contrôle : l'armée, les syndicats, les mouvements de jeunes... Les grandes décisions en Chine ne se prennent donc pas à l'Assemblée populaire nationale ou au Conseil des affaires d'État (gouvernement) qui représente la façade institutionnelle, mais au Comité central et au bureau politique du parti communiste : ce sont d'ailleurs souvent les mêmes dirigeants qui siègent dans les deux appareils (Mao Zedong a été à la fois président du PCC et président de la République de 1954 à 1959). La même imbrication entre personnel du parti et de l'État existe dans les différents organismes régionaux et locaux.

Comme tous les partis communistes, le PCC fonctionne selon le principe du «centralisme démocratique». Mais ses dirigeants n'hésitent pas à faire périodiquement appel à des «campagnes de masse» pour lutter contre divers maux qui le menacent : le bureaucratisme, le sectarisme, «l'embourgeoisement» des cadres... Sous couvert de relancer le processus révolutionnaire, ces mobilisations populaires peuvent aussi contribuer à imposer une ligne politique contestée à l'extérieur, ou à l'intérieur même du parti. Aussi ces campagnes sont-elles souvent suivies de phases de «consolidation» ou de «rectification».

• Les «Cent fleurs» et la répression antidroitière (1956-1957)

C'est ainsi qu'est lancée au printemps 1956 une campagne destinée à encourager la libre discussion dans le domaine des lettres et des arts, afin de rallier au régime les intellectuels encore réticents : *«Que cent fleurs s'épanouissent, que cent écoles rivalisent (...)»* Dans le contexte international de «dégel» que connaît en 1956 le monde communiste, les débats contradictoires suscités en Chine vont peu à peu s'élargir du plan culturel au plan politique. En avril 1957, une campagne de «rectification» est lancée dans le parti contre la bureaucratie, le sectarisme et le subjectivisme. *« Une vague d'hostilité déferle alors contre les communistes »* (J. Guillermaz) et, si la plupart des critiques se contentent de dénoncer l'action du PCC, certaines vont jusqu'à remettre en question le principe même de l'option socialiste en Chine.

Devant l'ampleur de la contestation, les dirigeants communistes lancent dès le mois de juin une contre-offensive, dénonçant à leur tour les accusateurs de la veille. Ce «mouvement antidroitier» touche largement la presse et l'administration : de nombreux cadres et intellectuels doivent se rééduquer par le travail manuel dans les villages. Le PCC va désormais consacrer tous ses efforts au lancement du «Grand bond en avant».

La «voie chinoise» vers le socialisme (1958-1965)

• Le «Grand bond en avant» (1958)

Fin 1957-début 1958, la Chine décide d'abandonner le modèle soviétique en économie, cherchant désormais sa propre voie vers le socialisme. À l'initiative de Mao Zedong est alors lancée une nouvelle stratégie, le «Grand bond en avant», appelant chacun à redoubler d'efforts pour accroître rapidement la production afin de pouvoir «rattraper l'Angleterre en quinze ans». Il faut pour cela modifier les structures économiques comme les mentalités : l'idée directrice est de compenser en Chine la rareté des capitaux par l'ardeur au travail grâce à l'utilisation de l'énorme potentiel sous employé de la main-d'œuvre rurale. Cette mobilisation doit d'ailleurs s'effectuer aussi bien dans le secteur industriel moderne (par exemple dans de grands travaux hydrauliques) que dans le secteur traditionnel, agricole ou artisanal, comme le préconise le slogan de 1958 : «marcher sur les deux jambes».

Les campagnes sont ainsi encouragées à vivre dans une relative autarcie en subvenant en grande partie à leurs besoins industriels par la construction de petites unités de production (« bas-fourneau», mini centrales hydrauliques...). Pour mener à bien cette politique, les 740000 coopératives de production récemment mises en place sont regroupées en 26000 «communes populaires», comptant chacune en

moyenne 5000 familles. Nouvelle base de la société chinoise, la commune populaire ne se limite pas à une fonction économique dans un cadre plus collectiviste (toute propriété privée des moyens de production y étant abolie). Elle absorbe aussi l'ancienne administration locale, étendant son action à l'éducation, la santé, l'organisation militaire… La vie communautaire (réfectoires, crèches, «maisons du bonheur» pour les vieillards…) s'y développe parfois à un point tel que les Chinois pensent avoir trouvé dans cette formule un «raccourci vers le communisme». La décentralisation touche également les grandes entreprises qui accèdent à une certaine autonomie et les villes où se constituent parfois, mais plus difficilement, des communes urbaines. Est-ce le succès de la «voie chinoise» vers le socialisme? Les premiers résultats (officiels) font état de chiffres records pour l'année 1958. Mais, dès l'été 1959, on doit réajuster le tir : après une euphorie passagère, la Chine connaît de 1959 à 1961 «trois années amères» marquées par de graves difficultés économiques et des tensions internes dans le domaine politique. L'échec du «Grand bond en avant», en regard de ses espoirs initiaux, est dû notamment à plusieurs facteurs :
– des calamités naturelles, la Chine subissant pendant trois ans de véritables cataclysmes (typhons, inondations, sécheresse) contrastant avec les conditions favorables de l'année 1958;
– des erreurs techniques : défrichements abusifs favorisant le ravinement et l'érosion, drainages inconsidérés entraînant des remontées de sel, production des petits hauts-fourneaux pratiquement inutilisables…;
– des défaillances humaines, dues à l'incompétence ou à la présomption de nombreux cadres nationaux ou locaux (études techniques insuffisantes, statistiques truquées, mauvaise utilisation de la main-d'œuvre…);
– le brusque retrait des techniciens soviétiques dans l'été 1960, désorganisant une partie du secteur industriel moderne.

Commencé dès août 1959, le «réajustement» se révèle très diffi-

Les statistiques agricoles pendant le «Grand bond en avant»
(en millions de tonnes)

	1957	1958[1]	1958[2]	1958[3]
Grains	195	375	250	200
Coton	1,64	3,5	2	1,7

1. Évaluations de l'automne 1958, confirmées en avril 1959
2. Statistiques révisées à l'automne 1959
3. Statistiques communiquées en 1979-1981
Cité dans M.-C. Bergère, *La République populaire de Chine de 1949 à nos jours*, Colin,

cile. Les années 1960 et 1961 sont très dures : la famine est telle qu'il faut importer des céréales achetées à des pays occidentaux. On pense aujourd'hui que cette catastrophe alimentaire a fait de 10 à 15 millions de victimes. Aussi la priorité est donnée, cette fois, à l'agriculture dans les investissements, suivie par l'industrie légère où l'on met l'accent sur la production de biens de consommation, et par celle des engrais chimiques. On renvoie à la campagne les citadins de fraîche date et on encourage à nouveau le contrôle des naissances. On réorganise les communes populaires en diminuant leur taille (leur nombre passant ainsi de 26000 à 78000), en rétablissant des structures de production plus réduites (brigades et équipes) et en redonnant un lopin de terre individuel aux paysans qui peuvent écouler leur production familiale sur un marché libre. Sous l'impulsion de Zhou Enlai, la situation économique se redresse à partir de 1962 et la Chine retrouve en 1963-1964 son niveau de vie de 1957. Malgré le départ des Soviétiques, les techniciens chinois enregistrent même de spectaculaires succès comme la mise en exploitation du pétrole de Daqing et l'explosion, en octobre 1964, d'une première bombe A.

• Tensions internes au PCC

Au plan politique, l'échec du «Grand bond en avant» met à jour des oppositions latentes au sein du parti communiste chinois, oppositions qui s'étaient déjà manifestées pendant la collectivisation accélérée des campagnes en 1955 et la période des «Cent fleurs». Contre Mao Zedong, partisan d'une voie chinoise appuyée sur les masses, se dressent plusieurs tendances où l'on trouve notamment tous ceux qui restent attachés au modèle soviétique : économistes hostiles au «Grand bond» et aux communes populaires, militaires favorables à une armée moderne, hiérarchisée et coupée du peuple… Parmi ces adversaires de la «ligne de masse» figurent d'importants dirigeants : Liu Shaoqi (Liu Shao-chi), homme fort de l'appareil du parti, Deng Xiaoping (Teng Hsiao-ping), secrétaire général du PCC et le ministre de la Guerre Peng Dehuai (Peng Te-huai).

Mao Zedong aurait-il alors été mis en minorité, comme le prouverait son remplacement à la présidence de la République par Liu Shaoqi en avril 1959 ? La «Révolution culturelle» serait alors surtout l'aboutissement d'une longue lutte maoïste pour la reconquête du pouvoir… Il semble cependant plus probable que, bien que plusieurs fois en difficulté, Mao n'ait jamais complètement perdu son influence sur le parti (dont il reste toujours le président). Et s'il doit faire en août 1959 à Lushan une longue autocritique à propos du Grand bond devant le Comité central, il y est encore assez puissant pour éliminer Peng Dehuai qu'il remplace par un de ses proches, Lin Biao (Lin Piao), à la tête des armées. En 1962, dénonçant les «tendances capitalistes spontanées» qui renaissent dans le monde rural, Mao entraîne le Comité central à durcir la ligne politique *(« N'oubliez jamais la lutte des classes»)* et obtient l'ouverture d'une nouvelle campagne de masse, le «Mouvement d'éducation socialiste».

Lancée en mai 1963 pour relever l'esprit révolutionnaire et combattre le révisionnisme au sein du parti, cette campagne se heurte rapidement à une certaine réticence de la part de nombreux cadres communistes, peu enclins à «retourner à la base». Mais Mao peut compter sur l'appui de l'armée (qui va largement diffuser ses «pensées» grâce au *Petit Livre Rouge* édité en 1964) et sur la jeunesse intellectuelle mécontente de l'idéologie passéiste ou technocratique qui domine dans les milieux culturels et universitaires. Mao va bientôt faire appel à eux pour «bombarder les états-majors» et «arracher le pouvoir aux cadres pourris du parti».

La Révolution culturelle à partir de 1965

• La «grande Révolution culturelle prolétarienne» (1965-1969)

Faisant suite au «mouvement d'éducation socialiste», la Révolution culturelle commence en novembre 1965 par une attaque des maoïstes contre une pièce écrite par l'adjoint au maire de Pékin, *Hai Rui, déchu de son mandarinat,* critique à peine voilée de la destitution de Peng Dehuai. L'offensive littéraire devient rapidement politique, visant en particulier le maire de Pékin, Peng Zhen (ami de Liu Shaoqi), qui est éliminé en mai 1966. Le mouvement dirigé par Mao Zedong s'appuie alors principalement sur la jeunesse universitaire organisée en «gardes rouges» qui cherchent à mobiliser les masses par de grandes manifestations et l'affichage de nombreux *dazibao* (journaux muraux en gros caractères).

En août 1966, Mao l'emporte au Comité central où Liu Shaoqi est démis de ses fonctions de vice-président du parti au profit de Lin Biao.

Une directive en 16 points, véritable charte de la « Révolution culturelle » (l'expression apparaît alors), appelle à lutter contre le révisionnisme, à faire confiance aux masses et à diffuser la pensée de Mao (qui va bientôt faire l'objet d'un véritable culte de la personnalité). Le mouvement s'étend alors plus ou moins facilement dans le pays, gagnant notamment les centres industriels où des affrontements ont lieu entre ouvriers, gardes rouges, cadres du parti et responsables syndicaux dans la plus extrême confusion (comme les graves événements de Shanghai de décembre 1966 à février 1967). La Révolution culturelle menace alors de plonger la Chine en pleine anarchie, les partisans de Mao ayant à lutter non seulement contre la résistance des « révisionnistes » dans de nombreuses provinces mais aussi contre la surenchère de factions rivales d'ultra-gauche qui se développent notamment pendant l'été 1967.

Malgré l'intervention de l'armée de Lin Biao dès janvier 1967, la remise en ordre ne commence vraiment qu'à l'automne. Elle repose dans un premier temps sur la création de « Comités révolutionnaires » qui remplacent le pouvoir local à la tête des provinces, des villes et des communes. Formés par la « triple union » de gardes rouges (modérés), de « bons cadres » (favorables au mouvement) et de l'armée, ces Comités, conçus dès février 1967, ne se généralisent dans toutes les provinces qu'en 1968. La victoire définitive de Mao est concrétisée en octobre par l'élimination de Liu Shaoqi, exclu du parti et déchu de son titre de président de la République (il mourra en prison en 1969, mais son décès ne sera révélé qu'en 1974 ; Liu Shaoqi a été officiellement réhabilité en février 1980).

Stabilisée, la Révolution culturelle peut désormais laisser la place à une reconstruction du parti sur les nouvelles bases. Tenu en avril 1969, le IXᵉ congrès du PCC modifie profondément ses statuts et renouvelle de façon spectaculaire ses dirigeants où les militaires sont désormais en nombre (55 % des membres du bureau politique). Il semble dominé par Lin Biao, officiellement désigné comme dauphin de Mao Zedong. En fait, de profondes divergences séparent les deux hommes et la succession de Mao n'est déjà plus si évidente.

• La mort de Lin Biao et la remise en ordre (1971-1973)

La reconstruction du parti après le IXᵉ congrès s'avère difficile en province où l'entente entre les trois composantes des Comités révolutionnaires (représentants des masses, cadres, armée) n'est pas toujours aisée. Elle ne s'achève qu'en août 1971 tandis que des rivalités éclatent au sommet de la hiérarchie où Lin Biao est de plus en plus en désaccord avec Mao sur la reconstruction du PCC, la politique extérieure et le développement économique du pays. Soutenu par le Premier ministre Zhou Enlai, Mao l'emporte facilement. Selon la version officielle chinoise, Lin Biao tente alors un coup d'État dans l'été 1971. Le complot, qui prévoyait l'assassinat de Mao, échoue et Lin Biao, en fuite vers l'URSS, trouve la mort dans un accident d'avion en Mongolie extérieure le 13 septembre 1971 (Pékin ne l'annoncera officiellement qu'en juillet 1972).

La disparition de Lin Biao entraîne un repli du rôle de l'armée (qui avait été donnée comme modèle pendant la Révolution culturelle). On rappelle que « le Parti commande au fusil » et le Xe congrès du PCC en août 1973 concrétise ce déclin des militaires dans les instances dirigeantes alors que l'ancien secrétaire général Deng Xiaoping, déchu de ses fonctions en 1966 pour « révisionnisme », redevient vice-Premier ministre et que l'économie se redresse. Après de nouveaux troubles importants en 1974-1976 avec la « bande des quatre », la Révolution culturelle ne sera définitivement enterrée qu'en 1977-1978.

• Interprétation et bilan de la Révolution culturelle

Lancée en 1965 par Mao Zedong, la Révolution culturelle est d'abord une vaste campagne idéologique contre les vieilles coutumes qui continuent d'influencer le comportement des Chinois :

« Nous sommes déterminés à liquider complètement toutes les idées anciennes, toute la culture ancienne, toutes les mœurs et habitudes anciennes par lesquelles les classes exploitantes ont empoisonné la conscience populaire pendant des millénaires » (Zhou Enlai, le 18 juin 1966).

Se rendant compte qu'il est plus facile de changer les structures que les mentalités, Mao et ses disciples veulent extirper l'individualisme, hérité de la tradition, et « créer l'homme collectiviste total » (J. Daubier). La Chine, comme toute société socialiste, est menacée par un retour toujours possible du capitalisme, par une tendance au « révisionnisme » comme le prouve aux yeux de nombreux Chinois l'évolution de l'Union soviétique. Il faut donc lutter contre l'embourgeoisement qui guette les dirigeants du pays (cadres du parti, techniciens, économistes…) en s'appuyant sur le potentiel révolutionnaire des masses, des jeunes en particulier.

C'est pourquoi la Révolution culturelle est aussi une lutte pour le pouvoir politique au sein du communisme chinois. Elle a opposé ceux qui, comme Mao Zedong, accordent la priorité à la conscience politique et à l'idéologie et ceux qui, appuyés sur les structures figées du PCC, veulent privilégier le nécessaire développement économique du pays, en faisant au besoin quelques concessions provisoires à la doctrine. C'est en ce sens que l'on peut interpréter l'élimination par les maoïstes de Liu Shaoqi, surnommé alors le « Khrouchtchev chinois », et du pragmatique Deng Xiaoping, auteur de la célèbre formule : *« Peu importe qu'un chat soit noir ou gris pourvu qu'il prenne des souris »* ...

La Révolution culturelle a pendant plusieurs années bouleversé la société chinoise (des millions de familles déportées, humiliées, emprisonnées et sans doute plus de deux millions de victimes), fortement perturbé l'activité économique et développé parfois de façon extravagante un culte de la personnalité que l'on dénonçait par ailleurs. Certains secteurs, toutefois, semblent avoir été épargnés : la recherche de pointe (la première bombe H chinoise explose en été 1967 au plus fort de la crise), la diplomatie et même l'appareil d'État bien tenu en mains par le Premier ministre Zhou Enlai. D'autre part, malgré quelques difficultés, la Chine n'a guère connu de famine ou de graves pénuries dans ces années de trouble, et a même amélioré son réseau sanitaire pendant cette période avec la création des « médecins aux pieds nus » très actifs dans les campagnes. Le bilan n'en reste pas moins lourd, comme le reconnaîtront plus tard les dirigeants chinois eux-mêmes : *« La Révolution culturelle fut pour le parti et l'État une catastrophe terrible qui aurait pu être évitée »* (Hu Yaobang, secrétaire général du PCC, le 9 avril 1986).

La Chine et le monde extérieur

• De l'alliance sino-soviétique au repli sur le tiers-monde (1953-1966)

La fin de la guerre de Corée en 1953 relance l'activité diplomatique de la Chine. Elle participe notamment à la conférence de Genève (1954) qui met fin à la guerre d'Indochine et à la conférence de Bandoung (1955) où elle apparaît comme un chef de file des pays sous-développés. Malgré cette participation active aux côtés des « non-engagés » et plusieurs voyages de Zhou Enlai dans des pays se réclamant du neutralisme (Inde notamment), la Chine garde pendant la période du premier quinquennat des liens privilégiés avec l'Union soviétique. Mais, malgré un voyage de Mao Zedong à Moscou en 1957, les divergences entre les deux pays, déjà latentes, ne vont pas tarder à s'accroître. La rupture avec le modèle soviétique en politique intérieure lors du «Grand bond en avant» va bientôt avoir des répercussions sur toute la politique extérieure de la Chine.

Marquée par la rupture avec l'URSS, la politique extérieure de la Chine pendant la période qui s'étend du «Grand bond» à la Révolution culturelle (1958-1966) se caractérise par un certain pragmatisme et est souvent difficile à suivre. Isolée dans le camp socialiste (à l'exception de la petite Albanie), la Chine se tourne dès lors en priorité vers les pays du tiers-monde avec des résultats inégaux. Ses bons rapports avec l'Inde se dégradent lors de la révolte du Tibet en 1959. Un conflit frontalier provoque même une courte guerre sino-indienne à l'automne 1962 sans que les Chinois, victorieux sur le terrain, poussent plus loin leur action. Le relâchement des liens avec l'Inde a bientôt pour contrepartie un rapprochement avec le rival de ce pays, le Pakistan, pourtant allié des États-Unis et membre de l'OTASE !

La diplomatie chinoise tente surtout de marquer des points en Afrique, alors en pleine décolonisation, et Zhou Enlai y fait de décembre 1963 à février 1964 un périple qui a un énorme retentissement. Outre la signature d'importants accords économiques, le gouvernement de Pékin reçoit une large consécration politique : la grande majorité des pays africains nouvellement admis à l'ONU le reconnaissent comme représentant officiel de la Chine, ce qui au sein de l'organisation internationale affaiblit la position de Taiwan et des États-Unis. Vis-à-vis des Occidentaux, le seul succès de la diplomatie chinoise est la reconnaissance par la France gaulliste du régime de Pékin en 1964, une commune hostilité au dualisme soviéto-américain expliquant en grande partie ce rapprochement.

Confortés par l'explosion de leur première bombe A en octobre 1964, les Chinois se présentent volontiers aux yeux de nombreux pays ou groupements révolutionnaires comme le principal adversaire de l'«impérialisme américain», depuis la «trahison des révisionnistes soviétiques». Ils soutiennent alors certains «mouvements révolutionnaires comme au Dhofar (Moyen-Orient) et en Érythrée, tout en suivant de près la poussée communiste dans le Sud-Est asiatique, au Vietnam et en Indonésie (jusqu'à la contre-révolution de 1965). Mais la Chine n'a ni les moyens financiers, ni les moyens militaires pour se constituer des «zones d'influence» analogues à celles de l'Union soviétique ou des États-Unis, et le déclenchement de la Révolution culturelle va au contraire entraîner un net repli.

• De l'isolement à la consécration internationale (1966-1972)

Pendant la Révolution culturelle (d'ailleurs mal perçue ou mal comprise à l'étranger, même parmi de nombreux pays amis), la politique extérieure chinoise connaît une véritable éclipse. Dans un contexte international critique, marqué notamment par l'escalade américaine au Vietnam, la Chine s'enferme dans son isolement. Les violentes attaques verbales contre « l'impérialisme yankee » et le « social-impérialisme russe » comme la mise à sac de l'ambassade de Grande-Bretagne par les Gardes rouges à Pékin en août 1967 masquent en fait une inaction presque totale : le soutien apporté au Nord-Vietnam, par exemple, est sans commune mesure avec l'intervention des « volontaires chinois » dans la guerre de Corée en 1950.

L'explosion de la première bombe H, au cours de l'été 1967, rappelle cependant au monde que la Chine n'a pas renoncé à se doter des moyens militaires les plus modernes pour pouvoir éventuellement discuter d'égal à égal avec les grandes puissances. En 1969, de graves incidents de frontières le long du fleuve Ossouri enveniment encore davantage les rapports sino-soviétiques. Le gouvernement de Pékin considère désormais comme prioritaire la menace des « nouveaux tsars ». Mais, en cas de conflit avec l'URSS, sur quel appui extérieur pourrait compter la Chine ?

Amorcé dès 1970 par l'établissement de relations officielles avec le Canada, l'Italie et la Yougoslavie, le réveil de la diplomatie chinoise se manifeste de façon éclatante dans les années suivantes. En octobre 1971, la République populaire fait son entrée par la grande porte à l'ONU où elle remplace Taiwan non seulement comme représentant de la Chine mais aussi comme membre permanent du Conseil de sécurité. Malgré les réticences des États-Unis (qui ont voté contre son admission), le gouvernement de Pékin est donc officiellement reconnu comme un des cinq grands de l'organisation internationale où il déclare pourtant vouloir être considéré comme un pays du tiers-monde et non comme une superpuissance. Se multiplient alors les échanges diplomatiques avec la plupart des pays qui jusqu'alors ne reconnaissaient officiellement que Taiwan, l'Iran, la Turquie, le Chili… en 1971, le Mexique, l'Argentine, le Japon, la Nouvelle-Zélande, la République fédérale d'Allemagne en 1972…

Avec les États-Unis, les rapports pourtant tendus à cause de la guerre du Vietnam s'améliorent brusquement au printemps 1971. Un match de tennis de table entre équipes américaine et chinoise, suivi d'un voyage du secrétaire d'État Kissinger à Pékin, débloque la situation. La « diplomatie du ping-pong » s'avère bientôt payante et le président des États-Unis, Nixon, vient en février 1972 faire une visite spectaculaire en Chine, premier pas vers la reconnaissance officielle (qui n'interviendra qu'en 1978). Au monde bipolaire des années 1950 et 1960, la Chine oppose désormais sa « théorie des trois mondes » formulée par Deng Xiaoping à la tribune de l'ONU en avril 1974 : les États-Unis et l'URSS constituant le premier monde, les « zones intermédiaires » (Europe, Japon, Canada) le second, l'Asie, l'Afrique et l'Amérique latine formant le « tiers-monde ». La Chine aspirerait-elle à en être le leader ?

Mouvement des idées et pratiques culturelles

Les progrès accomplis par la transmission à distance des images et le développement de la télévision ont favorisé, avec l'instantanéité et la mondialisation des informations, une certaine uniformisation des mentalités. Presse et édition sont de plus en plus étroitement soumises aux lois du marché, aux impératifs de la concentration financière et à la concurrence de l'audiovisuel. Aux États-Unis comme dans les autres pays industriels, les années 60 voient se développer une critique souvent virulente de la société de consommation et du modèle productiviste, liée au heurt des générations. Elles coïncident également avec un puissant renouvellement culturel qui affecte aussi bien le champ de la culture des élites que celui des cultures de masse : le cinéma, la musique dérivée du jazz, la bande dessinée. Sur le plan religieux, les *sixties* connaissent, à l'initiative du pape Jean XXIII, une entreprise de «mise à jour» de l'Église catholique, élaborée dans le cadre du concile Vatican II.

Mondialisation et instantanéité de l'information

• Le « direct » à l'échelle planétaire

Du milieu des années 50 au début de la décennie 1970, les techniques de communication à distance enregistrent de spectaculaires progrès. Inventé aux États-Unis en 1948, le transistor a bouleversé les règles de l'écoute radiophonique, en permettant la construction en série et à très bon marché de récepteurs de petites dimensions, alimentés par piles et dotés de ce fait d'une totale autonomie. Grâce à lui, la radio est devenue pour beaucoup un élément essentiel de la vie quotidienne, toile de fond sonore ponctuée d'informations de tous ordres et véhicule d'une sous-culture industrialisée et uniformisée. En avril 1961, lors du « putsch d'Alger », son rôle paraît avoir été déterminant dans la résistance passive opposée par les soldats du contingent aux initiatives des généraux rebelles.

Plus importantes encore sont les transformations accomplies par la télévision. En 1970, on compte près de 250 millions de récepteurs dans le monde, dont une centaine aux États-Unis et une dizaine de millions en France, où il n'y avait en 1953 que 60000 « petits écrans ». Parallèlement à cet extraordinaire élargissement du public – à la fin de la période, un homme sur trois au moins est, épisodiquement ou régulièrement, un « téléspectateur » – il s'opère une révolution dans la transmission à distance des images grâce à la mise au point des satellites de télécommunications. Le premier en date, le Telstar, a été mis en orbite le 10 juillet 1962, permettant la télévision en direct entre deux continents, à partir des stations d'Andover aux États-Unis et de Pleumeur-Bodou en France. Au cours des années suivantes, des progrès considérables ont été obtenus avec les engins Early Bird (1965) et Intelsat II et III (1967-1968). Quand des centaines de milliers de téléspectateurs du monde entier ont pu, le 20 juillet 1969, assister sur leurs écrans de télévision à l'exploit des astronautes d'Apollo XI et aux premiers pas de Neil Armstrong sur la lune, on a pu parler véritablement de « direct » à l'échelle planétaire.

• Comprendre ou consommer ?

L'information immédiate, étendue à toutes les parties du monde, rendue concrète et sensible par le support de l'image, constitue sans aucun doute un instrument de connaissance (sa technologie devenant elle-même objet de culture) dont ne disposait pas la génération de l'avant-guerre, ou même celle des années de la « guerre froide ». Même lorsqu'ils ne sont pas vécus en « direct », nombreux sont les événements – l'assassinat de J.F. Kennedy à Dallas, les barricades de la rue Gay-Lussac à Paris en mai 1968, l'entrée des chars soviétiques à Prague, etc. – qui apparaissent sur le petit écran quelques heures seulement après leur déroulement, ce qui accroît singulièrement leur charge émotionnelle et rend chaque individu plus solidaire de ce qui se passe, à tout moment, dans d'autres secteurs de la planète.

Reste que l'instantanéité et la mondialisation des informations transmises par les grands média audiovisuels ne concernent souvent qu'une infime partie des événements qui ponctuent notre histoire immédiate. Soit parce que les entraves mises par le pouvoir au travail des professionnels de l'information aboutissent dans les pays dictatoriaux à un tri sévère des « nouvelles » et des documents qui s'y rapportent. Soit parce que, là où l'information est théoriquement libre, elle est considérée très souvent comme un produit de consommation, obéissant aux règles du marché et tributaire pour sa diffusion du quasi-monopole exercé par les grandes agences internationales – *Associated Press, United Press International, Havas, Reuter* – plus soucieuses de réaliser le « scoop » et de produire l'image-choc qui fait l'événement que d'informer sereinement et objectivement le public. Une telle situation ne peut qu'être préjudiciable au public des pays industrialisés, bientôt relégués, si on n'y prend garde, au rang de récepteurs passifs, de simples consommateurs d'informations. Elle défavorise plus encore les spectateurs potentiels des pays en voie de développement, dont l'évolution risque d'être influencée dans un sens ou dans un autre par ce déséquilibre des sources d'information. En 1976, la Résolution de New Delhi insiste sur la nécessité de « décoloniser l'information ».

Les conséquences de cette évolution sur la psychologie collective et sur l'identité culturelle des peuples sont considérables. Elles sont également contradictoires et difficilement mesurables. Incontestablement, le phénomène favorise une certaine uniformisation des mentalités, ceci conformément à un modèle qui, à cette date, est celui de la grande puissance industrielle de l'Ouest. En 1972-1973, les États-Unis contrôlent en effet plus de 65 % des flux mondiaux d'information et ceci n'est pas sans conséquence sur la façon dont une bonne partie des habitants de la planète voient les autres et se voient eux-mêmes.

Plus incertains sont les effets de l'accoutumance des hommes à l'image, sans cesse reproduite, de la misère, de la violence et de la mort. Selon les individus, les milieux et les circonstances, ou selon les « doses » administrées au public par les manieurs d'opinion, celle-ci peut tout aussi bien éveiller de salutaires réflexes d'humanité et de solidarité que rendre banal le malheur du monde, ou pire le transformer purement et simplement en spectacle.

Médias et culture de masse : l'écrit

• La presse

Véhicule privilégié de l'information jusqu'au milieu des années 50, la presse connaît depuis cette date un déclin régulier qui affecte surtout les grands quotidiens d'audience nationale. Le phénomène s'explique d'abord par l'engouement grandissant du public pour la radio et la télévision. Il est vrai qu'au cours de la période, le coût d'achat des récepteurs diminue et que le message radiophonique ou télévisuel s'insère plus étroitement dans la vie quotidienne des hommes. D'autant qu'un média comme la radio sait proposer à son public une information « tous azimuts », allant du politique au culinaire, en passant par la simple « présence » vocale d'un animateur que l'on sait pouvoir retrouver chaque jour.

L'essoufflement de la presse écrite traditionnelle s'explique encore par des considérations socioculturelles – disparition ou raréfaction des lieux de sociabilité (le café, le cercle, etc.) où la lecture commentée du journal prenait un aspect collectif – et des contraintes économiques. Paradoxalement, la révolution technique des procédés de fabrication et de rédaction-photocomposition se substituant à la composition typographique, recours à l'ordinateur, introduction de l'offset, dérivé de la lithographie, pour l'impression proprement dite, progrès des télécommunications par ondes pour la transmission des nouvelles, etc. – ne s'est pas accompagnée d'une réduction des coûts. Il s'agit en effet de techniques onéreuses, vite dépassées, exigeant des investissements élevés et constamment renouvelés. De surcroît, la forte organisation des métiers de l'imprimerie et leur traditionnelle combativité (longues grèves dans ce secteur, aux États-Unis en 1962-1963, en France en 1975) ont empêché les entreprises de presse de comprimer autant qu'elles l'auraient voulu les effectifs et les prix de la main-d'œuvre. Il en est résulté un déficit croissant des budgets de fonctionnement des journaux, de plus en plus difficilement comblé par l'augmentation du prix de vente et le recours à la publicité. Ces contraintes techniques, jointes à la désaffection du public (en 1946, en France, on compte 370 exemplaires tirés pour 1 000 habitants, en 1968 : 252) et à l'action concertée de certains « magnats » de la presse, ont abouti à une forte concentration de la presse quotidienne.

Cette crise de la presse, particulièrement aiguë dans des pays comme la France et l'Italie, n'affecte pas également tous les secteurs de cette activité. Les quotidiens régionaux, dans lesquels l'information locale retient en priorité l'attention du public, résistent mieux car la radio (jusqu'à l'apparition des « radios libres ») et la télévision peuvent difficilement satisfaire ce type de curiosité. Il en est de même des hebdomadaires politico-culturels (*Le Nouvel Observateur, L'Express, Le Point, Der Spiegel,* etc) et des journaux de qualité *(Le Monde)* qui offrent à un public plus « trié » un commentaire élaboré et détaillé de l'information. L'« hebdo » s'inspire à la fois du modèle américain *(news magazine)* et de l'hebdomadaire littéraire et politique de l'entre-deux-guerres.

Les feuilles à grand tirage ont beaucoup plus de mal à retenir leur public, tel *France-Soir* qui a perdu entre 1966 et 1976 un demi-million d'acheteurs. Pour garder leur clientèle, elles sont amenées – c'est notamment le cas de la presse populaire britannique *(Daily Mirror)* et allemande *(Bild Zeitung)* – à accentuer le caractère « sensationnel » de leur contenu et de leur forme (recours à l'image-choc, titres « racoleurs », recherche du scandale, etc.). Ce qui n'est pas sans concourir à la diffusion d'une sous-culture standardisée, doublée d'un message politique primaire nourri de l'angoisse et des frustrations d'une partie du corps social. Violence et contre-violence, xénophobie et racisme, dépolitisation et radicalisation de type « poujadiste », trouvent ici un aliment privilégié. Cette dérive dangereuse pour la démocratie n'affecte toutefois qu'une partie de la presse. Celle-ci, dans son ensemble, conserve en effet dans nos sociétés le pouvoir de dénoncer les abus et les atteintes aux règles du jeu démocratique, comme en a témoigné en 1973-1974 le rôle joué par la presse américaine *(Washington Post)* dans l'affaire du Watergate.

• Le livre

Soumis aux mêmes contraintes que la presse – concurrence de l'audiovisuel, coûts de fabrication, etc. – le livre a perdu depuis une trentaine d'années le caractère semi artisanal qu'il avait conservé au lendemain de la guerre. Plus fortement concentrée que dans le passé, la production éditoriale n'a cessé, jusqu'au début de la décennie 1970, d'accroître son chiffre d'affaires (plus de 5 milliards de dollars par an pour l'ensemble de la production mondiale), ses tirages (la moyenne est passée de 10000 exemplaires en 1950 à plus de 15000 en 1970) et le nombre de titres lancés sur le marché (selon l'UNESCO, 460000 en 1966, dont 60000 aux États-Unis, 30000 au Japon, de 20000 à 30000 en France, en Grande-Bretagne et en Allemagne). Cette progression en volume et en valeur est due pour une large part à l'essor de la formule dite du «livre de poche» *(Paperback)* qui a permis de mettre entre les mains d'un public élargi des ouvrages de qualité – «classiques» ou récents – d'un prix relativement modeste.

Mais l'édition moderne vit aussi de pratiques moins éminemment favorables à la démocratisation d'un patrimoine culturel autrefois réservé aux élites. La course au *best-seller,* qui permet à un éditeur de rentabiliser l'ensemble de sa production, passe, dans le meilleur des cas, par la bataille autour des prix littéraires, dans le pire par la manipulation des média et le recours aux formes les plus tapageuses de la publicité. Enfin, de gros tirages sont réalisés dans des genres considérés comme mineurs – roman policier, d'espionnage ou de science-fiction – avec des œuvres d'une valeur et d'un intérêt variables mais qui constituent aujourd'hui l'un des lieux de création des représentations et des mythes dont se nourrit une culture de masse très fortement influencée par des modèles d'outre-Atlantique. En France, entrent dans cette catégorie, outre les traductions d'excellents ouvrages anglais ou américains publiés dans la «Série noire» (Peter Cheyney, James Hadley Chase, Raymond Chandler, etc.), les romans d'espionnage d'un Jean Bruce, d'un Paul Kenny, d'un Gérard de Villiers, etc., souvent porteurs d'une idéologie ultraconservatrice, teintée de xénophobie.

Comme dans le domaine de la presse, l'évolution va dans le sens d'une concentration croissante qui n'est pas sans poser des problèmes à la fois économiques et philosophiques (« monopole» culturel). À lui seul, un groupe comme Hachette contrôle, outre plus d'une dizaine de grands hebdomadaires ou mensuels, des maisons d'édition aussi prestigieuses que Grasset, Fasquelle, Arthème Fayard, Stock, la moitié du marché français d'édition pour la jeunesse. Il exerce par ailleurs la direction des Nouvelles Messageries de la presse parisienne (NMPP) et a fait récemment une percée dans le domaine de l'audiovisuel, en particulier de la vidéo.

Remise en question du modèle productiviste

À partir du début des années 60, on assiste, face aux effets négatifs de la croissance, à une remise en cause du modèle productiviste. Des mouvements de contestation très différents les uns des autres, mais dans lesquels la jeunesse joue un rôle déterminant, expriment le malaise des sociétés industrielles affrontées aux effets de la croissance « sauvage ».

• Aux États-Unis

Ce phénomène apparaît d'abord aux États-Unis, dès la fin des années 50, et revêt un double visage. Celui de la violence, incarné par les « bandes de jeunes » des ghettos urbains et qui a trouvé ses modes d'expression privilégiés dans le rock, l'agressivité du vêtement (blouson noir), du langage (argot) et du comportement (délinquance, « équipées sauvages » dans le style popularisé par le film de Laszlo Benedek – *The Wild one* – sorti sur les écrans en 1954 et interprété par Marlon Brando). Celui d'autre part de la rupture globale et non violente avec le monde conformiste et hiérarchisé des adultes, telle qu'elle s'est manifestée à travers le courant *beatnik.* Héritiers de cette génération « beat », les hippies (du mot *hip* qui s'oppose à *square* – conformiste), font leur apparition aux environs de 1963 en Californie, dans l'État le plus riche du plus riche pays du monde, pas très loin des bases d'où vont partir quotidiennement les hommes et les armes destinés, aux yeux des contestataires, à briser la résistance d'un peuple pauvre, en lutte pour son indépendance et pour une société un peu moins injuste que celle que lui a léguée le colonisateur. Faisant table rase des valeurs productivistes de la société américaine, bientôt organisés en communautés vivant à l'écart des grands centres urbains, les hippies cherchent à se distinguer du monde qui les entoure par leur style de vie, leur refus de l'*establishment* et de la guerre, un retour aux sources culturelles *(folk-song),* leur culte de la nature et de la vie, leur adhésion à des formes de religiosité inspirées de l'Inde, leur apparence physique (barbe, cheveux longs, vêtements de couleur) et l'usage systématique de la drogue, considérée tout à la fois comme « signe » de marginalité et de reconnaissance, provocations à l'égard d'une société souvent puritaine et moyen de « fuite ». Communiant dans la même passion pour le *folk-song* et la *pop music,* ils vont offrir à la jeunesse du monde, conviée à d'immenses rassemblements pacifistes (Woodstock, 1968 ; île de Wight, 1969), un nouveau modèle, un nouveau rituel, où les officiants s'appellent Joan Baez, Bob Dylan, Janis Joplin et Jimmy Hendricks.

Liée ou non à la contestation hippie, s'est développée à partir de 1964 une «révolte étudiante» qui prend également sa source dans les grandes universités américaines de la côte Ouest, Berkeley et San Diego, où enseigne (depuis 1965) le philosophe Herbert Marcuse. Exposant une thématique assez proche de celle de ses homologues, allemands de l'«école de Francfort» (Fromm, Adorno, Habermas, etc.), s'inspirant à la fois de la pensée marxiste et des écrits de Freud, Marcuse dénonce dans ses ouvrages (*Eros et civilisation,* 1955; *L'Homme unidimensionnel,* 1964) les contradictions d'une société qui – au nom de l'accroissement de la productivité – aliène l'individu en créant des besoins artificiels, manipulés par les médias, et sécrète de nouvelles formes de domination et de contrainte.

Pour échapper à l'uniformisation et au conformisme qui caractérisent ce type de société, l'homme n'a d'autre choix que de «faire la révolution», en lui-même et autour de lui, ce qui implique à la fois le défoulement de la nature et des instincts et la libération socio-économique de chaque citoyen. De cette philosophie un peu simplificatrice et qui s'accorde assez bien avec les aspirations d'une génération qui a grandi dans l'abondance et la valorisation du plaisir, est né un vaste mouvement de refus du modèle autoritaire et productiviste. Il gagne rapidement de larges secteurs du monde étudiant et de l'intelligentsia libérale, et prend une tonalité nettement politique dans la lutte contre l'engagement américain au Vietnam.

• Dans le monde

Cette contestation antiproductiviste et anti-autoritaire se répand un peu partout dans le monde. Elle donne lieu, dans de nombreux pays, à une agitation multiforme qui, sans triompher des autorités constituées, n'en débouche pas moins sur une remise en cause – moins dans les domaines économique et politique que dans celui des mœurs – de nombre de certitudes acquises.

Elle inspire, à des degrés divers et avec une grande confusion dans les mobiles de ses promoteurs, aussi bien le «spontanéisme» des gardes rouges maoïstes, s'opposant aux structures figées et hiérarchisées du parti lors de la «grande révolution culturelle prolétarienne», que le comportement révolutionnaire et «anti-impérialiste» des étudiants de Mexico (pendant les Jeux olympiques de 1968) et la révolte de la jeunesse tchécoslovaque, fer de lance du «printemps de Prague». Elle nourrit surtout, dans les pays en pleine mutation économique de l'Europe du Nord et de l'Ouest, le discours et l'action des groupuscules « gauchistes », en lutte à la fois contre des pouvoirs « bourgeois » hâtivement qualifiés de fascistes, et contre les appareils des partis et des syndicats se réclamant de la classe ouvrière, considérés comme sclérosés, totalitaires et incapables de promouvoir un changement de société. En Allemagne, en France, où l'agitation universitaire débouche sur les événements de mai 1968, en Italie, où elle prend la forme endémique d'un « mai rampant », prélude à la dérive terroriste des années 70, la contestation – fortement influencée par le marxisme – l'emporte sur une critique globale de la société de consommation qui trouve surtout des partisans dans les pays de l'Europe du Nord : Angleterre, Pays-Bas et pays scandinaves. Reste qu'un peu partout en Europe, on assiste à une remise en cause de la traditionnelle division du travail entre manuels et intellectuels. Cette critique émane au premier chef de jeunes « fils de bourgeois » culpabilisés par leur statut d'intellectuels « passifs ».

À partir d'une telle attitude, on a même proposé comme facteur d'explication de cette crise de la fin des années 60, l'existence d'un profond conflit de générations débouchant sur une sorte de règlement collectif de l'Œdipe, à travers la « révolte contre le père » (Gérard Mendel).

Après 1970, dans un contexte mondial qui annonce déjà le ralentissement de la croissance, le mouvement s'essouffle et s'éparpille en de multiples tendances, quand il n'est pas purement et simplement récupéré – culturellement et économiquement – par les pouvoirs et par les élites dont il s'était fait l'accusateur. De la critique corrosive qu'il a dressé du modèle productiviste, il reste toutefois une vaste production intellectuelle, affectant tous les secteurs de la culture, et une réflexion globale sur l'avenir de nos sociétés industrielles, qui trouvera son actualité avec la crise.

Cultures et modernité

• Le champ littéraire

Avec les années 60 et le début de la décennie suivante, l'épicentre de l'innovation littéraire s'est à nouveau déplacé vers l'Europe et en particulier vers la France où le relais de la vague « existentialiste » a été pris par de jeunes littérateurs dont le succès provient de leur aptitude à exprimer de nouvelles valeurs libérées des contraintes morales et formelles imposées par la tradition – *Bonjour tristesse* de Françoise

Sagan paraît en 1954 – et surtout par l'école du « nouveau roman ». Pour les auteurs qui relèvent de ce courant, Alain Robbe-Grillet, Michel Butor, Nathalie Sarraute, Jean Ricardou, auxquels on peut rattacher des écrivains tels que Claude Simon, Philippe Sollers et Marguerite Duras, l'accent est mis sur le rôle des formes, des figures, du langage dans la création romanesque, aux dépens du récit linéaire et de la psychologie des personnages. Cette révolution littéraire s'est, à bien des égards, accomplie contre l'existentialisme et contre le marxisme, qui avaient l'un et l'autre privilégié l'action et l'engagement de l'écrivain. Le « nouveau roman », tout comme le « théâtre de l'absurde » qui triomphe au même moment avec Samuel Beckett, Eugène Ionesco et d'une certaine manière Jean Genet, se développe sur fond de remise en cause générale des valeurs collectives et de déconnexion entre la littérature et l'idéologie, caractéristique d'une époque de relâchement des tensions sociales et internationales.

Le reflux de la vague du « nouveau roman » n'a pas été suivi de l'éclosion de nouvelles écoles, ni de l'affirmation d'une véritable tendance dominante. Les grands noms de la littérature européenne, comme ceux de Marguerite Yourcenar, première femme (d'origine belge) à entrer à l'Académie française, du Suisse Albert Cohen, des Italiens Elsa Morante, Alberto Moravia, Italo Calvino, de l'Espagnol José Bergamin, du Soviétique Mikhaïl Solokov, etc., appartiennent à la génération précédente. Il émerge certes, dans les différents pays du vieux continent, à l'Ouest comme à l'Est, des personnalités de valeur, notamment en Europe méditerranéenne, mais la « grande » littérature paraît désormais avoir élu domicile sous d'autres cieux : en Amérique latine, avec le Colombien Garcia Marquez, l'Argentin Jorge Luis Borges, le Cubain Alejo Carpentier ; en Afrique du Nord, avec l'Égyptien Neguib Mafouz et l'Algérien Tahar Ben Jelloun, au Japon, avec Yukio Mishima, etc., tous témoins d'un temps qui voit s'affronter à un rythme croissant les pesanteurs du passé et les impératifs de la modernité.

• Du *rock* à la *pop music*

Outre le cinéma, c'est incontestablement dans le domaine de la chanson et de la musique que se sont opérées les transformations, sinon les plus importantes, du moins les plus significatives de la période. *« Quand le jazz est là, la java s'en va »,* dit une chanson de Claude Nougaro. La formule résume assez bien la mutation qui s'opère en Europe, à peu près au moment où la « nouvelle vague » s'impose dans le domaine cinématographique. Encore que ce ne soit pas à proprement parler le *jazz* qui substitue sa suprématie à celle du « musette » et de la chanson de variété, mais plutôt une forme commerciale du *blues* : le *rock and roll,* apparu aux États-Unis aux environs de 1956 et popularisé par des chanteurs tels que Eddie Cochran, Gene Vincent et surtout Elvis Presley, idole pendant de longues années de la jeunesse d'outre-Atlantique qui retrouve en lui cette «fureur de vivre» dont James Dean (mort prématurément en 1955) avait été le symbole derrière les caméras. En 1960, le *rock* fait son apparition en Europe et y remporte aussitôt un triomphe que favorise la diffusion du transistor et du microsillon. En France, où, dans le registre inauguré par Charles Trenet, se développent une chanson poétique et une chanson de variété de qualité qu'illustrent les noms de Georges Brassens (1921-1981), Jacques Brel (1929-1978), Jean Ferrat, Léo Ferré, etc., la vague de la *pop music* concerne plus la consommation que la création et les grandes figures du rock français – un Johnny Hallyday, un Eddy Mitchell – sont loin de recueillir une audience internationale comparable à celle des groupes britanniques : Beatles et Rolling Stones. Musique simple et spontanée, née dans les milieux populaires, expression tout à la fois de la difficulté et de la soif de vivre d'une génération perturbée par les effets contrastés de la croissance – enfants perdus des ghettos urbains ou fils de bourgeois contestataires de l'ordre productiviste établi par leurs pères – la *pop music* n'a pas tardé à être récupérée par les principaux bénéficiaires de son succès, pour donner naissance au début des années 70 à un produit de consommation industrialisé et stéréotypé, dont la jeunesse ne perçoit pas toujours tout le pouvoir que les média et les financiers du *show-business* exercent sur elle à travers ce canal.

• Cinéma et télévision

Contestation et uniformisation coexistent tout autant dans le domaine de l'audiovisuel.

C'est à la charnière des années 50 et 60 que se produit la grande rupture de l'histoire du cinéma de l'après-guerre. Elle a lieu en France, à un moment où se conjuguent contradictoirement les effets de la croissance, de la stabilisation politique et de la guerre d'Algérie. C'est en effet entre 1958 et 1961 que se développe le phénomène de la «nouvelle vague», point d'aboutissement de la réflexion critique entreprise depuis le début de la décennie 1950 par la petite équipe réunie autour des *Cahiers du cinéma.* Réaction contre la tendance à la commercialisation de la production cinématographique, visant à substituer un «cinéma d'auteur» réalisé avec des budgets modestes, aux productions industrialisées, standardisées et essentiellement récréatives qui paraissent devoir l'emporter avec le triomphe de la société de consommation. Des œuvres comme *Le beau Serge* de Claude Chabrol (1958), *Les 400 coups* de François Truffaut (1959), *À bout de souffle* de Jean-Luc Godard (1960), inaugurent cette révolution du septième art, également illustré par les noms d'Alain Resnais (*Hiroshima mon amour,* 1959), Éric Rohmer (*Le signe du lion,* 1960), Jacques Rivette, etc. Aussi le jeune cinéma français illustre-t-il une bonne partie du cinéma mondial, de la Pologne (films d'Andrzej Wajda, débuts de Roman Polanski) au Brésil (œuvres de Glauber Rocha et Guy Guerra) en passant par le Canada et la Belgique (André Delvaux). Au cours des mêmes années, le cinéma italien connaît son âge d'or : dans le prolongement du courant néo-réaliste, des cinéastes comme Fellini *(La Strada),* Visconti *(Rocco et ses frères),* Antonioni *(Le cri),* Rosi, Bertolucci, etc., s'attachent à exprimer de façon globale tous les problèmes de notre temps.

La « nouvelle vague » prend son essor à un moment où, concurrencée par la télévision, l'industrie cinématographique subit les premiers effets d'une crise, un peu comparable à celle de la presse, et qui va s'aggraver au cours de la décennie suivante.

Le « petit écran » connaît en effet, durant la même période, un développement spectaculaire et devient, avec les années de la prospérité, le principal instrument de la communication de masse. Tandis qu'il tend à transformer en spectacle quotidien, diffusé à hautes doses, le rite familial hebdomadaire du « cinéma de quartier », réduisant la consommation filmique aux cercles plus restreints d'un public composé en majorité de jeunes et de représentants des catégories aisées de la population, il concourt puissamment à la propagation d'une culture standardisée, nourrie de l'univers aseptisé des « feuilletons », des « télé jeux » et des émissions de variétés. Mais la télévision est aussi devenue une fenêtre sur le monde, grâce aux images d'actualité fournies par les « journaux » et par des « magazines » de haute qualité *(« Cinq colonnes à la une »).*

• Bande dessinée et message publicitaire

Héritière d'une tradition qui remonte au premier tiers du XIXe siècle, la bande dessinée a connu depuis le début du XXe siècle un remarquable succès, lié à la vogue des journaux illustrés pour enfants et adolescents. Avec les années 30 commence la pénétration des comics américains (Mickey, Tarzan, Mandrake le magicien, plus tard les « superhéros » Batman et Superman), bientôt adaptés ou imités par les dessinateurs européens. Après la coupure de la guerre, triomphent pendant une quinzaine d'années les productions de l'école dite « franco-belge », dominée par les auteurs et les dessinateurs groupés autour du *Journal de Spirou* (Lucky Luke), du *Journal de Tintin* (du Belge Hergé, Michel Vaillant, etc.), du *Journal de Pif* et bientôt de *Pilote* (Astérix). Jamais absente de ces publications, la BD américaine, qui inspire fréquemment les thèmes et le graphisme de leurs séries, effectue une nouvelle percée en Europe au début des années 60, occupant le terrain jusqu'alors peu exploité dans nos pays de la production pour adultes et jouant sur l'intérêt d'une partie du public pour la science-fiction, le fantastique et l'érotisme. En France, des périodiques comme *Hara-Kiri* et *Pilote,* devenu à partir de 1965 un hebdomadaire pour adultes, comptent parmi les principaux vecteurs de ce nouveau courant. Depuis cette date, la BD n'a cessé d'élargir son audience. Phénomène de civilisation qu'expliquent à la fois, à côté d'un certain snobisme intellectuel, le déclin de l'écrit et le besoin pour beaucoup de nos contemporains d'échapper aux pesanteurs du réel.

Si l'univers de la BD est très largement celui du rêve et peut véhiculer des messages politiques fortement subversifs (cf. la BD *underground* des années 1970), l'iconographie publicitaire appartient davantage au domaine du quotidien et contribue à la mise en place d'un conformisme social qui représente l'un des moteurs de l'économie de marché. Elle concourt ainsi à l'uniformisation des sociétés industrielles. L'image-choc et la légende qui s'y rattache entrent de cette manière dans l'univers mental de l'homme du XXe siècle et font désormais partie de notre système de références, autant que l'imagerie d'Épinal et les quelques citations « classiques » glanées tout au long du cursus scolaire. Des expressions telles que « mettez un tigre dans votre moteur » ou la lessive X « lave plus blanc » ne suscitent-elles pas les mêmes « clins d'œil » que tel vers de Corneille ou de La Fontaine répété par des générations d'élèves et devenu une formule proverbiale ?

• Architecture et arts plastiques

Qu'il utilise les technologies de pointe ou vise de plus en plus l'intégration dans l'environnement, l'art « contemporain » s'attache à transcrire ou même à fonder la « modernité ». Et d'abord l'urbanisme et l'architecture, qui bénéficient rarement de conditions aussi favorables que celles qui ont présidé, à la fin des années 50, à l'édification de Brasilia, nouvelle capitale du Brésil, créée *ex nihilo* en plein désert, à 1 000 kilomètres de la mer : volonté créatrice du président Kubitschek, investissements considérables, absence de contraintes liées au passé et à la présence d'un ensemble urbain préexistant, génie enfin de Lucio Costa, qui a conçu le plan d'ensemble de la ville et d'Oscar Niemeyer, architecte de la quasi-totalité des édifices publics, à commencer par le Palais des Congrès, un building de trente étages à double corps, parfaitement isolé dans le paysage urbain. Réussite incontestable d'une architecture qui n'est pas plaquée, comme c'est trop souvent le cas en Europe, sur un paysage hétéroclite, mais qui s'intègre avec bonheur dans un ensemble urbanisé conçu en fonction d'elle-même.

Les pesanteurs économiques (problèmes budgétaires, coût du terrain, des matériaux et de la main-d'œuvre), sociales (nécessité de construire des logements à bon marché pour des familles aux revenus modestes) et politiques (spéculation foncière et immobilière favorisée par la collusion fréquente entre intérêts financiers et milieux proches du pouvoir, absence d'une politique cohérente en matière d'urbanisme) ont souvent contraint les architectes à concevoir des ensembles médiocres : immeubles stéréotypés, villes-dortoirs sans âme et vite dégradées, zones «rénovées» édifiées à des fins spéculatives sur l'emplacement de quartiers traditionnels, moins étrangers à l'univers du citadin. De ce gâchis émergent toutefois des réalisations de qualité : la tour «Pirelli» à Milan, le centre Beaubourg à Paris, plus récemment la tentative de restauration d'un style «néo-classique», par ailleurs très discuté, de l'architecte catalan Ricardo Bofill à Marne-la-Vallée.

L'intégration des arts dans la cité, dans une perspective pluridisciplinaire, constitue un domaine où peuvent le mieux être réconciliés les impératifs industriels, les possibilités de la technique, le respect de l'environnement et le talent des artistes. Tel était déjà, il y a une soixantaine d'années, l'objectif du *Bauhaus*. Tel est aujourd'hui celui que se sont fixé des artistes comme l'esthéticien Georges Patrix ou comme Victor Vasarely, moins soucieux de «vulgariser» la connaissance de l'art enfermé dans les musées que de donner à une population entière la possibilité de vivre au milieu d'un art authentique, inséré dans l'espace urbain et intimement lié à la structure architecturale.

Replacer l'œuvre d'art au cœur de l'univers quotidien de l'homme du XXe siècle, telle est également depuis une quinzaine d'années la préoccupation des promoteurs de l'«art sauvage», créateurs d'objets éphémères et non commercialisables, qu'il s'agisse des «pénétrables» de Soto, des «gonflables» de Christo, ou encore des «environnements» de Boltanski et Segal. Le «pénétrable» est constitué d'un ensemble de lanières de matières plastiques, agencées en fonction de l'imagination de l'artiste. Il est conçu de telle manière que l'homme puisse circuler à l'intérieur de l'œuvre de façon à devenir partie intégrante de celle-ci. Sans lui, la sculpture n'est qu'un ensemble dérisoire de cordes de couleur. C'est sa présence et son mouvement qui lui donnent sa véritable signification.

C'est au contraire la volonté de récupération du matériel iconographique véhiculé par la culture de masse (publicité, télévision, bandes dessinées, photographies de presse, etc.) qui motive l'entreprise du *pop art,* surtout représenté dans les pays anglo-saxons. Pour les chefs de file de ce courant – illustré aux États-Unis par Lichtenstein, Oldenburg, Rosenquist, Warhol, Wesselman, etc., en Grande-Bretagne par Richard Hamilton, Peter Blake et Richard Smith – l'art n'est plus évasion mais simple constat de la réalité dans son aspect le plus banal : par exemple la photographie de l'actrice Marilyn Monroe, répétée à l'infini par un procédé mécanique (sérigraphie) utilisé par l'Américain Andy Warhol.

De plus en plus, le plasticien tend à utiliser des technologies d'avant-garde, tantôt comme objet de l'œuvre d'art (les sculptures électromagnétiques de Vassilakis Takis), tantôt comme instrument de conception et de production d'images, de couleurs et de sons. Avec la « peinture », la « sculpture » et la « musique » informatiques, l'ordinateur élargit encore davantage le domaine immense qui est le sien dans l'univers des sociétés postindustrielles.

L'*aggiornamento* de l'Église catholique

• Vatican II

L'ouverture de l'Église catholique au monde moderne, dans le courant de la décennie 1960, ne constitue pas le moindre des changements intervenus depuis la guerre dans le domaine de l'esprit.

L'initiative en revient au pape Jean XXIII qui, trois mois seulement après son élection au pontificat, annonça son intention de réunir un concile œcuménique (25 janvier 1959). Il surprit d'autant plus l'opinion catholique internationale que, traditionnellement, la Curie n'usait de la lourde institution conciliaire qu'en cas de crise interne ou externe de l'Église. Chez les traditionalistes, l'inquiétude succède à la surprise quand, quelques mois plus tard, le pape définit en ces termes le but qu'il assigne au concile : il ne s'agit pas, précise-t-il, de combattre une erreur ou de condamner une hérésie, mais de pousser l'Église à une réflexion sur elle-même, à un retour aux sources de la foi pour lui permettre d'engager un dialogue fructueux avec son temps. Autrement dit, d'effectuer une «mise à jour» *(aggiornamento)* de son enseignement, de ses structures et de ses rapports avec l'ensemble de la communauté humaine, chrétiens et non-chrétiens, croyants et non-croyants.

Le concile Vatican II a réuni à Rome d'octobre 1962 à décembre 1965 plus de 2500 «pères conciliaires», évêques et cardinaux représentant toutes les parties et toutes les nations du monde. Commencé sous le pontificat de Jean XXIII, il s'achève sous celui de son successeur Paul VI, élu au trône de saint Pierre en juin 1963. À la minorité conservatrice, essentiellement représentée par les membres de la Curie romaine, s'est opposée dès la première session du concile (il y en aura quatre) une majorité de prélats favorables au renouveau de l'Église et dont les chefs de file sont le cardinal Liénart, archevêque de Lille, le cardinal Suenens, archevêque de Malines-Bruxelles, les cardinaux Doepfner et Koenig (Munich et Vienne) et Mgr Montini, archevêque de Milan et futur pape Paul VI. Lorsque s'achève sa dernière session, le concile a adopté un certain nombre de textes qui renouvellent profondément le visage de l'Église romaine et définissent sa place dans le monde moderne. Les plus novateurs concernent la reconnaissance du pluralisme, à l'intérieur comme à l'extérieur de l'Église. L'affirmation de la liberté religieuse, la primauté donnée à la destination commune des biens sur la propriété privée, l'élargissement de la notion de collégialité à tous les niveaux de la hiérarchie ecclésiastique, l'assouplissement de la notion de tradition, etc.

Parallèlement à l'œuvre du concile, les deux pontifes de l'*aggiornamento* n'ont cessé de manifester leur intérêt pour les affaires du monde : Jean XXIII en publiant les deux grandes encycliques *Mater et Magistra* (mai 1961), consacrées aux plus récents développements de la question sociale, et *Pacem in terris* (mai 1963) sur la paix entre les nations et qui, dans un ton nouveau, s'adresse «à tous les hommes de bonne volonté»; Paul VI en inaugurant une politique toute nouvelle de déplacements dans toutes les parties de la planète : à Genève, à Jérusalem, à Fatima, en Amérique latine, en Inde, en Australie, en Asie du Sud-Est, enfin à l'ONU où, se présentant comme «expert en humanité», il a prononcé en octobre 1965 un pathétique discours en faveur de la paix.

• Les problèmes de l'église post-conciliaire

Les décisions du concile ont été prolongées, sous le pontificat de Paul VI (1963-1978), par toute une série de mesures modifiant profondément les structures de l'Église catholique. Au sommet, les institutions pontificales ont été transformées dans le sens de la simplification et de la décentralisation. La Curie a été internationalisée et le nombre de prélats italiens placés à la tête des services a fortement diminué. La collégialité épiscopale s'exprime désormais à travers le Synode des évêques, sorte de petit concile que le pape peut aisément convoquer pour s'informer ou prendre conseil, et les «Conférences épiscopales nationales» qui réunissent les évêques dans chaque pays. Enfin, une réforme liturgique substitue progressivement au latin les langues nationales et s'efforce d'obtenir du fidèle une participation active aux offices religieux.

Ce renouvellement se heurte cependant à une double opposition : celle des catholiques traditionnels qui reprochent à la hiérarchie d'avoir poussé trop loin sa volonté de réforme. Celle d'autre part des «contestataires» qui attendent au contraire des transformations plus radicales : fidèles que le conservatisme de l'Église en matière de contrôle des naissances (encyclique *Humanae vitae,* 1968) a déçus; prêtres qui réclament leur intégration totale à la vie de la société laïque (droit au mariage, à l'activité salariée, à l'engagement politique dans la voie du socialisme); représentants enfin de certains clergés nationaux qui, par la voix de leurs évêques (notamment du cardinal Suenens), reprochent au pape de se comporter en monarque absolu, chef d'une puissance temporelle. L'Église des années 70, comme toutes les institutions de son temps, subit – malgré les réajustements conciliaires et postconciliaires – les effets d'une crise qui affecte tous les aspects de la civilisation contemporaine.

Index général

Maquette : Alain Berthet et Graphismes
Graphiques : Hugues Piolet
Cartographie : Agraph

Imprimé en Italie par

LA TIPOGRAFICA VARESE
Società per Azioni
Varese

Achevé d'imprimer en juin 2001
N° d'edition 19052 / N° d'impression L 57365
Dépôt légal : Mai 2002